PASO A PASO

1

Unas molas de San Blas, Panamá

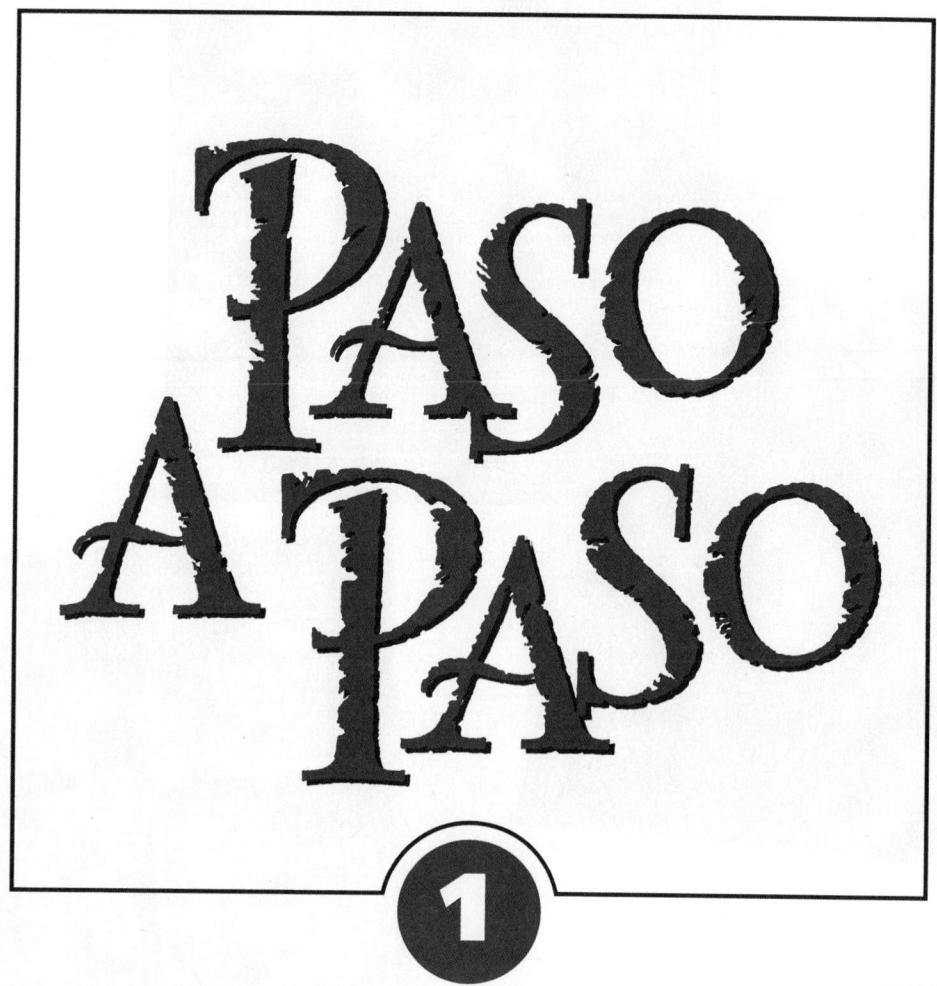

PASO A PASO

1

Myriam Met
Coordinator of Foreign Languages
Montgomery County Public Schools
Rockville, MD

Richard S. Sayers
Longmont, CO

Carol Eubanks Wargin
Glen Crest Junior High School
Glen Ellyn, IL

Prentice
Hall

Glenview, Illinois
Needham, Massachusetts
Upper Saddle River, New Jersey

ISBN: 0-673-58922-6
21 22 23 24 V057 11 10

Contributing Writers

Eduardo Aparicio
Miami, FL

Margaret Juanita Azevedo
Stanford University
Palo Alto, CA

Thomasina Pagán Hannum
Albuquerque, NM

Mary de López
Río Rancho Public Schools
Río Rancho, NM

Jacqueline Hall Minet
Brooklyn, NY

Reader Consultants

The authors and editors would like to express our heartfelt thanks to the following team of reader consultants. Each of them read the manuscript, chapter by chapter, offering suggestions and providing encouragement. Their contribution has been invaluable.

Rosario Martínez-Cantú
Northside Health Careers High School
San Antonio, TX

Greg Duncan
InterPrep
Marietta, GA

Barbara A. Gordon
Apopka High School
Apopka, FL

Walter Kleinmann
Sewanhaka Central High School District
New Hyde Park, NY

Bernadette M. Reynolds
Parker, CO

Rudolf L. Schonfeld, Ph.D.
Parsippany-Troy Hills School District
Parsippany, NJ

Marcia Payne Wooten
Starmount High School
Boonville, NC

Tabla de materias

Mapas   xiv

La presencia hispana en los Estados Unidos   xviii

El Primer Paso   1

Theme

► **Introduction to the World of Spanish**

Objectives

► Understand the widespread influence of the Spanish language and Hispanic cultures
► Introduce yourself and say how you are and where you're from
► Tell your age, your phone number, and the date
► Greet people, ask how they are and where they're from, and say good-by
► Use the Spanish alphabet to spell

Sección 1
Vocabulario para conversar   4
¿Cómo somos nosotros?

Sección 2
Vocabulario para conversar   7
¿Cómo te llamas?

Sección 3
Vocabulario para conversar   10
¿De dónde eres?

Sección 4
Vocabulario para conversar   13
La sala de clases

Sección 5
Vocabulario para conversar   16
Uno, dos, tres, . . .

¡Comuniquemos!   20
Expresiones para la clase   21
Repaso: ¿Lo sabes bien?   24
Resumen del vocabulario   25

CAPÍTULO 1 Y tú, ¿cómo eres?

27

Theme

► Friendship

Objectives

► Describe yourself and tell about some of your likes and dislikes

► Find out what other people are like

► Compare your and other people's likes and dislikes

► Talk about teen activities and the concept of friendship in Spanish-speaking countries

¡Piensa en la cultura!   28

Vocabulario para conversar
    ¿Qué te gusta hacer? 30
    ¿Cómo eres? 34

¡Comuniquemos!   38

Perspectiva cultural: La amistad   40

Gramática en contexto   42
    Los adjetivos 43
    Ni . . . ni 44
    Sí/Tampoco 45

Todo junto: Actividades y Conexiones   46

¡Vamos a leer! Buscando amigos   48

¡Vamos a escribir!   50

Repaso: ¿Lo sabes bien?   52

Resumen del vocabulario   53

CAPÍTULO 2 ¿Qué clases tienes?

55

Theme

► School

Objectives

► Describe your class schedule

► List some school supplies you use

► Find out about someone else's schedule

► Compare your school experience with that of a student in a Spanish-speaking country

¡Piensa en la cultura!   56

Vocabulario para conversar
    ¿Qué clases tienes? 58
    ¿Qué hora es? 62

¡Comuniquemos!   66

Perspectiva cultural: Las escuelas mexicanas   68

Gramática en contexto   70
    Los pronombres personales 71
    Verbos que terminan en -ar 73
    Los sustantivos 76

Todo junto: Actividades y Conexiones   78

¡Vamos a leer! Boleta de evaluación   80

¡Vamos a escribir!   82

Repaso: ¿Lo sabes bien?   84

Resumen del vocabulario   85

CAPÍTULO 3 Los pasatiempos 87

Theme
► Sports and Leisure Activities

Objectives
► Talk about some of your leisure-time activities
► Make plans with friends
► Extend, accept, or decline invitations
► Compare leisure-time activities in Spanish-speaking countries with those in the United States

¡Piensa en la cultura! 88

Vocabulario para conversar
  ¿Cuándo vas al parque? 90
  ¿Te gustaría ir conmigo? 94

¡Comuniquemos! 100

Perspectiva cultural: *Plazas y parques* 102

Gramática en contexto 104
  El verbo ir 105
  Ir + a + *infinitivo* 106
  La preposición con 107
  El verbo estar 108

Todo junto: *Actividades y Conexiones* 110

¡Vamos a leer! *Calendario de espectáculos* 112

¡Vamos a escribir! 114

Repaso: ¿Lo sabes bien? 116

Resumen del vocabulario 117

CAPÍTULO 4 ¿Qué prefieres comer? 119

Theme
► Food

Objectives
► Describe what you like and don't like to eat and drink
► Tell when you have meals
► Say whether you are hungry or thirsty
► Compare and contrast eating customs in Spanish-speaking countries and in the United States

¡Piensa en la cultura! 120

Vocabulario para conversar
  ¿Qué te gusta comer? 122
  ¿Tienes hambre? 126

¡Comuniquemos! 130

Perspectiva cultural: *Las horas de las comidas* 132

Gramática en contexto 134
  El plural de los sustantivos 135
  El plural de los adjetivos 137
  Verbos que terminan en -er 138
  Sujetos compuestos 140

Todo junto: *Actividades y Conexiones* 142

¡Vamos a leer! *La historia del chocolate* 144

¡Vamos a escribir! 146

Repaso: ¿Lo sabes bien? 148

Resumen del vocabulario 149

CAPÍTULO 5 ¿Cómo es tu familia?   151

Theme
► Family

Objectives

► Describe family members and friends
► Tell what someone's age is
► Say what other people like and do not like to do
► Explain how names are formed in Spanish-speaking countries

¡Piensa en la cultura!	152
Vocabulario para conversar	
¿Cómo se llama tu hermano? 154	
¿Cómo es tu abuelo? 158	
¡Comuniquemos!	162
Perspectiva cultural: *Nombres y apellidos*	164
Gramática en contexto	166
El verbo tener 167	
El verbo ser 169	
Los adjetivos posesivos 170	
Todo junto: *Actividades y Conexiones*	172
¡Vamos a leer! *Mi primera mascota*	174
¡Vamos a escribir!	176
Repaso: ¿Lo sabes bien?	178
Resumen del vocabulario	179

CAPÍTULO 6 ¿Qué desea Ud.?   181

Theme
► Clothing

Objectives

► Describe the color, fit, and price of clothes
► Ask about and buy clothes
► Tell where and when you bought clothes and how much you paid for them
► Compare where people shop for clothes in Spanish-speaking countries and in the United States

¡Piensa en la cultura!	182
Vocabulario para conversar	
¿Cuánto cuesta la camisa? 184	
¿Cuánto pagaste por el suéter? 190	
¡Comuniquemos!	196
Perspectiva cultural: *Las tiendas en los países hispanos*	198
Gramática en contexto	200
La posición de los adjetivos 201	
Los adjetivos demostrativos 202	
El complemento directo:	
Los pronombres 204	
Todo junto: *Actividades y Conexiones*	208
¡Vamos a leer! *El problema de las dos camisas*	210
¡Vamos a escribir!	212
Repaso: ¿Lo sabes bien?	214
Resumen del vocabulario	215

CAPÍTULO 7 ¿Adónde vas a ir de vacaciones? 217

Theme
► Leisure and Vacation Time

Objectives
► Describe vacation choices and activities
► Talk about the weather
► Discuss what to take on a trip
► Talk about how teens in Chile spend their vacations

¡Piensa en la cultura! 218
Vocabulario para conversar
    ¿Qué puedes hacer en México? 220
    ¿Qué tiempo hace? 224

¡Comuniquemos! 228

Perspectiva cultural: Las vacaciones de los jóvenes chilenos 230

Gramática en contexto 232
    El verbo poder 233
    Para + infinitivo 235
    Los verbos querer y pensar 236
    La a personal 237

Todo junto: Actividades y Conexiones 240

¡Vamos a leer! Deja de soñar y haz la maleta 242

¡Vamos a escribir! 244

Repaso: ¿Lo sabes bien? 246

Resumen del vocabulario 247

CAPÍTULO 8 ¿Qué haces en tu casa? 249

Theme
► Home

Objectives
► Tell where you live
► Describe your home
► Name household chores
► Compare and contrast the use of outdoor space in a home in Spain and in the United States

¡Piensa en la cultura! 250
Vocabulario para conversar
    ¿Cómo es tu casa? 252
    ¿Cómo es tu dormitorio? 256

¡Comuniquemos! 262

Perspectiva cultural: Los patios 264

Gramática en contexto 266
    Los verbos poner y hacer 267
    Los verbos que terminan en -ir 268
    El verbo preferir 270
    Los adjetivos posesivos: Su y nuestro 271

Todo junto: Actividades y Conexiones 274

¡Vamos a leer! La historia de Esteban 276

¡Vamos a escribir! 278

Repaso: ¿Lo sabes bien? 280

Resumen del vocabulario 281

CAPÍTULO 9 ¿Cómo te sientes? 283

Theme
► Health

Objectives
► Describe how you are feeling
► Tell what parts of your body hurt
► Suggest things you or others can do to feel better
► Discuss attitudes toward health and health practices in the Spanish-speaking world

¡Piensa en la cultura! 284

Vocabulario para conversar
    ¡Ay! ¡Me duele el pie! 286
    ¿Qué tienes? 290

¡Comuniquemos! 294

Perspectiva cultural: *La salud* 296

Gramática en contexto 298
    El verbo dormir 299
    El complemento indirecto:
        Los pronombres me, te, le 300
    La expresión hace...que 301
    La sustantivación de adjetivos 303

Todo junto: *Actividades y Conexiones* 304

¡Vamos a leer! *Causas del dolor de cabeza* 306

¡Vamos a escribir! 308

Repaso: ¿Lo sabes bien? 310

Resumen del vocabulario 311

CAPÍTULO 10 ¿Qué hiciste ayer? 313

Theme
► Community

Objectives
► Name various places in your community
► Name activities or errands you do
► Identify different means of transportation available in your area
► Compare and contrast a Hispanic community with a community you are familiar with

¡Piensa en la cultura! 314

Vocabulario para conversar
    ¿Adónde vas? 316
    ¿Dónde queda el banco? 322

¡Comuniquemos! 326

Perspectiva cultural: *Las comunidades hispanas en los Estados Unidos* 328

Gramática en contexto 330
    La preposición de + el 331
    El pretérito de los verbos que terminan en -ar 333
    El pretérito del verbo ir 336

Todo junto: *Actividades y Conexiones* 338

¡Vamos a leer! *El pueblo de tontos* 340

¡Vamos a escribir! 342

Repaso: ¿Lo sabes bien? 344

Resumen del vocabulario 345

CAPÍTULO 11 ¿Qué te gustaría ver?

347

Theme

► Movies and TV Shows

Objectives

► Talk about a TV show or movie
► Tell when events begin and end, and how long they last
► Express and defend an opinion
► Compare and contrast Spanish-language TV shows with the TV shows you usually see

¡Piensa en la cultura! 348

Vocabulario para conversar
   ¿Cuál es tu programa favorito? 350
   ¿Quién es la mejor actriz de cine? 354

¡Comuniquemos! 358

Perspectiva cultural: Los programas de 360
   televisión en los países hispanos

Gramática en contexto 362
   Los comparativos 363
   Los superlativos 366
   El complemento directo:
     Los pronombres y el infinitivo 367
   El pretérito del verbo ver 368
   El complemento indirecto:
     Los pronombres nos y les 370

Todo junto: Actividades y Conexiones 372

¡Vamos a leer! Puerto Rico/televisión 374

¡Vamos a escribir! 376

Repaso: ¿Lo sabes bien? 378

Resumen del vocabulario 379

CAPÍTULO 12 ¡Vamos a un restaurante mexicano!

381

Theme

► Restaurants

Objectives

► Ask politely to have something brought to you
► Order a meal
► Say what you ate or drank
► Compare family dinners in the Spanish-speaking world and in the United States

¡Piensa en la cultura! 382

Vocabulario para conversar
   ¿Con qué se hacen las enchiladas? 384
   ¡Me falta una cuchara! 388

¡Comuniquemos! 392

Perspectiva cultural: La cena en un 394
   restaurante mexicano

Gramática en contexto 396
   Verbos con el cambio e → i 397
   El verbo traer 398
   El complemento indirecto:
     Los pronombres 400
   El pretérito de los verbos
     que terminan en -er e -ir 403

Todo junto: Actividades y Conexiones 406

¡Vamos a leer! En la variedad está el gusto 408

¡Vamos a escribir! 410

Repaso: ¿Lo sabes bien? 412

Resumen del vocabulario 413

CAPÍTULO 13 Para proteger la Tierra

415

Theme

► The Environment

Objectives

► Describe the natural environment

► List actions to protect the environment

► Discuss environmental dangers

► Name species in danger of extinction in the United States and the Spanish-speaking world and say what can be done to protect them

¡Piensa en la cultura! 416

Vocabulario para conversar
  ¿Cómo podemos conservar energía? 418
  ¿La Tierra forma parte del medio ambiente? 422

¡Comuniquemos! 428

Perspectiva cultural: *Animales de Cuba que están en peligro de extinción* 430

Gramática en contexto 432
  El verbo decir 433
  El mandato afirmativo (tú) 434
  El verbo saber 436

Todo junto: *Actividades y Conexiones* 438

¡Vamos a leer! *Cuide el mundo desde casa* 440

¡Vamos a escribir! 442

Repaso: ¿Lo sabes bien? 444

Resumen del vocabulario 445

CAPÍTULO 14 ¡Vamos a una fiesta!

447

Theme

► Parties and Celebrations

Objectives

► Make plans for giving or attending a party

► Describe gift-giving

► Make and acknowledge introductions

► Compare parties that Spanish-speaking teenagers go to with those you usually attend

¡Piensa en la cultura! 448

Vocabulario para conversar
  ¿A quién vas a invitar? 450
  En la fiesta 454

¡Comuniquemos! 458

Perspectiva cultural: *Una celebración especial* 460

Gramática en contexto 462
  Construcciones negativas 463
  El presente progresivo 464
  El verbo dar 466

Todo junto: *Actividades y Conexiones* 468

¡Vamos a leer! *Uno, dos, tres, ¡rumba!* 470

¡Vamos a escribir! 472

Repaso: ¿Lo sabes bien? 474

Resumen del vocabulario 475

Verbos 476

Vocabulario español-inglés 480

English-Spanish Vocabulary 492

Más práctica y tarea 505

Índice 553

Acknowledgments 556

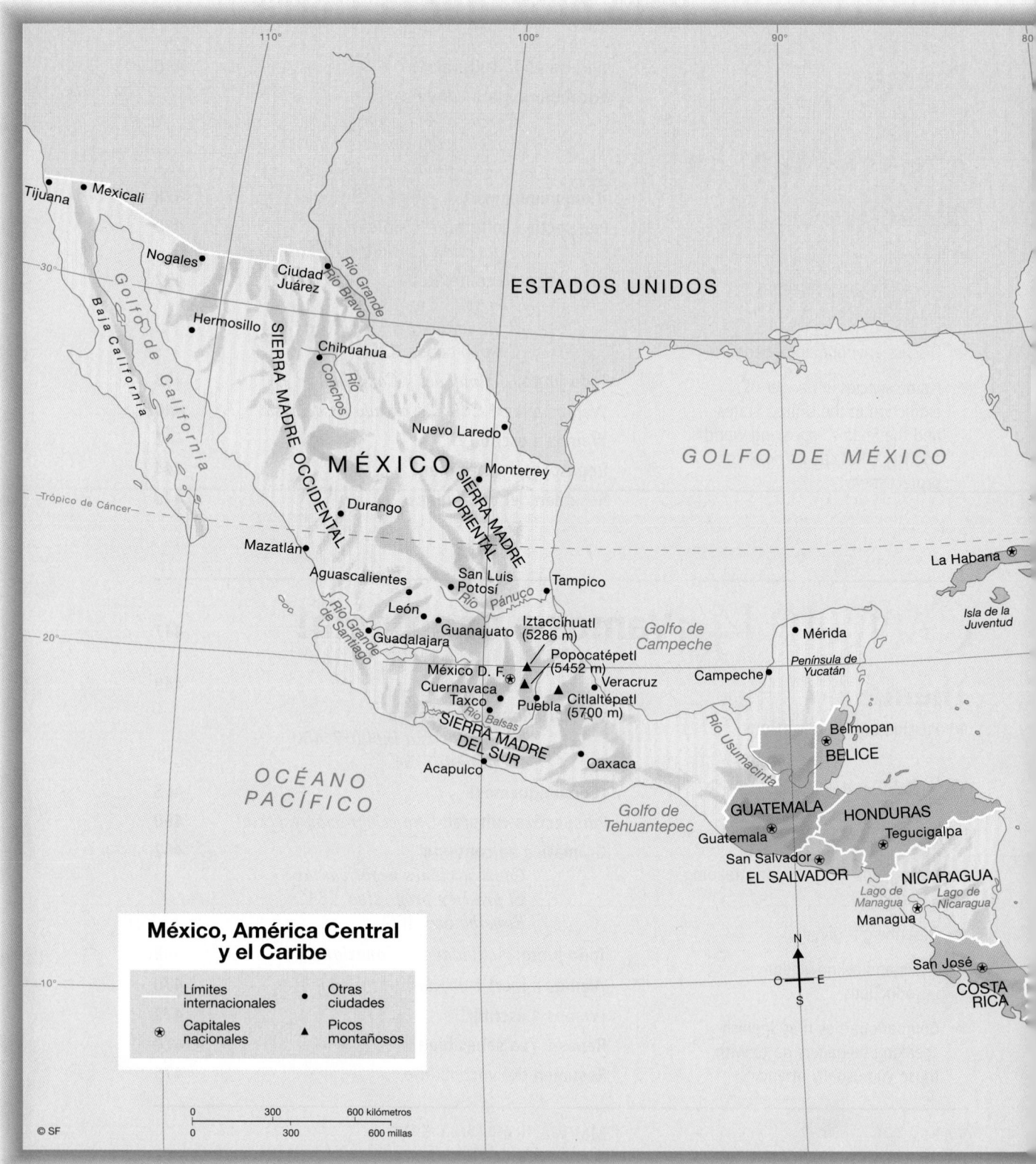

México, América Central y el Caribe

Límites internacionales
Capitales nacionales
Otras ciudades
Picos montañosos

Tijuana
Mexicali
Nogales
Ciudad Juárez
Hermosillo
Chihuahua
ESTADOS UNIDOS
Nuevo Laredo
Monterrey
Durango
Mazatlán
Aguascalientes
San Luis Potosí
Tampico
León
Guanajuato
Guadalajara
Iztaccíhuatl (5286 m)
Popocatépetl (5452 m)
México D. F.
Cuernavaca
Taxco
Puebla
Veracruz
Citlaltépetl (5700 m)
Acapulco
Oaxaca
SIERRA MADRE DEL SUR
MÉXICO
SIERRA MADRE OCCIDENTAL
SIERRA MADRE ORIENTAL
Río Bravo
Río Conchos
Río Pánuco
Río Grande de Santiago
Río Balsas
Golfo de California
Baja California
Trópico de Cáncer
OCÉANO PACÍFICO
GOLFO DE MÉXICO
Golfo de Campeche
Golfo de Tehuantepec
La Habana
Isla de la Juventud
Mérida
Campeche
Península de Yucatán
Río Usumacinta
Belmopan
BELICE
GUATEMALA
Guatemala
San Salvador
EL SALVADOR
HONDURAS
Tegucigalpa
NICARAGUA
Lago de Managua
Lago de Nicaragua
Managua
San José
COSTA RICA

110° 100° 90° 80°
30°
20°
10°

N O E S

0   300   600 kilómetros
0   300   600 millas

© SF

XIV

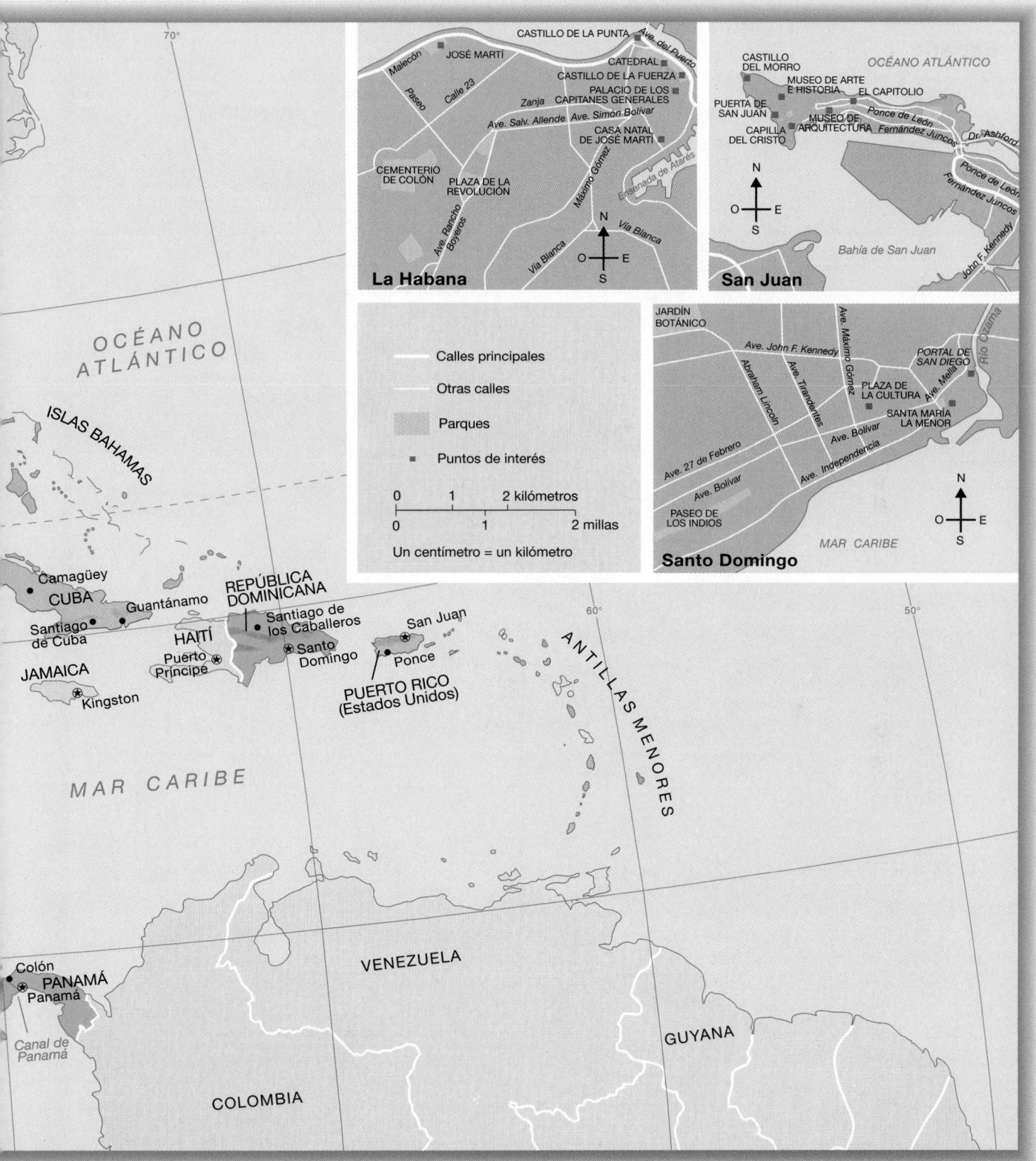

La Habana

CASTILLO DE LA PUNTA
Malecón
JOSÉ MARTÍ
Ave. del Puerto
CATEDRAL
Calle 23
Paseo
CASTILLO DE LA FUERZA
PALACIO DE LOS
CAPITANES GENERALES
Zanja
Ave. Simón Bolívar
Ave. Salv. Allende
CASA NATAL
DE JOSÉ MARTÍ
Máximo Gómez
Ensenada de Atarés
CEMENTERIO
DE COLÓN
PLAZA DE LA
REVOLUCIÓN
Ave. Rancho
Boyeros
Vía Blanca
Vía Blanca
N
O   E
S

San Juan

CASTILLO
DEL MORRO
OCÉANO ATLÁNTICO
MUSEO DE ARTE
E HISTORIA
EL CAPITOLIO
PUERTA DE
SAN JUAN
MUSEO DE
ARQUITECTURA
Ponce de León
CAPILLA
DEL CRISTO
Fernández Juncos
Dr. Ashford
Ponce de León
Fernández Juncos
John F. Kennedy
N
O   E
S
Bahía de San Juan

Santo Domingo

JARDÍN
BOTÁNICO
Ave. John F. Kennedy
Ave. Máximo Gómez
Río Ozama
PORTAL DE
SAN DIEGO
Abraham Lincoln
Ave. Tiradentes
PLAZA DE
LA CULTURA
Ave. Mella
Ave. 27 de Febrero
Ave. Bolívar
SANTA MARÍA
LA MENOR
Ave. Independencia
Ave. Bolívar
PASEO DE
LOS INDIOS
MAR CARIBE
N
O   E
S

Calles principales
Otras calles
Parques
Puntos de interés

0   1   2 kilómetros
0   1   2 millas
Un centímetro = un kilómetro

OCÉANO
ATLÁNTICO

ISLAS BAHAMAS

Camagüey
CUBA
Guantánamo
Santiago
de Cuba
HAITÍ
Puerto
Príncipe
JAMAICA
Kingston

REPÚBLICA
DOMINICANA
Santiago de
los Caballeros
Santo
Domingo
San Juan
Ponce
PUERTO RICO
(Estados Unidos)

ANTILLAS MENORES

MAR   CARIBE

Colón
PANAMÁ
Panamá
Canal de
Panamá

VENEZUELA

GUYANA

COLOMBIA

Mapas   XV

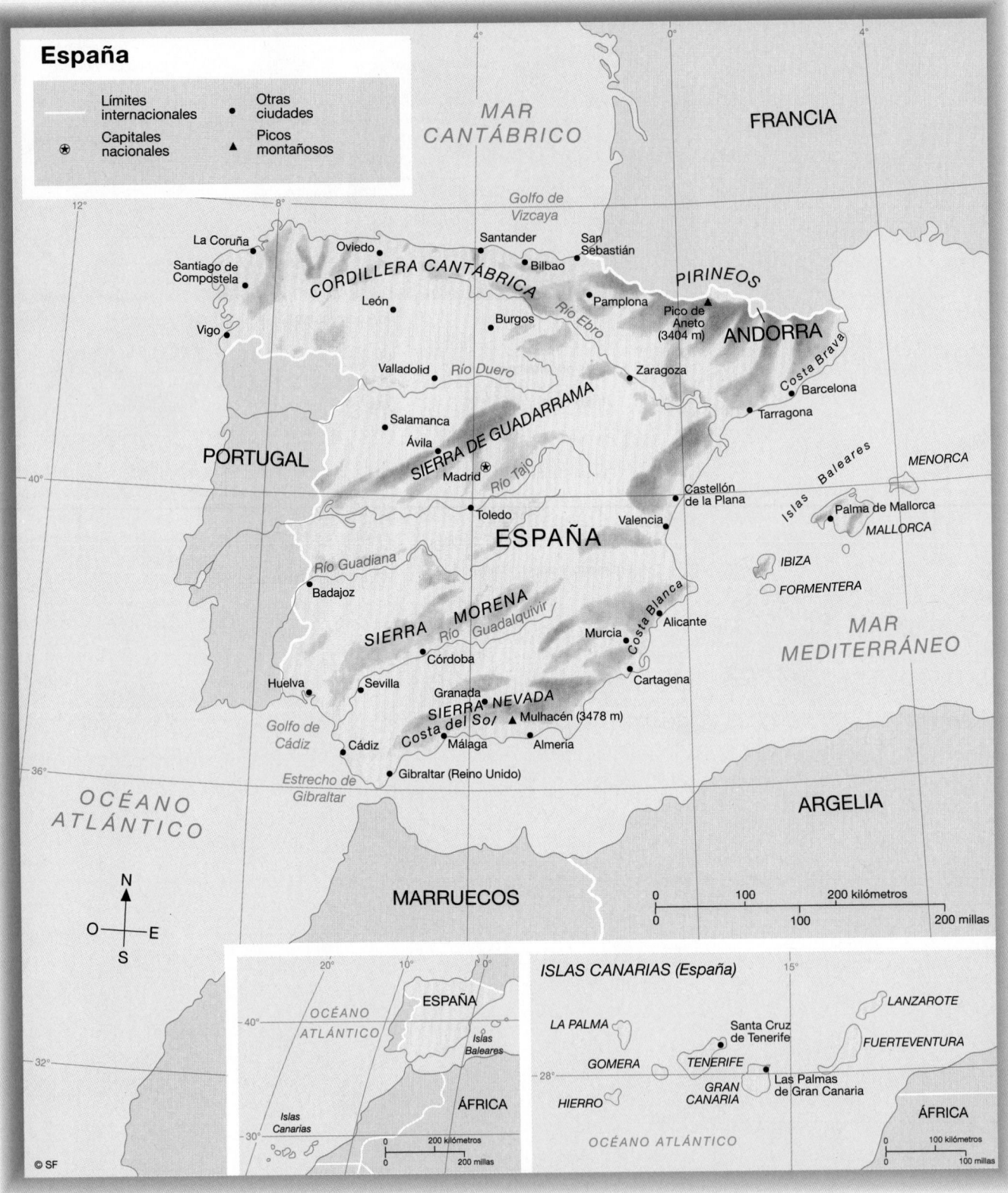

España

Límites internacionales
Capitales nacionales
Otras ciudades
Picos montañosos

MAR CANTÁBRICO

FRANCIA

Golfo de Vizcaya

La Coruña
Santiago de Compostela
Vigo
Oviedo
Santander
San Sebastián
Bilbao
CORDILLERA CANTÁBRICA
León
Burgos
Río Ebro
PIRINEOS
Pamplona
Pico de Aneto (3404 m)
ANDORRA
Costa Brava

Valladolid
Río Duero
Zaragoza
Barcelona
Tarragona

PORTUGAL
Salamanca
Ávila
SIERRA DE GUADARRAMA
Madrid
Río Tajo
Castellón de la Plana
Islas Baleares
MENORCA
Palma de Mallorca
MALLORCA

Toledo
Valencia
ESPAÑA
IBIZA
FORMENTERA

Badajoz
Río Guadiana
SIERRA MORENA
Río Guadalquivir
Costa Blanca
Murcia
Alicante
MAR MEDITERRÁNEO

Córdoba
Cartagena

Huelva
Sevilla
Granada
SIERRA NEVADA
Mulhacén (3478 m)
Costa del Sol
Málaga
Almería

Golfo de Cádiz
Cádiz
Gibraltar (Reino Unido)
Estrecho de Gibraltar

OCÉANO ATLÁNTICO

ARGELIA

N
O
E
S

MARRUECOS

0   100   200 kilómetros
0   100   200 millas

OCÉANO ATLÁNTICO
ESPAÑA
Islas Baleares
ÁFRICA
Islas Canarias

ISLAS CANARIAS (España)
LA PALMA
GOMERA
HIERRO
TENERIFE
Santa Cruz de Tenerife
GRAN CANARIA
Las Palmas de Gran Canaria
LANZAROTE
FUERTEVENTURA
ÁFRICA
OCÉANO ATLÁNTICO

0   100 kilómetros
0   100 millas

© SF

MAR CARIBE

OCÉANO ATLÁNTICO

NICARAGUA

Barranquilla

COSTA RICA

PANAMÁ

Maracaibo

Lago de Maracaibo

Caracas

Puerto España

TRINIDAD Y TOBAGO

Río Orinoco

Medellín

Bogotá

VENEZUELA

GUYANA

Georgetown

Paramaribo

Cayena

Cali

COLOMBIA

SURINAM

GUAYANA FRANCESA (Fr.)

0° Ecuador

Islas Galápagos (Ecuador)

Quito

ECUADOR

Guayaquil

Marañón

Iquitos

Manaus

Río

Amazonas

Belém

Río Madeira

Trujillo

Río Ucayali

BRASIL

Recife

Huascarán (6768 m)

PERÚ

CORDILLERA

Lima

DE

Cuzco

Lago Titicaca

Illampu (6550 m)

Río Mamoré

Salvador

Arequipa

LOS

La Paz

BOLIVIA

Brasilia

Sucre

Río Paraguay

Paraná

Belo Horizonte

20°

ANDES

Río Pilcomayo

PARAGUAY

Río

Asunción

São Paulo

Río de Janeiro

Trópico de Capricornio

San Miguel de Tucumán

Santos

CHILE

Aconcagua (6959 m)

Córdoba

Río Salado

Rosario

Río Paraná

Porto Alegre

OCÉANO PACÍFICO

Valparaíso

Santiago

Buenos Aires

URUGUAY

Montevideo

OCÉANO ATLÁNTICO

Río de la Plata

Concepción

ARGENTINA

Mar del Plata

N

O   E

S

40°

0   300   600 kilómetros

0   300   600 millas

© SF

Islas Malvinas (Reino Unido)

Estrecho de Magallanes

Tierra del Fuego

Cabo de Hornos

América del Sur

—— Límites internacionales

⊛ Capitales nacionales

● Otras ciudades

▲ Picos montañosos

LA PRESENCIA HISPANA EN LOS ESTADOS UNIDOS

Estados con una población hispana bastante grande (más de 500.000)

Estados con una población hispana notable (más de 100.000)

Estados con una pequeña población hispana (menos de 100.000)

Charro con la bandera mexicana en The Dalles, Oregon

La Misión de San Xavier del Bac en Tucson, Arizona

Músicos tocando instrumentos andinos en Minneapolis, Minnesota

Celebrando el Día del puertorriqueño en Nueva York

Mural en la Pequeña Habana, Miami, Florida

1

El Primer Paso

Objectives

At the end of this chapter you will be able to:

► understand the widespread influence of the Spanish language and Hispanic cultures

► introduce yourself and say how you are and where you're from

► tell your age, your phone number, and the date

► greet people, ask how they are and where they're from, and say good-by

► use the Spanish alphabet to spell

PASO CULTURAL Some historians believe that the Spanish explorer Ponce de León gave Florida its name. He called it *Pascua Florida* (Flowering Easter) because of the flowers he saw when he first came ashore around Easter Sunday 1513. Spanish influence remains strong there: In 1990, 63% of Miami's population was of Hispanic origin. What other states in the U.S. have Spanish names?

Estudiantes en Miami, Florida

Countries with the largest Spanish-speaking populations

Source: *World Book Encyclopedia,* 1998 edition

(numbers in millions)

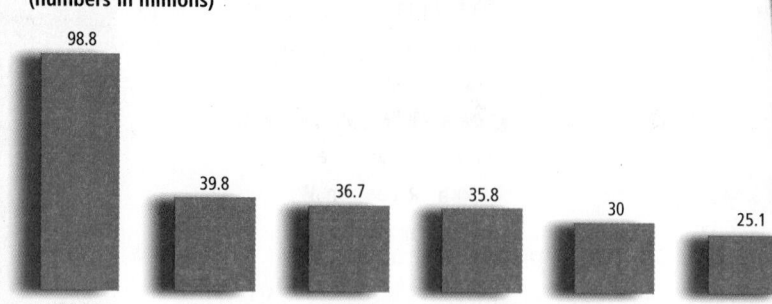

| México | España | Colombia | Argentina | Estados Unidos | Perú | Venezuela | Chile | Ecuador | Cuba |
| 98.8 | 39.8 | 36.7 | 35.8 | 30 | 25.1 | 23.2 | 14.9 | 12.2 | 11.2 |

Cities with the largest Spanish-speaking populations*

*Population figures are for metropolitan areas.

Source: *The Statesman's Year-Book,* 1997-98 edition

(numbers in millions)

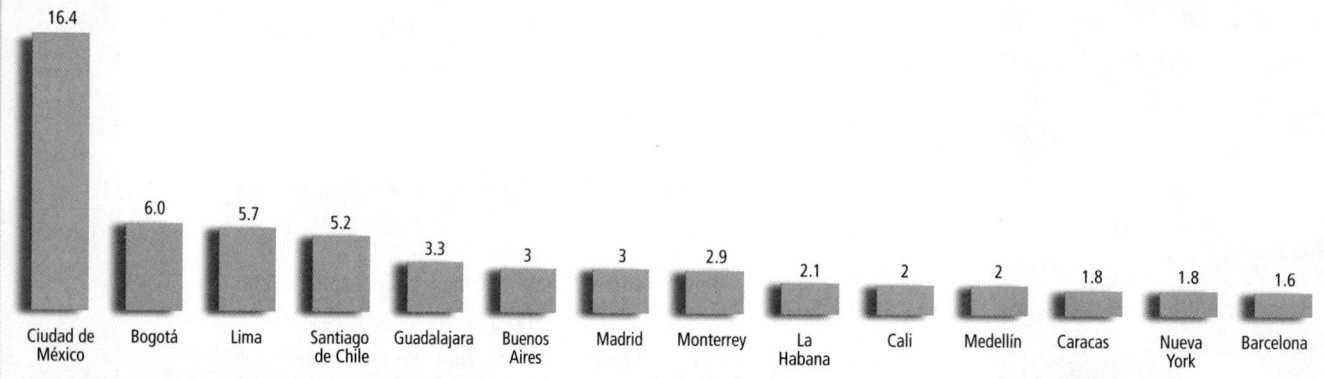

| Ciudad de México | Bogotá | Lima | Santiago de Chile | Guadalajara | Buenos Aires | Madrid | Monterrey | La Habana | Cali | Medellín | Caracas | Nueva York | Barcelona |
| 16.4 | 6.0 | 5.7 | 5.2 | 3.3 | 3 | 3 | 2.9 | 2.1 | 2 | 2 | 1.8 | 1.8 | 1.6 |

Seventy-five percent of the people of Spanish-speaking origin in the United States live in the following five states.

Source: *U.S. Bureau of the Census,* 1990

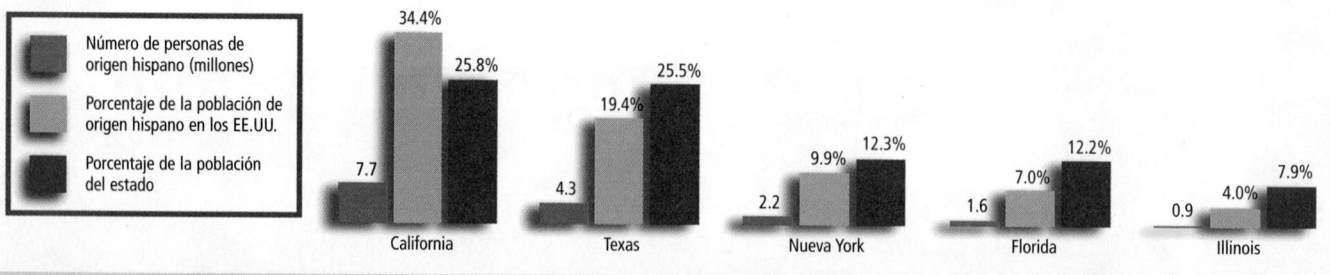

- Número de personas de origen hispano (millones)
- Porcentaje de la población de origen hispano en los EE.UU.
- Porcentaje de la población del estado

	California	Texas	Nueva York	Florida	Illinois
Número de personas de origen hispano (millones)	7.7	4.3	2.2	1.6	0.9
Porcentaje de la población de origen hispano en los EE.UU.	34.4%	19.4%	9.9%	7.0%	4.0%
Porcentaje de la población del estado	25.8%	25.5%	12.3%	12.2%	7.9%

A Look at the graph of the countries with the largest Spanish-speaking populations. Where does the United States fall in rank order?

Now look at the graph of the cities. Where does a U.S. city fall in rank order?

B Discuss the information with a partner. Which fact was most surprising to you? Which facts did you know before you saw these graphs?

C There are many words we use every day that come from Spanish. You probably already know how to pronounce a few of these words and phrases. See how many more you can add:
ANIMALS: armadillo, pinto, . . .
BUILDINGS: adobe, patio, . . .
CLOTHING: poncho, sombrero, . . .
EXPRESSIONS: adiós, hasta la vista, . . .
FAMOUS PEOPLE: *(past and present, real or fictional)*: Andy García, Don Quijote, . . .
FOODS: tacos, tamales, . . .
GAMES/SPORTS: piñata, jai alai, . . .
GEOGRAPHY: chaparral, mesa, . . .
MUSIC/DANCE: mariachi, tango, . . .
PEOPLE: matador, señor, . . .
PLACE NAMES: Nevada, Santa Fe, . . .

D Spanish is a Romance language, meaning that it comes from Latin, the language of the Romans. Because of the great influence of Latin on the English language, there are also many words in Spanish that look and/or sound similar to English words. These are called cognates. Take advantage of this!

Can you guess the meaning of these Spanish words?

- *carnaval*
- *comunicación*
- *delicioso*
- *fabuloso*
- *farmacia*
- *libertad*
- *limón*
- *parque*
- *oficina*

E Look at these photos and read the captions.

Can you guess what these professions are in English? Here is an additional list for you to practice with:

> el actor/la actriz
> el arquitecto/la arquitecta
> el/la astronauta
> el banquero/la banquera
> el carpintero/la carpintera
> el/la chofer
> el científico/la científica
> el ingeniero/la ingeniera
> el mecánico/la mecánica
> el médico/la médica
> el piloto/la pilota
> el político/la política
> el presidente/la presidenta
> el profesor/la profesora
> el secretario/la secretaria
> el supervisor/la supervisora

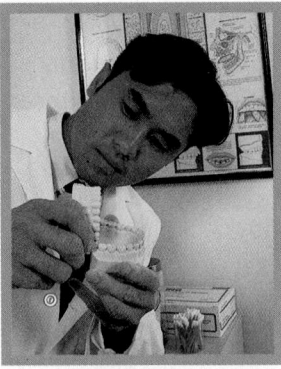

"Soy dentista y soy de Miami."

"Soy fotógrafa y soy de Costa Rica."

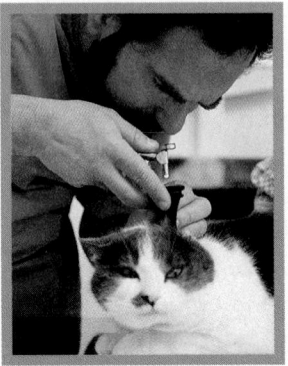

"Soy veterinario y soy de Ecuador."

"Soy policía y soy de la Ciudad de México."

• With a partner, discuss why knowing Spanish would be valuable in these careers. What career(s) are you considering? How will knowing Spanish help you with your goals?

• With your partner, make a list of the six most popular jobs or volunteer positions that students might have. If you were hiring a teenager, would you prefer one who spoke Spanish? Why? Are there summer jobs in which knowing Spanish would be especially helpful?

You have made a great decision to study Spanish. Let's take it *PASO A PASO*, step by step. You'll be communicating in Spanish very soon.

MORE PRACTICE

Más práctica y tarea, p. 505

¡Ojo!

Did you know that, according to research, high-school students with two years of a foreign language score up to 12% higher on the S.A.T. verbal exam—and their scores continue to rise by at least 5% for each additional year of foreign-language study?

Vocabulario para conversar

In the next four sections you will find some study notes to help you learn about the various parts of each chapter. Here are some words you will need to greet people and introduce yourself.

¡Ojo!

You will need to learn the new words pictured in *Vocabulario para conversar* and the words in *También necesitas...* ("You also need..."). To learn them, you might want to keep a vocabulary section in your notebook by categories, or make flashcards with the Spanish word on one side and a picture or the English word on the other. Practice these from time to time with a classmate or family member. Maybe they can learn some Spanish too!

También necesitas...

Mucho gusto.	*Pleased / Nice to meet you.*	Muy bien.	*Very well.*
Igualmente.	*Likewise.*	Así, así.	*So-so.*

Here's a list of common names in Spanish. You might want to choose one that is equivalent to yours, or another name that you prefer to use in class.

NOMBRES DE MUCHACHOS

Adán	José Emilio
Agustín	José Luis
Alejandro (Ale)	Juan (Juancho)
Andrés	Juan Carlos (Juanca,
Antonio (Toño)	Juaca)
Armando	Julio
Arturo	Julio César
Benito	Luis (Lucho)
Benjamín	Luis Miguel
Bernardo	Manuel (Manolo)
Carlos (Chacho, Cacho)	Marco Antonio
Cristóbal	Marcos
Daniel (Dani)	Mario
David	Mateo
Eduardo (Edu)	Miguel
Emilio	Miguel Ángel
Enrique (Quique)	Nicolás (Nico)
Esteban	Pablo
Federico	Patricio
Felipe	Pedro
Francisco (Paco)	Rafael (Rafa)
Gerardo (Gérar)	Ramón
Gregorio	Raúl
Guillermo (Guille)	Ricardo
Ignacio (Nacho)	Roberto (Beto)
Jaime	Samuel
Jesús	Santiago (Santi)
Jorge	Timoteo (Timo)
Jorge Luis	Tomás (Tomi)
José (Pepe)	Vicente
José Eduardo	Víctor

NOMBRES DE MUCHACHAS

Alicia	Lucía
Ana	Luisa
Ana Luisa	Luz
Ana María	Margarita
Ángela	María
Bárbara	María del Carmen
Carmen (Mamen)	María Elena
Carolina (Caro)	María Eugenia
Catalina (Cata)	María José (Marijó)
Cecilia (Ceci)	María Luisa
Clara	María Soledad
Claudia	María Teresa
Cristina (Tina)	(Maite, Marité)
Diana	Mariana
Dolores (Lola)	Marisol
Elena	Marta
Elisa	Mónica (Moni)
Emilia	Patricia (Pati)
Esperanza	Pilar
Eva	Raquel
Gloria	Rebeca
Guadalupe (Lupe)	Reina
Guillermina	Rocío
Inés	Rosa (Rosi)
Irene	Sara (Saruca)
Isabel (Chabela, Isa)	Soledad
Josefina	Susana (Susa)
Juana	Teresa (Tere)
Julia	Verónica (Vero)
Laura	Victoria
Lourdes	Virginia

Empecemos a conversar

In these exercises you will create conversations according to a model. With a partner, take turns at being *Estudiante A* and *Estudiante B*. Use the words that are cued or given in the balloons to replace the underlined sections in the model.
💡 means you can make your own choices for that item or exercise.

¡Ojo!

You might want to scan the exercise first in order to get the gist of doing it. If you need help, review the *Vocabulario para conversar* or *También necesitas . . .* sections.

1 Estudiante A —*¡Hola! Me llamo <u>María</u>. ¿Cómo te llamas?*
Estudiante B —*Me llamo <u>Rafael</u>.*
Estudiante A —*Mucho gusto, <u>Rafael</u>.*
Estudiante B —*Igualmente, <u>María</u>.*

Estudiante A   Estudiante B

Did you use your own name in the conversation? Now redo it with five other classmates. Play both roles. Your teacher may ask you to tell your classmates' names, so remember their answers.

2 A —*Buenos días. ¿Cómo estás, <u>Pilar</u>?*
B —*Muy bien, gracias. ¿Y tú?*
A —*Así, así.*

Saludos entre amigos en Chile

Estudiante A   Estudiante B

Did you keep using the same answers for how you feel? Repeat this conversation with four other classmates and vary your answers.

MORE PRACTICE

Más práctica y tarea, p. 505
Practice Workbook P–1

Vocabulario para conversar

Here are some more words and expressions you will need to greet people and tell where you are from.

> **Buenas tardes, Señora García. ¿Cómo está Ud.?***

> **Bien, gracias, ¿y tú?**

> **Buenas noches. Me llamo Anita. ¿Qué tal?**

> **Me llamo Miguel. Muy bien, gracias.**

¡Ojo!

Look at the words in the section titled *¿Y qué quiere decir...?* You will see this section often. These are cognates, or are closely related to words you have already learned.

También necesitas...

¿De dónde eres (tú)?	*Where are you from?*	
Yo soy de ___.	*I am from ___.*	
¿Y usted?	*And you?*	
Hasta luego.	*See you later.*	

¿Y qué quiere decir...?

sí	Adiós.	señor (Sr.)
no		señora (Sra.)
o		señorita (Srta.)

*Usted is often abbreviated Ud. in writing.

Empecemos a conversar

For Exercise 1, refer to the map below.

1　A —¡Hola! Me llamo _Benito_. ¿Y tú?

　　B —Me llamo _Luisa_. ¿De dónde eres?

　　A —Soy de _Costa Rica_. ¿Y tú?

　　B —Soy de _Bolivia_.

¡Ojo!

Do you remember ¿Y tú? and ¿Cómo estás? There is another way to say "How are you?" in Spanish. We use _usted_ to show respect when speaking to an older person.

Estudiante A　　　　**Estudiante B**

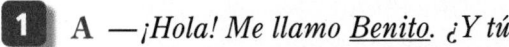

Did you use your own name and country? Now repeat this dialogue with three classmates. Pretend to be someone else, and use different names and countries.

2　Now repeat the conversation with five classmates, using a city name from page 4.

ALASKA
(Estados Unidos)

ISLAS
BALEARES

ESPAÑA

ISLAS
CANARIAS

ESTADOS UNIDOS

MÉXICO

CUBA

REPÚBLICA
DOMINICANA

PUERTO RICO
(Estados Unidos)

GUATEMALA
EL SALVADOR
HONDURAS
NICARAGUA

PANAMÁ

VENEZUELA

COLOMBIA

COSTA RICA

ECUADOR

PERÚ

GUINEA
ECUATORIAL

BOLIVIA

PARAGUAY

CHILE

URUGUAY

ARGENTINA

Saludos entre un amigo y una amiga
en Xalapa, México

Empecemos a escribir

Write your answers in Spanish.

3 List four ways to greet someone.

4 What are two ways to say "good-by"?

5 ¿Cómo te llamas?

6 ¿Cómo estás?

7 ¿De dónde eres?

¡Ojo!

In this section you will write your answers and ideas in Spanish. Above all, communicate the message. After you finish, you can refer to *Vocabulario para conversar* and *También necesitas . . .* or the *Resumen* at the end of the chapter to check your spelling.

Empecemos a escribir y a leer

In this section you will write your answers and also do some reading.

Write your answers in Spanish.

8 How do you greet an older person and ask how he or she is feeling?

9 Read the following conversation, then reply *sí* or *no* to the statements.

¡Ojo!

You might want to read the passage twice, once to get the general meaning, and a second time to try to figure out words you don't know. Many times you can guess the meaning of a word just by how it is used. YOU DON'T HAVE TO UNDERSTAND EVERY WORD TO GET THE OVERALL MEANING.

PROFESORA:	Buenas tardes. Me llamo Señora Guzmán. ¿Y tú?
ESTUDIANTE:	Me llamo Ana María Hernández. Mucho gusto.
PROFESORA:	Igualmente. ¿De dónde eres? ¿De los Estados Unidos?
ESTUDIANTE:	No, soy de Costa Rica. ¿Es usted de Argentina o de Chile?
PROFESORA:	Soy de Uruguay. Adiós, Ana María. Hasta luego.
ESTUDIANTE:	Adiós, profesora.

a. The people in the dialogue know each other.
b. The teacher is a woman.
c. We know the last names of both people.
d. The student is from the United States.

Vocabulary Practice www.pasoapaso.com

MORE PRACTICE

• Más práctica y tarea, p. 506
Practice Workbook P–2

Sección 4 La sala de clases

Vocabulario para conversar

la sala de clases

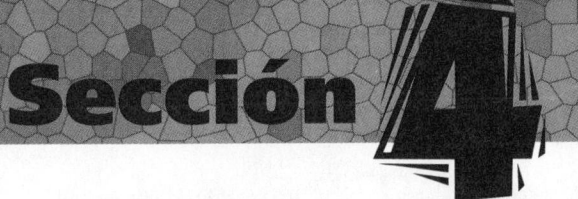

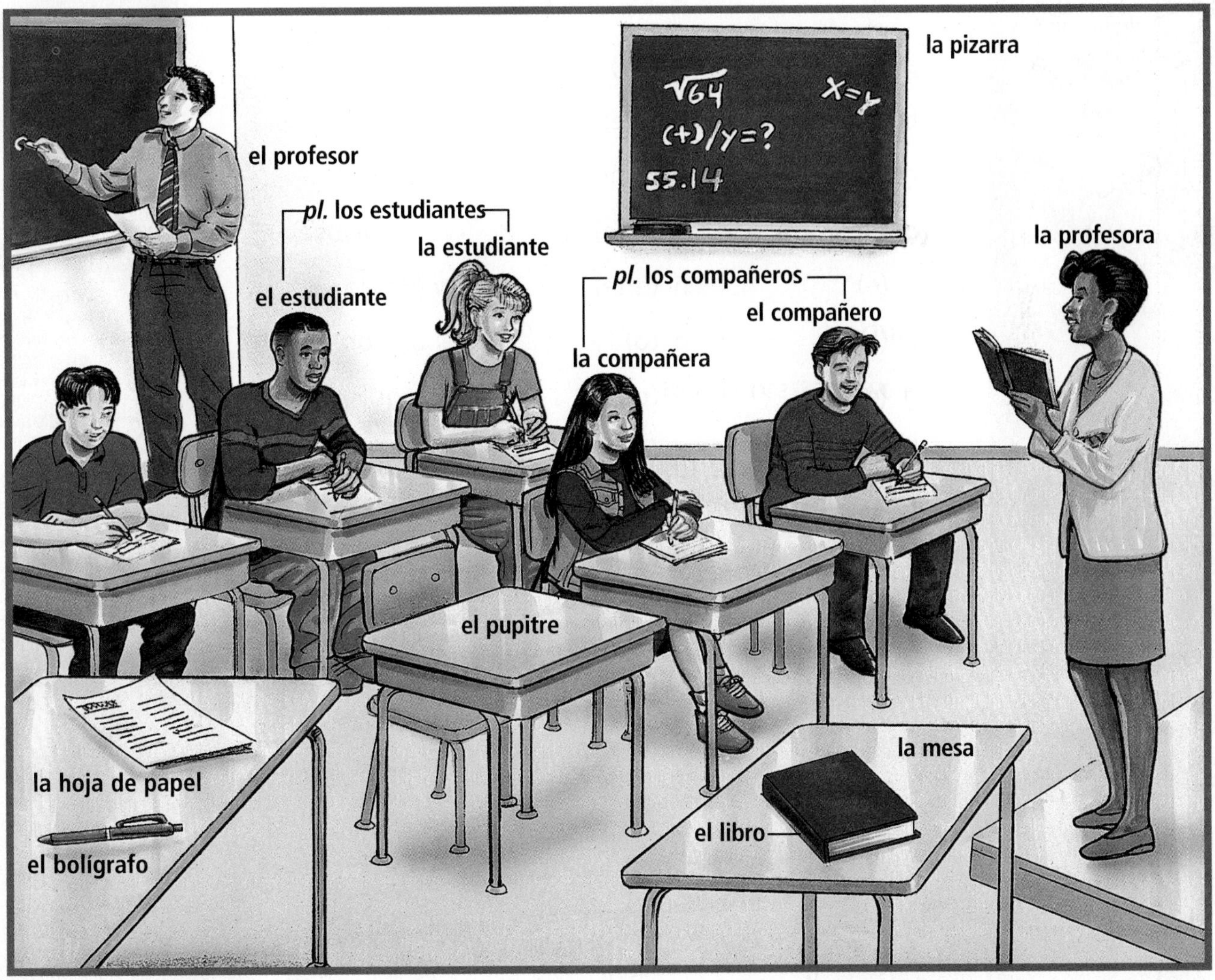

la pizarra
√64
x=y
(+)/y=?
55.14
el profesor
pl. los estudiantes
la estudiante
el estudiante
pl. los compañeros
el compañero
la compañera
la profesora
el pupitre
la mesa
el libro
la hoja de papel
el bolígrafo

También necesitas...

¿Cómo se dice ___ en español?	*How do you say ___ in Spanish?*
¿Cómo se escribe___?	*How do you spell ___?*
Se escribe ___.	*It's spelled ___.*

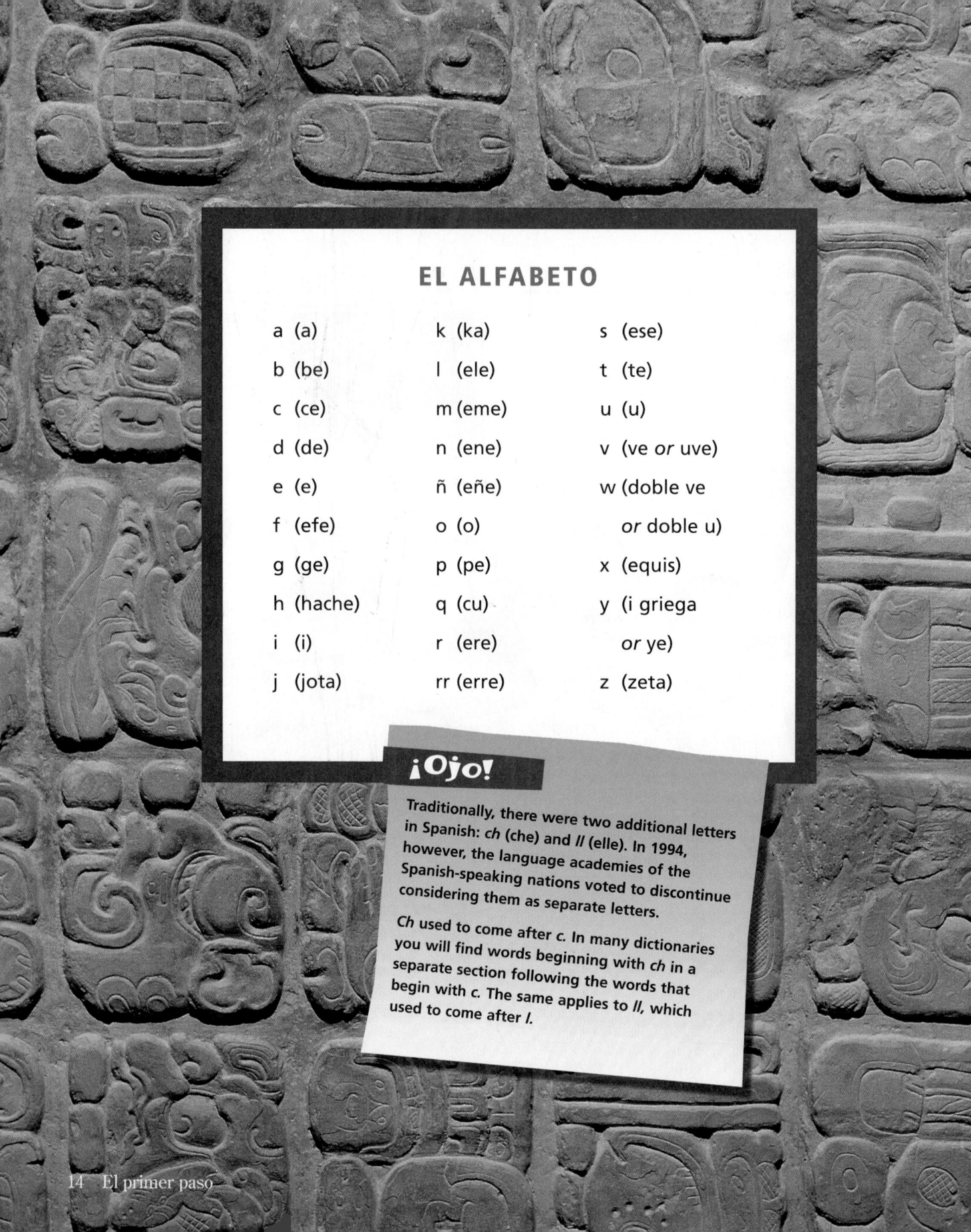

EL ALFABETO

a (a)	k (ka)	s (ese)
b (be)	l (ele)	t (te)
c (ce)	m (eme)	u (u)
d (de)	n (ene)	v (ve *or* uve)
e (e)	ñ (eñe)	w (doble ve
f (efe)	o (o)	*or* doble u)
g (ge)	p (pe)	x (equis)
h (hache)	q (cu)	y (i griega
i (i)	r (ere)	*or* ye)
j (jota)	rr (erre)	z (zeta)

¡Ojo!

Traditionally, there were two additional letters in Spanish: *ch* (che) and *ll* (elle). In 1994, however, the language academies of the Spanish-speaking nations voted to discontinue considering them as separate letters.

Ch used to come after *c.* In many dictionaries you will find words beginning with *ch* in a separate section following the words that begin with *c.* The same applies to *ll,* which used to come after *l.*

Empecemos a conversar

1 A —*¿Cómo se dice "table" en español?*
   B —*Mesa.*

Estudiante A   **Estudiante B**

a.   b.   c.

d.   e.   f.

g.   h.

2 A —*¿Cómo se escribe <u>libro</u>?*
   B —*Se escribe <u>ele-i-be-ere-o</u>.*

Estudiante A   **Estudiante B**

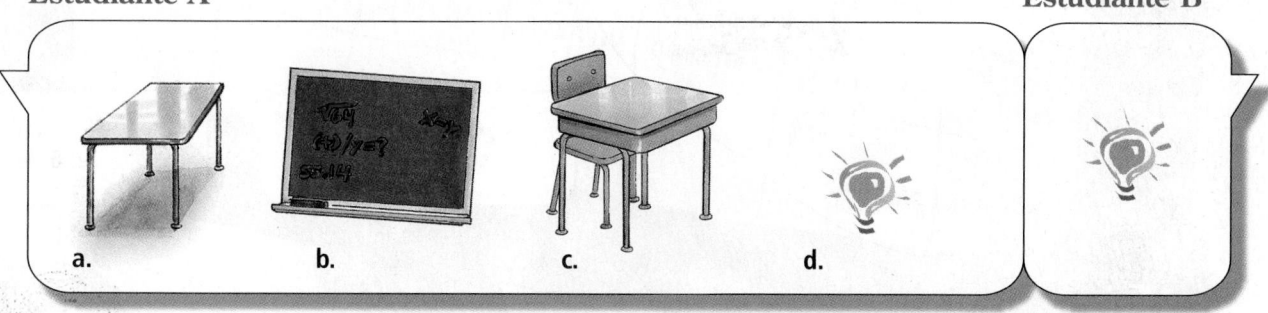

a.   b.   c.   d.

Empecemos a escribir

Write your answers in Spanish.

3 Your teacher will spell some names. Listen carefully
   and write them down. Later, compare your paper
   with a partner's.

MORE PRACTICE

Más práctica y tarea, p. 506
Practice Workbook 4–1, 4–2

Vocabulario para conversar

el día el mes   **ENERO** la semana

LUNES	MARTES	MIÉRCOLES	JUEVES	VIERNES	SÁBADO	DOMINGO
						1 UNO
				6 SEIS	**7** SIETE	**8** OCHO
2 DOS	**3** TRES	**4** CUATRO	**5** CINCO	**13** TRECE	**14** CATORCE	**15** QUINCE
9 NUEVE	**10** DIEZ	**11** ONCE	**12** DOCE	**20** VEINTE	**21** VEINTIUNO	**22** VEINTIDÓS
16 *DIECISÉIS	**17** DIECISIETE	**18** DIECIOCHO	**19** DIECINUEVE	**26** VEINTISÉIS	**27** VEINTISIETE	**28** VEINTIOCHO	**29** VEINTINUEVE
23 VEINTITRÉS	**24** VEINTICUATRO	**25** VEINTICINCO				
30 TREINTA	**31** TREINTA Y UNO					

¿Cuándo es tu cumpleaños?

Mi cumpleaños es el 6 de junio.

¡Ojo!

Spanish calendars begin the week with Monday (*lunes*) and end with Sunday (*domingo*).

* You will also see the numbers 16–19 spelled *diez y seis,
diez y siete, diez y ocho, diez y nueve.* The numbers 21–29
may also be written *veinte y uno, veinte y dos,* and so on.

los meses

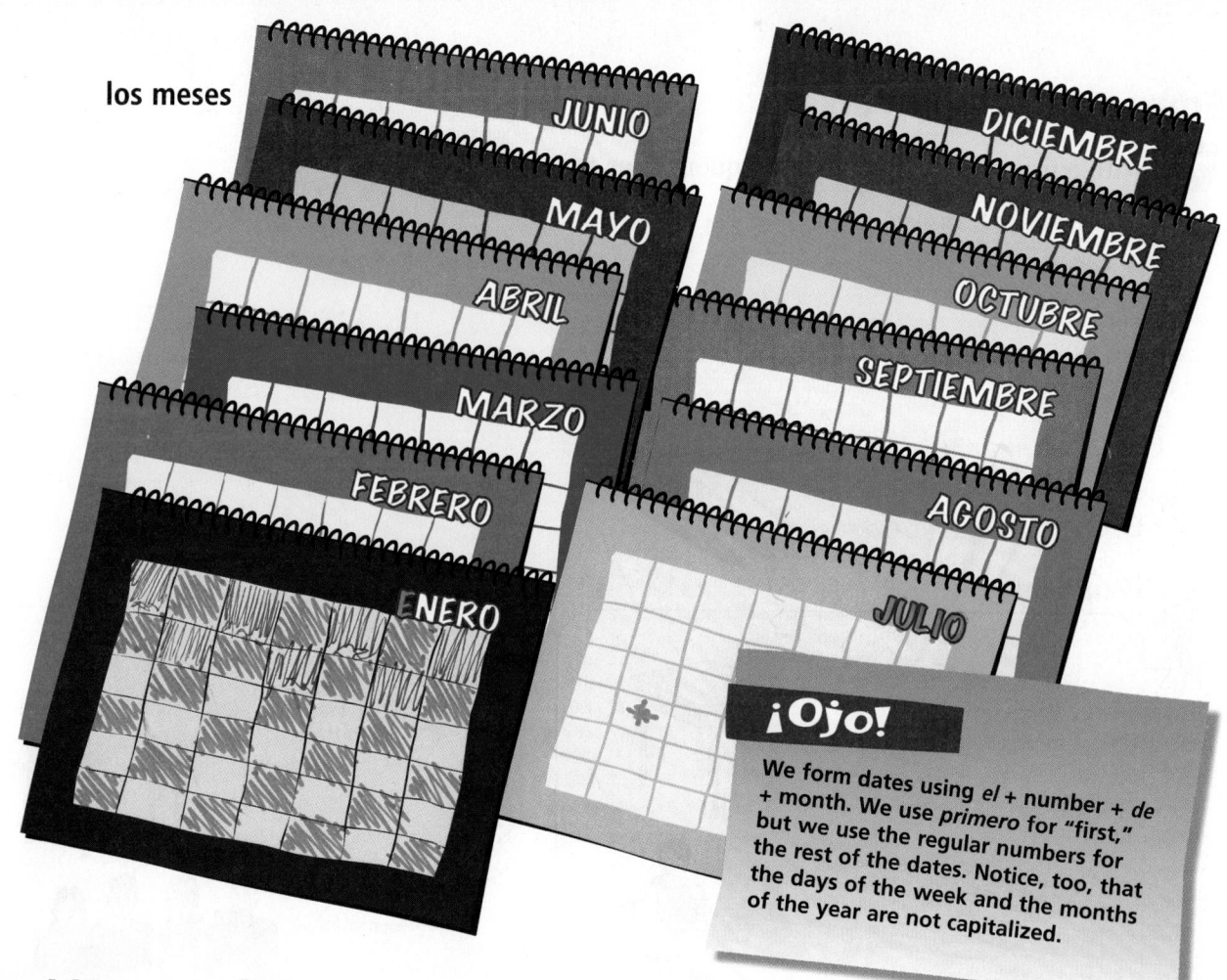

JUNIO
MAYO
ABRIL
MARZO
FEBRERO
ENERO

DICIEMBRE
NOVIEMBRE
OCTUBRE
SEPTIEMBRE
AGOSTO
JULIO

¡Ojo!

We form dates using *el* + number + *de* + month. We use *primero* for "first," but we use the regular numbers for the rest of the dates. Notice, too, that the days of the week and the months of the year are not capitalized.

También necesitas...

¿Cuántos(as) ___ hay?*	*How many ___ are there?*	¿Qué día es hoy?	*What day is today?*
¿Cuántos años tienes?	*How old are you?*	Mi / Tu cumpleaños	*My / Your birthday*
Tengo ___ años.	*I'm ___ years old.*	el 6 de febrero	*the 6th of February / February 6*
el año	*year*		
¿Cuál es tu número de teléfono?	*What's your phone number?*	el primero de mayo	*the first of May / May 1*
¿Cuándo es ___?	*When is ___?*	por favor	*please*
¿Cuál es la fecha de hoy?	*What's the date today?*	Hay	*There is / are*
		Mi	*My*
Hoy es ___.	*Today is ___.*		
Mañana es ___.	*Tomorrow is ___.*		

¿Y qué quiere decir...?

cero
en

* We use *cuántos* with masculine nouns and *cuántas* with feminine nouns.

Empecemos a conversar

1 With a partner, continue these sequences as far as you can.

   A —*cero, dos, cuatro,* . . .   0, 2, 4, . . .

   B —<u>*seis, ocho, diez,*</u> . . .

   a. 5, 10, . . .
   b. 1, 3, 5, . . .
   c. 0, 3, 6, . . .

2 **A** —<u>*¿Cuántos bolígrafos*</u> hay?

   B —*Hay* <u>*tres bolígrafos.*</u>

Estudiante A   **Estudiante B**

3 With a partner, continue these sequences to the end.

   A —*enero*

   B —*febrero*

   A —*lunes*

   B —*martes*

Now take turns naming a day or month at random.
Can your partner name the day or month that follows?

Celebrando el Cinco de Mayo en San Francisco

Empecemos a escribir y a leer

Write your answers in Spanish.

4 Find out when these popular Hispanic holidays occur and write down the dates for each of them: *el Año Nuevo* (New Year's Day), *el Día de los Reyes* (Twelfth Night/Epiphany), *el Día de la Raza* (Columbus Day), *el Día de los Muertos* (Day of the Dead/All Souls' Day), *la Navidad* (Christmas).

5 Count the items listed below and write the answer in Spanish. Compare your answer with a partner's.

a. books on your desk
b. girls in the class
c. countries in Latin America
d. people wearing jeans
e. letters in your teacher's last name

6 Read the following sentences and rewrite them, making the necessary corrections:

a. Mi cumpleaños es el 15 de diciembre.
b. El cumpleaños de Martin Luther King, Jr. es en octubre.
c. El Día de San Patricio es el 14 de enero.
d. El Día de San Valentín es en junio.
e. Chanuka es en febrero.

7 ¿Cuál es la fecha de hoy? ¿Y de mañana?

8 ¿Cuándo es tu cumpleaños?

9 ¿Qué día es hoy? ¿Y mañana?

10 ¿Cuál es tu número de teléfono? ¿Y el número de teléfono de tu compañero(a) de clase?

PASO CULTURAL This is an example of *papel picado,* the product of a Mexican technique of cutting layers of fine paper to create delicate designs or scenes. After cutting, the layers are separated and strung along a cord as decorations. The scene on the paper shown here is for a *Día de los Muertos* celebration.

www.pasoapaso.com

MORE PRACTICE

Más práctica y tarea, p. 507
Practice Workbook P–4, P–6

¡COMUNIQUEMOS

1

Find out when your classmates' birthdays are. Then tally the results to find out which month has the most birthdays.

A —¿Cuándo es tu cumpleaños?
B —Es el cinco de julio.

2

Role-play a conversation with a partner in which you:

- greet each other
- find out each other's names
- ask and answer how you are
- say good-by

¡Ojo!

In the ¡Comuniquemos! section, you are free to use the language you already know. Try to use different expressions for the same ideas. Are you aware that you are now REALLY COMMUNICATING IN SPANISH?

3

With a partner, role-play a meeting between you and a new student in which you:

- greet each other and ask each other's names
- say that you are glad to meet each other
- ask each other your ages and where you are from
- ask for each other's phone numbers
- give the information and then say good-by

Los Cumpleaños

enero	febrero	marzo	abril	mayo	junio
IIII I	I	II	I	II	I

julio	agosto	septiembre	octubre	noviembre	diciembre
IIII	III	IIII	I	III	I

Expresiones para la clase

Por favor

Here is a list of requests and instructions. You will need to know what to do when your teacher says them, but you will **not** need to know how to say or write them.

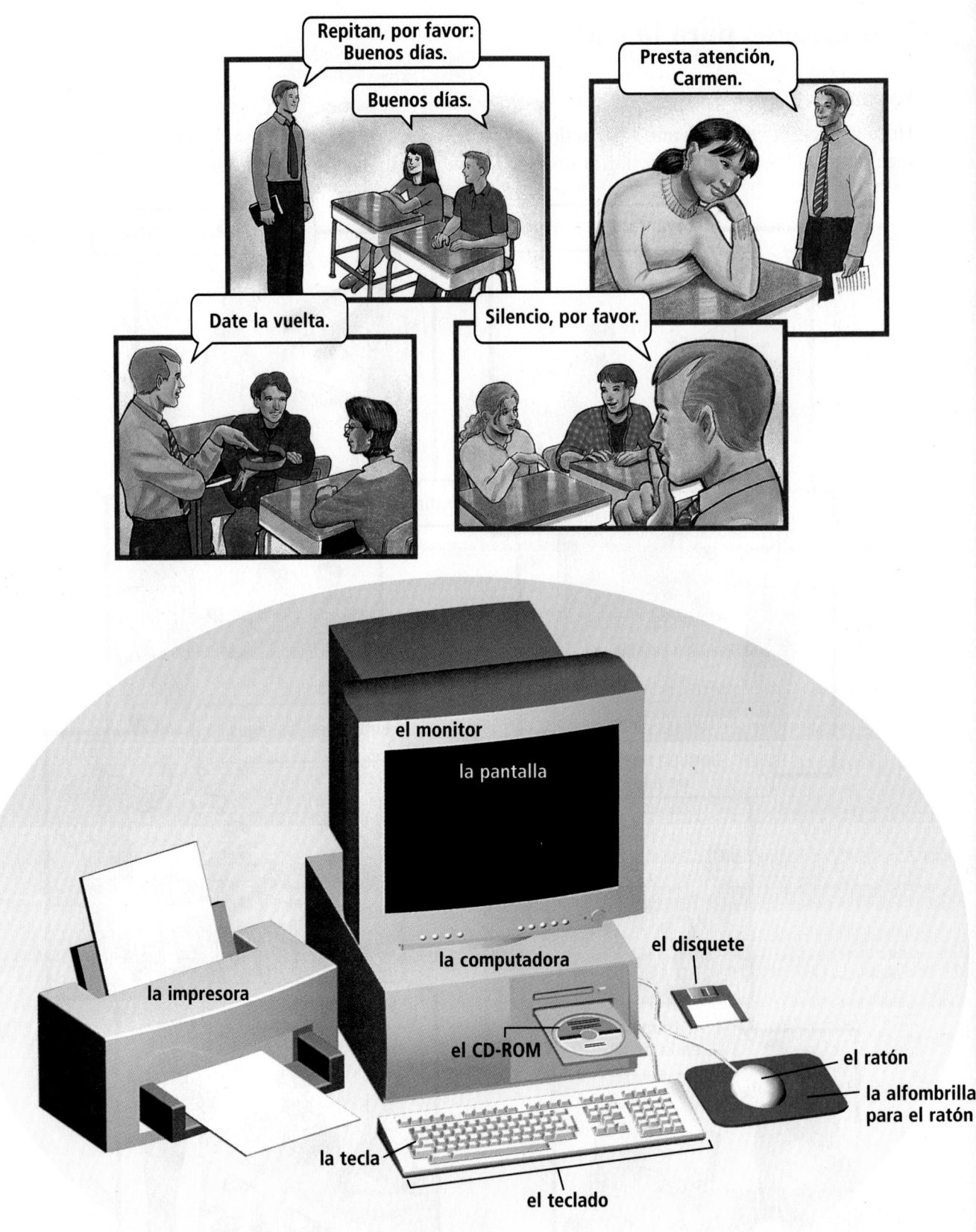

Profesor(a), ¿puedo . . . ?

When you need to ask for permission to do something, you should ask in Spanish. Here are some questions that you may frequently ask in class, and some of the expected answers.

Your teacher may respond to your requests in any of the following ways:

Sí/No.	*Yes/No.*
Sí, ve (al baño, a tu armario, etc.).	*Yes, go ahead (to ___).*
Sí, ábrela/ciérrala.	*Yes, open/close it.*
Claro.	*Of course.*
Ahora no.	*Not now.*
No, lo siento.	*No, I'm sorry.*

Repaso ¿Lo sabes bien?

This section will help you organize your studying for the proficiency test, where you will be asked to do similar, though not identical, tasks. There will not be any models on the test.

▶ **Listening**

Can you understand a brief conversation between two students who have just met? Listen as your teacher reads a sample similar to what you will hear on the test. What do the students find out about each other in this conversation?

▶ **Reading**

Can you read a note and find out some information about that person? Read the following description about Arturo. Does he have any friends who speak Spanish? How many students are there in his class? What other information does he give?

Me llamo Arturo. Soy de Boston, Massachusetts. Tengo dieciséis años. Mi cumpleaños es el 20 de noviembre. En mi sala de clases hay veintinueve estudiantes. El profesor es de la República Dominicana. En la sala de clases tengo dos compañeras de Venezuela.

▶ **Writing**

Can you put the words in the list under the appropriate categories: Classroom objects, Months of the year, Numbers, and Greeting or Saying good-by?

agosto	enero
bolígrafo	Hasta luego.
Buenas noches.	pizarra
cuatro	quince

▶ **Culture**

What influences have the Spanish language and Hispanic cultures had on the United States? Can you give some examples?

▶ **Speaking**

Can you and your partner play the roles of a teacher and a student greeting and introducing yourselves? Here is a sample dialogue:

A —*Buenos días. ¿Cómo está usted?*
B —*Muy bien, gracias. Y tú, ¿qué tal?*
A —*Así, así. Me llamo Miguel. ¿Y usted?*
B —*Me llamo Alfonso Beltrán.*
A —*Mucho gusto, Señor Beltrán.*

Self Test www.pasoapaso.com

Resumen del vocabulario

Use the vocabulary from this chapter to help you:

► greet people and ask how they are feeling

► talk about classroom items

► tell numbers and dates and use the Spanish alphabet to spell

to greet people and say good-by
Buenos días.
Buenas tardes.
Buenas noches.
¿Cómo está usted?
¿Cómo estás?
¡Hola!
¿Qué tal?
Adiós.
Hasta luego.

to tell how you feel
Así, así.
(Muy) bien.

to ask someone's name and tell your name
¿Cómo te llamas?
(Yo) me llamo ___.

to acknowledge introductions
Mucho gusto.
Igualmente.
señor / señora / señorita

to ask for and give information
¿Cómo se dice ___ en español?
Se dice ___.
¿Cómo se escribe ___?
¿Cuál es la fecha de hoy?
Hoy es ___.

Mañana es ___.
¿Cuál es tu número de teléfono?
Mi/Tu (cumpleaños)
¿Cuándo es ___?
el año
¿Cuántos años tienes?
Tengo ___ años.
¿Cuántos, -as ___ hay?
Hay
¿De dónde eres?
(Yo) soy de ___.
¿Qué día es hoy?
es
¿Y tú?
¿Y usted?
no
sí
o

to say when something takes place
el día/el mes/la semana
en
el + *number* + de + *month*
lunes   viernes
martes   sábado
miércoles   domingo
jueves

enero   julio
febrero   agosto
marzo   septiembre
abril   octubre
mayo   noviembre
junio   diciembre

to count or give dates
el primero de
cero, uno, dos, tres, cuatro, cinco, seis, siete, ocho, nueve, diez
once, doce, trece, catorce, quince, dieciséis, diecisiete, dieciocho, diecinueve, veinte
veintiuno, veintidós, veintitrés, veinticuatro, veinticinco, veintiséis, veintisiete, veintiocho, veintinueve, treinta
treinta y uno

to say please and thank you
por favor/gracias

to talk about the classroom
el bolígrafo
el compañero, la compañera
   pl. los compañeros
el/la estudiante
   pl. los estudiantes
la hoja de papel
el libro
la mesa
la pizarra
el profesor, la profesora
el pupitre
la sala de clases

CAPÍTULO 1

Y tú, ¿cómo eres?

Objectives

At the end of this chapter you will be able to:

► describe yourself and tell about some of your likes and dislikes

► find out what other people are like

► compare your and other people's likes and dislikes

► talk about teen activities and the concept of friendship in Spanish-speaking countries

PASO CULTURAL Soccer is the national sport in most Spanish-speaking countries. The exceptions are Cuba, the Dominican Republic, Nicaragua, Panama, Puerto Rico, and Venezuela, where baseball is the most popular sport. Soccer has been around for centuries. The Chinese, Egyptians, Greeks, Romans, and Europeans of the Middle Ages all played a version of the game, as did the indigenous civilizations in the Americas. Why do you think soccer is becoming more popular in the U.S.?

Grupo de atletas de
Esmeraldas, Ecuador

¡Piensa en la CULTURA!

PASO CULTURAL

It's a common practice in Spanish-speaking countries to take a break at an outdoor café. In addition to coffee and pastries, patrons can order soft drinks and even light meals. Why do you think it's so enjoyable for people in Spanish-speaking countries to go to cafés?

Spending time with friends in Spain and Mexico

Look at the photographs. In the captions these teens tell us something about themselves.

"Soy de Madrid. Me gusta mucho estar con mis amigos."
What is this group of friends doing?

Madrid, España

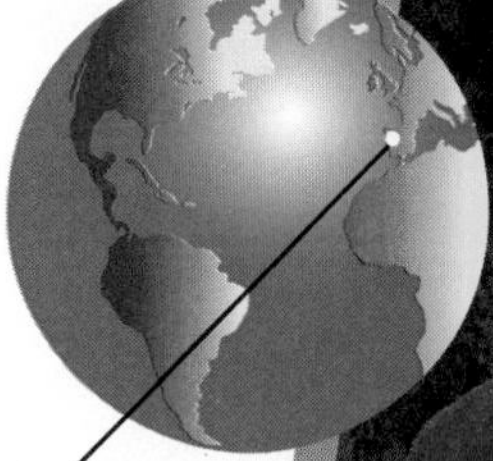

Barcelona, España

"Soy de Barcelona. Me gusta hablar por teléfono con mis amigos."
What do you think the girl is saying in the caption?

"Me gusta estudiar con Mariana. Es muy amable."
What do you think *estudiar* might mean?

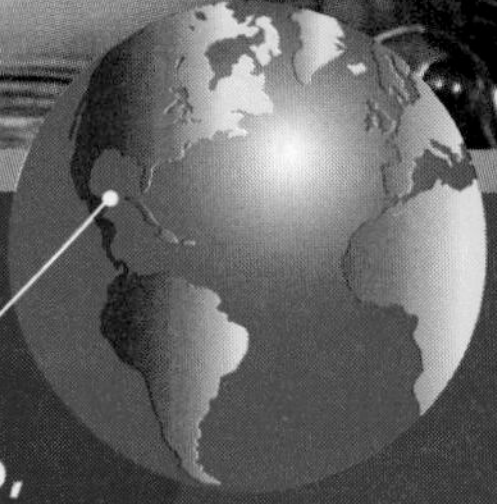

Quintana Roo, México

Cultural Exploration
www.pasoapaso.com
Visit these countries on-line

Vocabulario para conversar

¿Qué te gusta hacer?

Here are some new words and expressions you will need to talk about your likes and dislikes. Read them several times, then turn the page and practice with a partner.

ir a la escuela

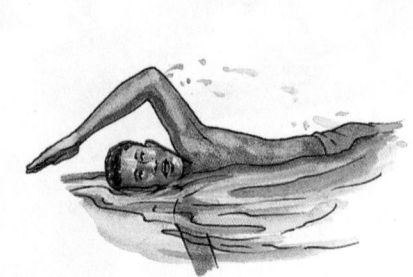

nadar

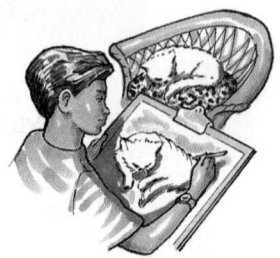

dibujar

ir al cine

practicar deportes

escuchar música

patinar

ayudar en casa

hablar por teléfono

estudiar

ver la televisión (la tele)

cocinar

leer

tocar la guitarra

¡NO OLVIDES!

Remember that in Spanish we use an upside-down punctuation mark at the beginning of questions and exclamations and a regular one at the end.

También necesitas...

¿Qué te gusta (hacer)?	*What do you like (to do)?*
¿Te gusta ___?	*Do you like ___?*
estar con amigos	*to be with friends*
(A mí) me gusta ___.	*I like ___.*
más ___.	*___ better. (I prefer.)*
mucho ___.	*___ a lot.*
¿Y a ti?	*And you?*
(A mí) sí me gusta ___.	*I <u>do</u> like ___.*
A mí también.	*I do (like it) too.*
(A mí) no me gusta ___.	*I don't like ___.*
mucho ___.	*___ very much.*
nada ___.	*___ at all.*
___ tampoco.	*___ either.*
¿De veras?	*Really?*
Pues	*Well . . .*
y	*and*

Empecemos a conversar

With a partner, take turns being *Estudiante A* and *Estudiante B*. Use the words that are cued or given in the balloons to replace the underlined sections in the model. 💡 means you can make your own choices.

 1

A —*¿Qué te gusta hacer? ¿Te gusta <u>nadar</u>?*

B —*<u>Sí, me gusta</u>.*

Estudiante A　　　　　　　　　　　　　　　　　　　　　　　　　　　**Estudiante B**

a.　b.　c.

d.　e.　f.

Sí, me gusta.
o: No, no me gusta.
o: No, no me gusta nada.

2

A —*¿Qué te gusta más, <u>practicar deportes</u> o <u>hablar por teléfono</u>?*

B —*Pues, me gusta más <u>hablar por teléfono</u>.*

Estudiante A　　　　　　　　　　　　　　　　　　　　　　　　　　　**Estudiante B**

a.　b.

c.　d.

3 A —*No me gusta mucho <u>ver la televisión</u>.*

B —*<u>A mí no me gusta tampoco.</u>*

Estudiante A   Estudiante B

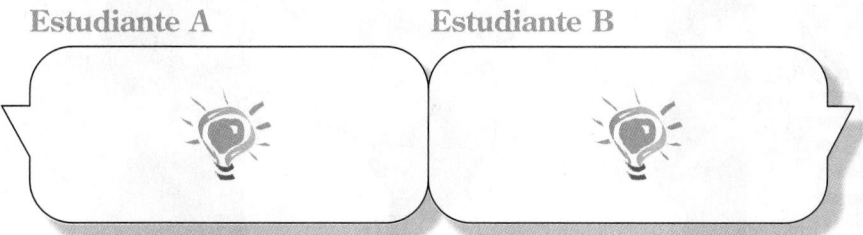

A mí no me gusta tampoco.

o: ¿De veras? A mí sí me gusta.

4 A —*A mí me gusta <u>tocar la guitarra</u>. ¿Y a ti?*

B —*Pues, a mí me gusta <u>practicar deportes</u>.*
    o: Pues, a mí también.

Estudiante A   Estudiante B

Empecemos a escribir

Write your answers in Spanish.

5 Categorize the activities on pages 30–31 either as entertainment or as duties. Make two lists. Put a check next to any duties you enjoy.

6 Make a list of all those activities that you do on a normal school day.

7 ¿Qué te gusta hacer? ¿Qué no te gusta hacer?

8 ¿Qué te gusta más, leer o ver la tele?

También se dice...

People in different English-speaking countries often use different words to refer to the same thing. For example, what we call an "apartment" the English call a "flat." Similarly, in various Spanish-speaking countries, there are sometimes different words for the same thing.

mirar la televisión
(la tele)

MORE PRACTICE

Más práctica y tarea, p. 508
Practice Workbook 1–1, 1–3

Vocabulario para conversar   33

Vocabulario para conversar

¿Cómo eres?

Here's the rest of the vocabulary you will need to describe yourself and others.

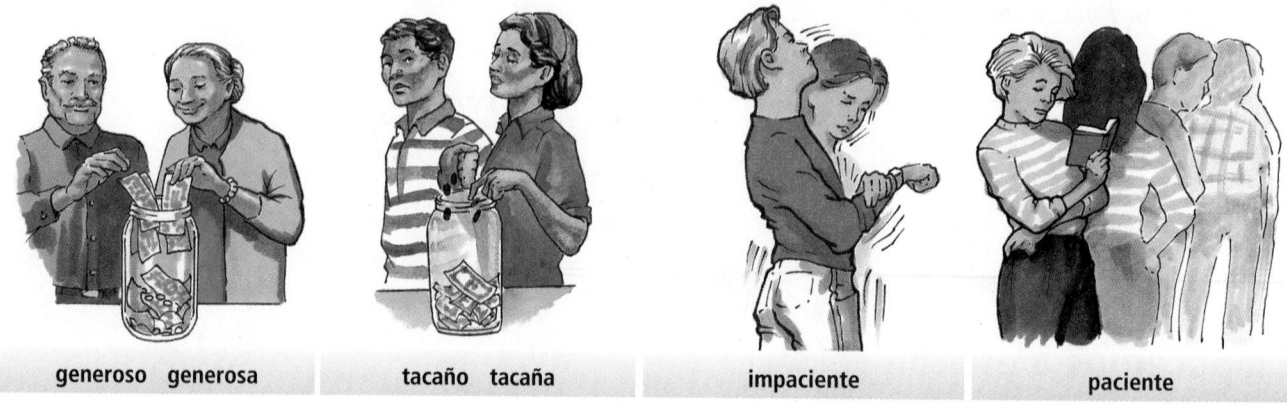

| generoso generosa | tacaño tacaña | impaciente | paciente |

| deportista | artístico artística | atrevido atrevida | prudente |

ordenado   ordenada

desordenado   desordenada

trabajador   trabajadora

perezoso   perezosa

gracioso   graciosa

serio   seria

También necesitas...

¿Cómo eres?	*What are you like?*	callado, -a	*quiet*
(Yo) soy ___.	*I am (I'm) ___.*	pero	*but*
(Tú) eres ___.	*You are (You're) ___.*	a veces	*sometimes, at times*
muy	*very*		
amable	*nice, kind*		

¿Y qué quiere decir...?
sociable

Empecemos a conversar

9 A —*¿Cómo eres, <u>ordenado(a)</u> o <u>desordenado(a)</u>?*
    B —*Soy <u>ordenado(a)</u>, pero a veces soy <u>desordenado(a)</u>.*

Estudiante A
                                                   Estudiante B

a.

b.

c.

d.

e.

10 A —*¿Eres <u>serio(a)</u>?*
    B —*Sí, y soy <u>callado(a)</u> también.*
        o: No, no soy <u>serio(a)</u>.

Estudiante A   **Estudiante B**

11

A —¿Te gusta _nadar_?

B —Sí, soy _deportista_.

    o: _No, no soy muy deportista._

Estudiante A

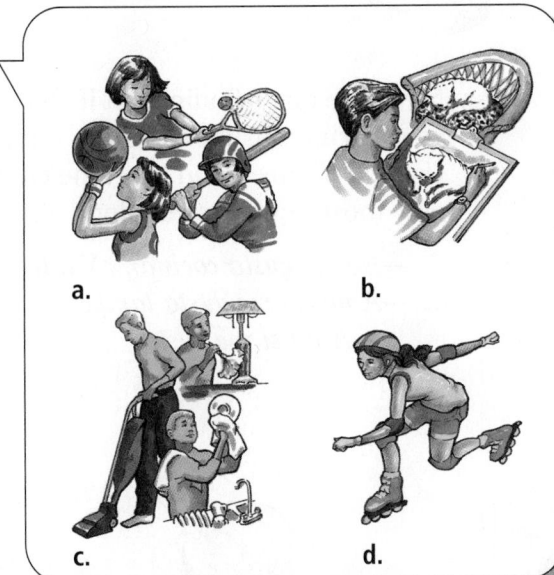

a.   b.

c.   d.

Estudiante B

Empecemos a escribir y a leer

Write your answers in Spanish.

12   Look at the vocabulary on pages 34–35 and write down three words that describe you.

13   Make a list of the words that you would use to describe:
- the ideal student
- the ideal teacher
- the ideal parent
- the ideal friend

14   ¿Cómo eres? ¿Eres amable? ¿Sociable? ¿Trabajador(a)?

15   ¡Hola! Me llamo Esteban. A mí me gusta nadar y patinar. También me gusta estar con mis amigos o hablar por teléfono. No me gusta ni cocinar ni ayudar en casa. ¿Cómo soy?

    Eres . . .

MORE PRACTICE

- Más práctica y tarea, p. 509
- Practice Workbook 1–4

Find out how many of the pictured activities both you and your partner enjoy. Take turns asking the questions. Be sure to choose only those activities you really like.

A —*A mí me gusta escuchar música. ¿Y a ti?*
B —*A mí me gusta también.*
    o: *A mí no me gusta.*

Now take turns finding out if you and your partner dislike the same things. Use the pictures, and this time choose only those activities you <u>don't</u> like.

A —*No me gusta cocinar. ¿Y a ti?*
B —*A mí no me gusta tampoco.*
    o: *A mí sí me gusta.*

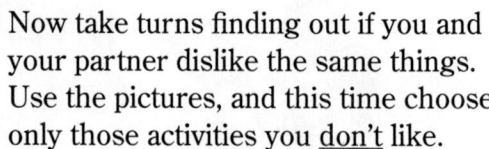

What have you and your partner learned about each other? Write a two-sentence description of your partner. Include two words that describe him or her and two activities that he or she likes. Read your description aloud, pausing to allow your partner to say *Sí* or *No* to your statements.

You are going to be an exchange student in Costa Rica and your host family wants to know what you are like. Write a few sentences telling them what you are like and some things you like to do. Then, with a partner, compare what you wrote about yourselves.

¿Qué sabes ahora?

Can you:

► ask someone what he or she likes to do?
—¿Qué ___ hacer?

► tell someone what you like or do not like to do?
—___ ir a la escuela.

► ask someone what he or she is like?
—¿Cómo ___?

► tell someone what you are like?
—Soy ___.

"Me gusta leer y escuchar música."

Perspectiva cultural

La amistad

Te gusta estar con tus amigos, ¿no? ¿Qué te gusta hacer con tus amigos? ¿Les gusta ir al cine? ¿Hablar por teléfono? ¿Practicar deportes? Sí, probablemente. Pero, ¿qué quiere decir esa palabra mágica, "amigo"?

Look at the people in the photos. How can you tell that they might be friends?

"Mike, this is my friend Luis." That is how my classmate introduced

"Soy de Chile. Me gusta tocar la guitarra."

me to another boy in our class. It was my first day of school here. I was in the seventh grade. My family had come from El Salvador in July, so I had not met any English speakers my age. And here was someone introducing me as his friend when we had just met that morning! What a strange place I was in!

Children in Latin America often give these cloth bracelets to each other as tokens of friendship.

Estudiantes mexicanos
en la escuela

By the end of that year, I did have friends, friends in the Spanish sense. They are still my friends. I think that they will always be, because that is what we mean by *amigo,* a friend for life.

Where I came from, people didn't move around a lot. You would probably grow up in one neighborhood or town and might even live there your whole life. Yes, you might miss out on a few things, but you would form deep friendships and keep them. You would know people well, and would usually see your friends every day. You'd also get to know each other's families well.

And we share a lot. We share our true feelings and thoughts with our friends. We also share what we have. If a friend borrows money from me, I don't keep track or get an I.O.U. Or if I do a favor for a friend, I don't think any more about it. I know that my friend will always help me out. In the long run, it will probably turn out even.

Of course, we are warm and welcoming to people we don't know very well, people you might call friends but whom we would call *conocidos* (acquaintances). We may get along quite well, but they are not *amigos.* Perhaps some day they will be, but that takes time. An *amigo* is someone you can count on all your life.

La cultura desde tu perspectiva

1 What are some similarities and differences between who is considered a friend in a Spanish-speaking country and in the United States?

2 What could you expect to occur if you became friends with someone in a Spanish-speaking country?

www.pasoapaso.com

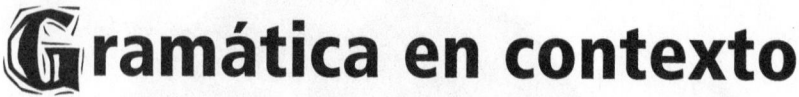

Gramática en contexto

Here is a descriptive poem entitled "Yo." What kind of information would you expect to find in such a poem?

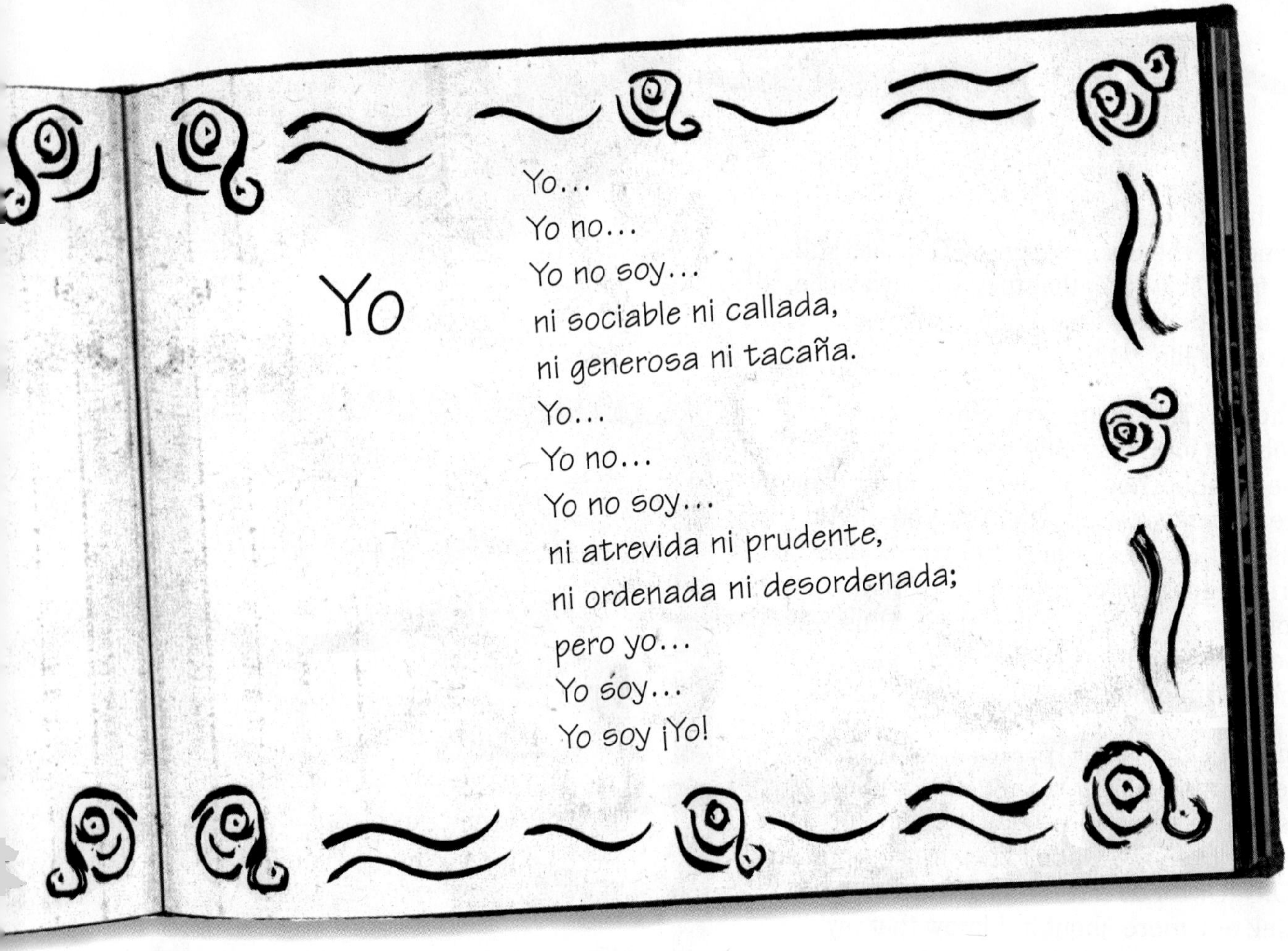

Yo...
Yo no...
Yo no soy...
ni sociable ni callada,
ni generosa ni tacaña.
Yo...
Yo no...
Yo no soy...
ni atrevida ni prudente,
ni ordenada ni desordenada;
pero yo...
Yo soy...
Yo soy ¡Yo!

Yo

A Think about the predictions you made before you read the poem. Did you find the information that you thought you would find in the poem? What did you find out about the person who wrote it?

B Is the poet male or female? How do you know? Find at least three words that give you that information.

C *Ni . . . ni* appears four times in the poem. What do you suppose it means?

D Think of a guideline that could help you decide whether to use the words *generoso* or *generosa* and *serio* or *seria* to describe a person. Are there any adjectives (descriptive words) on pages 34–35 that your rule does not cover? Which ones?

Los adjetivos

Words describing people and things are called adjectives.

- In Spanish, adjectives describing females usually end in *-a*.

- Adjectives describing males usually end in *-o*. However, there are some exceptions, such as *deportista,* which can describe both males and females.

- Adjectives that end in *-e* can describe either females or males, for example: *amable.*

Here are the adjectives you already know:

amable	impaciente
artística	ordenada
artístico	ordenado
atrevida	paciente
atrevido	perezosa
callada	perezoso
callado	prudente
deportista	seria
desordenada	serio
desordenado	sociable
generosa	tacaña
generoso	tacaño
graciosa	trabajador
gracioso	trabajadora

1 Look at the list of adjectives. Seventeen of the words can be used to describe a boy. Which ones are they? Which ones can be used to describe a girl? How many of the words can be used to describe a boy <u>or</u> a girl? Which ones are they?

2 Students are preparing a who's who that describes each member of the class. Ask your partner what he or she is like. Each of you should choose four or more words from the list to describe yourselves.

A —*¿Cómo eres?*

B —*Soy graciosa, artística, paciente y sociable.*
   o: *Soy gracioso, artístico, paciente y sociable.*

3 With a partner, take turns describing these fictional characters. Afterward, compare your descriptions with those of another pair of students.

Mary Poppins

A —*¿Cómo es Mary Poppins?*

B —*Es muy paciente.*

a. Ricitos de Oro (Goldilocks)
b. Donald Duck
c. Curious George
d. Garfield
e. Superman
f. Robin Hood
g. La Cenicienta (Cinderella)
h. Scrooge
i. Pocahontas
j. el león de El Mago de Oz

¡NO OLVIDES!

To describe a third person (he or she), use *es.*

4 Choose a person, real or fictional, whom your partner is likely to know about. Describe that person. If necessary, pantomime any other hints that might be helpful. Can your partner figure out whom you are describing?

Ni . . . ni

- If you want to say that you do not like either of two choices, use *ni . . . ni* to mean "neither . . . nor" or "not . . . or." For example:

    No me gusta **ni** nadar **ni** dibujar.

- Use *ni . . . ni* to say that neither of two descriptions fits you.

    No soy **ni** deportista **ni** artístico.

5 Imagine that these are new students in your Spanish class. Tell what each person might say about his or her likes and dislikes.

María

Me gusta dibujar y tocar la guitarra, pero no me gusta ni cocinar ni patinar.

a. Pablo

b. Enrique

c. Elena

d. Isabel

6 Take turns asking and answering questions to find out what your partner is like. Discuss whether your partner is *sociable* or *callado(a)*, *paciente* or *impaciente*, *prudente* or *atrevido(a)*, and *trabajador(a)* or *perezoso(a)*.

A —¿*Eres generoso(a) o tacaño(a)?*

B —*Soy (muy) generoso(a).*
   o: *Soy tacaño(a).*
   o: *No soy ni generoso(a) ni tacaño(a).*

Sí / Tampoco

- Use *sí* + *me gusta* to contrast something you like with something you or someone else dislikes. For example:
  —A mí no me gusta hablar por teléfono. ¿Y a ti?
  —A mí **sí me gusta**.

- Use *no me gusta* + *tampoco* to agree with someone who dislikes something. For example:
  —A mí no me gusta practicar deportes. ¿Y a ti?
  —A mí **no me gusta tampoco**.

7 You and your partner are discussing activities that you like and don't like. Choose some activities that you don't like, and find out whether or not your partner agrees.

A —*A mí no me gusta patinar. ¿Y a ti?*

B —*Pues, a mí sí me gusta.*
   o: *A mí no me gusta tampoco.*

MORE PRACTICE

Más práctica y tarea, p. 510
Practice Workbook 1–5, 1–9

Ahora lo sabes

Can you:

► describe yourself or someone else?
—Yo soy ___, pero tú eres ___.

► say that you do not like either of two choices?
—No me gusta ___ ver la tele ___ ir al cine.

► say that neither of two descriptions fits you?
—No soy ___ perezoso(a) ___ sociable.

► emphasize that you do like something?
—¿No te gusta? ¡A mí ___!

► say that you do not like something either?
—A mí ___.

Todo Junto

Actividades

Muchachas sacando fotos en Ambato, Ecuador

1 In order to get a job at a summer camp, you must convince the camp supervisor that you are the best person for the job. As part of your application, tell what you are like, and list some of the things you like to do.

2 In four or more sentences, describe yourself, including your personality traits and interests. Your sentences should include:

- some words that describe you and some that do not
- some things you do and don't like to do
- contrasts of things you like to do with things you don't like to do

3 Take a poll to find out which activities your classmates like to do. On a sheet of paper, list across the top the activities mentioned in this chapter. In the left-hand column, write these words: *me gusta mucho, me gusta, no me gusta, no me gusta nada.* Then interview four classmates, asking about all the activities on the list. Mark the answers on your chart and total the number of votes for each activity under each heading.

Jugando fútbol en California

	NADAR	PATINAR	VER LA TELE	IR AL CINE
ME GUSTA MUCHO	//		/	
ME GUSTA		///		
NO ME GUSTA	/			//
NO ME GUSTA NADA			///	

Paulo sobre un asno (1923),
Pablo Picasso

El arte

Conexiones

La personalidad y la pintura

What can we learn about people from a painting?
Here are two famous paintings of young boys:
El príncipe Baltasar Carlos by Diego Velázquez
(1599–1660) and *Paulo sobre un asno* by
Pablo Picasso (1881–1973).

• Look at each portrait. In what ways are the
  paintings similar? In what ways are they different?

• What is your impression of the boys? Write a list of
  adjectives to describe each of them.

Bring to class a picture of a portrait or self-portrait
by an artist or a photo of a person cut from a
magazine. Tell what you think the person is like.
What are his or her likes and dislikes?

Write a four-line caption in which the person
describes himself or herself: *Tengo . . . años, Soy . . . ,
Me gusta (mucho) . . . , No me gusta (nada) . . .*
In small groups, look at the pictures and read
the captions.

El príncipe Baltasar Carlos
(1634–35), Diego Velázquez

¡Vamos a leer!

Antes de leer

www.pasoapaso.com

STRATEGY ➤ **Using prior knowledge**

We usually make new friends through personal acquaintances, but sometimes we meet people through correspondence. For example, you might want to look through a pen pal column in a Spanish-language magazine to start a correspondence with someone from another country.

You can help yourself read in Spanish by using certain strategies. One strategy is using what you know to predict what a reading might contain. For example, you already know the kinds of information you might find in the various sections of a newspaper or magazine.

Buscando amigos is the name of the pen pal section in the Mexican magazine *15 a 20*.

1 What do you think the name *15 a 20* refers to?

2 List three things you might expect to find in a pen pal section.

BUSCANDO AMIGOS

Jaime Muñoz Pardo
Insurgentes Sur № 2938
Torre 3, Suite 410
14000 México D.F.
Edad: 18
Pasatiempos: escuchar música, coleccionar estampillas y leer

Vanessa Salinas Garza
Calle 52 № 2420
entre 42 y 47
San Nicolás, La Habana, Cuba
Edad: 18
Pasatiempos: ajedrez, nadar, acampar, fútbol

Luz María Arévalo Huerta
Juan de Toledo № 218
Jardines de la Asunción
20260 Aguascalientes, Ags.
Estados Unidos Mexicanos
Edad: 20
Pasatiempos: escuchar música y tocar la guitarra

Santiago R. Flores
Emiliano Sánchez № 1932
Col. Álamo
44890 Guadalajara, Jal.
Estados Unidos Mexicanos
Edad: 16
Pasatiempos: karate, leer, música rock

Marisol Toledo Vega
Ret. 2, Oriente 269 № 9
Col. Agrícola Oriental
07500 México D.F.
Edad: 15
Pasatiempos: ver películas, básquetbol, acampar

Fausto Salcedo Gómez
Costeñas № 129
Col. Benito Juárez, 3ª sec.
5800 México D.F.
Edad: 17
Pasatiempos: leer, acampar, escuchar música, coleccionar postales

Mira la lectura

STRATEGY ➤ **Scanning**

Look at this pen pal section. Does it include the three things you expected to find? What, if anything, is missing? What additional types of information did you find?

Estudia con nosotros: ¡*Entonces ven!* Jhezhey
• Diseño de Modas
• Modista en alta Costura
• Industria de la Moda
• Técnico en Modelaje Profesional
INSTITUTO DE MODA
VEN Y PIDE INFORMACIÓN COMPLETA
PLANTEL MEXICO: JALAPA 94 COL. ROMA TEL: 525 86 47
PLANTEL PUEBLA: 37 PTE. 312 COL. GABRIEL PASTOR TEL: 37 20 45

Infórmate

STRATEGY ➤ **Scanning**

Scanning is another strategy you can use. When you scan you only look for certain information. You do not have to read and understand every word.

1 Look at the first listing, for Jaime Muñoz Pardo. In what order does Jaime provide the following information?

address   age   hobbies   name

2 Look at the first names of the people seeking pen pals. On a separate sheet of paper, list them in the three categories shown below. How many are girls? How many are boys? What clue(s) did you use to help you decide?

Boys   Girls   Not sure

3 Read about each person's pastimes.

a. List the pastimes that two or more of them share.

b. List five pastimes that are not shared.

c. Are there any pastimes whose meaning you cannot guess? If so, you and a partner should choose two that you can't figure out. Each of you should find out the meaning of one of the words and share it with the class.

Muchacho ecuatoriano de Quito

Aplicación

Imagine that you are seeking a pen pal. Provide information about yourself that you think is important to share. You may want to use the following categories:
- Nombre
- Dirección
- Edad
- Pasatiempos

"Me gusta mucho leer y estudiar."

¡**V**amos a escribir!

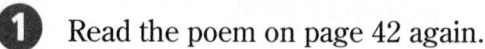
"A mí me gusta estar con mis amigos." ►

Write a poem about yourself similar to the one on page 42. Follow these steps:

1 Read the poem on page 42 again.

2 Look at the vocabulary on pages 34–35 and write down five adjectives that apply to you and five that don't. Use the headings *Soy* and *No soy.*

Then, using the vocabulary on pages 30–31, write down at least three things that you like to do and three things that you don't like to do. Use the headings *Me gusta mucho* and *No me gusta nada.*

3 Write your poem based on the lists that you made. Focus on arranging your ideas in a way that you like.

4 Now show your poem to a partner. Ask which parts of the poem he or she likes and which ones might be changed. Decide whether or not you agree, then rewrite your poem, making any changes that you have decided on.

5 Check to make sure that everything is spelled correctly. Are capital letters used where they are needed? Are accents used correctly? Did you use question marks and exclamation points at the beginning and end of a sentence?

6 Now recopy your corrected poem. Add drawings or pictures if you like.

"¡Hola! Soy de Guatemala."

"Soy de Argentina. Soy seria y paciente."

"Soy colombiano y soy muy amable."

Repaso ¿Lo sabes bien?

This section will help you organize your studying for the proficiency test, where you will be asked to do similar, though not identical, tasks. There will not be any models on the test.

► Listening
Can you understand when someone talks about personality traits and interests? Listen as your teacher reads you a sample similar to what you will hear on the test. Would the person making the statements be more likely to participate in a school play or read at home?

► Reading
Can you understand a written description of a person's traits and interests? Scan the paragraph below. What is the person like? Is it a description of a boy or a girl?

Me gusta mucho patinar.
También me gusta ir al cine.
A veces soy impaciente,
pero soy amable y generoso.

► Writing
Can you write a letter describing your personality and interests? Here is an example of an appropriate letter.

¡Hola, Alfredo!

Soy trabajador y me gusta ayudar en casa. También me gusta ir a la escuela y tocar la guitarra. No soy prudente. No soy callado tampoco. Y tú, ¿cómo eres?

Saludos,

Antonio

► Culture
Can you explain what the word *amigo* might mean to a person from a Spanish-speaking country?

En Otavalo, Ecuador

► Speaking
Can you describe yourself and tell what you like to do? Here is one example of a good response:

—*Pues, yo soy seria y callada, pero no soy ni deportista ni artística. Me gusta mucho leer y estar con amigos. No me gusta nada hablar por teléfono.*

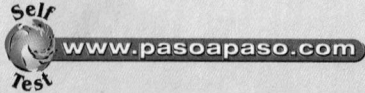

Self Test www.pasoapaso.com

Use the vocabulary from this chapter to help you:

► describe yourself and tell about some of your likes and dislikes

► find out what other people are like

► compare your and other people's likes and dislikes

to talk about activities
ayudar en casa
cocinar *to cook*
dibujar *to draw*
escuchar música *listen music*
estar con amigos *be w/friends*
estudiar *study*
hablar por teléfono *talk on*
  el teléfono *phone*
ir a la escuela *go to school*
ir al cine
  el cine
leer *read*
nadar *swim*
patinar *skate*
practicar deportes
tocar la guitarra
ver la televisión (la tele) *watching*

to say what you like
(A mí) me gusta ___.
  más ___.
  mucho ___.
(A mí) sí me gusta ___.
A mí también.

to say what you do not like
(A mí) no me
  gusta ___.
    mucho ___.
    nada ___.
    ___ tampoco.

to say what you or someone else is like
(Yo) soy ___.
(Tú) eres ___.

to ask someone what he or she likes
¿Qué te gusta (hacer)?
¿Te gusta ___?
¿Y a ti?

to ask someone what he or she is like
¿Cómo eres?
¿Eres (tú) ___?

to describe yourself or others
amable
artístico, -a
atrevido, -a
callado, -a
deportista
desordenado, -a
generoso, -a
gracioso, -a
impaciente
ordenado, -a
paciente
perezoso, -a
prudente
serio, -a
sociable
tacaño, -a
trabajador, -a

to ask if a statement is accurate
¿De veras?

other useful words and expressions
a veces
muy
ni . . . ni
pero
pues
también
tampoco
y

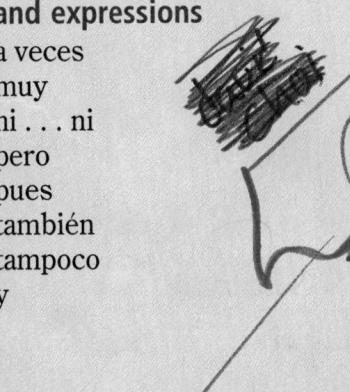

CAPÍTULO 2

¿Qué clases tienes?

Objectives

At the end of this chapter, you will be able to:

► describe your class schedule

► list some school supplies you use

► find out about someone else's schedule

► compare your school experience with that of a student in a Spanish-speaking country

PASO CULTURAL

You know that Spanish, or *castellano*, as it is also called, is the official language of Spain. But did you know that millions of Spaniards learn Spanish as a second language? Their first language may be one of Spain's three principal regional languages, *catalán*, *gallego*, or *euskera*. Does anyone in your family speak a language besides English? What language is it? How did they learn it?

Unos estudiantes delante de su escuela en Barcelona, España

¡Piensa en la CULTURA!

"Me gusta mucho la clase de inglés, pero no es nada fácil."

Which of your classes is most like this *clase de inglés*?

School activities in Costa Rica, Spain, and Mexico

Look at the pictures and read the captions. In the captions these teens talk about school.

"Los miércoles tengo ciencias en la primera hora. La clase empieza a las siete y media."

When do you have your *clase de ciencias*?

Málaga, España

Escazú, Costa Rica

PASO CULTURAL

In Costa Rica, the government spends 20 percent of its annual budget on education. This is a remarkably high percentage, and the country's 93 percent literacy rate ranks among the highest in the world. What differences, if any, do you think there might be between a biology class in Costa Rica and one in your school?

Chetumal, México

En la Escuela Secundaria Adolfo López

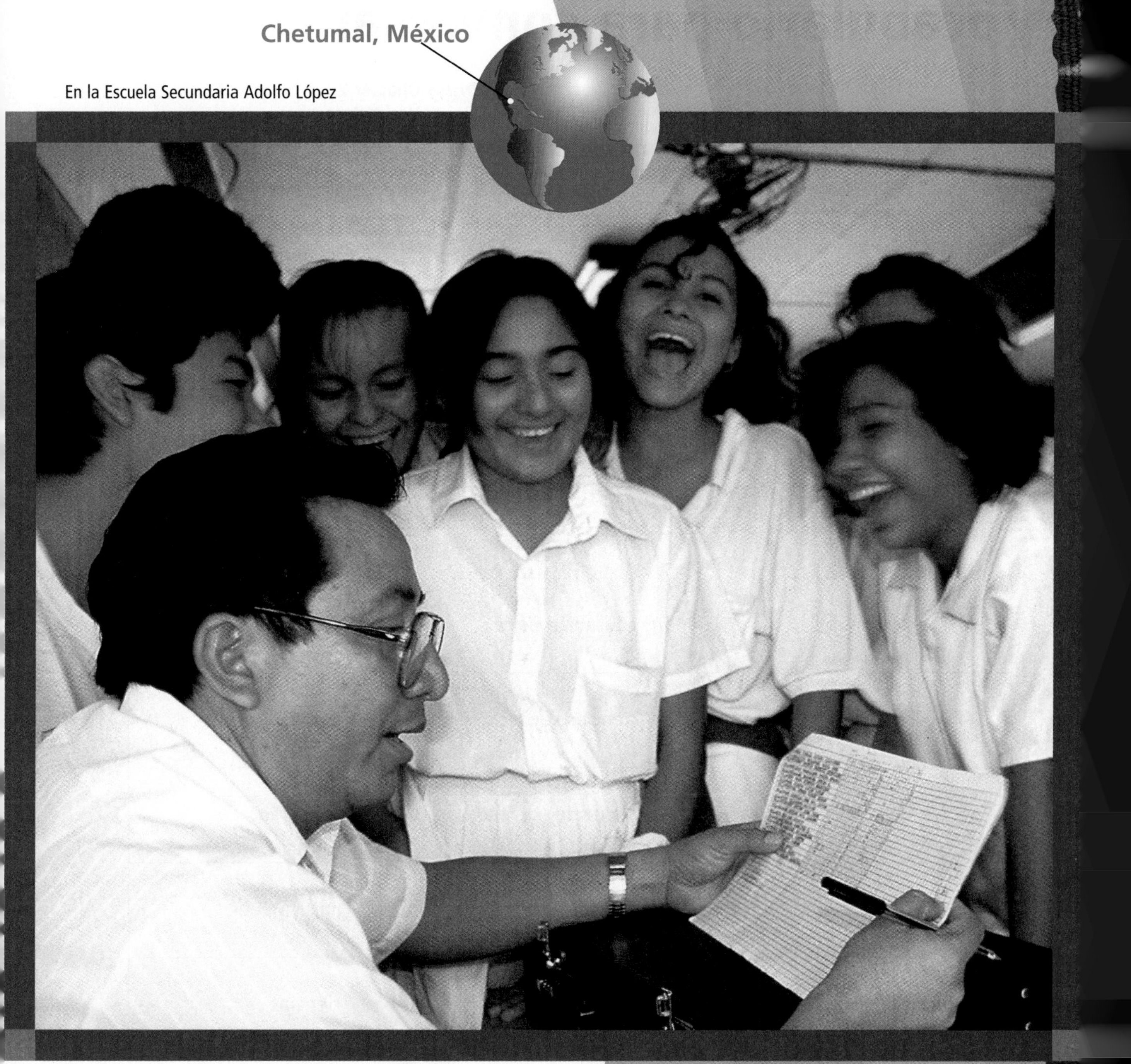

"Los estudiantes de mi clase tienen un 10 . . ."

What do you think getting a grade of 10 in a
Spanish-speaking school means?

www.pasoapaso.com
Visit these countries on-line

Vocabulario para conversar

¿Qué clases tienes?

 At Home **VIDEO** Chapter 2 Vocabulary

Here are some new words and expressions you will need to talk about your class schedule and school supplies. Read them several times, then turn the page and practice with a partner.

Horario (m.)*

		Primer semestre (m.)		Segundo semestre
(1ª) primera hora (f.)		matemáticas		inglés
(2ª) segunda hora		inglés		matemáticas
(3ª) tercera hora		educación física		ciencias de la salud
(4ª) cuarta hora		ciencias sociales		ciencias sociales
(5ª) quinta hora		almuerzo		almuerzo
(6ª) sexta hora		arte		música
(7ª) séptima hora		español		ciencias
(8ª) octava hora		ciencias		español

* The letters in parentheses indicate the gender of the noun: masculine *(m.)* or feminine *(f.)*.

una grabadora

una calculadora

una carpeta de argollas

un marcador

una mochila

un lápiz, *pl.* lápices

un diccionario

pl. marcadores

un cuaderno

una regla

una carpeta

¡NO OLVIDES!

tú = *you*
tu = *your*

También necesitas...

la clase de ___	___ *class*
difícil	*difficult, hard*
fácil	*easy*
la tarea	*homework*
aprender: (yo) aprendo (tú) aprendes	*to learn: I learn* *you learn*
necesitar: (yo) necesito (tú) necesitas	*to need: I need* *you need*
tener: (yo) tengo (tú) tienes	*to have: I have* *you have*

para	*for*
tu	*your*
¿Qué?	*What?*
Lo siento.	*I'm sorry.*
A ver ...	*Let's see ...*
Aquí / Allí está.	*Here / There it is.*

¿Y qué quiere decir . . . ?

mucho, -a

Empecemos a conversar

With a partner, take turns being *Estudiante A* and *Estudiante B.* Use the words that are cued or given in the balloons to replace the underlined sections in the model. means you can make your own choices.

1   A —*¿Tienes mucha tarea en tu clase de <u>ciencias</u>?*
     B —*Sí, tengo mucha tarea.*
        o: *No, no tengo mucha tarea.*

Estudiante A   **Estudiante B**

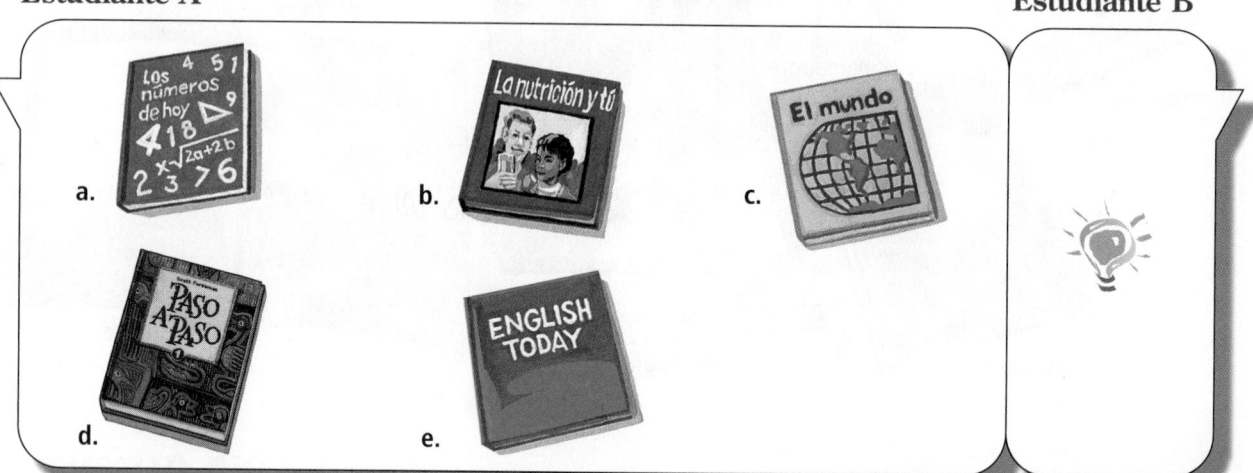

a.   b.   c.

d.   e.

2   A —*¿Tienes <u>una calculadora</u>?*
     B —*A ver . . . Sí, aquí está.*
        o: *Sí, allí está.*
        o: *A ver . . . No, lo siento.*

Estudiante A   **Estudiante B**

Una clase de matemáticas en
San Miguel de Allende, México

3   A —¿Qué clase tienes en la *primera* hora?

   B —¿En la *primera* hora? Pues, tengo *matemáticas*.

Estudiante A   **Estudiante B**

a. 2ª

b. 3ª

c. 4ª

d. 5ª

e. 6ª

f. 7ª

g. 8ª

4   Find out which class your partner likes the most and which one he or she does not like at all. Say whether or not you too like or dislike those classes. For example:

   A —¿Qué clase te gusta más?

   B —Me gusta más la clase de ciencias.

   A —A mí también. ¿Y qué clase no te gusta nada?

   B —Pues, la clase de inglés.

   A —¿De veras? A mí sí me gusta.

Empecemos a escribir

Write your answers in Spanish.

5   List the school supplies you have with you right now. Next to each item, write the name of at least one class in which you use it.

6   In two columns, under the headings *Fácil* and *Difícil*, list the subjects you are taking this year.

7   ¿Qué necesitas para tu primera clase?

8   ¿Qué te gusta más, hacer la tarea de español o hablar con tus compañeros(as) en la clase de español?

9   ¿Qué tienes en tu mochila?

También se dice...

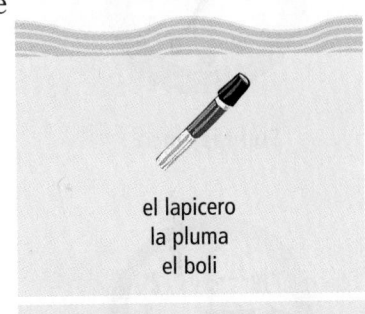

el lapicero
la pluma
el boli

la carpeta de anillas
el archivador

MORE PRACTICE

Más práctica y tarea, p. 511
Practice Workbook 2–1, 2–2

Vocabulario para conversar

¿Qué hora es?

Here's the rest of the vocabulary you will need to talk
about your class schedule.

Es la una.
A la una

Son las dos.
A las dos

Son las tres.

Son las cuatro.

Son las cinco.

Son las seis.

Son las siete.

Son las ocho.

Son las nueve.

Son las diez.

Son las once.

Son las doce.

Son las dos
y cinco.

Son las dos y
cuarto. (Son las
dos y quince.)

Son las dos
y veinte.

Son las dos y
media. (Son las
dos y treinta.)

Son las dos
y cuarenta
y cinco.

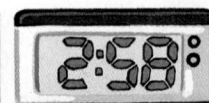

Son las dos
y cincuenta
y ocho.

El reloj del Parque Hundido, Ciudad de México

32 treinta y dos
33 treinta y tres
34 treinta y cuatro
35 treinta y cinco
36 treinta y seis
37 treinta y siete
38 treinta y ocho
39 treinta y nueve
40 cuarenta
41 cuarenta y uno...
49 cuarenta y nueve
50 cincuenta
51 cincuenta y uno...
59 cincuenta y nueve

¡NO OLVIDES!

You worked with the numbers 0 to 31 in *El primer paso.*

También necesitas...

enseñar: enseña	*to teach: (he / she) teaches*
a	*at*
¿A qué hora _____?	*At what time _____?*
empezar: empieza	*to begin: it begins*
terminar: termina	*to end: it ends*
es	*he / she / it is*
¿Qué hora es?	*What time is it?*
¿Quién?	*Who? Whom?*

Empecemos a conversar

10 A —*¿Qué hora es? ¿Son las dos?*

B —*No, <u>es la una y cuarenta y cinco</u>.*

Estudiante A

 a.

 b.

 c.

 d.

Estudiante B

 a.

 b.

 c.

 d.

11 A —*¿A qué hora empieza tu clase de <u>educación física</u>?*

B —*<u>Empieza a las diez</u> y termina a <u>las diez y cincuenta</u>.* `10:00-10:50`

Estudiante A

 a.

 b.

 c.

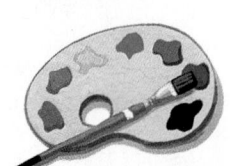 d.

Estudiante B

a. `9:00- 9:50` b. `2:00- 2:50`

c. `10:00-10:50` d. `1:00- 1:50`

12

A —¿Cuándo tienes la clase de <u>ciencias</u>?

B —A ver . . . A <u>las ocho y diez</u>.

A —¿Quién es tu profesor(a)?

B —<u>La profesora González</u>.

Estudiante A   Estudiante B

¡NO OLVIDES!

Remember that when using *señor(a)*, *profesor(a)* or any other title to talk about a person, we need to add the definite article to the title: *El señor López enseña inglés.* However, when addressing a person, we do not use the article: *¿Cómo está, señor López?*

Empecemos a escribir y a leer

Write your answers in Spanish.

13 Redesign your school schedule. You decide when classes begin and end and how long each period lasts.

14 ¿A qué hora es el almuerzo? ¿Cuándo termina?

15 ¿Quién es tu profesor(a) favorito(a)? ¿Qué enseña? ¿A qué hora empieza la clase? ¿Cuándo termina?

16 Federico dice: "Yo soy artístico. Me gusta mucho dibujar," pero Ernesto responde: "A mí no me gusta nada dibujar, pero me gusta mucho practicar deportes, especialmente nadar y patinar." Ana dice: "A mí me gusta más leer libros de historia," pero Susana responde: "A mí no me gusta mucho leer, pero sí me gustan los números y los cálculos."

¿Quién dice . . .

a. "Mi clase favorita es matemáticas"?
b. "Mi clase favorita es educación física"?
c. "Mi clase favorita es arte"?

La Estación del Norte en Valencia, España

MORE PRACTICE

www.pasoapaso.com

Más práctica y tarea, p. 511
Practice Workbook 2–3, 2–4

¡COMUNI

¡NO OLVIDES!

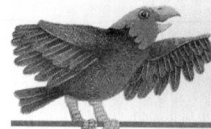

To say that you don't like either of two things, use *ni . . . ni.* See page 44.

1

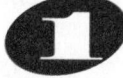

Find out which classes your partner prefers.

A —*¿Qué clase te gusta más, ciencias o ciencias sociales?*

B —*Me gusta más la clase de ciencias.*

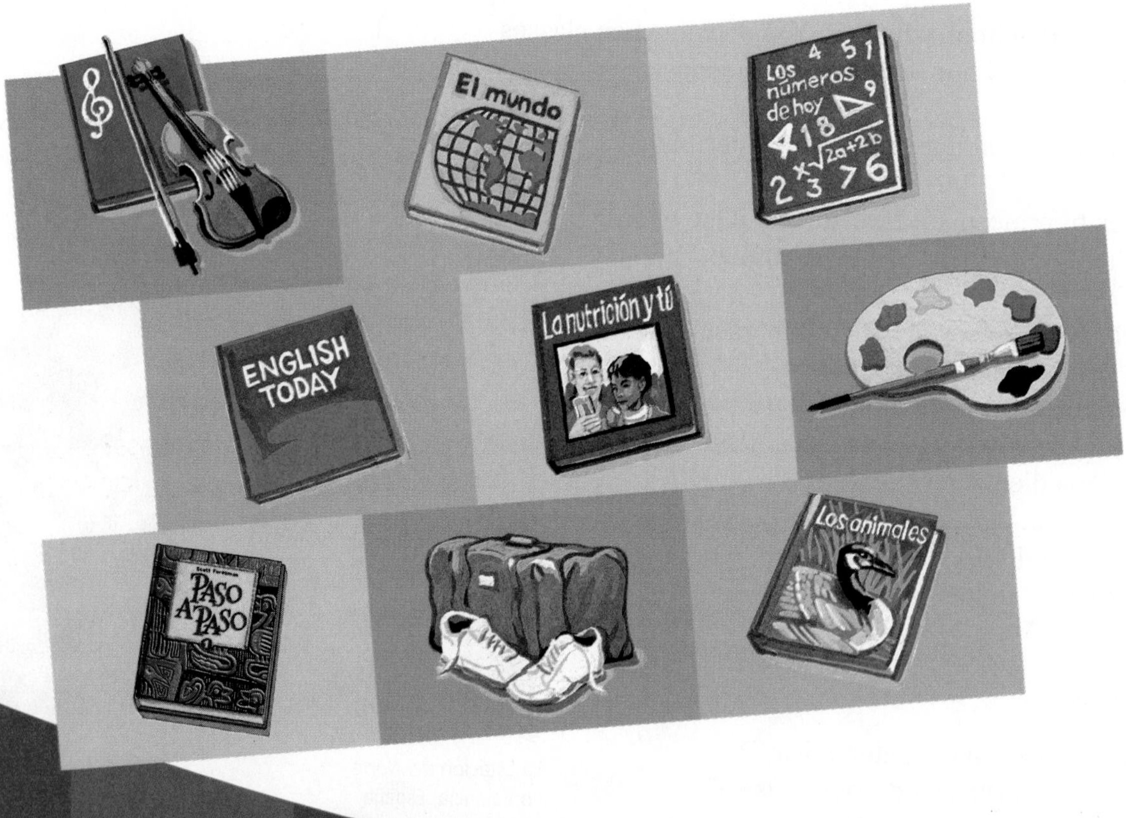

You are planning to go shopping for school supplies with a friend. Find out from each other what supplies you need for each class you are taking.

A —*¿Qué necesitas para tu clase de ciencias sociales?*

B —*A ver . . . Necesito un cuaderno y un bolígrafo.*

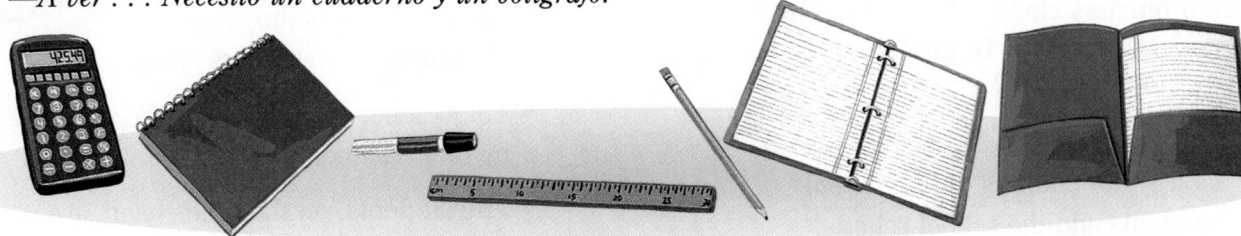

Make up questions using a word or phrase from each column to find out three things about your partner.

¿Cómo	es	la clase de ___?
¿Cuál	necesitas	para la clase de ___?
¿Cuándo	se escribe	tu cumpleaños?
¿Qué	tienes	tu nombre?
¿Quién		tu número de teléfono?
		tu profesor(a) de ___?

¿Qué sabes ahora?

Can you:

► ask someone what he or she needs for a certain class?
—¿Qué ___ para la clase de inglés?

► tell someone what you need for a class?
—___ un bolígrafo o ___ lápiz y ___ cuaderno.

► ask someone what classes he or she has?
—¿Qué clases ___ el primer semestre?

► tell someone what classes you have?
—___ ciencias, español y matemáticas.

Las escuelas mexicanas

Los estudiantes en los países hispanos tienen muchas clases. Y tú, ¿qué clases tienes? ¿Qué clases te gustan más? ¿Qué clases no te gustan?

Look at the photo of public school students and the school schedule below. What do you notice that you didn't expect?

Although an *escuela secundaria* in Mexico City has a lot in common with a high school in the United States, there are some striking differences. And even though there are differences among Mexican schools, you might find that any or all of these things happen.

- In most schools, when a teacher enters the classroom, the students stand.

- The teacher probably calls the students by their last name.

- The students, on the other hand, are more likely to address their teacher simply as *maestro* or *maestra,* without a last name.

- The average amount of time students spend on homework ranges from 15 to 30 minutes per class.

HORA	HORAS	LUNES	MARTES	MIÉRCOLES	JUEVES	VIERNES
1a	7:30 a 8:15	Ciencias naturales	Educación física	Inglés	Ciencias sociales	Ciencias naturales
2a	8:15 a 9:00	Ciencias naturales	Tecnología	Español	Ciencias sociales	Ciencias naturales
3a	9:00 a 9:45	Inglés	Tecnología	Ciencias sociales	Matemáticas	Español
4a	9:45 a 10:30	Ciencias sociales	Ciencias sociales	Ciencias sociales	Ciencias naturales	Matemáticas
	10:30 a 10:50	R E C E S O				
5a	10:50 a 11:35	Español	Ciencias sociales	Matemáticas	Ciencias naturales	Tecnología
6a	11:35 a 12:20	Matemáticas	Inglés	Ciencias naturales	Educación artística	Tecnología
7a	12:20 a 13:05	Tecnología	Educación artística	Tecnología	Educación física	Orientación vocacional
8a	13:05 a 13:50	Tecnología	Español	Tecnología	LIBRE	LIBRE

ha clase de ciencias
en el Colegio Tulum,
Ciudad de México

- Teachers usually collect the homework the next day rather than reviewing it in class.

- The grading scale in Mexico ranges from a low of 1 to a high of 10, with 6 being the lowest passing grade. A grade of 6 or 7 is roughly equivalent to a C, 8 to a B, and 9 and 10 to an A.

- Grades are based much more on test results and homework than on class participation.

- Class time is generally spent with the teacher lecturing rather than with class discussion.

- Many public schools require uniforms at least four days a week.

La cultura desde tu perspectiva

1 If you attended school in Mexico City, what might you find that might be familiar to you? What would you have to adjust to?

2 Based on what you now know about schools in Mexico City, list five suggestions that might help an exchange student from Mexico City adjust to your school's system.

Estudiantes en la Ciudad de México

www.pasoapaso.com

Cultural Activity

Perspectiva cultural 69

Gramática en contexto

This is a letter that a science teacher sent home before school started. What information would you expect to find in a letter like this?

ESCUELA SECUNDARIA FEDERAL
francisco villa
valle nacional y jazminal
CHIHUAHUA, CHIH.

28 de agosto

Estimados padres y estudiantes:

En mi clase de ciencias tengo los estudiantes de 9° grado. Es una clase importante y muy interesante. Los estudiantes preparan experimentos en el laboratorio y trabajan mucho en la clase; pero también necesitan estudiar mucho en la casa.

Para la clase de ciencias, los estudiantes necesitan lápices, papel y una carpeta. También usamos frecuentemente una calculadora y una regla en la clase.

Si Uds. necesitan más información, favor de llamar al 222-89-67 durante la tercera hora, que empieza a las 10 y termina a las 10:50.

Atentamente,

Margarita Hernández Sevilla

A Find all the words in the letter that end in *-an*. Why do you think they end in those two letters? (Hint: *Necesito* and *tengo* both end in *-o*. Think about what the *o* might tell you. *Necesitas* and *tienes* also have similar endings. What might their *-s* ending tell you?)

B Now look at the word *usamos* in the second paragraph. Can you guess at the meaning of this word?

Los pronombres personales

We often use people's names to tell who is doing an action.
We also use what we call subject pronouns.

Singular		Plural
yo	**nosotros**	**nosotras**
tú	**vosotros***	**vosotras***
usted (Ud.)	**ustedes (Uds.)**	
él	**ellos**	
ella	**ellas**	

* There are two additional pronouns that are used mostly in Spain: *vosotros* and *vosotras.* They are used when speaking to two or more people whom you would call *tú* individually: *tú* + *tú* = *vosotros* or *vosotras.* We will include these pronouns when we present new verb forms, and we will use them occasionally in situations that take place in Spain. So you should learn to recognize them.

Compañeros de clase en Santiago de Chile

PASO CULTURAL

Chile's capital, Santiago, is home to three of South America's most prestigious universities: la Universidad de Chile, la Universidad de Santiago, and la Universidad Católica. Can you name some of the cities in the United States that have several outstanding universities? Do you think that the courses offered at Chilean universities are similar to or different from courses taught in the U.S.? Why?

- *Yo* means "I."
- *Tú, usted,* and *ustedes* mean "you."
  a. Use *tú* with family members, close friends, people around your age or younger, and anyone you call by a first name.
  b. Use *usted* with adults and anyone you would address with a title of respect, such as *señor, señora,* etc. *Usted* is usually written as *Ud.*
  c. Use *ustedes* when speaking to two or more people, even if you would call them *tú* individually. We usually write it as *Uds.*
- There are two forms for "we" in Spanish: *nosotras* for females, and *nosotros* for males or for a mixed group of males and females.
- There are also two forms for "they." *Ellos* refers to a group of males or to a mixed group of males and females. *Ellas* refers to a group of females only.
- In Spanish, subject pronouns may be omitted because most verb forms indicate who the subject is: ***Tengo*** *ciencias en la primera hora.*
- Subject pronouns are usually used for emphasis or contrast, or if the subject is not clear: ***Él*** *es trabajador, pero* ***ella*** *es perezosa.*

1 With a partner, take turns telling which subject pronouns Ana would use to speak to or about these people.

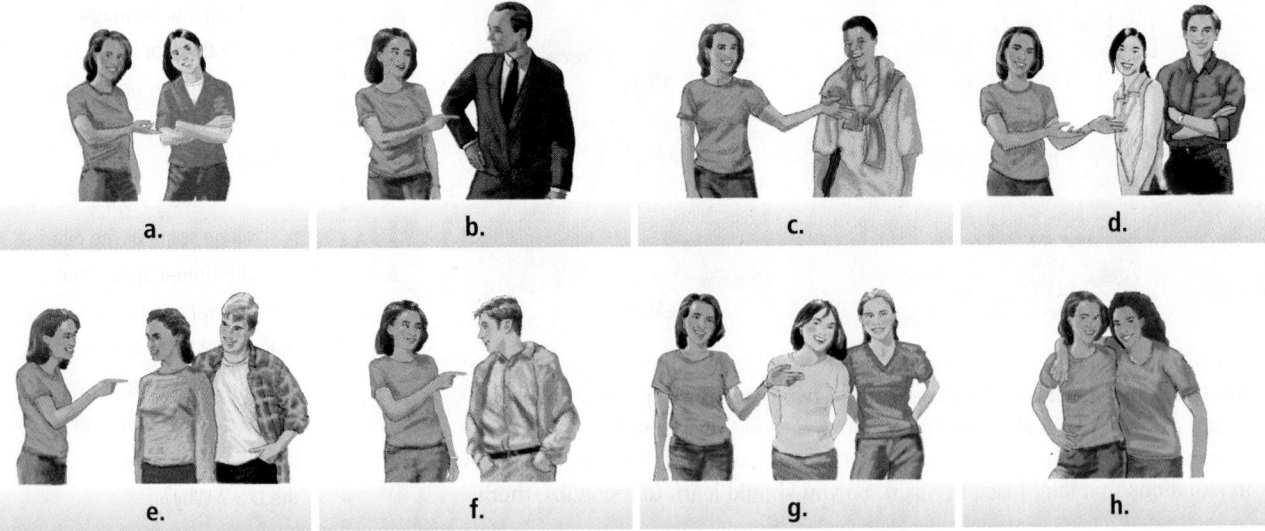

a.

b.

c.

d.

e.

f.

g.

h.

2 Now tell which form of "you" you would use if you were speaking to these people.

a. your father
b. the principal
c. the girl next door
d. your teacher
e. your mother and sister
f. your cousin
g. an older person sitting next to you on the bus
h. three classmates

Verbos que terminan en *-ar*

A verb usually names the action in a sentence. We call the verb form that ends in *-r* the infinitive. It is the form you would find in a Spanish dictionary. It means "to ___." On the right are some of the infinitives you already know. We call these *-ar* verbs.

ayudar	nadar
cocinar	necesitar
dibujar	patinar
enseñar	practicar
escuchar	terminar
estudiar	tocar
hablar	

- In Spanish, the last letter or letters of the verb tell you who does the action.

- To change an infinitive to a form that tells who is doing the action, remove the *-ar* and add the appropriate ending.

estudiar			
SINGULAR		PLURAL	
(yo)	estudi**o**	(nosotros) (nosotras)	estudi**amos**
(tú)	estudi**as**	(vosotros) (vosotras)	estudi**áis**
Ud. (él) (ella)	estudi**a**	Uds. (ellos) (ellas)	estudi**an**

* Verb forms ending in *-áis*, such as *estudiáis*, are used mainly in Spain. We will use them occasionally and you should learn to recognize them.

- The verb forms in the chart are in the present tense. They are the equivalent of both "I study, you study, he or she studies" and "I'm studying, you're studying, he's or she's studying," and so on.

- When you want to say that you do *not* do something, use *no* before the verb form.

    Yo **no cocino** en la clase de educación física.

- When we ask a question in Spanish, we usually put the subject after the verb or sometimes at the end of the sentence.

    ¿Cocina **Juan** en la clase de ciencias?

    ¿Estudia mucho **Paulina?**

3 Imagine that someone from Colombia has just arrived at your school. Which of these statements could you use to tell this student what you personally do and what you need at school?

En Caracas, Venezuela

a. Necesitamos bolígrafos y marcadores.

b. Hablo inglés.

c. Practico deportes.

d. Necesitan un cuaderno para la clase de español.

e. Tocamos la guitarra en la clase de música.

f. Habla inglés.

g. Necesito una mochila.

h. Estudian mucho para la clase de ciencias.

i. Cocinamos en la clase de ciencias sociales.

j. Dibuja en la clase de arte.

k. Estudia inglés.

l. Necesita un diccionario para la clase de inglés.

m. Habla inglés y español.

n. Nadamos en la clase de educación física.

o. Escuchan música en la clase de inglés.

"Nadamos en la clase de educación física."

4 Which sentences in Exercise 3 could you use to tell about a friend? Which could you use to tell about your friend and yourself? Which ones could you use to tell about two friends?

5 What school supplies do you and your classmates need for different classes? When necessary, ask the people what they need for a certain class and then report back to your partner.

a. what you need
b. what you and a person sitting next to you need
c. what the person sitting behind or in front of you needs
d. what any two people you choose need

SELECTIP® NOVEDAD

Descubra un Bolígrafo que es un ROTULADOR; un Rotulador que es un Roller; un Roller que es un Marcador; un Marcador que es un Bolígrafo...

El 4x4 de CROSS

Bolígrafo con super-carga Jumbo. Rotulador de fibra. Roller. Marcador de documentos. Cuatro cargas compatibles para un sólo instrumento de escritura. SELECTIP®: El 4x4 de CROSS, con garantía de por vida.

Disponible en Townsend, Century y Solo Classic

CROSS
SINCE 1846
ABSOLUTA PERFECCIÓN MECÁNICA

6 Tell what subjects you and your classmates are studying this year.

Ramona estudia ciencias de la salud.

a. (nombre)

b. (nombre) y (nombre)

c. yo

d. (nombre) y (nombre)

e. (nombres) y yo

f. (nombre)

7 Write four sentences telling what you and your classmates do in your free time. Choose which four letters from a–h you want to use before you begin. Afterward, let two classmates read your sentences.

Esteban, Ana María y yo practicamos deportes.

a. (nombre)

b. (nombres) y yo

c. (nombre) y (nombre)

d. yo

e. (nombre) y (nombre)

f. (nombre)

g. (nombres) y yo

h. (nombre) y yo

Los sustantivos

Nouns refer to people, animals, places, and things. In Spanish, nouns have gender. They are either masculine or feminine.

- Most nouns that end in *-o* are masculine. Most nouns that end in *-a* are feminine. For example:
    el libro   la calculadora
  There are a few exceptions. You know one: *el día.*

- Other Spanish nouns end in *-e* or a consonant. Some of these are masculine, and some are feminine. For example:
    el cine   el marcador
    la clase   la televisión

- A few nouns can be both masculine and feminine. For example: *el / la estudiante.*

- *El* and *la* are called definite articles and are the equivalent of "the" in English. We use *el* with masculine nouns, *la* with feminine nouns.

- *Un* and *una* are indefinite articles, like "a" and "an" in English. We use *un* with masculine nouns, *una* with feminine nouns.

It is a good idea to learn a noun with its definite article, *el* or *la,* because that will usually tell you the gender.

8 Turn back to page 59. Decide which of the words in the picture are masculine and which are feminine. Make a list of these words in random order, leaving out the words *un* and *una*. Give the list to your partner and have him or her write the correct definite article *(el* or *la)*. Check your partner's answers.

9 Write these sentences on a sheet of paper, adding the definite or indefinite article *(el/la* or *un/una)* according to which makes the best sense. Do any of them make sense both ways? Discuss your answers with your partner.

a. Necesito ___ calculadora.
b. ___ clase de ciencias es difícil.
c. Tengo ___ marcador en mi mochila.
d. Toco ___ guitarra.
e. Necesito ___ diccionario.
f. ¿Hay ___ bolígrafo en la mesa?
g. ¿Tienes ___ regla?
h. ¿A qué hora empieza ___ clase de inglés?

MORE PRACTICE

- Más práctica y tarea, pp. 512–513
- Practice Workbook 2–5, 2–9

Ahora lo sabes

Can you:

► state who is doing an action without using people's names?
—¿Practican deportes Marta y Teresa?
—Sí, ___ nadan y patinan.

► use the correct verb form to tell what you and others do regularly?
—¿Estudian Uds. para la clase de matemáticas?
—No, pero (nosotros) ___ para la clase de ciencias.

► say that you do *not* do something?
—(Yo) ___ cocino en la clase de matemáticas.

► use the appropriate subject pronouns when addressing someone?
—Miguel, ¿tocas ___ la guitarra?
—Señora, ¿habla ___ inglés?
—Jorge y Juan, ¿practican ___ deportes?

TODO JUNTO

Actividades

1 Ask a partner:
- which classes he or she is taking
- who the teacher is
- what time each class begins
- when each class ends
- whether or not he or she likes the class

Afterward you can create a class schedule for each other, showing teachers' names and times.

2 Make a schedule in Spanish for a family member to follow at Open House at your school. Use your regular schedule, but make each period only 20 minutes long. Include the name of each class, who teaches it, which period, and when it begins and ends. When you have finished, compare your schedule with that of a partner.

Inglés

ESCUELA SECUNDARIA

Conexiones

La probabilidad × 0 % La estadística

La mochila

Imagine that in your backpack you have several writing implements, all of which are the same size: *2 lápices, 5 bolígrafos, 3 marcadores.* If you pull one out at random, what is the percent probability that it will be *un marcador? (La probabilidad es de ___ por ciento.)* What's the probability it will be *un bolígrafo?* That it will be *un lápiz?*

With a classmate, try it ten times, each time putting back the item you pulled out. How close were the results to the probabilities you had calculated?

¿Cuánto vale tu nombre?

How much is your first name worth? Play this game and find out!

1. ESTIMAR el valor *(value)* de tu nombre. Cada letra del alfabeto tiene un valor de $1, $2, $3, $4 o $5.

2. CALCULAR el valor de tu nombre.

3. COMPARAR tu predicción con el número final.

4. COMPARAR el valor de tu nombre con los nombres de tus compañeros.

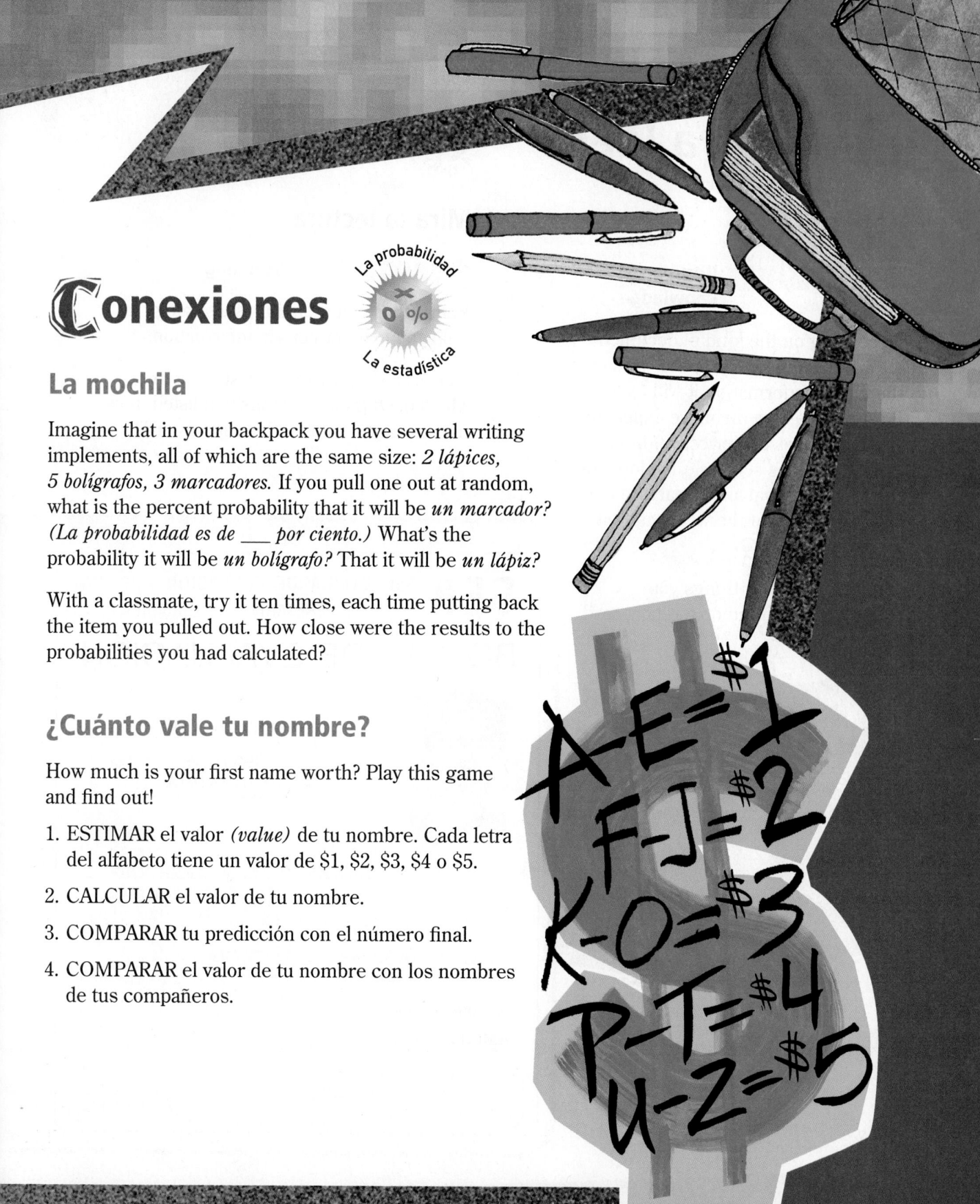

A–E = $1
F–J = $2
K–O = $3
P–T = $4
U–Z = $5

¡**V**amos a leer!

Antes de leer

STRATEGY ➤ **Using prior knowledge**

Depending on the kind of document we are reading, we can often predict the kind of information it will include. For example, in a menu we expect to find the names and prices of different dishes. In a bus schedule, we look for the time of arrival and departure of buses throughout the week, as well as ticket prices.

Make a list of four things you might expect to find on a report card.

Mira la lectura

STRATEGY ➤ **Scanning**

Remember that scanning is a strategy to help you look for certain information.

Here is a report card for a student in Mexico. Of the four things you listed, how many can you find on this report card?

PART 1

SEP SECRETARÍA DE EDUCACIÓN PÚBLICA
SUBSECRETARÍA DE EDUCACIÓN

BOLETA DE EVALUACIÓN

EXPEDIDA POR LA

Dirección General de Educación
en CHIHUAHUA

Escuela "AMADO NERVO" T. VESPERTINO.

CLAVE CENTRO DEL TRABAJO
| 0 | 8 | D | P | R | 1 | 2 | 5 | 5 | X |

VALLE NACIONAL Y JAZMINAL S/N
domicilio   calle   número   código postal

A nombre del alumno (a)

RAMOS SUAREZ JOSE RAUL

MATRÍCULA	EDAD		GRADO	GRUPO
	AÑOS	MESES		
394			9°	B

Infórmate

STRATEGY➤ Scanning

As you read, match what you expected to find with the information given.

1 Study Part 1 of the *Boleta de evaluación*.

a. What is the name of the school?

b. Where is it located?

c. What is the name of the student?

d. What grade is he in? How old do you think he is?

2 Examine Part 2, *Resultados del aprendizaje*.

a. How many subjects did the student take?

b. How many grading periods were there during the school year?

c. Did the student's grades generally improve or decline during the year? In which subject(s) did he improve the most? In which was he most consistent? In which subject did he receive his lowest mark?

d. Using the scale explained in the *Escala de evaluación,* which words would you use to describe the student's overall academic work?

3 Read Part 3, *Asistencia*.

a. How many school days were there? How many days was the student absent?

b. In which month were there the fewest days of instruction?

4 Look at Part 4, *Resultado final*. Were you surprised by the student's final results for the year? Why or why not?

PART 2

RESULTADOS DEL APRENDIZAJE

ÁREAS	UNIDAD PROGRAMÁTICA								RESULTADO ANUAL
	I	II	III	IV	V	VI	VII	VIII	
INGLÉS	9	8	9	8	10	10	10	10	9
MATEMÁTICAS	9	8	9	7	8	10	10	9	9
CIENCIAS NATURALES	9	9	9	9	9	10	10	10	9
CIENCIAS SOCIALES	9	9	9	8	9	10	10	10	9
EDUCACIÓN ARTÍSTICA	8	9	9	9	9	9	9	9	9
EDUCACIÓN FÍSICA	8	8	8	8	10	10	10	10	9
EDUC. TECNOLÓGICA	8	9	9	8	8	10	10	10	9

PART 3

ASISTENCIA

	SEPTIEMBRE	OCTUBRE	NOVIEMBRE	DICIEMBRE	ENERO	FEBRERO	MARZO	ABRIL	MAYO	JUNIO	TOTAL
DÍAS HÁBILES	20	22	20	10	22	19	15	17	21	20	186
INASISTENCIAS	–	–	–	–	1	–	–	1	1	–	3

PART 4

RESULTADO FINAL	ESCALA DE EVALUACIÓN
✓ PROMOVIDO	10 EXCELENTE 9 MUY BIEN 8 BIEN } ACREDITADO 7 REGULAR 6 SUFICIENTE 5. NO SUFICIENTE } NO ACREDITADO
◯ NO PROMOVIDO	

Aplicación

Design a report card in Spanish for your classes this year.

¡**V**amos a escribir!

CINCO DE MAYO

USA
32
1998

Write a letter to a Spanish-speaking friend about your school day. Follow these steps.

de   de 2000

Hola,   :

Saludos,

1 Write out your class schedule. Put a check mark beside those classes in which you have a lot of homework. Underline the classes that you like a lot.

2 Write your letter using the class schedule and the information you've added to it. On the right is an outline that will help you get started.

3 Now show your letter to a partner. Ask which parts might be changed. Decide whether or not you agree, then rewrite your letter, making any changes that you have decided on.

4 Check your letter for spelling and punctuation, including accents. Did you begin with the date and the greeting *Hola?* Did you end with a closing expression and your name?

5 Make any corrections and recopy. You might send your letter to:
- a new pen pal
- a student of Spanish in another school
- a student in another Spanish class at your school
- a student in your Spanish class

Luis Muñoz Marín
USA 05
Governor, Puerto Rico

Luis Muñoz Marín
USA 05
Governor, Puerto Rico

Luis Muñoz Marín
USA 05
Governo.

Luis Muñoz Marín
USA 05
Governor, Puerto Rico

Spanish Settlement of the Southwest 1598

Sellos conmemorativos
de los Estados Unidos

1998
USA 32

"¡Hola! A mí me gustan muchas clases, pero me gusta más la clase de ciencias sociales."

Un muchacho de Colombia

Repaso ¿Lo sabes bien?

This section will help you organize your studying for the proficiency test, where you will be asked to do similar, though not identical, tasks. There will not be any models on the test.

► **Listening**

Can you understand when people talk about their class schedules? Listen as your teacher reads you a sample similar to what you will hear on the test. Would you say the student making the statement is talking about his morning or afternoon schedule?

► **Culture**

Can you list some possible differences between your school and one in Mexico City?

► **Reading**

How well can you understand a person's written schedule? Scan the paragraph below. Can you chart out Mauricio's schedule based on this description?

Mauricio tiene muchas clases. En la primera hora tiene clase de inglés, su clase favorita. En la segunda hora tiene clase de matemáticas. La clase de ciencias es a las 10:00. La clase de educación física empieza a las 11:00 y termina a las 11:50. El almuerzo es a las 12:00.

► **Writing**

Can you write a list of supplies you need for school? Your parents want to discuss the school supplies you need to buy. To prepare for the discussion, list under the headings provided below the supplies and the classes you need the supplies for. For example:

¿Qué?   ¿Para qué clases?

matemáticas, arte

regla

► **Speaking**

Ask a partner which classes he or she likes better, and which ones he or she doesn't like at all. Do you and your partner like and dislike the same classes? Here is a sample dialogue:

A —¿Qué clase te gusta más?

B —Me gusta mucho la clase de música. También me gustan mucho la clase de ciencias y las matemáticas.

A —¿Qué clase no te gusta nada?

B —La clase de educación física. Yo soy muy perezosa. ¿Y tú?

Self Test   www.pasoapaso.com

Resumen del vocabulario

Use the vocabulary from this chapter to help you:

► describe your class schedule

► list some school supplies you use

► find out about someone else's schedule

to talk about school subjects
el almuerzo
el arte *(f.)*
las ciencias
las ciencias de la salud
las ciencias sociales
la clase de ___
la educación física
el español
el inglés
las matemáticas
la música
difícil
fácil
aprender: (yo) aprendo
       (tú) aprendes
enseñar: enseña
la tarea

to talk about school supplies
la calculadora
la carpeta (de argollas)
el cuaderno
el diccionario
la grabadora
el horario
el lápiz, *pl.* los lápices
el marcador, *pl.* los marcadores
la mochila
la regla

to talk about what people need
necesitar: (yo) necesito
      (tú) necesitas

to express possession
tener: (yo) tengo
     (tú) tienes
tu

to express quantity
mucho, -a
un, -a

to ask for information
¿Qué?

to ask and tell when something takes place
a
¿A qué hora ___?
empezar: empieza
terminar: termina
es
la hora
  la primera hora
  la segunda hora
  la tercera hora
  la cuarta hora
  la quinta hora
  la sexta hora
  la séptima hora
  la octava hora
el semestre
  el primer semestre
  el segundo semestre

to ask and tell the time
¿Qué hora es?
Es la una (y ___).
Son las ___ (y ___).
cuarto
media
treinta y dos
treinta y tres
treinta y cuatro . . .
cuarenta
cincuenta

to express regret
Lo siento.

to hesitate
A ver . . .

to talk about location
aquí
  Aquí está.
allí
  Allí está.

to say what something is for
para

to tell who performs an action
yo
tú
usted (Ud.)
él, ella
nosotros, -as
vosotros, -as
ustedes (Uds.)
ellos, -as
¿Quién?

VISIT
www.pasoapaso.com

CAPÍTULO 3
Los pasatiempos

Objectives

At the end of this chapter, you will be able to:

► talk about some of your leisure-time activities

► make plans with friends

► extend, accept, or decline invitations

► compare leisure-time activities in Spanish-speaking countries with those in the United States

PASO CULTURAL

An evening stroll in the *plaza* is a favorite pastime in Spanish-speaking countries. Construction of the *Plaza Mayor* in Salamanca, one of the largest and most elegant public squares in Spain, was begun in 1729. Blocked off from traffic, the *Plaza Mayor* offers visitors a chance to slow down, stop for a cup of coffee or a meal, and, at night, enjoy the serenades of *tunas*, student troubadour groups of young men dressed in medieval clothes and traditional black capes. In U.S. cities or towns, what public areas are common places for socializing and relaxing? In what ways are they similar to and different from this *plaza?*

La Plaza Mayor en Salamanca, España

¡Piensa en la CULTURA!

Leisure activities in Argentina, Spain, and California

Look at the photos and read the captions. How do the leisure activities of these teens compare to what you and your friends do? Which of these activities would you be most likely to do with your friends?

"Me encanta celebrar los días festivos y bailar sevillanas."

What do you think these teens might be celebrating? Do you have similar festivals in your community?

Muchachos y muchachas jugando hockey sobre hierba

Buenos Aires, Argentina

Sevilla, España

PASO CULTURAL Like the U.S., Argentina is primarily a nation of immigrants. Most of its 36 million inhabitants are of European origin, mainly Italian and Spanish. People of English, Welsh, and German descent also make up a significant part of the population. Because of this, much of Argentine culture has a distinct European flavor to it. What are some reasons people immigrate to another country?

En California

Vendedor de buñuelos
en Otavalo, Ecuador

"Me gusta mucho ir al parque de diversiones y montar en la montaña rusa. ¡Pero a mi amiga Lupe no le gusta nada!"

What do you think a *parque de diversiones* might be? And can you guess what a *montaña rusa* is?

Vocabulario para conversar

¿Cuándo vas al parque?

At Home VIDEO Chapter 3 Vocabulary

Here are some new words and expressions you will need to talk about your leisure-time activities. Read them several times, then turn the page and practice with a partner.

el fin de semana

MAYO

miércoles jueves viernes sábado domingo

4 5 6 7

13 14

24 sábado julio

8:00 el campo
8:30
9:00
9:30
10:00
10:30
11:00
11:30
12:00
12:30
1:00 el centro comercial
1:30
2:00
2:30
3:00
3:30
4:00
4:30
5:00 el parque

sábado 24 de julio

205

25 domingo julio

8:00
8:30
9:00 la playa
9:30
10:00
10:30
11:00 el parque de diversiones
11:30
12:00
12:30
1:00
1:30
2:00 la piscina
2:30
3:00
3:30
4:00 el gimnasio
4:30
5:00

206 domingo 25 de julio

las estaciones
(*sing.*, la estación)

la primavera

el verano

el otoño

el invierno

¡NO OLVIDES!

What do you think the difference is between *tu* and *tus?* When do you think you might use each one? And what is the difference between *tu* and *tú?*

También necesitas...

a	here: *to*	generalmente	*usually, generally*
a la, al (a + el)	*to the*	todos los días	*every day*
el pasatiempo	*hobby, pastime*	¡No me digas!	*Really? You don't say!*
el lunes el martes . . .	*on Monday* *on Tuesday . . .*	mi, mis	*my*
los lunes los martes . . .	*on Mondays* *on Tuesdays . . .*	tus	*your*
los fines de semana	*on the weekends*		
después (de)	*after*	**¿Y qué quiere decir . . . ?**	
después de las clases	*after school*	¿Dónde? ir: (yo) voy (tú) vas	

(por) la mañana
    la tarde
    la noche
	(in) the morning
	    the afternoon
	    the evening
		con
		el amigo, la amiga
		la familia
		solo, -a	

Empecemos a conversar

With a partner, take turns being *Estudiante A* and *Estudiante B*. Use the words that are cued or given in the balloons to replace the underlined sections in the model. means you can make your own choices.

1 A —¿*Cuándo vas a la clase de inglés?*
B —*Voy por la tarde.*

Estudiante A

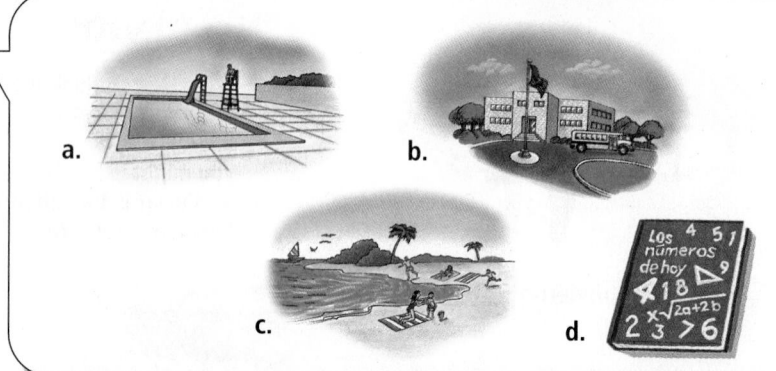

a.

b.

c.

d.

Estudiante B

después de las clases

los lunes, los martes . . .

en el verano

los fines de semana

por la mañana / tarde

2 A —¿*Cuándo vas al parque?*
B —*Voy los viernes.*
   o: *Pues, generalmente no voy.*

Estudiante A

a.

b.

c.

d.

Estudiante B

los lunes, los martes . . .

los fines de semana

todos los días

por la mañana /
   tarde / noche

después de las clases

3
A —¿Qué te gusta hacer en _el verano_?
B —Me gusta _nadar e* ir a la playa con mis amigos_.
A —¡No me digas! A mí también.

Estudiante A   **Estudiante B**

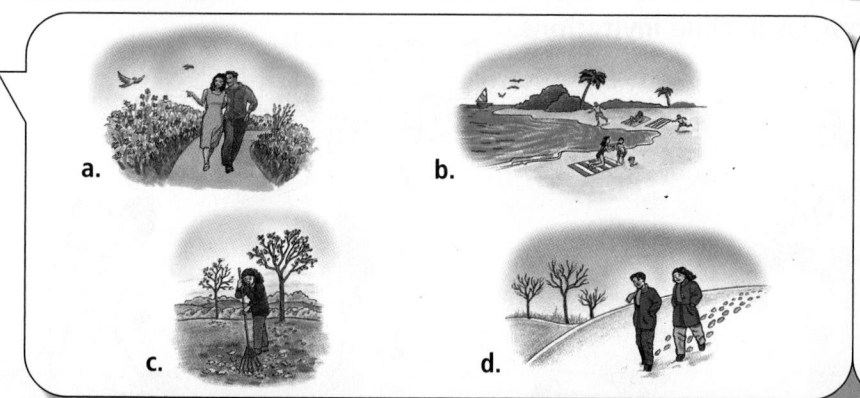

a.   b.   c.   d.

4
A —¿Con quién vas _al parque de diversiones_?
B —Generalmente voy _con mis amigos_.
    o: Generalmente voy _solo(a)_.

Estudiante A   **Estudiante B**

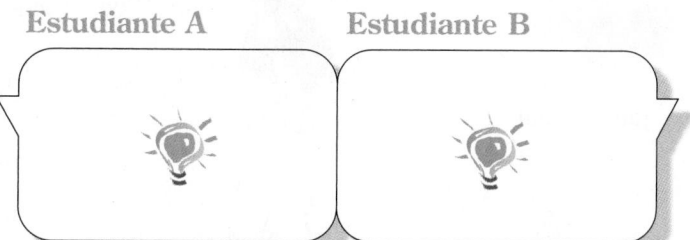

También se dice...

la alberca
la pileta

el parque de atracciones

Empecemos a escribir

Write your answers in Spanish.

5 For each season write one activity that you enjoy doing.

6 Write questions to ask your partner about when and with whom he or she goes to three different places. Record your partner's answers.

7 ¿Te gusta más el verano o el invierno? ¿Qué estación no te gusta?

8 Generalmente, ¿adónde vas después de las clases? ¿Cuál es tu pasatiempo favorito?

* The Spanish word _y_ becomes _e_ before a word beginning with _i_ or _hi_.

MORE PRACTICE

Más práctica y tarea, p. 514
Practice Workbook 3–1, 3–2

Vocabulario para conversar

¿Te gustaría ir conmigo?

At Home VIDEO Chapter 3 Vocabulary

Here's the rest of the vocabulary you will need to talk about your leisure-time activities and to extend, accept, or decline invitations.

ir de compras

jugar básquetbol*

jugar fútbol

jugar vóleibol

jugar tenis

jugar béisbol

jugar fútbol americano

ir a una fiesta

ir de pesca

jugar videojuegos

---

* The names for these sports are all masculine, for example: el *básquetbol*.

¿Dónde? = *Where?*
¿De dónde? = *From where?*

cansado, –a

ocupado, –a

enfermo, –a

También necesitas...

estar: (yo) estoy	*to be:*	*I am*
(tú) estás		*you are*
¿Adónde?		*(To) where?*
conmigo, contigo		*with me, with you*
¿(A ti) te gustaría ___?		*Would you like ___?*
(A mí) me gustaría ___.		*I would like ___.*
poder: (yo) puedo		*can: I can*
(tú) puedes		*you can*
querer: (yo) quiero		*to want: I want*
(tú) quieres		*you want*

¡Claro que sí!	*Of course!*
¡Claro que no!	*Of course not!*
De nada.	*You're welcome.*
¡Genial!	*Great! Wonderful!*
¡Qué lástima!	*That's too bad!*
	That's a shame!

¿Y qué quiere decir...?

hoy no
mañana*

* *Mañana* alone means "tomorrow"; *la mañana* means "morning."

Empecemos a conversar

9   **A** —*¿Adónde vas el lunes?*   el lunes
     B —*Voy al parque.*
     A —*¡No me digas! Yo también.*

Estudiante A   **Estudiante B**

a. el martes
b. el miércoles
c. el jueves
d. el viernes
e. el sábado
f. el domingo
g. mañana

10   **A** —*¿Te gustaría ir a una fiesta conmigo?*
      B —*¿Contigo? Sí, me gustaría (mucho).*

Estudiante A   **Estudiante B**

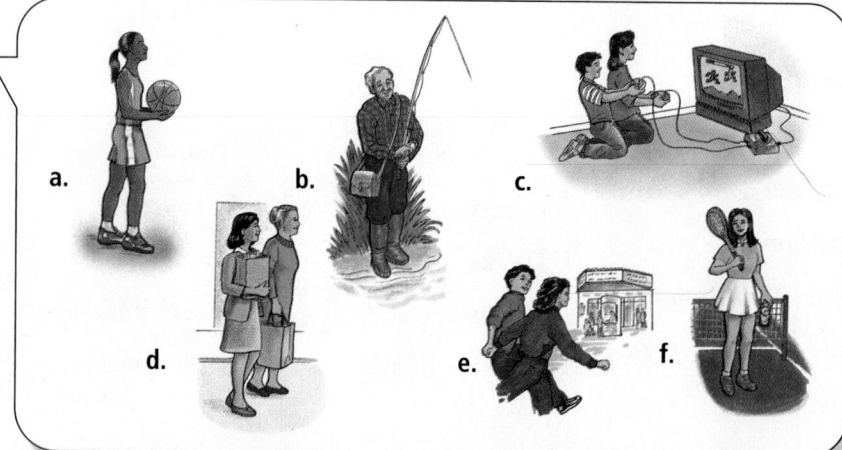

Pues, ¡claro que sí!

Lo siento, pero no puedo.

No puedo. Tengo mucha tarea.

¡Sí, genial! ¡Gracias!

¡Qué lástima! No puedo.

Sí, me gustaría (mucho).

11 A —¿Puedes _ir al cine_ conmigo?

B —Hoy no; lo siento. Estoy _ocupado(a)_.
   o: ¡Claro que no! Estoy _enfermo(a)_.

Estudiante A

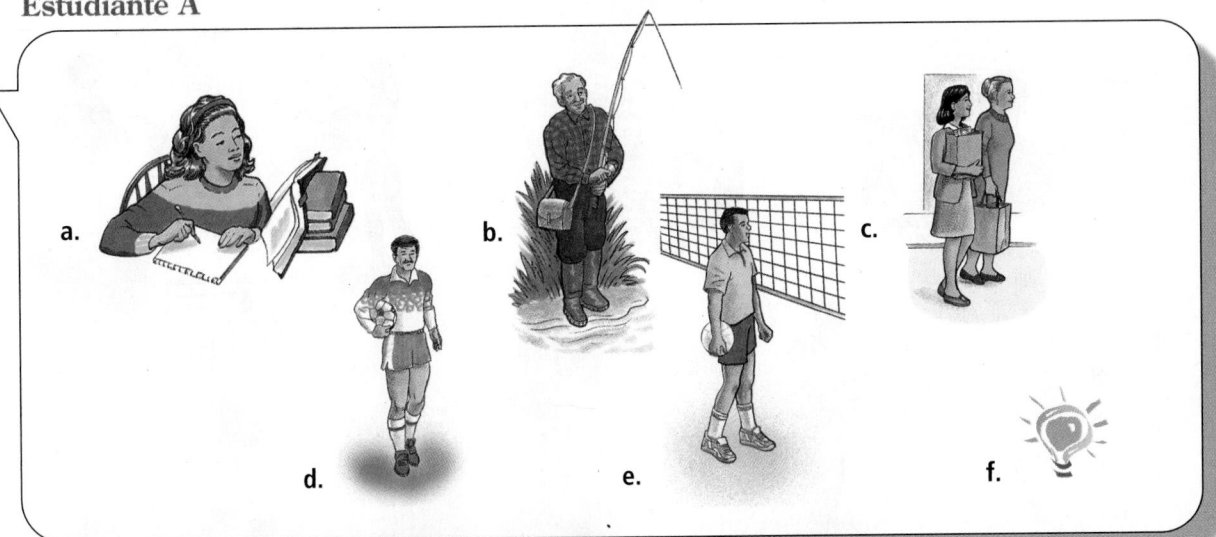

a.

b.

c.

d.

e.

f.

Estudiante B

12

A —¿Quieres *jugar videojuegos*?

B —Quiero, pero no puedo. Necesito *ir de compras*.

A —¡Qué lástima!

Estudiante A

a.   b.   c.   d.

e.   f.   g.

Estudiante B

Empecemos a escribir y a leer

Write your answers in Spanish.

MORE PRACTICE

- Más práctica y tarea, p. 515
- Practice Workbook 3–3, 3–4

13 Write full sentences telling when you do any four of the following activities. You can mention the season, the day of the week, or time of day. For example:

En el otoño, voy a la playa los fines de semana.
or: *En la primavera, voy al campo los domingos.*

14 Write three excuses that you have learned how to say in this chapter.

15 ¿Qué te gustaría hacer hoy después de las clases?

16 ¿Qué quieres hacer el sábado por la noche?

17 ¿Es lógico o no?

"No soy nada atrevido. Al contrario, soy muy prudente. Generalmente voy al parque de diversiones cuando estoy cansado."

"¡Qué lástima! Estoy enferma hoy y no puedo ir de compras contigo."

"Soy paciente y me gusta estar sola. En el verano, cuando no estoy ocupada los fines de semana, me gusta mucho ir de pesca."

También se dice...

jugar baloncesto

jugar balonvolea

Your partner wants to get together with you, but you are always busy.

A —¿Estás ocupado(a) el sábado a las nueve?

B —Sí. Voy . . .

A —¡Qué lástima!

Create a week's calendar on a sheet of paper. Then for every afternoon, write in an activity that you would like to do or might have to do. With a partner, take turns asking each other to join you in that activity. Your partner will refuse politely and explain why he or she cannot join you.

A —¿Quieres ir al cine conmigo el jueves por la tarde?

B —Me gustaría, pero voy de pesca con Raúl.

NOVEMBER/NOVIEMBRE

WEEK SEMANA 46

MONDAY/LUNES 8 SAN VICTORINO	TUESDAY/MARTES 9 SAN TEODORO	WEDNESDAY/MIÉRCOLES 10 SAN ANDRÉS
12:30 ir de compras con mamá	1:15 cine con Ricardo	1:45 gimnasio — ¡básquetbol!

THURSDAY/JUEVES 11 SAN MARTÍN	FRIDAY/VIERNES 12 SAN RENATO	SATURDAY/SÁBADO 13 SAN DIEGO
11:00 ir de pesca (Raúl)	3:00 fiesta en el parque	1:00 patinar

SUNDAY/DOMINGO 14 SERAPIO

12:00 centro comercial con Raúl

VETERANS DAY
DÍA DE LOS VETERANOS
REMEMBRANCE DAY (CANADA)
DÍA DE LOS CAÍDOS (CANADA)

October/Octubre	November/Noviembre	December/Diciembre
S M T W T F S	S M T W T F S	S M T W T F S
1 2	1 2 3 4 5 6	1 2 3 4
3 4 5 6 7 8 9	7 8 9 10 11 12 13	5 6 7 8 9 10 11
10 11 12 13 14 15 16	14 15 16 17 18 19 20	12 13 14 15 16 17 18
17 18 19 20 21 22 23	21 22 23 24 25 26 27	19 20 21 22 23 24 25
24 25 26 27 28 29 30	28 29 30	26 27 28 29 30 31

Plastic sports dolls, resembling popular masked enemies and wrestling heroes.

Luchadores de plástico representando enemigos populares enmascarados y héroes de la lucha libre.

You're going to a party Friday night. Find out from a partner what time the party begins and with whom he or she is going. If your partner is going alone, ask if he or she would like to go with you.

¿Qué sabes ahora?

Can you:

► say what you would like to do after class?
—___ ir al cine después de las clases.

► say that you want to do an activity but cannot?
—___ ir a la playa, pero ___.

► invite someone to do something with you?
—¿___ ir de compras conmigo?

Te gustaría

► accept or decline an invitation?
—¿Te gustaría ir al cine el sábado?
—Sí (No), ___.

Perspectiva cultural

Plazas y parques

Muchas personas, generalmente, van al parque los fines de semana. Van con la familia, con los amigos o van solas a practicar deportes, leer, visitar museos o a hacer un picnic y conversar.

El parque de Chapultepec en la Ciudad de México

Look at the photos. Why might a family often choose to spend time together in these places?

Mexico City's Chapultepec Park is one of the largest in the world. It has a castle, a zoo, a botanical garden, and a world-famous anthropological museum. It also contains an amusement park, which offers a variety of rides—*la montaña rusa* (roller coaster), *la rueda de feria* (Ferris wheel), *los carros locos* (bumper cars), and so on.

In the Retiro Park in Madrid you could visit the Crystal Palace, where numerous expositions are held, or row a boat in the *estanque* (lake).

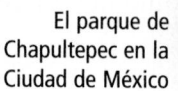

www.pasoapaso.com

El parque del Retiro en Madrid, España

La plaza de Armas en Iquitos, Perú

However, most parks are not very big. In small cities and towns, the main outdoor gathering place would be a *plaza,* a small green area that usually includes a small playground. Like the park, the *plaza* is where people meet to exchange news and local gossip, and where vendors sell *paletas* (popsicles or ice cream bars) or *globos* (balloons). In many cities, the *plaza,* or town square, is truly the heart of town. Many families will often spend an entire Sunday afternoon in a *plaza* or a park.

La cultura desde tu perspectiva

1 In what ways are parks in Spanish-speaking countries similar to or different from parks that you know? Have you ever visited a park that has facilities similar to the ones in Chapultepec or El Retiro?

2 If you lived near El Retiro or Chapultepec, how often do you think you would go there? Why?

Cultural Activity www.pasoapaso.com

Gramática en contexto

Look at the brochure describing a family vacation camp. What kind of information would you expect to find in a brochure such as this?

¿Está Ud. cansado?

¿Necesita unas vacaciones?

El campamento Bella Vista está a su disposición.

Ud., su familia y sus amigos van a pasar unos días maravillosos con nosotros. El campamento Bella Vista está a dos kilómetros de la playa y es el lugar perfecto para sus vacaciones. Nosotros vamos a preparar un plan de actividades que les va a gustar.

Por la mañana van a nadar en la piscina olímpica o ir de pesca en la costa.

Por la tarde van a montar a caballo en el campo o tomar el sol en la playa.

Por la noche van a escuchar música o practicar deportes.

Para hacer reservas o para obtener más información, llame al 1-555-776-6181

A Find the sentence that tells where the camp is located. What verb is used? How many times does it appear in the brochure?

B What activities are planned for guests? What verb is used with each pair of activities? (HINT: You already know two forms of the verb *ir: voy* and *vas*.) What do you think the *ustedes* and *nosotros* forms of the verb *ir* might be?

C In the brochure, *van a* is always followed by a verb. What do you think *van a nadar* and *van a escuchar música* mean? Based on what you've seen here, could you create a rule for this?

El verbo *ir*

You know that verbs whose infinitives end in *-ar* follow a pattern.
The endings show who is doing the action: *(yo) cocino, (tú) cocinas,*
and so on.

- Verbs that follow certain patterns are called regular verbs.
  Those that do not follow those patterns are called irregular. The
  verb *ir,* "to go," is irregular. It is often followed by the word *a:*
  ¿Vas a la escuela? Voy al cine. Here are its present-tense forms.

(yo)	**voy**	(nosotros) (nosotras)	**vamos**
(tú)	**vas**	(vosotros) (vosotras)	**vais**
Ud. (él) (ella)	**va**	Uds. (ellos) (ellas)	**van**

1 Based on the chart, with which of the following people would
you use the verb form *van?* What forms of *ir* would you use
with the other people?

a. Julia y Nicolás   e. María Elena
b. Carlos   f. mis amigos
c. José Luis   g. Lourdes y Andrés
d. Bárbara y tú   h. Marcos y yo

2 Find out from three people where they are going this weekend.
For example:

A —*¿Adónde vas el sábado por la tarde?*

B —*Voy a la (al)* . . .

Then tell your partner where each of them is going.

Esteban va al gimnasio. Rosa y Miguel van al centro comercial.

Ir + *a* + infinitivo

We also use a form of the verb *ir* + *a* + infinitive to tell what someone is going to do.

> Yo **voy a nadar.** Y tú, **¿vas a jugar** fútbol?

3 Which of these things happen regularly and which ones are going to happen in the future?

a. Voy a la piscina los sábados.
b. Voy a nadar.
c. Vamos a ayudar en casa mañana.
d. Ella va a la escuela todos los días.
e. Van a jugar fútbol por la tarde.
f. Vas a tener mucha tarea.
g. Va a estar cansada.
h. Generalmente voy al gimnasio.

4 With a partner, take turns asking and answering whether or not you're going to do these things tomorrow.

ir al cine

A —¿*Vas a ir al cine mañana por la tarde?*
B —*Sí, voy a ir.*
    o: *No, voy a ir al centro comercial.*

a. estudiar
b. ayudar en casa
c. ir al centro comercial
d. ir a una fiesta
e. jugar básquetbol
f. jugar fútbol americano
g. jugar vóleibol
h. jugar béisbol

5 Based on the answers your partner gave in Exercise 4, tell another student two things your partner will and will not do tomorrow.

Juan va a jugar béisbol mañana pero no va a ir al centro comercial.

If there is something that both of you—or neither of you—will do, report that too.

(No) vamos a . . .

Niños paseando en bote en el estanque de la Plaza de España, Sevilla

¡NO OLVIDES!

Infinitives always end in -*r* in Spanish

La preposición *con*

Con may be used with the names of people or in the following ways:

conmigo	con nosotros / nosotras
contigo	con vosotros / vosotras
con Ud. / él / ella	con Uds. / ellos / ellas

6 With a partner, take turns asking each other about doing these activities together.

estudiar

A —*¿Quieres estudiar conmigo después de las clases?*

B —*¿Contigo? ¡Claro que sí!*

    o: *¿Estudiar contigo? Me gustaría, pero no puedo.*

a. ver la tele

b. practicar deportes

c. ir al gimnasio

d. ir de compras

e. jugar videojuegos

f. jugar tenis

g. jugar fútbol

h.

7 Take turns asking a partner with whom he or she would like to do these activities.

A —*¿Con quién te gustaría ir al cine el sábado?*

B —*Con Alicia.*

A —*¿Con ella?*

B —*Sí, con ella.*

Alicia

a. Susana y Julia

b. Marcelo y Graciela

c. Uds.

d. Marcos

e. Ana María

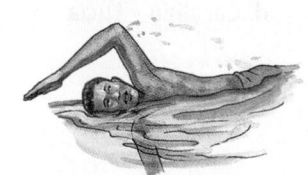

f. tú

El verbo *estar*

Estar ("to be") is an irregular verb. We use it to tell how someone feels or where someone is. Here are its present-tense forms.

(yo)	**estoy**	(nosotros) (nosotras)	**estamos**
(tú)	**estás**	(vosotros) (vosotras)	**estáis**
Ud. (él) (ella)	**está**	Uds. (ellos) (ellas)	**están**

- In writing, be sure to use the accent mark on all forms except *estoy* and *estamos*.

8 With a partner, take turns asking and answering where these people are.

A —*¿Dónde está Alejandro?*

B —*Está en el campo.*

Alejandro

a. Rosa

b. José Antonio

c. Uds.

d. Carolina y Lucía

e. Silvia

f. tú

9 Can you find the answers in column B to the questions in column A?

A	**B**
a. ¿Cómo está Paco?	Estamos enfermos.
b. ¿Cómo está Ud.?	Estoy cansado(a).
c. ¿Cómo estás?	Está enfermo.
d. ¿Cómo están Uds.?	

10 Find out from several classmates how they are feeling today. Take turns asking and answering using *bien, enfermo(a),* or *cansado(a).* Keep a log for reporting this information. For example:

You ask Bárbara: *¿Cómo estás hoy?*

She answers: *Estoy cansada.*

You write in your log: *Bárbara está cansada.*

Ahora lo sabes

Can you:

► say where someone is going?
  —Mariana y yo ___ a la piscina.

► say what someone is going to do?
  —Alejandro y Marta ___ jugar básquetbol mañana.

► say who does an activity with you?
  —Mis amigos estudian ___ después de las clases.

► say how someone feels?
  —Felipe ___ muy cansado hoy.

► say where someone is?
  —José y Ana ___ aquí.

Jugando béisbol en la República Dominicana

PASO CULTURAL American sailors introduced baseball to Cuba well over 100 years ago. From there its popularity spread to other Spanish-speaking countries of the Caribbean. Today, only the U.S. has produced more baseball superstars than the small nation of the Dominican Republic. Although baseball in Spanish has its own terms, such as *golpe* (strike), *lanzador* (pitcher), and *sencillo* (single), some terms are taken from English. What do you think *jonrón* might mean?

MORE PRACTICE

Más práctica y tarea, p. 515–516
Practice Workbook 3–5, 3–9

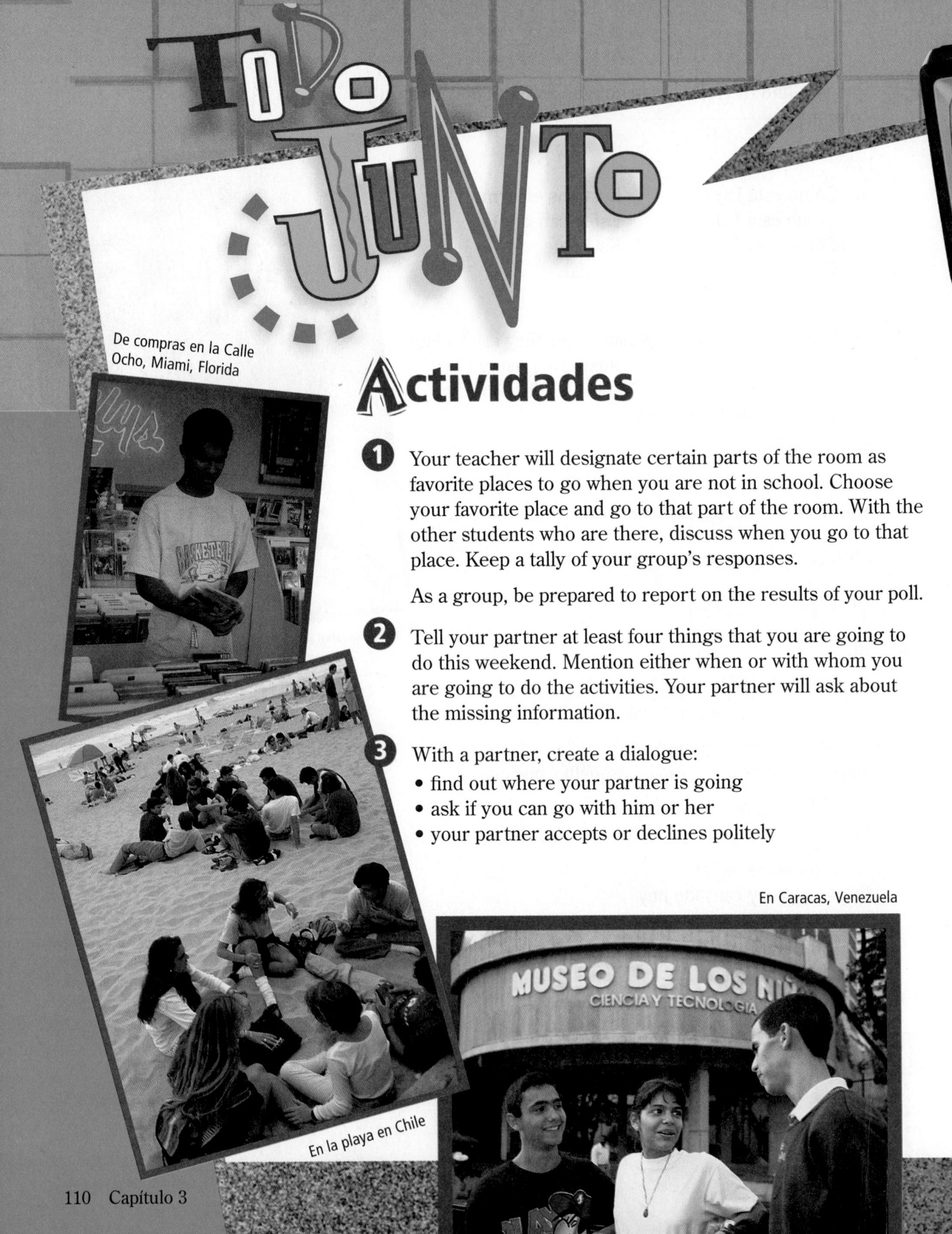

TODO JUNTO

De compras en la Calle Ocho, Miami, Florida

Actividades

1 Your teacher will designate certain parts of the room as favorite places to go when you are not in school. Choose your favorite place and go to that part of the room. With the other students who are there, discuss when you go to that place. Keep a tally of your group's responses.

As a group, be prepared to report on the results of your poll.

2 Tell your partner at least four things that you are going to do this weekend. Mention either when or with whom you are going to do the activities. Your partner will ask about the missing information.

3 With a partner, create a dialogue:
• find out where your partner is going
• ask if you can go with him or her
• your partner accepts or declines politely

En Caracas, Venezuela

MUSEO DE LOS NIÑOS
CIENCIA Y TECNOLOGÍA

En la playa en Chile

Conexiones

La estadística   Las ciencias sociales

Los pasatiempos

The table below, based on one from the Spanish magazine *Cambio 16,* shows the results of a poll concerning how people spend their free time. How does this compare with your favorite leisure-time activities?

Working in groups of four, ask each person how often he or she does the activities listed in the table. For example: *¿Con qué frecuencia practicas deportes?* Designate one person as *secretario(a)* to keep a tally.

• Collect your group's data. As a whole-class activity, total each group's tally to make a class total for each activity.

• Convert each total to a percentage.

• Create a double bar graph that compares the Spanish statistics to your class's statistics.

FRECUENCIA CON QUE PRACTICAN DEPORTES

con frecuencia
■ = Clase de España
☐ = Esta clase
a veces

nunca

0   10   20   30   40   50   60   70   80

	CON FRECUENCIA	A VECES	NUNCA
Practicar deportes	12	11	65
Ir a competiciones deportivas	6	14	62
Ver la televisión	51	36	4
Ir al cine/teatro	6	20	49
Ir a conciertos/óperas	2	8	76
Ir al campo, al parque, etc.	6	24	48
Ir de compras	7	42	21
Leer	22	23	30
Ayudar en casa	4	10	74

¡Vamos a leer!

Antes de leer

STRATEGY ▶ **Using prior knowledge**

Earlier you used your own experience with certain kinds of reading materials to predict the types of information you might find in a pen pal column or report card. If you are looking at a calendar of events, what types of information would you expect to find?

Remember that what you already know about a newspaper section like this in English can help you predict, look for, and even understand information in Spanish.

Mira la lectura

STRATEGY ▶ **Skimming**

Look at the calendar of events, noting the title, format, illustrations, and boldface headings.

1 Which days of the week are featured?

2 Which day offers the greatest selection of activities? What kinds of events are there?

3 Do you find the display ad effective? Does it contain all the information a reader would need? Did you find what you expected to find?

CALENDARIO

CIUDAD JUAREZ

VIERNES 16

TEATRO.- Festival de Teatro de la UACJ Verano 93 presenta a su compañía con "Si algo te debo" en el Teatro del Centro de Convenciones Universitario en P.E. Calles y Hnos Escobar. Admisión N$10.00. Funciones a las 20:00 horas.

SABADO 17

TEATRO.- Festival de Teatro de la UACJ Verano 93 presenta a su compañía con "Si algo te debo" en el Teatro del Centro de Convenciones Universitario en P.E. Calles y Hnos Escobar.
Admisión N$10.00./20:00 horas
FUTBOL con las Cobras en el inicio de temporada. Estadio Olímpico Benito Juárez a las 20:00 horas. Boletos en Superettes del Rio
MUSICA: Grupo Liberación, en los Jardines Carta Blanca a las 20:00 horas, costo $30 pesos nuevos.
Little Joe y la Familia, La Peluza y los Ases del Norte en la explanada de la Feria Juárez, desde las 20:00 horas. Costo $25 pesos nuevos.

DOMINGO 18

TEATRO.- Festival de Teatro de la UACJ Verano 93 presenta a su compañía con "Si algo te debo" en el Teatro del Centro de Convensions Universitario en P.E. Calles y Hnos Escobar.
Admisión N$10.00. Funciones a las 20:00 horas.

Infórmate

STRATEGY ➤ **Scanning**

Using the ad, make plans for Saturday night.

1 Look at the calendar of events and identify four places to go on Saturday, then choose the one you would like to go to.

2 Find the following information for the place you choose:

- Lugar (cine; concierto; partido de fútbol; teatro)
- Nombre de la película / del grupo musical / del equipo de fútbol / de la obra de teatro
- Dirección
- Hora
- Admisión

3 What seems unusual about some of the times given? How else could you express 20:00?

The following movie times are based on the 24-hour clock. How would they read according to the 12-hour clock?

11:15   13:45   16:20   18:50   21:30

4 N$ means *nuevos pesos*. When the Mexican government revalued the peso in the spring of 1993, N$ 3 equaled US $1. Given this information, figure out the price of admission to the place you selected in United States dollars.

Aplicación

Take a poll to see which of the activities mentioned in the calendar of events would be the most popular among your classmates.

CALENDARIO DE LA EUROCOPA DE FUTBOL

Wembley y Villa Park
- Grupo A
  - Inglaterra
  - Suiza
  - Holanda
  - Escocia

Elland Road y St. James' Park
- Grupo B
  - España
  - Bulgaria
  - Rumania
  - Francia

Old Trafford y Anfield
- Grupo C
  - Alemania
  - Rep. Checa
  - Italia
  - Luxemburgo

Hillsborough y City Ground
- Grupo D
  - Dinamarca
  - Portugal
  - Turquía
  - Croacia

1ª fase

#	Fecha	Partido	Estadio	Hora
1	Sábado, 8 de junio	Inglaterra-Suiza	Wembley	16:00 h.
2	Domingo, 9 de junio	España-Bulgaria	Elland Road	15:30 h.
3		Alemania-Rep. Checa	Old Trafford	18:00 h.
4		Dinamarca-Portugal	Hillsborough	20:30 h.
5	Lunes, 10 de junio	Holanda-Escocia	Villa Park	17:30 h.
6		Rumanía-Francia	St. James' Park	20:30 h.
7	Martes, 11 de junio	Italia-Rusia	Anfield	17:30 h.
8		Turquía-Croacia	City Ground	20:30 h.
9	Jueves, 13 de junio	Suiza-Holanda	Villa Park	17:30 h.
10		Bulgaria-Rumanía	St. James' Park	20:30 h.
11	Viernes, 14 de junio	Rep. Checa-Italia	Anfield	17:30 h.
12		Portugal-Turquía	City Ground	20:30 h.
13	Sábado, 15 de junio	Escocia-Inglaterra	Wembley	16:00 h.
14		Francia-España	Elland Road	19:00 h.
15	Domingo, 16 de junio	Rusia-Alemania	Old Trafford	16:00 h.
16		Croacia-Dinamarca	Hillsborough	19:00 h.
17	Martes, 18 de junio	Escocia-Suiza	Villa Park	20:30 h.
18		Francia-Bulgaria	St. James' Park	17:30 h.
19		Holanda-Inglaterra	Wembley	20:30 h.
20		Rumanía-España	Elland Road	17:30 h.
21	Miércoles, 19 de junio	Rusia-Rep. Checa	Anfield	20:30 h.
22		Croacia-Portugal	City Ground	17:30 h.
23		Italia-Alemania	Old Trafford	20:30 h.
24		Turquía-Dinamarca	Hillsborough	17:30 h.

¡Vamos a escribir!

You and a friend are giving a party. Plan your party and write the invitation you will send to your friends. Follow these steps.

1 Think about what you are going to do at the party. A checklist will help you plan. With a partner, write a list in Spanish of the activities and when each might begin. For example:

Actividad	Hora
Vamos a . . .	a las . . .

2 Next, write the invitation. Include the day and time, your names, the address, and what you are going to do. Here is a model blank invitation:

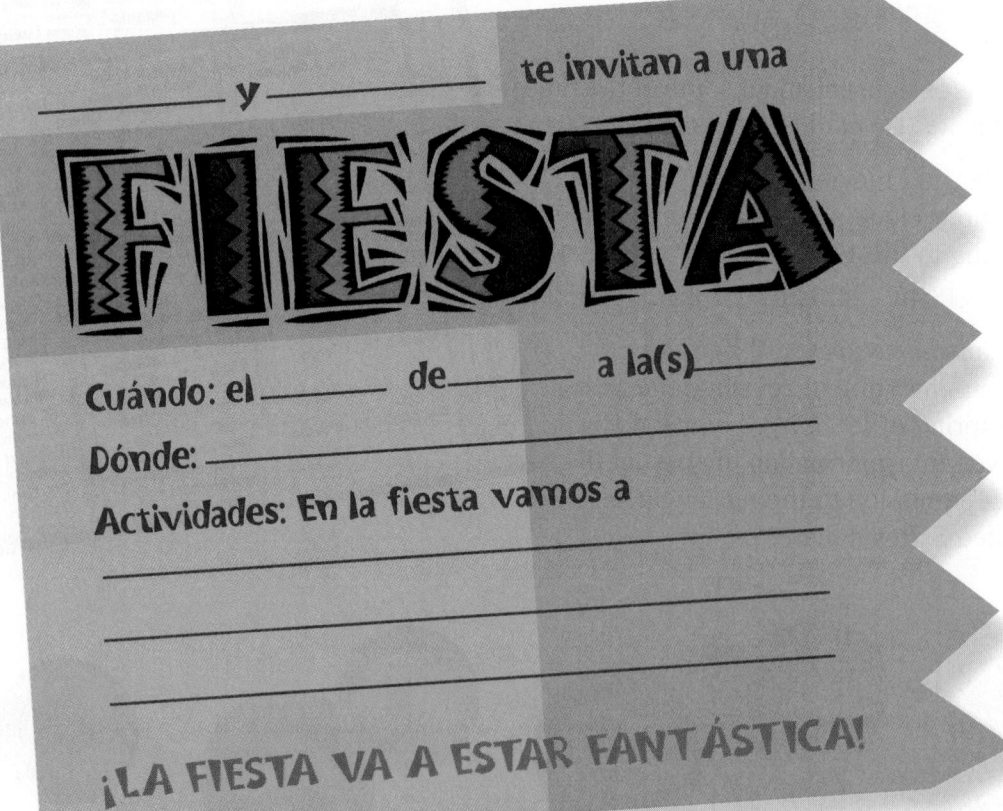

_____ y _____ te invitan a una

FIESTA

Cuándo: el _____ de _____ a la(s) _____

Dónde: _____

Actividades: En la fiesta vamos a _____

_____

_____

_____

¡LA FIESTA VA A ESTAR FANTÁSTICA!

Fiesta de cumpleaños en Quintana Roo, México ▶

3 Exchange invitations with another group and share any suggestions for improvement. Is there enough information, or should something be added?

4 Think about their suggestions and any other changes you may want to make. Rewrite your invitation. Check it for spelling and punctuation, including accents. Let the other group check it too. Ask them if you have included all the necessary information.

5 Now recopy your corrected invitation. You may want to file it in a writing portfolio.

Repaso ¿Lo sabes bien?

This section will help you organize your studying for the proficiency test, where you will be asked to do similar, though not identical, tasks. There will not be any models on the test.

▶ **Listening**

Can you understand when people talk about their free-time activities? Listen as your teacher reads you a sample similar to what you will hear on the test. Is Margarita going to the movies with Luis or not?

▶ **Reading**

Can you look at this letter and get an idea of how Ruth is planning to spend her weekend? In what city is Ruth spending the weekend?

Querida Isabel:
Voy a estar contigo tres días allí en Miami. El viernes me gustaría ir de compras todo el día. ¿Puedes ir conmigo? El sábado por la mañana quiero ir a la playa a nadar y por la noche quiero ir a patinar con mis amigos. El domingo necesito dormir. Soy muy perezosa, pero me gustaría ir al cine por la tarde. Y tú, ¿qué prefieres?

Saludos,
Ruth

▶ **Writing**

Can you write a note to a classmate in which you decline an invitation and say why? You should also suggest other days when you are free and what you would like to do. Here is a sample:

Rebeca:
Me gustaría mucho ir de compras contigo el viernes, pero estoy ocupada. El sábado, claro que sí, no tengo ni clase ni tarea. Me gustaría ir a nadar por la mañana, y por la noche me gustaría ir al cine. También me gustaría ir contigo al campo el domingo. ¿Quieres ir?

Cecilia

▶ **Culture**

Can you compare a *plaza* to a park such as El Retiro or Chapultepec?

▶ **Speaking**

Can you invite your partner to do an activity with you? You and your partner should agree on what to do, where, and when. For example:

A —¿Te gustaría jugar básquetbol?

B —Sí, pero prefiero ir a patinar.

A —¡Genial! ¿Adónde vamos? ¿Al parque?

B —Sí. ¿A qué hora? ¿Puedes ir a las 9:00?

A —No, necesito ir de compras con mi familia. ¿Y a las 11:00?

B —Sí, a las 11:00.

La Plaza de Armas en Santiago, Chile

Self Test — www.pasoapaso.com

Use the vocabulary from this chapter to help you:

► talk about some of your leisure-time activities

► make plans with friends

► extend, accept, or decline invitations

to tell how someone feels or where someone is
¿Dónde?
estar: (yo) estoy
      (tú) estás

to tell where someone is going
¿Adónde?
ir: (yo) voy
   (tú) vas
a
a la, al (a + el)
el campo *field*
el centro comercial *mall*
el gimnasio *gym*
el parque *park*
el parque de diversiones *amuse park*
la piscina *pool*
la playa *beach*

to talk about activities
ir a una fiesta *go to party*
ir de compras *go shopping*
ir de pesca *go fishing*
jugar básquetbol *play basketball*
jugar béisbol *baseball*
jugar fútbol *soccer*
jugar fútbol americano *football*
jugar tenis *tennis*

jugar videojuegos *videogames*
jugar vóleibol *volleyball*
el pasatiempo ~~betazoy~~ *spend yourtime*

to say when you do an activity
la estación, *pl.* estaciones *season*
   la primavera ~~the~~ *spring*
   el verano *summer*
   el otoño *fall*
   el invierno *winter*
el lunes, el martes . . .
los lunes, los martes . . .
el fin (los fines) de semana
después de (las clases)
(por) la mañana *morn*
   ~~la~~ la tarde *aftrnn*
   la noche *nite*
generalmente *generally*
hoy no
mañana
todos los días

to say with whom you do an activity
con *with*
conmigo, contigo *with me*
el amigo, la amiga *friend*
la familia *family*
solo, -a *alone*

to extend, accept, or decline invitations
¿(A ti) te gustaría ___?
(A mí) me gustaría ___.
poder: (yo) puedo
     (tú) puedes
querer: (yo) quiero
     (tú) quieres
¡Claro que sí!
¡Claro que no!
De nada.
cansado, -a *tired*
enfermo, -a *sick*
ocupado, -a *occupide*

to express surprise, enthusiasm, or disappointment
¡No me digas!
¡Genial!
¡Qué lástima!

to express possession
mi, mis
tus

VISIT
www.pasoapaso.com

CAPÍTULO 4
¿Qué prefieres comer?

Objectives

At the end of this chapter, you will be able to:

► describe what you like and don't like to eat and drink

► tell when you have meals

► say whether you are hungry or thirsty

► compare and contrast eating customs in Spanish-speaking countries and in the United States

PASO CULTURAL

Open-air markets are common throughout Latin America. Many towns have a central market, held on a given day of the week, where people come from all around to buy and sell produce, poultry, clothing, crafts, and domestic animals. What might be some reasons open-air markets are popular throughout Latin America?

Mercado al aire libre en Pisac, Perú   119

¡Piensa en la CULTURA!

Ciudad de México

"Me gustaría una hamburguesa."

A la hora del almuerzo en la Ciudad de México

Mealtimes in Paraguay, Mexico, and the Dominican Republic

Look at the photos. How is the food similar to or different from what you might eat? Now look at the teens gathered at a fast-food restaurant. How does it compare to a similar restaurant in your community? What do you think *hamburguesa* means?

Un desayuno en un hotel de Asunción, Paraguay

PASO CULTURAL

American-style fast-food restaurants are popular in many Spanish-speaking countries. In Mexico City there are also American-style sit-down restaurant chains, such as Sanborn's and VIPs, serving both American and Mexican dishes. Mexican-style restaurants and Spanish-style *tapas* restaurants are becoming popular in the United States. Why do you think this type of cultural exchange is taking place?

Asunción, Paraguay

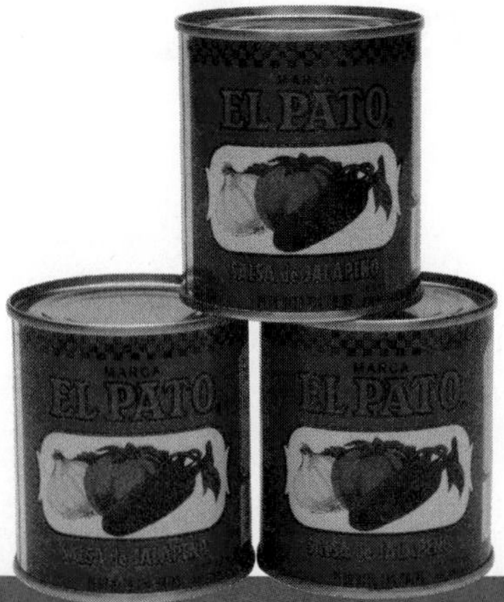

Santo Domingo,
República Dominicana

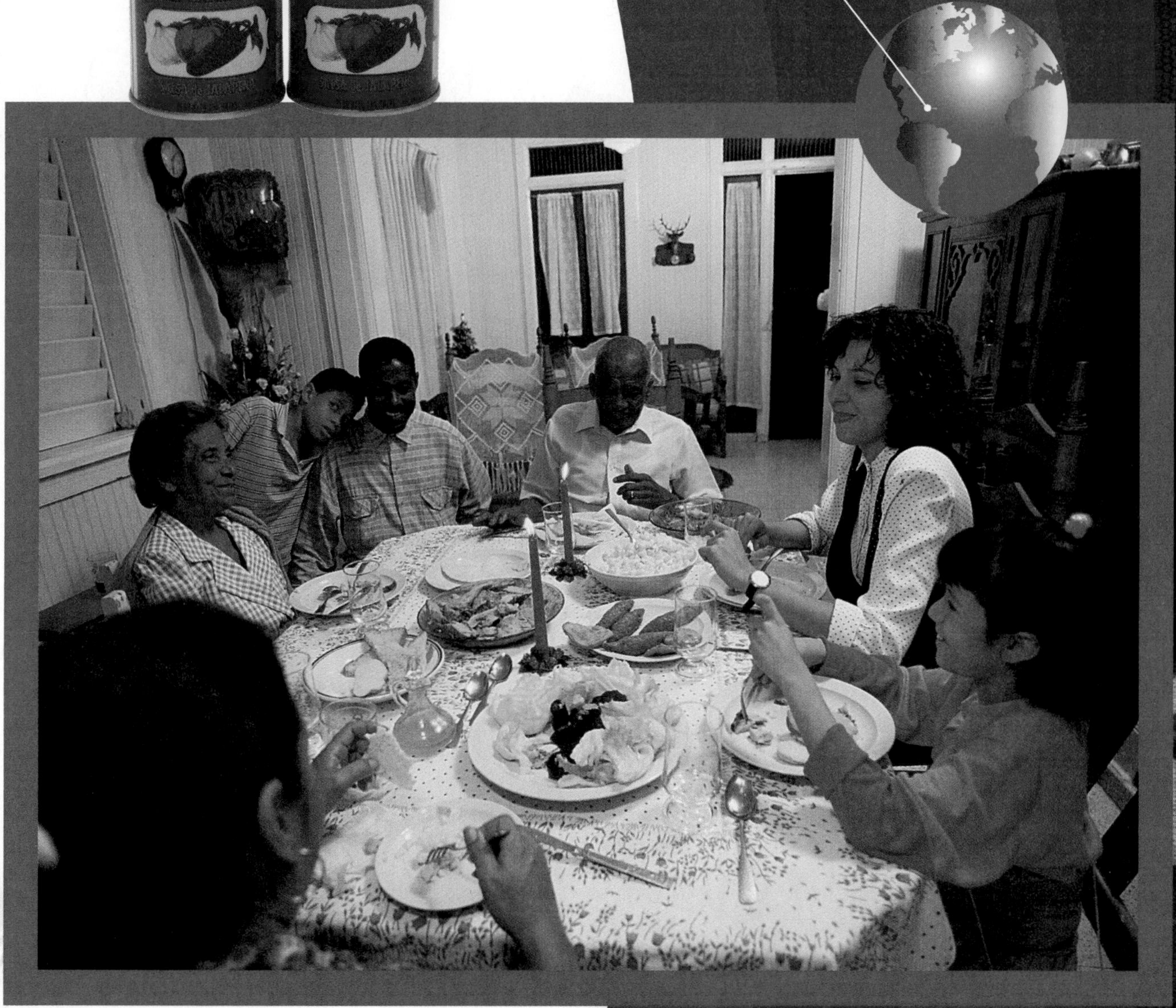

En Navidad, una familia dominicana a la hora de la cena

www.pasoapaso.com
Visit these countries on-line

Vocabulario para conversar

¿Qué te gusta comer?

Here are some new words and expressions you will need to talk about mealtimes and foods you like and don't like to eat. Read them several times, then turn the page and practice with a partner.

El desayuno

el pan tostado

el cereal

el jamón

el huevo

El almuerzo

las frutas

las papas fritas

la hamburguesa

los sandwiches

el tomate

el sandwich de jamón y queso

el queso

la ensalada

La cena

la sopa de tomate
la sopa de pollo
el bistec
el pan
el pescado
las papas al horno
el arroz
la sopa de verduras
el pollo
las verduras

También necesitas...

comer: (yo) como	*to eat: I eat*
(tú) comes	*you eat*
la comida	*meal*
más o menos	*more or less*
¡Qué asco!	*Yuk! That's disgusting!*
¿por qué?	*why?*
porque	*because*
¿verdad?	*isn't that so? right?*

me encanta(n)	*I love*
siempre	*always*
nunca	*never*

¿Y qué quiere decir...?

en el desayuno / el almuerzo / la cena

preferir: (yo) prefiero
(tú) prefieres

Empecemos a conversar

With a partner, take turns being *Estudiante A* and *Estudiante B*. Use the
words that are cued or given in the balloons to replace the underlined
sections in the model. 💡 means you can make your own choices.

1 A —¿Comes *jamón*?
B —*Sí, a veces.*

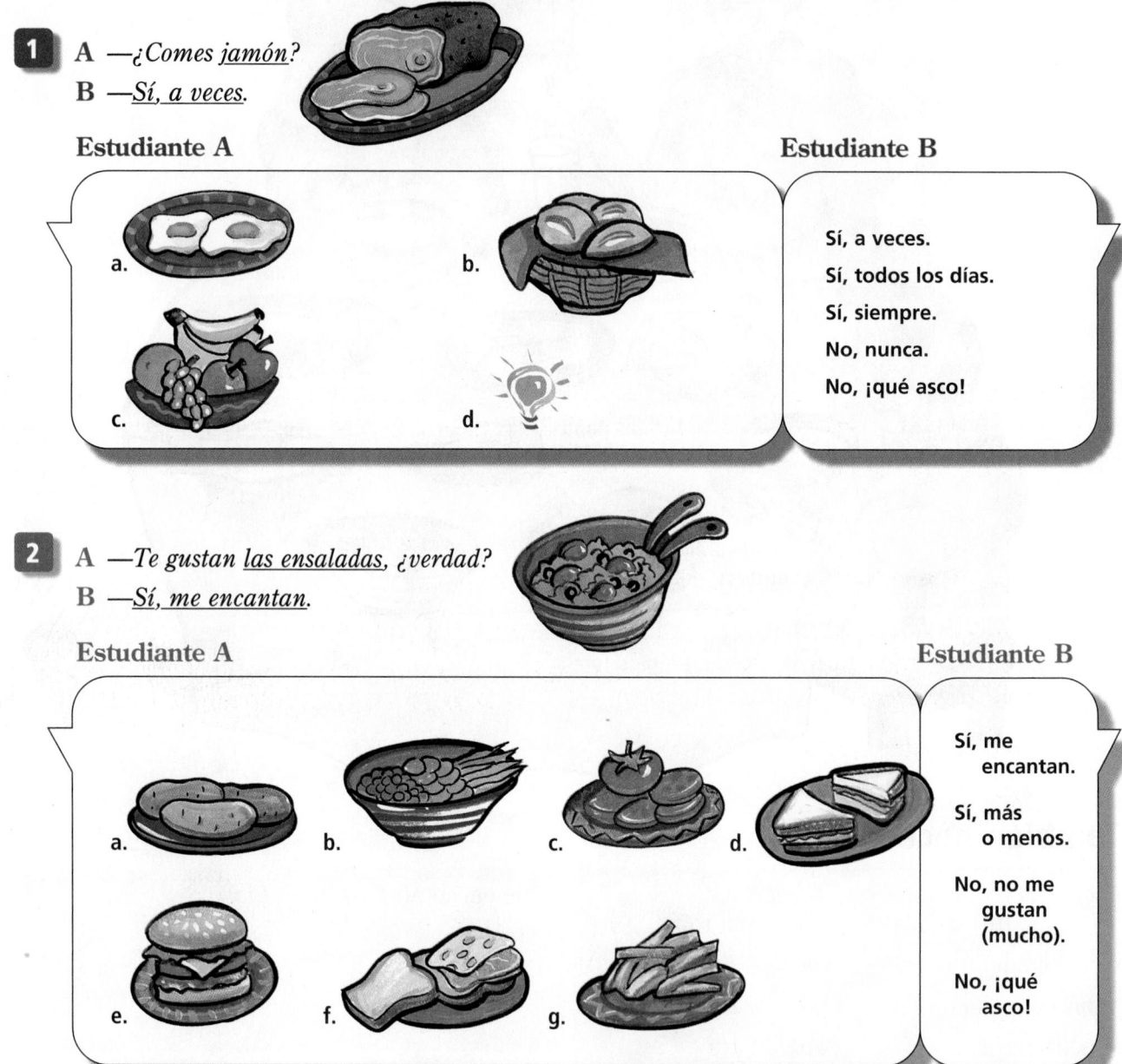

Estudiante A

a.

b.

c.

d. 💡

Estudiante B

Sí, a veces.

Sí, todos los días.

Sí, siempre.

No, nunca.

No, ¡qué asco!

2 A —*Te gustan las ensaladas, ¿verdad?*
B —*Sí, me encantan.*

Estudiante A

a.

b.

c.

d.

e.

f.

g.

Estudiante B

Sí, me
encantan.

Sí, más
o menos.

No, no me
gustan
(mucho).

No, ¡qué
asco!

3 A —¿Qué comes en _el desayuno_?

B —_Generalmente como cereal y pan tostado._

Estudiante A

a. la cena
b. el almuerzo
c. el desayuno

Estudiante B

PASO CULTURAL Freshly squeezed juice and juice-based drinks are served at juice bars throughout Mexico. _Licuados_ (fruit shakes) and _aguas_ (fruit-flavored water) are especially popular. Why do you suppose juice bars are so much more common in Mexico than they are in the United States?

Empecemos a escribir

Write your answers in Spanish.

4 Write the names of at least three foods under each of these headings: _Todos los días, A veces, Nunca._ Then write three complete sentences telling how often you eat those foods.

5 Copy the names of the soups you have learned. Using those as a model, choose other foods from the vocabulary and write the names of at least three other soups.

6 ¿Qué comida prefieres, el desayuno o la cena? ¿Por qué?

7 Generalmente, ¿qué comes en el almuerzo y con quién comes?

En una tienda de jugos en la Ciudad de México

También se dice...

la tostada

los bocadillos
los emparedados

el bife
el biftec

las legumbres
las hortalizas

los jitomates

MORE PRACTICE

Más práctica y tarea, p. 517
Practice Workbook 4–1, 4–2

Vocabulario para conversar

¿Tienes hambre?

At Home VIDEO Chapter 4 Vocabulary

Here's the rest of the vocabulary you will need to tell what you like and don't like to eat and drink and to say whether you are hungry or thirsty.

tener hambre

FRUTAS

VERDURAS

la lechuga

los guisantes

la manzana

la naranja

las judías verdes

las zanahorias

las cebollas

las papas

el plátano

la uva

tener sed

la leche

el café

el té

el agua *(f.)**

la limonada

los refrescos

el jugo de naranja

el té helado

También necesitas...

beber: (yo) bebo (tú) bebes	*to drink: I drink you drink*	deber: (yo) debo (tú) debes	*ought to, should I ought to, should you ought to, should*
bueno, -a (para la salud)	*good (for your health)*	son	*(they) are*
malo, -a (para la salud)	*bad (for your health)*	unos, unas	*some*
sabroso, -a	*delicious, tasty*		
Creo que sí.	*I think so.*	**¿Y qué quiere decir...?**	
Creo que no.	*I don't think so.*	horrible	
algo	*something*		

*Note that *agua* is a feminine noun. However, we use the article *el* with feminine nouns beginning with stressed *a* or *ha*.

Empecemos a conversar

8   A —*Necesito comer algo.*
    B —*¿Te gustaría una manzana?*

Estudiante A

a. Debo comer algo.

b. Tengo sed.

c. Necesito beber algo.

d. Tengo hambre.

e. Debo beber algo.

Estudiante B

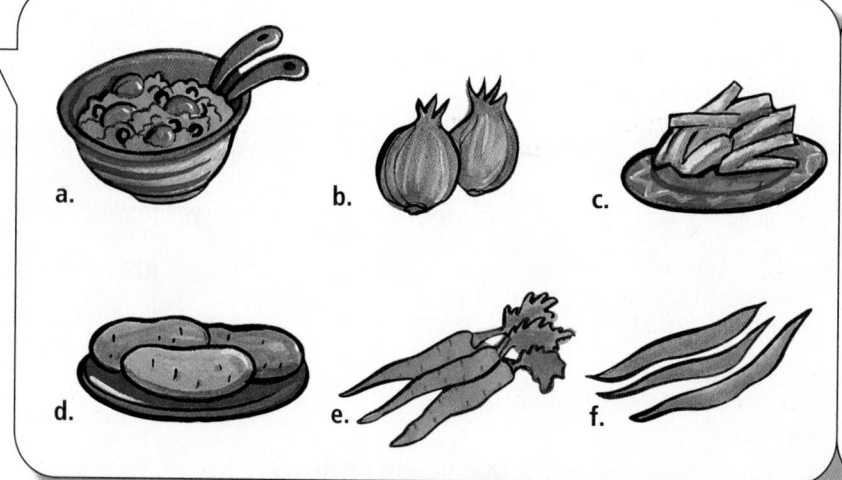

9   A —*Las verduras son buenas para la salud, ¿verdad?*
    B —*Sí, y son sabrosas también.*

Estudiante A

a.

b.

c.

d.

e.

f.

Estudiante B

Sí, y son sabrosas también.

Sí, pero no me gustan mucho.

Sí, pero no son sabrosas.

Sí, pero son horribles.

Creo que sí.

No, creo que no.

No, son malas para la salud.

Más o menos.

Empecemos a escribir y a leer

Write your answers in Spanish.

10 Imagine that you are waiting tables and need to write yourself a reminder. Write down what comes with the hamburgers, and at least four ingredients that are in the vegetable soup today.

11 ¿Qué bebida prefieres en el desayuno, en el almuerzo y en la cena? ¿Por qué?

12 ¿Qué verduras te gustan?

13 Unos animales hablan de lo que prefieren comer.

el mono
el cerdo
el pato
la gallina
el conejo

PhotoDisc, Inc.

¿Quién dice . . . ?

a. —A ver . . . Me encantan el pan y el agua. Sí, sí. Me gusta mucho beber agua, y como mucho pan en el parque.

b. —En el desayuno siempre como plátanos. En el almuerzo a veces como más plátanos. ¿Y en la cena? Pues . . . generalmente como plátanos también. Son muy buenos para la salud, ¿verdad?

c. —¿Comer huevos? ¡Ay, no! ¿Huevos? ¡Nunca!

d. —Como mucho todos los días. ¡Pero no puedo comer jamón! ¡Nunca voy a comer jamón!

e. —Yo como muchas zanahorias. ¡A mí me encantan las zanahorias! Me gustaría comer zanahorias en todas las comidas.

MORE PRACTICE

- Más práctica y tarea, p. 517–518
- Practice Workbook 4–3, 4–4

www.pasoapaso.com

También se dice...

las bananas
los guineos

las chinas

la chaucha (sing.)
las habichuelas verdes
los ejotes

las patatas

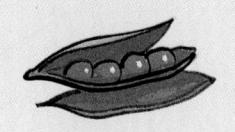

las arvejas
los chícharos

el zumo de naranja

Vocabulario para conversar   129

2

Help a friend prepare a shopping list. Ask what he or she needs, and write down the responses.

A —¿*Qué necesitas para la sopa?*

B —*Necesito zanahorias, tomates y cebolla.*

a. los sandwiches
b. la ensalada de frutas
c. la ensalada de verduras
d. el desayuno
e. el almuerzo
f. la cena

¡NO OLVIDES!

If you need help spelling, ask
¿Cómo se escribe . . . ?

1

You and a friend are deciding what to order at a restaurant. Take turns asking each other about your food preferences.

A —¿*Prefieres ___ o ___?*

B —*Prefiero ___.*

A —*Yo prefiero ___ también.*
   o: *Yo prefiero ___.*
   o: *A mí no me gusta(n) ni el (la, los, las) ___ ni el (la, los, las) ___.*

Your family is having guests this weekend and you are expected to attend at least three of the meals. Find out what time each of those meals is and what will be served. With your partner, take turns playing the two roles. For example:

A —*¿A qué hora es el almuerzo el sábado?*

B —*A las doce.*

A —*¿Qué vamos a comer?*

B —*Pollo y ensalada.*

Have the following conversation with a partner. Keep your conversation going as long as you can.

- Find out if your partner is hungry.
- Your partner answers affirmatively.
- Ask what he/she wants/prefers/ would like to eat.
- Your partner answers.

¿Qué sabes ahora?

Can you:

► tell someone that you are hungry / thirsty?
—Tengo ___ / ___.

► tell someone what you like or do not like to eat and drink?
—Me encanta comer ___ , pero (no) me gusta beber ___.

► say that you like certain foods because they are healthful or tasty?
—Me gustan las uvas ___ son ___.

Vendedora de frutas en Concón, Chile

Perspectiva cultural

Las horas de las comidas

¿A qué hora es el desayuno, el almuerzo y la cena en los Estados Unidos? ¿Qué comemos en el desayuno, por ejemplo? En las fotos, ¿a qué hora comen los hispanos?

Look at the mealtimes shown in the photos. Based on those times, do you think there might be another meal not pictured? Explain your answer.

In Spanish-speaking countries, as in the United States, there are three main meals— *el desayuno, el almuerzo,* and *la cena.*

El desayuno, which generally takes place between 7:00 and 8:30, is usually a light meal that consists of coffee or *café con leche,* which is half coffee and half hot milk, and bread or rolls with butter and jam. Children and teenagers sometimes drink hot chocolate or chocolate milk instead of coffee.

El almuerzo (called *la comida* in Spain and Mexico) is the largest and most important meal of the day. It is eaten between noon and 3:00. Many businesses and schools close so that families can enjoy *el almuerzo* together at home. Although this lengthy midday break is still common, more and more

En Xochimilco, México, a la hora de la merienda

5:00 PM

businesses are adopting a *jornada continua* or *horario continuado* (uninterrupted schedule) similar to working hours in the United States. This does not leave time for employees to go home for lunch.

La cena is the evening meal. It may start around 7:00 or much later, especially in countries that have a late midday meal. In Spain, *la cena* may start as late as 10:00 or 11:00, since most Spaniards enjoy going out after work or school and it is customary to wait until all family members are present before sitting down to eat. *La cena* is usually a light meal, and it may include leftovers from *el almuerzo*.

In some countries, there is also a late afternoon meal called *la merienda*. It may be like a *desayuno,* or it may resemble an English tea, with sandwiches, pastries, or rolls and *café con leche,* tea, or hot chocolate.

Una familia salvadoreña comiendo el almuerzo

A la hora de cenar en Escazú, Costa Rica

La cultura desde tu perspectiva

1 In what ways are mealtimes in Spanish-speaking countries similar to or different from those in the United States?

2 Why would a late-afternoon snack probably be necessary for someone from the United States who was visiting a Spanish-speaking country? Are there any other times of day when a snack might be needed?

Cultural Activity www.pasoapaso.com

Gramática en contexto

Look at this ad for imported cheeses. Can you tell which countries they are from?

¿Te gustan los quesos importados?

¿Sí? Pues, en **LA CASA DE LOS QUESOS** tenemos quesos deliciosos preparados especialmente para ti.

Tenemos quesos franceses, ingleses y suizos. También ofrecemos quesos finos de Holanda, Italia y Grecia. Para las personas que no deben o no quieren comer mucha grasa, tenemos una gran variedad de quesos dietéticos. El queso suizo es nuestra especialidad. Es muy sabroso.

¡Buen provecho! Bon appétit! Enjoy!

A Working with a partner, list all the words from the ad that describe cheese when it is written *quesos*.

- Find two words that describe cheese when it is written *queso*.
- When would you use *sabroso* or *sabrosos* to describe food?

B Look at the headline. How is this form of the expression for "Do you like . . . " different from the form you learned earlier? How would you explain this?

El plural de los sustantivos

¡NO OLVIDES!

The singular definite articles are *el* and *la*. The singular indefinite articles are *un* and *una*.

- In Spanish, to make nouns plural, we generally add *-s* to words ending in a vowel (*libro* → *libro***s**) and *-es* to words ending in a consonant (*papel* → *papel***es**).

- The plural definite articles are *los* and *las*. *Los* is used with masculine plural nouns, *las* with feminine plural nouns.
  los cereal**es**   **las** pap**as**

- *Los* is also used with a plural noun that includes both males and females.
  el profesor Sánchez y la profesora Romero
  = **los** profesor**es**

- Singular nouns that end in the letter *z* change the *z* to *c* in the plural.
  el lápi**z** → los lápi**ces**

- To keep the stress on the correct syllable, we sometimes have to add or remove an accent mark in the plural.
  el ex**amen** → los ex**ámenes**
  el jam**ón** → los jam**ones**

- The plural indefinite articles are *unos* and *unas*. They mean "some" or "a few."
  No tengo mucha hambre, pero voy a comer **unas** papas fritas.

- We use *me gustan* and *me encantan* to talk about a plural noun.
  No me gust**an** las manzanas pero me encant**an** las uvas.

Aquí las vitaminas están…

Espinacas en Hojas

…garantizadas.

Espinacas en Hojas

Después de cosechar las espinacas, sus vitaminas empiezan a desaparecer. Por eso, Frudesa aplica un estricto control de tiempo. Las Espinacas Frudesa se congelan inmediatamente después de recogerlas, para mantener sus propiedades nutritivas. Así te lo garantiza el Sello de Vitaminas.

Frudesa. Vitaminas y Sabor. Garantizados   frudesa

---

1 Write sentences using an appropriate expression from the left-hand column with each of the words in the two right-hand columns. Afterward, read any four of your sentences to a partner to find out if he or she agrees.

(no) me gusta
(no) me gustan
me encanta
me encantan

a. las manzanas
b. la leche
c. las cebollas
d. la sopa de pollo
e. la sopa de verduras

f. las verduras
g. los tomates
h. el jugo de naranja
i. los huevos
j. el pescado

2 Discuss with a partner whether or not you like the
following foods.

A —¿*Te gustan las zanahorias?*

B —*Sí, me gustan.*
   o: *Sí, me encantan.*
   o: *No, no me gustan nada.*

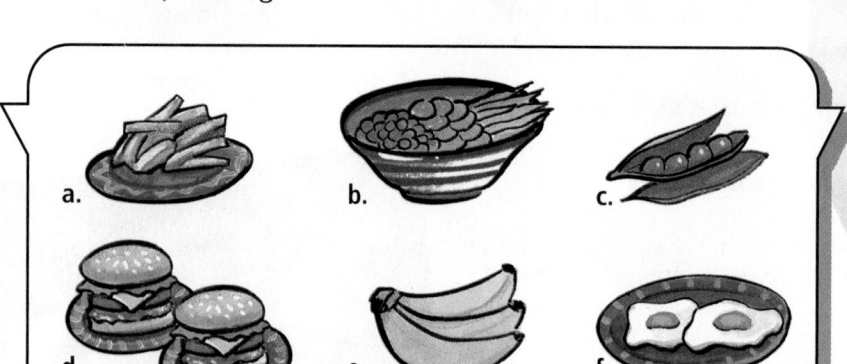

a.　　　b.　　　c.

d.　　　e.　　　f.

3 Now use the pictures in Exercise 2 to ask if your partner
would like to eat those foods.

A —¿*Te gustaría comer unas zanahorias?*

B —¡*Claro que sí! A mí me encantan.*
   o: *No, no tengo hambre. Gracias.*

PASO CULTURAL Stuffed pastries such as these *empanadas* are a popular snack food in Spanish-speaking countries. How do these compare with what you might have as an after-school snack?

Comida para la merienda en la Ciudad de México

4 These foods might be served in your school cafeteria this week. Take turns with a partner telling whether you like them or not.

A —*Me gustan las papas al horno.*

B —*A mí también.*
　　o: *A mí no.*

A —*No me gustan las papas al horno.*

B —*A mí tampoco.*
　　o: *A mí sí.*

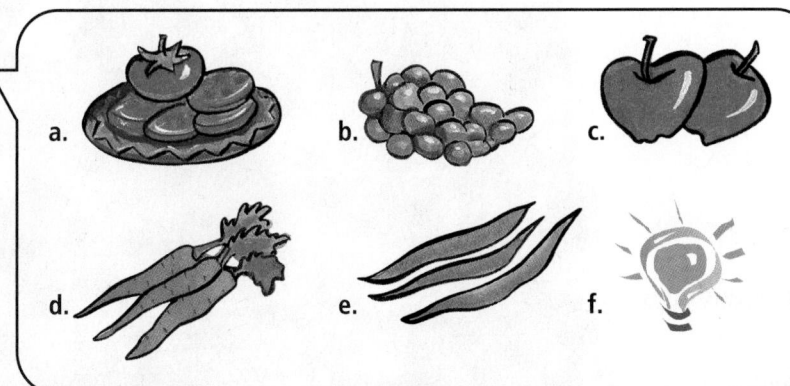

a.   b.   c.   d.   e.   f.

El plural de los adjetivos

You know that in Spanish most adjectives have different masculine and feminine singular forms: *La leche es sabrosa; el cereal es bueno para la salud.* If the noun is plural, the adjective too must be plural:

Las papas fritas son sabrosas pero no son buenas para la salud.

Los guisantes son buenos para la salud.

- To make adjectives plural, add *-s* to the final vowel. If the adjective ends in a consonant, add *-es.*

| horrible | horribles |
| trabajador | trabajadores |

- When an adjective describes both masculine and feminine nouns, use the masculine plural ending.

Los plátanos y las manzanas son sabrosos.

Llevando pan a los mercados en Málaga, España

5 For each of these adjectives, name two famous people or people in your class or school whom the adjective fits.

Jimmy Smits y Dennis Franz son trabajadores.

artístico, -a	gracioso, -a
deportista	sociable
atrevido, -a	ordenado, -a
callado, -a	serio, -a
desordenado, -a	trabajador, -a

Maltratar a los traviesos resulta verdaderamente innecesario. Por el simple motivo de que la mayoría de estos muchachos y muchachas se hacen daño a sí mismos al no recibir suficiente calcio. Por lo tanto, tome 3 vasos de leche diarios. Su cuerpo se lo agradecerá. Sobre todo si no tenemos que repetírselo.

LECHE
¿Dónde está *su* bigote?

Para más información
1-888-LECHE ES!

Verbos que terminan en *-er*

You know the pattern of present-tense endings for regular *-ar* verbs.

- Another group of regular verbs has infinitives that end in *-er*. Some that you know are *beber, comer, leer,* and *deber*.

- Here are the present-tense forms of the verb *comer*. How does this pattern differ from that of *-ar* verbs?

(yo)	com**o**	(nosotros) (nosotras)	com**emos**
(tú)	com**es**	(vosotros) (vosotras)	com**éis**
Ud. (él) (ella)	com**e**	Uds. (ellos) (ellas)	com**en**

- With *-er* verbs we use the vowel *-e* in all forms except *yo*. Remember that *-ar* verbs use the vowel *-a* except in the *yo* form.

- You also know the verb *ver*. It is regular except in the *yo* form, which is *veo*.

6 Here are some present-tense verb forms. You do not yet know most of these verbs. With a partner, make lists of (a) those that are *-ar* verb forms, (b) those that are *-er* forms, and (c) those that could be either. Working together, can you write the infinitive form of each of the verbs in lists (a) and (b)?

lavan	creemos	descansas	corto
apagas	regreso	traen	pagamos
recoges	ponen	vende	lees

7 With a partner, take turns asking and answering what the following people drink at different meals.

A —¿Qué beben tus amigos en el almuerzo?

B —Beben refrescos.

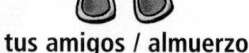
tus amigos / almuerzo

a. Anita / desayuno

b. Pilar y Pablo / almuerzo

c. Graciela y Juan / cena

d. Carlitos / desayuno

e. Uds. / cena

f. tú / almuerzo

8 These people do not eat certain foods. With your partner, discuss why they should eat them.

A —Juan Carlos no come judías verdes.

B —¡Pero debe comer judías verdes! Son buenas para la salud.

Juan Carlos

a. Víctor y Tomás

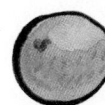
b. Inés

c. Raúl

d. Carmen y yo

e. Gloria y Victoria

f. yo

Sujetos compuestos

- When you talk about yourself and someone else, you really mean "we." Therefore, you should use the *nosotros* form of the verb.

  Alejandro y yo (nosotros) estudi**amos** por la noche.
  Tú y yo (nosotros) com**emos** a las doce.

- When speaking to more than one person—even if you call one of them *tú*—use the *ustedes* form of the verb.

  Tú y Tomás (ustedes) practic**an** deportes.

- When you talk about more than one person or thing, use the *ellos / ellas* form of the verb.

  Marta y él (ellos) beb**en** jugo de uva.
  Marta y ella (ellas) escuch**an** música.

9 Imagine that these students are talking about activities they usually do or activities they are planning to do. Choose the correct verb form to complete each of the following sentences.

a. Mis amigos y yo *(dibujamos / dibujan)* en el parque.

b. ¡No me digas! Pablo y ella *(practican / practicamos)* deportes también.

c. Esteban y tú *(hablan / hablamos)* por teléfono todos los días, ¿verdad?

d. Juan va a cocinar hoy. Él y yo siempre *(ayudan / ayudamos)* en casa.

e. Él y ella *(comemos / comen)* en casa los fines de semana.

f. Tú y yo *(deben / debemos)* ir de compras mañana por la mañana.

g. ¡Qué lástima! Patricia y yo no *(vamos / van)* a ir de pesca en el verano.

h. Elena nunca lee, pero mis amigos y yo *(leen / leemos)* todos los días.

i. José y mis amigas siempre *(hablamos / hablan)* después de las clases.

j. No veo la tele por la tarde, pero Juanita y tú *(ves / ven)* la tele todos los días por la tarde.

■ **Alimentación**

Plátano, rico para comer

■ Anualmente se producen 84 millones de toneladas de plátanos en el mundo.

■ La producción en Canarias es de 406.000 toneladas al año, de las cuales 372.000 se consumen fuera de las islas.

■ El plátano es uno de los frutos con más calorías: 66 kcal por cada 100 gramos (el peso aproximado de 1 unidad).

■ Es una fruta que contiene vitamina C, B1, B2 y A. Además es muy rica en potasio, hierro, calcio, fósforo y sodio, pero no tiene nada de colesterol.

■ Existen más de 500 variedades de bananas.

■ Las dimensiones de los plátanos pueden variar desde los 5 centímetros hasta el medio metro.

■ En Canarias viven del plátano unas 35.000 personas. El negocio supera los 30.000 millones de pesetas.

■ Nueva Guinea es el país donde más se consumen, unos 250 kg por persona.

BAVARIA

This item from the Spanish magazine *Muy interesante* contains so many cognates that you will probably be successful in reading it. With a partner, make a list of the cognates. If a section seems difficult, can you work together to understand the gist of it? In English, write down any three facts that you learned from reading this.

Una paella típica de España

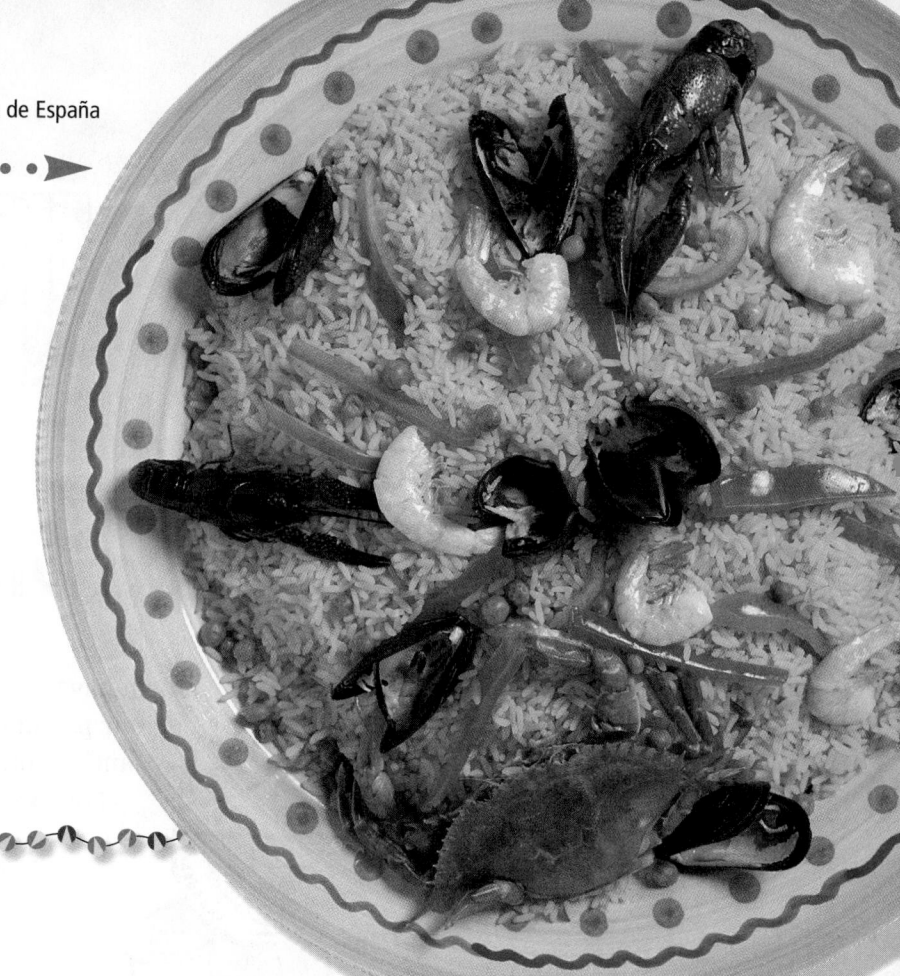

· ➤

PASO CULTURAL

Paella originated in Valencia, in eastern Spain. This dish typically contains rice flavored with saffron *(azafrán),* the spice that gives *paella* its golden color, and may include chicken, pork, or other meat, fish, shellfish, and a variety of vegetables. Why do you suppose *paella* is such a staple in Spain? Is there a similar type of regional dish where you live? What is it, and why is it so popular?

Ahora lo sabes

Can you:

➤ tell that you like or don't like certain food groups?
—(No) _____ las frutas.

➤ describe groups of people or things?
—Los huevos son ___,
pero las verduras son ___.

➤ say what you eat or drink at different meals?
—A ver . . . En el desayuno (nosotros) ___ cereal y ___ jugo de naranja.

➤ make clear to or about whom you are talking when more than one person is referred to?
—Timoteo y tú ___ la televisión todos los días, ¿verdad?

MORE PRACTICE

Más práctica y tarea, pp. 518–519
Practice Workbook 4–5, 4–9

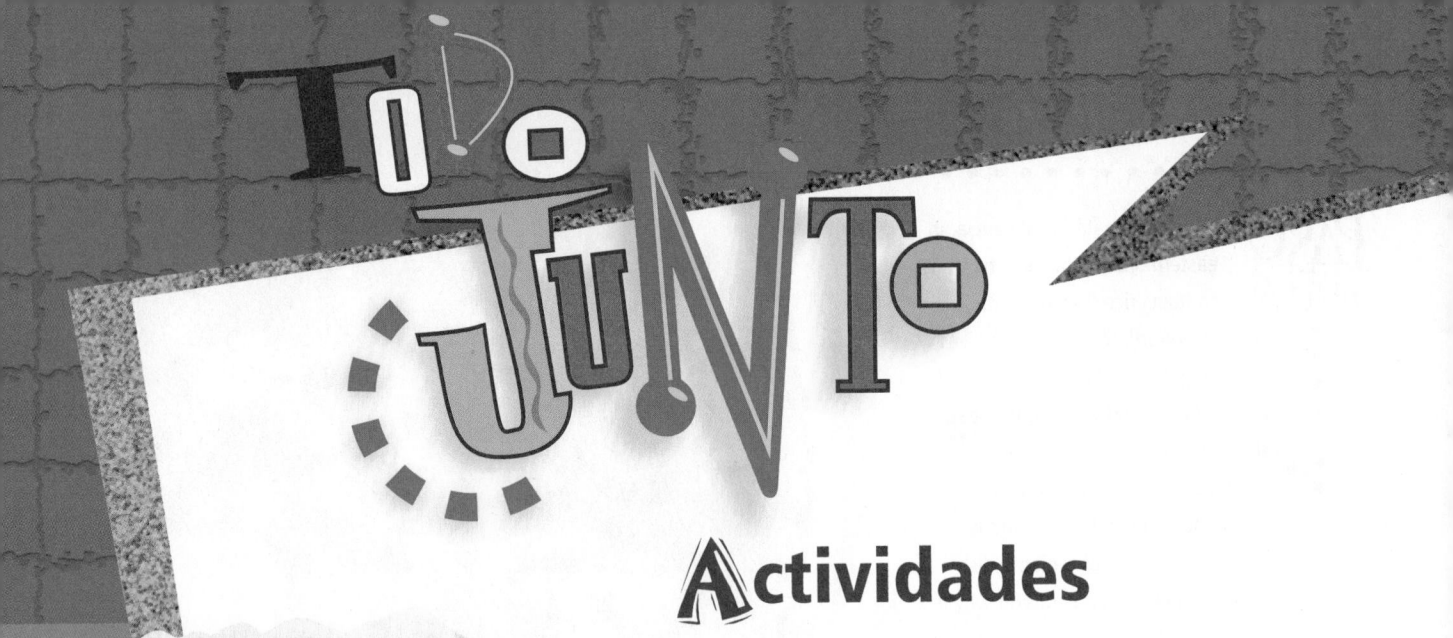

TODO JUNTO

Actividades

1 People have different tastes in food. Tell your partner your opinion of different foods and drinks. He or she will agree or disagree. For example:

A —*Las ensaladas son muy sabrosas. A mí me encantan.*

B —*¿Te encantan? Pues, a mí no me gustan nada. ¡Qué asco!*
o: *¡No me digas! A mí también me gustan las ensaladas.*

2 On the weekend our pattern of eating often changes. Find out what your partner's meals are usually like on the weekend. Ask:

- at what time he or she eats certain meals
- whether he or she eats alone or with family or friends
- what the meal usually consists of

Licuado de plátano

Ingredientes:
1 plátano
2 vasos de leche
1 cucharadita de azúcar
hielo

Preparación:
1. Cortar el plátano.
2. Colocar los ingredientes en la licuadora.
3. Licuar por 5 a 10 segundos

Conexiones

Tablas de frecuencia e histogramas

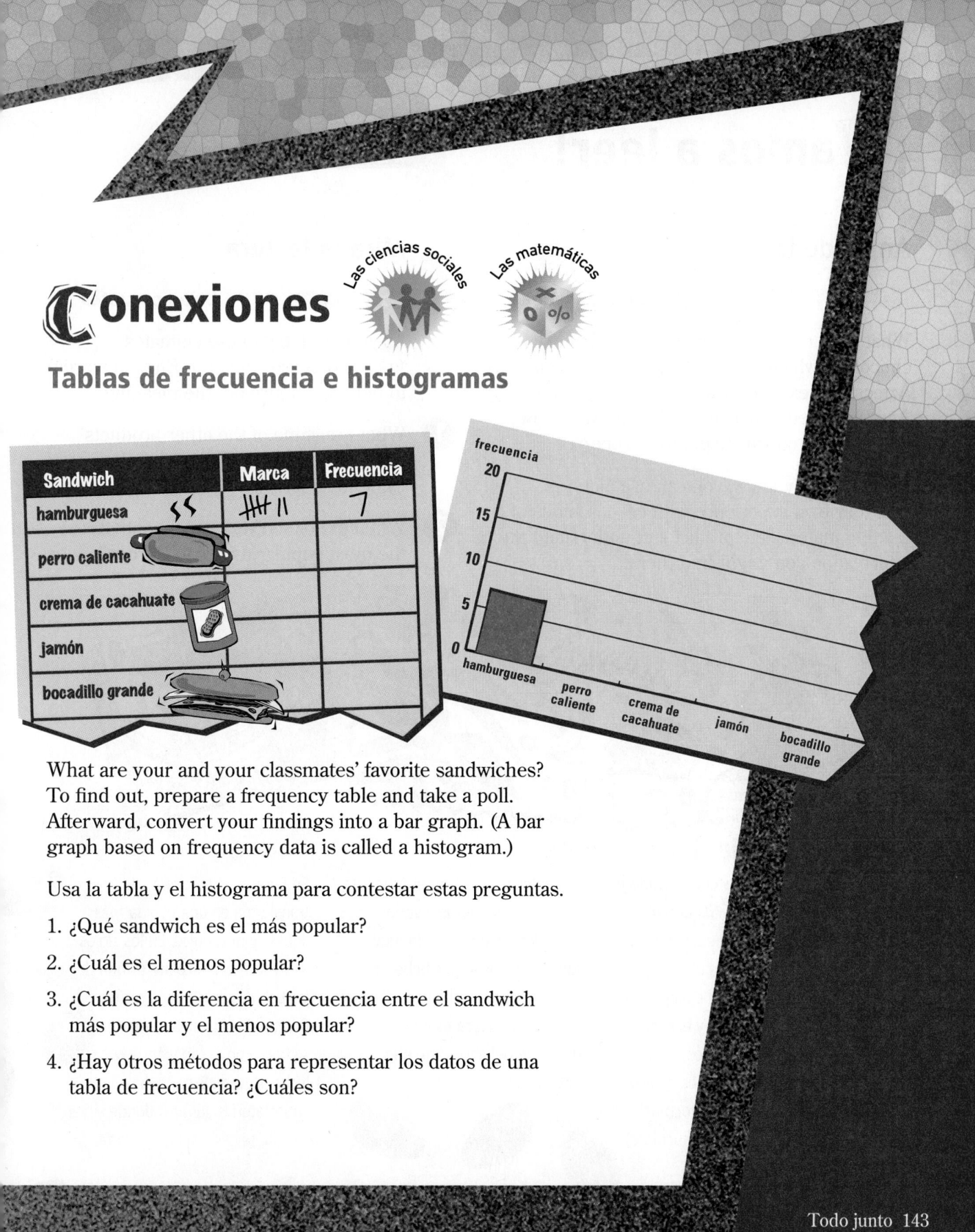

Sandwich	Marca	Frecuencia
hamburguesa	ꞁꞁꞁꞁ ꞁꞁ	7
perro caliente		
crema de cacahuate		
jamón		
bocadillo grande		

What are your and your classmates' favorite sandwiches? To find out, prepare a frequency table and take a poll. Afterward, convert your findings into a bar graph. (A bar graph based on frequency data is called a histogram.)

Usa la tabla y el histograma para contestar estas preguntas.

1. ¿Qué sandwich es el más popular?

2. ¿Cuál es el menos popular?

3. ¿Cuál es la diferencia en frecuencia entre el sandwich más popular y el menos popular?

4. ¿Hay otros métodos para representar los datos de una tabla de frecuencia? ¿Cuáles son?

¡Vamos a leer!

Antes de leer

STRATEGY ➤ **Using prior knowledge**

What you are about to read tells the history of chocolate, which was used by the Mayas and the Aztecs of Mexico over a thousand years ago. And they used it in a very different way! How do you think chocolate got to Europe?

As you already know, you can use pictures and your own experience with certain kinds of reading materials to predict and understand the information you might find there.

Mira la lectura

STRATEGY ➤ **Using cognates**

As you read, try to use cognates (words that are similar to English words) to help you figure out the meaning.

1 What are some of the other products that the Europeans found when they came to America?

2 When did chocolate become one of the most popular drinks in Europe?

La historia del chocolate

En el siglo XV los conquistadores llegan a América. Allí descubren muchos productos nuevos para la comida española y europea, por ejemplo: la papa, el tomate y el cacao. El cacao es uno de los ingredientes que los aztecas usan para hacer el *tchocolatl* (palabra azteca para chocolate).

Los aztecas preparan el *tchocolatl* con cacao, verduras y varios tipos de chiles. Es una bebida muy fuerte que los indios beben en sus ceremonias religiosas. Pero el *tchocolatl* azteca es muy diferente del chocolate que bebemos hoy.

En Europa, el *tchocolatl* se transforma en una bebida más líquida y más dulce. En los siglos XVI y XVII el chocolate es una de las bebidas más populares de Europa. El chocolate caliente se hace con cacao y agua o leche. Hoy, en España, hay chocolaterías, lugares donde sirven chocolate casi exclusivamente.

Infórmate

STRATEGY ▶ **Using context to get meaning**

Using context to get meaning is another useful strategy. When you are reading and you run across a word you don't understand, look at the other words in the sentence. See if knowing those words can help you understand the one you don't know.

Read this selection again. Make a list of five words you don't understand. Then try to guess their meaning by looking at the surrounding words.

1 How and when was chocolate introduced in Europe?

2 How did the Aztecs prepare their *tchocolatl?* Was it an everyday drink or was it used on special occasions? Explain.

3 How was the chocolate the conquistadores brought to Europe different from the Aztecan *tchocolatl?*

Detalle de *La gran ciudad de Tenochtitlán* (1945), Diego Rivera

Aplicación

List as many cognates as you can that you found in this reading.

• • • • • • • • • •

PASO CULTURAL

This detail of a mural by Mexican artist Diego Rivera (1886-1957) in *el Palacio Nacional* in Mexico City shows the bustling market at Tenochtitlán, capital of the Aztec Empire. In the picture, we see cacao beans being traded. Aztecs believed that cacao seeds were brought by a prophet from paradise. How do you think this belief affected the value placed on cacao in Aztec society?

¡Vamos a escribir!

Think about what, when, and where you eat on a typical day. Then write a short paragraph about your favorite meal of the day. Follow these steps.

1 Answer these questions, then use the answers to write your paragraph.

- ¿A qué hora comes tu comida favorita?
- ¿Dónde comes: en la casa, en la escuela o en un restaurante?
- ¿Con quién comes?
- ¿Qué comes y qué bebes?

Letrero de un restaurante en Santiago, Chile

Comprando frutas para la merienda en Cartagena, Colombia

2 Show your paragraph to a partner. Does he or she have any ideas to suggest? Did you use the answers to all the questions in your paragraph? Think about any changes you may want to make, then write a second draft.

3 Check for correct spelling and punctuation. Did you use the *yo* form of the verbs? Did you use *me gusta(n)* or *me encanta(n)?* Does your partner have any further suggestions?

4 Write your final draft. Add the corrected paragraph to your writing portfolio.

Comiendo alcapurrias *(fritters)*, una comida popular para la merienda en el Viejo San Juan, Puerto Rico

Cocinando arepas en el mercado en Saquisilí, Ecuador

Repaso ¿Lo sabes bien?

This section will help you organize your studying for the proficiency test, where you will be asked to do similar, though not identical, tasks. There will not be any models on the test.

► **Listening**

Can you understand when people talk about food? Listen as your teacher reads you a sample similar to what you will hear on the test. Which meal is Eugenio talking about?

► **Reading**

Can you quickly read through this ad and use the context to guess any word or words that you might not know? Who is this product recommended for and why?

La crema de cacao es un alimento especialmente indicado para adolescentes con una gran energía. Es un alimento nutritivo, ideal para la merienda.

► **Writing**

Can you write the order for the customers you are waiting on? Here is a sample:

Cuenta

CAMARERO | MESA | CLIENTES | NÚMERO DE CUENTA
14543

una hamburguesa
un sandwich de jamón
dos papas fritas
dos refrescos

IMPUESTO
TOTAL

Cuenta 210

► **Culture**

Can you describe the four daily meals that are typical of many Spanish-speaking countries?

"Me encantan los refrescos."

► **Speaking**

Can you discuss your food preferences with a partner? Do you like or dislike the same foods? For example:

A —*¿Te gusta el pescado?*

B —*No me gusta nada. ¿Y a ti?*

A —*No mucho. Mi madre siempre cocina pescado los viernes. Es horrible. ¿Te gustan las zanahorias?*

B —*Sí, pero prefiero las papas o las judías verdes. No me gustan nada las cebollas. ¡Qué asco!*

A —*Pues, a mí me encantan las cebollas. Son muy sabrosas.*

Self Test www.pasoapaso.com

Resumen del vocabulario

Use the vocabulary from this chapter to help you:

► describe what you like and don't like to eat and drink

► tell when you have meals

► say whether you are hungry or thirsty

to indicate hunger or thirst
tener hambre / sed

to describe meals
beber: (yo) bebo
        (tú) bebes
comer: (yo) como
        (tú) comes
la cena
la comida
el desayuno
en el desayuno / el almuerzo /
   la cena

to talk about foods
el arroz
el bistec
el cereal
la ensalada
las frutas
   la manzana
   la naranja
   el plátano
   la uva
la hamburguesa
el huevo
el jamón
el pan
   el pan tostado
la papa
   las papas al horno
   las papas fritas

el pescado
el pollo
el queso
los sandwiches
   el sandwich de jamón
      y queso
la sopa de pollo / de tomate /
   de verduras
las verduras
   la cebolla
   los guisantes
   las judías verdes
   la lechuga
   el tomate
   la zanahoria

to talk about drinks
las bebidas
   el agua *(f.)*
   el café
   el jugo de naranja
   la leche
   la limonada
   el refresco
   el té
   el té helado

to describe foods
bueno, -a (para la salud)
horrible
malo, -a (para la salud)
sabroso, -a

to express likes or preferences
más o menos
me encanta(n)
me gusta(n)
preferir: (yo) prefiero
          (tú) prefieres

to express an opinion
Creo que sí / no.
¡Qué asco!

to ask for an explanation
¿Por qué?

to give an explanation
porque

to elicit agreement
¿verdad?

to refer to obligation
deber: (yo) debo
        (tú) debes

to indicate frequency
nunca
siempre

to refer to something you cannot name
algo

other useful words
son
unos, unas

CAPÍTULO 5

¿Cómo es tu familia?

Objectives

At the end of this chapter you will be able to:

► describe family members and friends

► tell what someone's age is

► say what other people like and do not like to do

► explain how names are formed in Spanish-speaking countries

PASO CULTURAL To a Spanish speaker, *familia* refers to extended family and long-standing friends as well as to parents and siblings. Despite social changes, family is still of highest importance in Hispanic cultures, and family members are always well represented at Sunday dinners and special occasions. Using what you know, explain why an *amigo* might also be considered *familia* to a Spanish speaker.

Cuatro generaciones de una familia puertorriqueña en San Juan

¡Piensa en la CULTURA!

Santiago, Chile

Families in Mexico and Chile

Look at the photos and compare the families to your own. How many people are in your family? Which family members do you think make up a family? Do you consider your grandparents, uncles, aunts, and cousins as your "family" or are they just "relatives"? Do you all get together sometimes?

San Miguel de Allende, México

"Me llamo Maricarmen y estoy con mi familia para celebrar el cumpleaños de mi abuelo. Tiene 67 años."

Who do you think the *abuelo* is? How did you know?

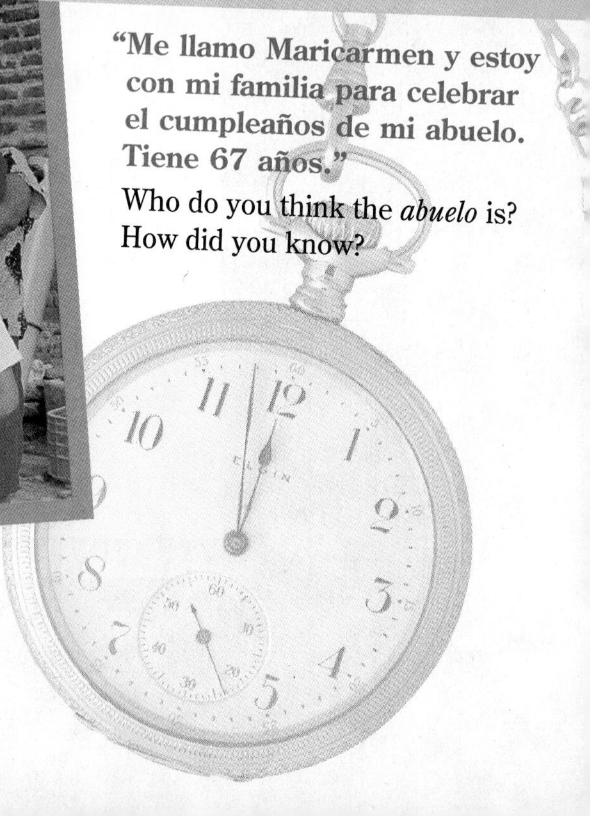

"Aquí están mis papás, mis hermanos y hermanas, mi hermana mayor con su bebé y—en medio de todos—nuestro burro. Él se llama Caracol."

What do you think *hermano* and *hermana* mean?

"Tenemos una familia grande. Nos gusta pasar los domingos y los días de fiesta juntos."

PASO CULTURAL

In Latin America, as in the United States, pets are often treated like family members. Depending on landscape and climate, iguanas, boa constrictors, armadillos, and monkeys may be kept as pets, as well as dogs, cats, and birds. Would you or could you have an iguana or armadillo as a pet? Why or why not? What are some of the differences that you know of in the way various cultures view certain animals?

Ciudad de México

Cultural Exploration **www.pasoapaso.com**
Visit these countries on-line

¡Piensa en la cultura! 153

Vocabulario para conversar

¿Cómo se llama tu hermano?

Here are some new words and expressions you will need to talk about your family, to tell what someone's age is, and to say what other people like and do not like to do. Read them several times, then turn the page and practice with a partner.

mis abuelos

mi abuelo
Pedro, 80 años

mi abuela
Carmen, 75 años

mis padres

mis tíos

mi madre
María, 46 años

mi padre
Luis, 52 años

mi tía
Verónica, 50 años

mi tío
Tomás, 48 años

mis hermanos*

mis primos

mi hermano
José, 19 años

mi hermana
Gabriela, 23 años

yo
Mariana, 15 años

mi primo
Carlos, 16 años

mi prima
Ana, 18 años

Hermanos can mean either
"brothers" or "brothers and sisters."

60 sesenta
61 sesenta y uno . . .

70 setenta
71 setenta y uno . . .

80 ochenta
81 ochenta y uno . . .

90 noventa
91 noventa y uno . . .

100 cien

¡NO OLVIDES!

Solo, -a = alone:
Generalmente voy al
parque solo(a).

Sólo = only: María sólo
va al parque.

También necesitas...

el hijo / la hija	son / daughter
el hijo único / la hija única	only child (m.) / only child (f.)
¿Cómo se llama?	What is his / her name?
¿Cómo se llaman?	What are their names?
Se llama(n) ___.	His / her (their) name(s) is (are) ___.
¿Cuántos años tiene ___?	How old is ___?

Tiene ___ años.	He / she is ___ years old.
su	his, her
de	of
(A + person) le gusta(n) / le encanta(n)___.	(He / she) likes / loves ___.
¿Cuántos, -as?	How many?
sólo	only

¿Y qué quiere decir...?

los hijos

Empecemos a conversar

With a partner, take turns being *Estudiante A* and *Estudiante B*. Use the words that are cued or given in the balloons to replace the underlined sections in the model. 💡 means you can make your own choices.

For Exercises 1 and 2, refer to the family tree on page 154.

1 A —¿*Cómo se llama <u>la tía</u> de Mariana?*
B —*Se llama <u>Verónica</u>.*

la tía

Celebrando un bautismo en San Juan, Puerto Rico

Estudiante A

a. el tío   d. el primo

b. el hermano   e. la prima

g.

c. la hermana   f. el abuelo

Estudiante B

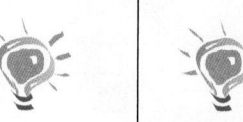

2 A —¿*Cuántos años tiene <u>José</u>?*
B —*Tiene <u>diecinueve</u> años.*

José

Estudiante A

a. el hijo de Verónica
b. la hija de Tomás
c. el padre de Mariana
d. la madre de Ana
e. el hermano de Gabriela
f. Pedro

g.

Estudiante B

In Exercises 3 and 4, ask each other about your own family members or create ideal families to talk about.

3
A —¿Tienes _hermanos_?

B —Sí, tengo _un hermano y una hermana_.
  o: _No, no tengo hermanos._
  o: _No, no tengo. Soy hijo(a) único(a)._

A —¿Cómo se llama(n)?

B —_Mi hermano se llama Daniel y mi hermana se llama Laura._

Estudiante A

Estudiante B

Madre aymará del Sol (1996), por el artista boliviano Roberto Mamani Mamani

4
A —¿Qué le gusta hacer a tu _primo_?

B —Le gusta _dibujar_
  o: _Le encanta dibujar._

Estudiante A

Estudiante B

Empecemos a escribir

Write your answers in Spanish.

5 Mention at least three interests you share with other family members. For example: _A mi hermana le gusta practicar deportes. A mí también._

6 Give the name and age of your favorite relatives: _Mi tía favorita se llama Gloria. Tiene cuarenta años (más o menos)._

7 ¿Eres hijo(a) único(a)? Si no, ¿cuántos hermanos tienes?

8 ¿Cuántos primos tienes?

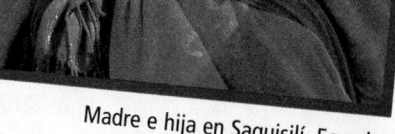

Madre e hija en Saquisilí, Ecuador

MORE PRACTICE

- Más práctica y tarea, p. 520
- Practice Workbook 5–1, 5–2

Vocabulario para conversar

¿Cómo es tu abuelo?

At Home VIDEO Chapter 5 Vocabulary

Here's the rest of the vocabulary you will need to describe family members and friends.

el hombre
Juan

el pelo castaño

la mujer
Gloria

el pelo rubio

el muchacho
Marcos

la muchacha
Adela

baja

alto

pelirrojos

bonito

feo

el perro

los gemelos
Paco y Pepe

viejo
Ramón

el pelo canoso

las gemelas Clara y Claudia

el pelo negro

joven
Daniel

grande

pequeño

el gato

los ojos verdes

los ojos azules

los ojos grises

los ojos negros

los ojos marrones

También necesitas...

mayor, *pl.* mayores	*older*	todos, -as *(pl.)*	*everyone*
menor, *pl.* menores	*younger*	nadie	*nobody*
guapo, -a	*handsome, good-looking*	que	*that, who*
		¿Quiénes?*	*who?*
cariñoso, -a	*affectionate, loving*		
simpático, -a	*nice, friendly*	**¿Y qué quiere decir . . . ?**	
tiene	*he / she has*	antipático, -a	inteligente
		atractivo, -a	la persona

* We usually use *¿Quiénes?* instead of *¿Quién?* if we know or expect that the answer will be more than one person.

Empecemos a conversar

9

Antonio

Ana María

Julio

¡NO OLVIDES!

To make an adjective plural, add *-s* if the adjective ends in a vowel, and *-es* if it ends in a consonant.

Nico

Tigre

Esperanza

Benito y Bernardo

Marisol

Dragón y Muñeca

Raquel y Rebeca

Estudiante A

a. ¿Cómo se llama la mujer vieja?

b. ¿Cómo se llaman las gemelas?

c. ¿Cómo se llama la mujer joven? ¿Y el hombre joven?

d. ¿Quiénes tienen ojos azules?

e. ¿Quiénes tienen pelo canoso? ¿Y pelo castaño?

f. ¿Quiénes son pelirrojas?

g. ¿Quiénes tienen ojos marrones? ¿Y ojos grises?

h. ¿Cómo es Dragón? Y Muñeca, ¿cómo es?

i. ¿Es grande o pequeño Nico? Y Tigre, ¿cómo es?

j. ¿Cómo es Marisol? Y Benito, ¿cómo es?

Estudiante B

10 A —*¿Hay gemelos en la clase?* **gemelos**

B —*Sí. Juan y Juana.*
o: *No, no hay.*

Estudiante A   Estudiante B

a. **personas altas**

b. **personas rubias**   c.

11 A —*En la clase, ¿quiénes tienen ojos azules?* **ojos azules**

B —*Evangelina y Santiago.*
o: *Nadie.*

Estudiante A   Estudiante B

a. **pelo rubio**

b. **ojos marrones**

c. **ojos negros**   e.

d. **pelo canoso**

También se dice...

los ojos de color café

güero, -a

colorín, colorina

la mamá
el papá

Empecemos a escribir y a leer

Write your answers in Spanish.

12 You are going to the airport to meet someone you haven't seen before. How would you describe yourself to that person?

13 Now describe your best friend.

14 On a separate piece of paper, write *sí* or *no* in response to the statements about the following paragraph. Rewrite incorrect statements to make them correct.

¡Hola! Me llamo Cristina. Soy la hermana mayor. Tengo pelo castaño y ojos marrones. Tengo hermanas gemelas. Son altas y tienen ojos verdes.

a. Cristina es hija única.
b. Cristina tiene ojos verdes.
c. Ella tiene dos hermanas menores.

MORE PRACTICE

Más práctica y tarea, pp. 520–521
Practice Workbook 5–3, 5–4

These pictures of members of the football team are for the school yearbook. Before you can write the captions, you must identify the people in the pictures. Call the coach for help. Take turns with your partner playing the roles of the yearbook writer (A) and the coach (B).

A —*¿Cómo es Raja Patel?*

B —*Tiene ojos negros y pelo negro.*

A —*¡Ah! Raja es el número sesenta y tres.*

Raja Patel

a. George King

b. Juan Enríquez

c. John Green

d. Hal Jensen

e. Sean Morrow

f. Felipe del Castillo

g. Matt Brown

¡QUEMOS!

2

Describe either the cat or the dog to your partner. To make sure your partner is listening, make two or three untrue statements. Your partner will correct you. Then your partner will describe the other animal to you. For example:

Se llama . . .   (No) es . . .   (No) le gusta . . .   Tiene . . .

Chispa

Michi

3

Get together in groups of six or seven. On a sheet of paper, each person should write a brief description of one member of the group. (Use complete sentences.) Afterward, take turns reading your descriptions, one sentence at a time. Can people guess whom you are describing?

¿Qué sabes ahora?

Can you:

► describe what members of your family look like?
  —Mi hermano tiene pelo ___ y ojos ___ .

► describe the personalities of family members?
  —Mi abuela es ___ y ___.

► tell how old people in your family are?
  —Mi primo ___ años.

► tell what members of your family like to do?
  —A mi tía ___ gusta ___.

CHISPA

Perspectiva cultural

Nombres y apellidos

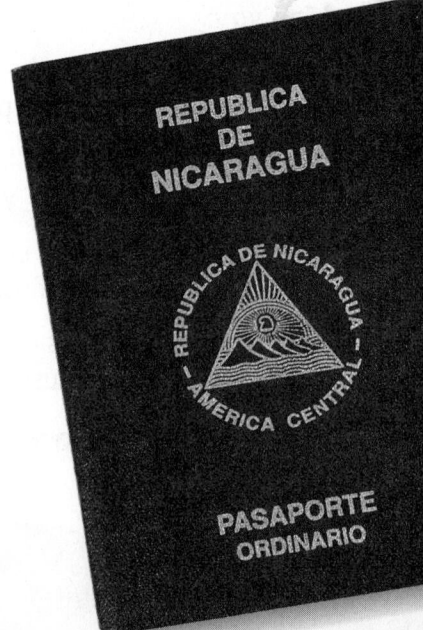

Una boda en Chincheros, Perú

Look at the names on the wedding invitation and the passport. In what ways do the names resemble or not resemble those you are used to? Can you identify the last names?

In Spanish-speaking countries a person's full name consists of a first name *(nombre),* a middle name, and two surnames—the father's family name *(apellido paterno)* followed by the mother's family name *(apellido materno)*. Take, for example, the bride's mother's name on the wedding invitation:

María Luisa González Prado de Enciso González is her *apellido paterno.* Prado is her *apellido materno.* Enciso is her husband's last name. Now look at her husband's name. What are his *apellido paterno* and *apellido materno?*

Although a person's full name is used on all official documents, such as birth certificates, school records, passports, and identification cards, in daily life they usually use only one first name and one last name, most often the father's.

El Sr. Roberto Manuel Enciso Cuevas
y
la Sra. María Luisa González Prado de Enciso

El Sr. Antonio Miguel Ayala Arévalo
y
la Sra. Ana Clara Pérez Soler de Ayala

invitan cordialmente

a la celebración del matrimonio de sus hijos

Gloria Luisa y Hugo Eduardo

REPUBLICA
DE
NICARAGUA

REPUBLICA DE NICARAGUA
AMERICA CENTRAL

PASAPORTE
ORDINARIO

Una boda en Xochimilco, México

When a woman marries, she may keep her full name unchanged, or she may add her husband's last name to her own. For example, Gloria Luisa Enciso González may add *de* and her husband's last name, Ayala. Her *nombre completo* will then be Gloria Luisa Enciso González de Ayala. You would address her either as Señora Ayala or Señora Enciso de Ayala. But she would never be called Señora <u>Hugo</u> Ayala. Her children's last names will be Ayala Enciso.

La cultura desde tu perspectiva

1 Explain how names in Spanish-speaking countries are different from names in the United States. Based on the Spanish naming convention, what would your *nombre completo* be? Your father's? Your mother's?

2 You need to telephone *Ana Cristina Padilla Sánchez de Irujo*. Under what letter would you look in the phone book? When she answers the phone, how would you address her?

Cultural Activity www.pasoapaso.com

Gramática en contexto

Look at this page from a Mexican magazine article about TV star Sara Sánchez. Now read the captions.

en casa con
Sara Sánchez

Sara Sánchez, joven estrella de telenovelas, tiene 24 años. "Es maravilloso estar aquí en la casa de mi mamá. Somos madre e hija, sí, pero también somos muy buenas amigas." ►

▲ "A veces es un poco perezosa," dice la madre de Sara, "pero nunca cuando cocinamos." "Me encanta la comida de Mamá," dice Sara. "Sus enchiladas son sabrosas."

A Sara's age is one fact that is given in the captions. How old is she? Look at the verb in the expression that tells her age. What is the difference between expressing age in English and in Spanish?

B You already know the verb forms *soy, eres, es,* and *son.* They are all forms of the verb *ser.* Using what you know about verb endings, read the captions and find the form of *ser* that we use with *nosotros.*

C Find the expression that tells about Sara's mother's cooking *(comida)*. Find two other places where an expression with *de* is used. What explanation can you give for this use of *de?*

El verbo *tener*

The verb *tener*, "to have," follows the pattern of other *-er* verbs. However, some forms of this verb are irregular. Here are all of its present-tense forms.

(yo)	**tengo**	(nosotros) (nosotras)	**tenemos**
(tú)	**tienes**	(vosotros) (vosotras)	**tenéis**
Ud. (él) (ella)	**tiene**	Uds. (ellos) (ellas)	**tienen**

You have already seen some of these verb forms. In what ways is *tener* irregular?

- As you know, *tener* is sometimes used where in English we use a form of the verb "to be": *tener sed / hambre / años.*

1 A class is getting ready to start a project. Several students have gathered the supplies they need. Find out who has them and how many they have.

A —*¿Quién tiene las carpetas de argollas?*

B —*Miguel.*

A —*¿Cuántas carpetas de argollas tiene?*

B —*Cuatro.*

a. marcadores
b. reglas
c. diccionarios
d. cuadernos
e. lápices
f. carpetas
g. bolígrafos

carpetas de argollas

Marcos, Yo (16)

Miguel (4)

Carlos, Jorge (14)

Victoria (6)

Pilar, Sofía (8)

Yo (3)

Anita (10)

Andrés (5)

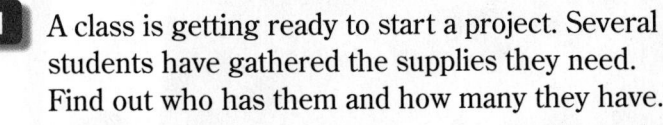
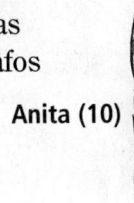

2 Find out the ages and the number of family members of different students in your class. On a sheet of paper, copy the table below. As you ask students the questions, write their names and the information you receive. While talking to them, observe their hair and eye color and write that information in the appropriate columns.

A —¿*Cuántos años tienes?*

B —*Tengo 15 años.*

A —¿*Cuántos primos tienes?*

B —*Tengo nueve primos.*
    o: *No tengo primos.*

Estudiante	Años	Familia	Ojos	Pelo
Daniel	15	9 primos	azules	rubio

3 Using the information from Exercise 2, compare yourself with your classmates. Write as many statements as you can about similarities in age, number of family members, and appearance. Then report to the class.

Daniel y yo tenemos . . .

El verbo *ser*

The verb *ser,* "to be," is also an irregular verb. We use *ser* with adjectives to tell what someone or something is like.

- You already know some forms of *ser*. Here are all of its present-tense forms.

(yo)	**soy**	(nosotros) (nosotras)	**somos**
(tú)	**eres**	(vosotros) (vosotras)	**sois**
Ud. (él) (ella)	**es**	Uds. (ellos) (ellas)	**son**

¡NO OLVIDES!

Remember that adjectives agree in gender and number with the nouns they describe.

4 In each of these groups, two persons are alike in some way and the third is different. Describe their similarities and differences.

Ángela y Mónica son graciosas, pero Gregorio es serio.

Ángela y Mónica / Gregorio

a. José / Miguel y tú

b. Carolina / Luisa y yo

c. Juanito y David / tú

d. Barrabás / Turquesa y Condesa

e. Claudia y Marisol / yo

f. Jorge / Samuel y yo

g. Coqui/Napoleón y Sultán

5 Think of pairs of people in your class who are alike in at least one way. Your partner should tell you how these two classmates are alike. You may want to use the list on the right to help you.

A —¿*Cómo son Pablo y Pedro?*
B —*Son altos.*

Now ask your partner in what way you and various classmates are alike or different.

A —¿*Cómo somos Ignacio y yo?*
B —*Uds. son trabajadores.*
     o: *Ignacio es trabajador, pero tú eres perezoso.*

alto, -a	impaciente
amable	inteligente
artístico, -a	joven
atrevido, -a	ordenado, -a
bajo, -a	paciente
bonito, -a	perezoso, -a
callado, -a	prudente
cariñoso, -a	serio, -a
deportista	simpático, -a
desordenado, -a	sociable
generoso, -a	tacaño, -a
gracioso, -a	trabajador, -a
guapo, -a	viejo, -a

Los adjetivos posesivos

To tell what belongs to someone or to show relationships, we use *de* + noun. For example:

    Tengo el cuaderno **de** Felipe.
    La hermana **de** María es amable.

- Another way to tell what belongs to someone and to show relationships is to use possessive adjectives. You already know some of them.

mi hermano	**mis** hermanos
tu abuela	**tus** abuelas
su hijo	**sus** hijos

¡NO OLVIDES!

Remember that *tú* with an accent means "you." *Tu* without an accent means "your."

- The possessive adjective must be singular if the noun is singular and plural if the noun is plural.

    Mi prima es alta.   Todas mi**s** prima**s** son alta**s**.

    —¿Son rubios los hermanos de Rafael?
    —No, su**s** herman**os** son pelirroj**os**.

6 Using the family tree on page 154, make three true and false statements about Mariana's family to your partner. Your partner will look at the family tree and answer *sí* if a statement is correct. If a statement is incorrect, your partner will answer *no* and correct it.

A —*La hermana de Mariana tiene 23 años.*

B —*Sí, su hermana tiene 23 años.*

A —*Los abuelos de Mariana se llaman Pedro y Carolina.*

B —*No, sus abuelos se llaman Pedro y Carmen.*

MORE PRACTICE

Más práctica y tarea, pp. 521–522
Practice Workbook 5–5, 5–10

7 Work in groups of three. Each of two students will choose three classroom items that they can "lose" for a moment. These students will turn their backs while their partner puts these objects out of sight. Then, when they turn around, one of them should ask where their things are.

A —*¿Dónde está mi carpeta?*

B —*¿Tu carpeta? Aquí está.*

A —*¿Dónde están sus libros?*
   o: *¿Dónde están los libros de Antonio?*

B —*¿Sus libros? Aquí están.*

PASO CULTURAL Colombian Fernando Botero (1932–) is one of today's best-known artists. All of his works of the past several years, including many large bronze sculptures, show figures with this same roundness. Botero once said that art is "bound to deform nature." Do you agree? Why?

Ahora lo sabes

Can you:

► tell what someone has?
   —Tomás y Mariana ____ doce libros.

► tell what a person's age is?
   —El abuelo de Celeste ____ 74 años.

► tell what someone or something is like?
   —Mi hermano ____ guapo.

► tell what belongs to someone?
   —¿Dónde está el cuaderno ____ Luis?
   —____ cuaderno está aquí.

En el parque (1996), Fernando Botero

Unos padres mexicanos

Actividades

1 Write a brief description of your ideal family, including the number of grandparents, parents, aunts and uncles, cousins, and brothers and sisters that you have. Do not include their names.

Exchange papers with your partner. Find out about the members of your partner's ideal family by asking about their names, ages, and appearance or personalities. Take notes on the information you receive.

Using what you learned, write a two- or three-sentence description of one of the people in your partner's ideal family.

2 Cut a picture of a person from a magazine and write a description of the person on a separate sheet of paper. Bring the picture and description to class.

Without showing your partner the picture, read your description aloud. Your partner will draw what you are describing. Together, compare the drawing to the picture.

In groups of five or six, combine all of your pictures, drawings, and written descriptions. Exchange them with those of another group. Can the groups match all three pieces of each one?

Unos abuelos en Madrid

Conexiones

La familia de la Reina Isabel

In 1469, Isabel and Fernando, heirs to the thrones of Castilla and Aragón, were married. The union of the two kingdoms came to pass on the death of Juan II de Aragón ten years later. The long reign of la Reina Isabel de Castilla (1474–1504) is remembered for several events that affected the course of world history:

- the establishment of the Inquisition (1480)
- the defeat of the Moors at Granada (1492)
- the expulsion of the Jews from Spain (1492)
- the first voyage to the Americas of Cristóbal Colón (1492)

Busca a Isabel en el árbol genealógico. Luego, completa las frases.

1. Enrique IV es su ____.
2. Enrique III es su ____.
3. Juana es su ____.
4. Juan II de Castilla es su ____.
5. Juan II de Aragón es su ____.
6. Fernando el Católico es su ____ y su ____.
7. Sus nietos, los hijos de Juana, se llaman ____.

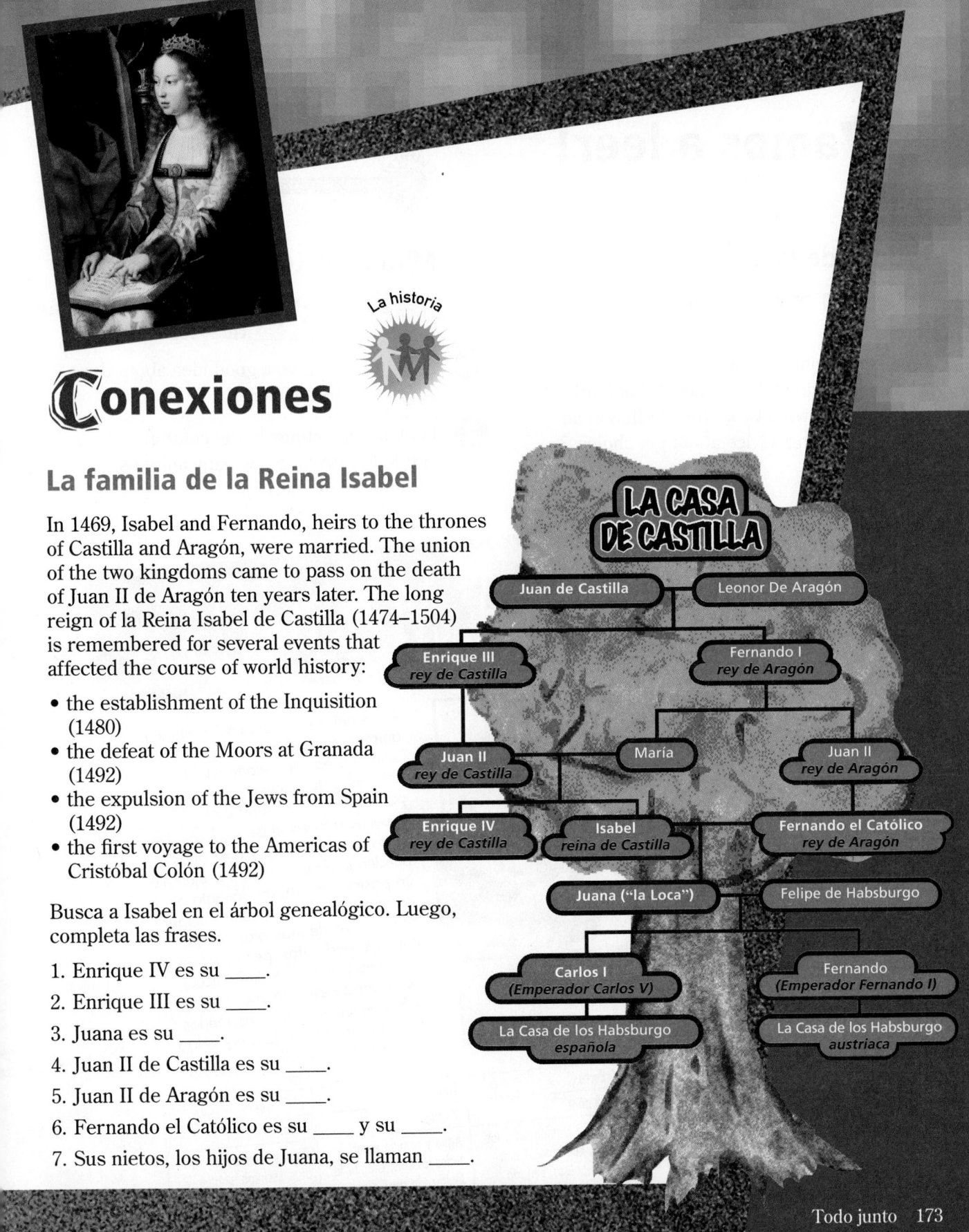

LA CASA DE CASTILLA

- Juan de Castilla
- Leonor De Aragón
- Enrique III, rey de Castilla
- Fernando I, rey de Aragón
- Juan II, rey de Castilla
- María
- Juan II, rey de Aragón
- Enrique IV, rey de Castilla
- Isabel, reina de Castilla
- Fernando el Católico, rey de Aragón
- Juana ("la Loca")
- Felipe de Habsburgo
- Carlos I (Emperador Carlos V)
- Fernando (Emperador Fernando I)
- La Casa de los Habsburgo española
- La Casa de los Habsburgo austriaca

¡**V**amos a leer!

Antes de leer

STRATEGY ➤ **Using prior knowledge**

What are some important considerations when choosing a family pet? What kinds of information would you hope to find in an article offering advice about pet choices?

Mira la lectura

STRATEGY ➤ **Using titles and context clues for meaning**

1 Does the title give a good idea about the subject of the article?

2 Look at the listings in the column entitled *mascota*. How many animals are considered here?

MI PRIMERA MASCOTA

MASCOTAS FAVORITAS

A los niños les gusta casi cualquier animal. Sin embargo, algunos animales no son recomendables para ellos. Es conveniente que los padres escojan una mascota de acuerdo a la edad de sus hijos. Los niños de entre cinco y diez años pueden tener un perro, por ejemplo, un pastor alemán, un dálmata o un collie. También pueden escoger otras clases de mascotas: gatos, conejos, periquitos, peces, tortugas, hámsters (ratoncillos domésticos), etc. Cuando escojan una mascota deben tener en consideración los siguientes aspectos: la longevidad, los cuidados y la alimentación.

Mascota	Gatos	Perros	Hámsters	Periquitos
Longevidad	15 años	15 años	2 años	5 años
Cuidados	Agua y comida todos los días. Vitaminas. Bañarlo con agua tibia una vez al mes.	Agua y comida todos los días. Vitaminas. Collar para pulgas. Bañarlo una vez a la semana.	Agua y comida especial todos los días. Limpiar la jaula cada cinco días.	Agua y comida todos los días. Lechuga, plátano y semillas. Limpiar la jaula una vez por semana.

Infórmate

STRATEGY ➤ Scanning

Column and row headings identify the main categories. We can scan the entries relating to them for the specific information we need.

Scanning, or reading for specific information, is useful because charts and tables offer an efficient way to condense information in order to make quick comparisons.

1 Scan the long paragraph and find the age range of children for whom these pets are recommended. Using what you know about cognates, can you identify the names of some of the dog breeds? From what you know, do you agree that these are good pets for children in this age range?

2 Turning to the table, scan the information in the row entitled *Longevidad.* Do you know an English equivalent for *longevidad?* Does this information correspond to your own experience with pets? What do you think the row entitled *Cuidados* is about?

Dos hermanas con armadillos en Taxco, México

Aplicación

The recommendations given below are described in the table as necessary for the care of *los perros.* Can you figure out what these recommendations are? To which of these family members would you assign each of the first two tasks: *hijo mayor (10 años), hija menor (5 años), los padres?*

- bañarlo una vez a la semana
- comida y agua todos los días
- collar para pulgas
- vitaminas

¡Vamos a escribir!

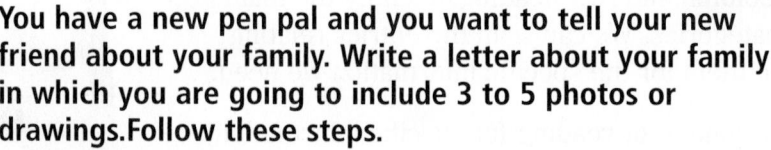

You have a new pen pal and you want to tell your new friend about your family. Write a letter about your family in which you are going to include 3 to 5 photos or drawings. Follow these steps.

1 Think about how you would describe the people in your photos or drawings: Who are they? What do they look like? What type of personality do they have? List your answers under each of these categories. Number your pictures so that you can refer to them easily.

2 Write a first draft of your letter describing three or four people in your family as completely as you can.

Una familia en México

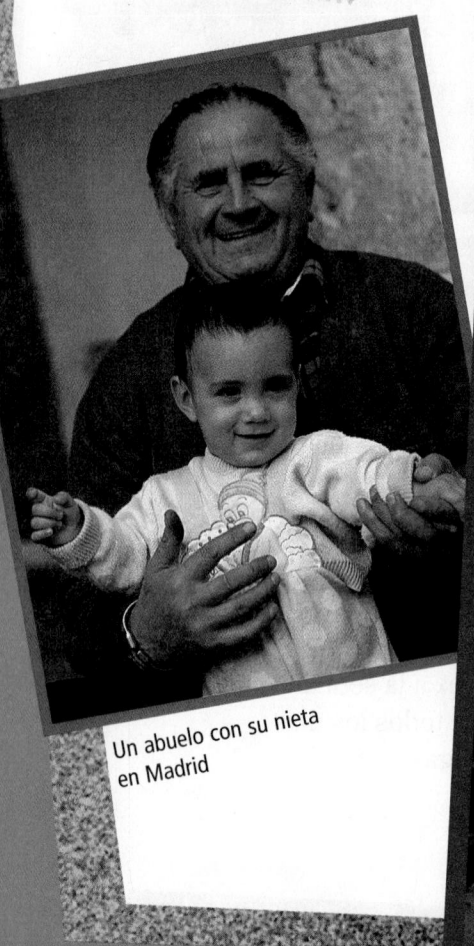

Un abuelo con su nieta en Madrid

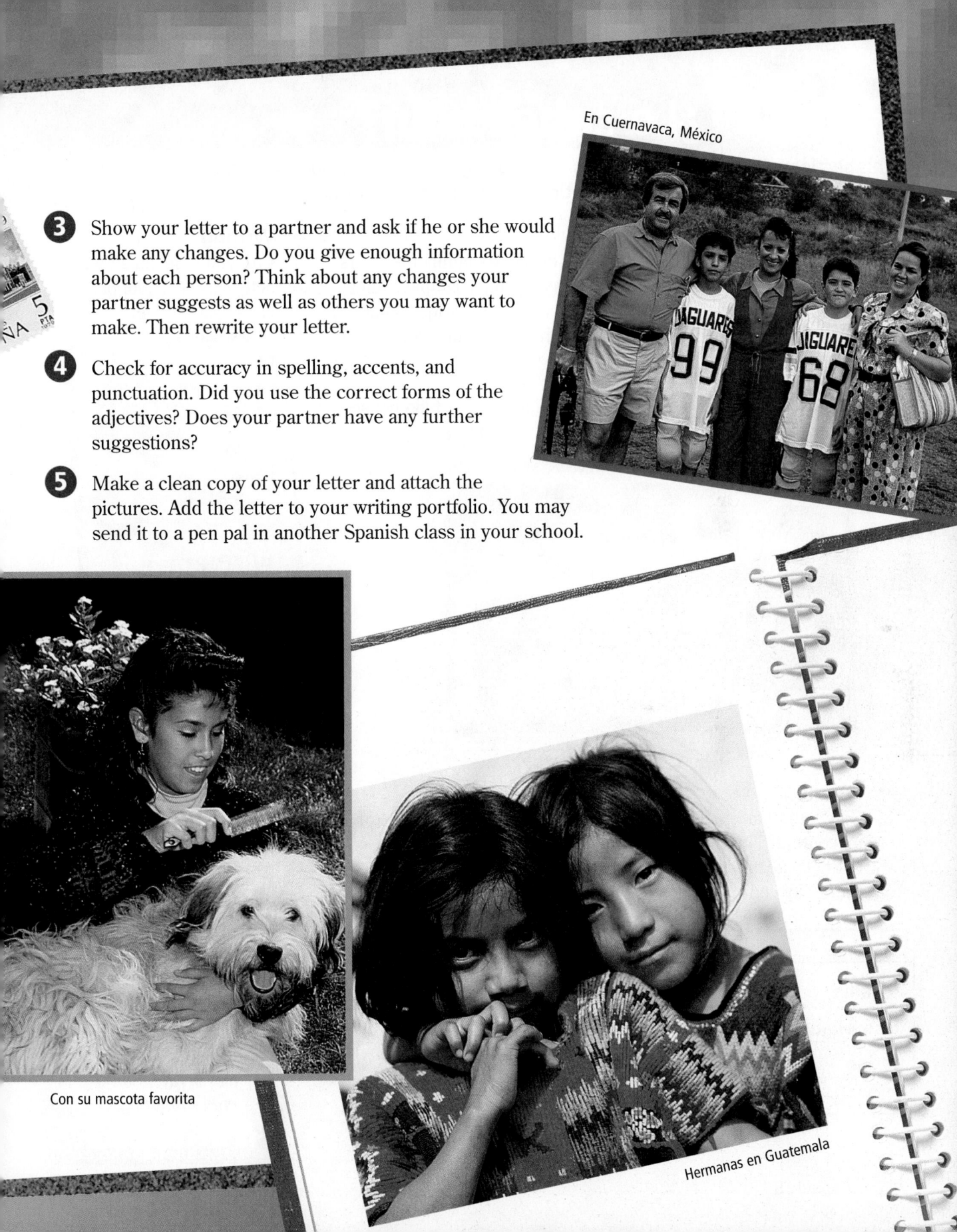

En Cuernavaca, México

3 Show your letter to a partner and ask if he or she would make any changes. Do you give enough information about each person? Think about any changes your partner suggests as well as others you may want to make. Then rewrite your letter.

4 Check for accuracy in spelling, accents, and punctuation. Did you use the correct forms of the adjectives? Does your partner have any further suggestions?

5 Make a clean copy of your letter and attach the pictures. Add the letter to your writing portfolio. You may send it to a pen pal in another Spanish class in your school.

Con su mascota favorita

Hermanas en Guatemala

Repaso ¿Lo sabes bien?

This section will help you organize your studying for the proficiency test, where you will be asked to do similar, though not identical, tasks. There will not be any models on the test.

► **Listening**

Can you understand when someone describes family members and friends? Listen as your teacher reads you a sample similar to what you will hear on the test. What color is Enrique's hair? Does any other member of his family have the same color hair?

► **Culture**

What version of her name would Ana Carmen most likely use to introduce herself to a new friend?

► **Reading**

Can you quickly glance through this chart and get an idea of its content? Now look at the information under the column entitled *Color de ojos.* What is the dominant color of eyes? Is there any common color of eyes missing?

Nombre	Edad	Color de pelo	Color de ojos
Rosalba	19	castaño	marrones
José Miguel	18	pelirrojo	verdes
Carlos	21	castaño	verdes
Maribel	19	rubio	azules

► **Writing**

Can you write an ad for actors for a school play? Here is a sample:

Necesito una mujer 50-60 años alta pelo canoso para representar a la madre

► **Speaking**

Can you talk with a partner about your families? For example:

A —*Tengo tres hermanos mayores. ¿Y tú?*

B —*Yo tengo una hermana mayor y una hermana menor. Mariana tiene dieciocho años y Roxana cinco.*

A —*Mis hermanos se llaman Roberto, Ramiro y Rafael. Todos son muy deportistas.*

B —*Mis hermanas son pelirrojas y tienen ojos verdes. Son muy simpáticas.*

Self Test www.pasoapaso.com

los abuelos (handwritten)

Use the vocabulary from this chapter to help you:

► describe family members and friends

► tell what someone's age is

► say what other people like and do not like to do

to talk about family members

los abuelos: el abuelo *grandpa*
            la abuela *grandma*
los hermanos: el hermano *brother*
             la hermana *sister*
los hijos: el hijo *uncle*
       la hija *aunt*
los padres: el padre *Dad*
           la madre *mom*
los primos: el primo } *cousin*
           la prima
los tíos: el tío
        la tía
el hijo único, la hija única
los gemelos, las gemelas

to tell someone's name

¿Cómo se llama(n) ___?
Se llama(n) ___.

to ask and tell how old someone is

¿Cuántos años tiene ___?
Tiene ___ años.
sesenta (sesenta y uno . . .)
setenta (setenta y uno . . .)
ochenta (ochenta y uno . . .)
noventa (noventa y uno . . .)
cien

to talk about people

el hombre *man*
el muchacho, la muchacha *boy/girl*
la mujer
la persona
¿Quiénes?

to describe people, animals, and things

alto, -a
antipático, -a
atractivo, -a
bajo, -a
bonito, -a
cariñoso, -a
feo, -a
grande
guapo, -a
inteligente
joven
mayor, *pl.* mayores
menor, *pl.* menores
pequeño, -a
simpático, -a
viejo, -a
ser + *adjective*
el pelo: canoso
        castaño
        negro
        rubio

pelirrojo, -a
los ojos: azules
         grises
         marrones
         negros
         verdes

Asiatico (handwritten)

to name animals

el gato
el perro

to indicate possession

de
su, sus
tener

to talk about what someone likes

(A + *person*) le gusta(n) / le encanta(n)

to indicate number

¿Cuántos, -as?
nadie *nobody*
sólo
todos, -as *everybody*

other useful word

que

VISIT
www.pasoapaso.com

CAPÍTULO 6

¿Qué desea Ud.?

Objectives

At the end of this chapter, you will be able to:

► describe the color, fit, and price of clothes

► ask about and buy clothes

► tell where and when you bought clothes and how much you paid for them

► compare where people shop for clothes in Spanish-speaking countries and in the United States

PASO CULTURAL Guatemalan fabrics are known for their intricate patterns and bright colors. Using ancient Mayan techniques, weavers produce *huipiles* (embroidered blouses), sashes, skirts, vests, shawls, headbands, and blankets. The carved wooden masks are used in ceremonial dances. What materials and knowledge do you think people need to create the handicrafts shown here?

Un muchacho buscando ropa en Chichicastenango, Guatemala

¡Piensa en la CULTURA!

PASO CULTURAL

Shopping malls in Spanish-speaking countries are not much different in appearance from those in the U.S. The differences are in the merchandise, which is often a specialty of the country or region. This mall includes shops specializing in textiles and shoes, two important industries in El Salvador. What merchandise do you think foreign tourists are likely to look for when visiting U.S. malls?

Shopping in El Salvador, Chile, and Spain

How do the malls and stores in these pictures compare with those that you know?

San Salvador, El Salvador

"¿Qué necesitas comprar?"

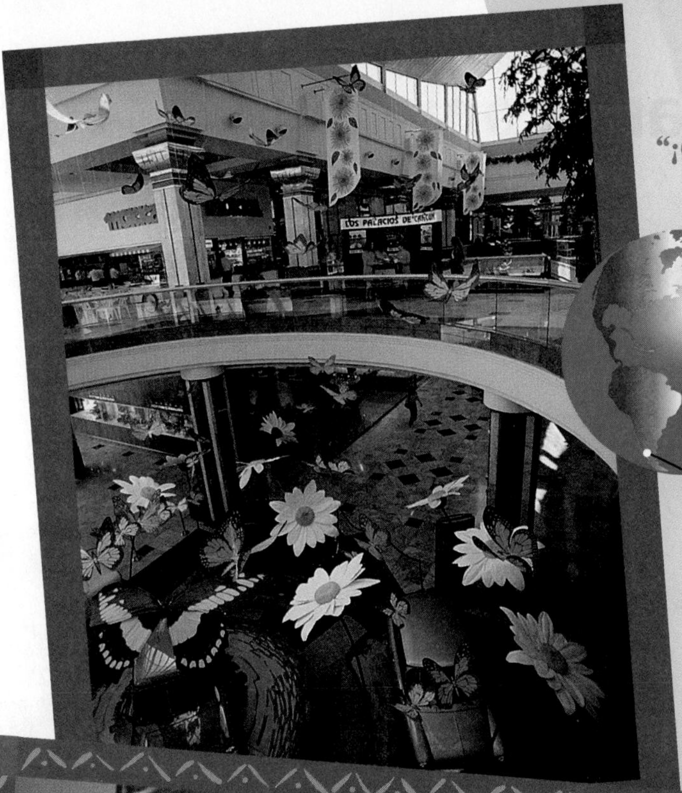

"¡Qué bonito!"

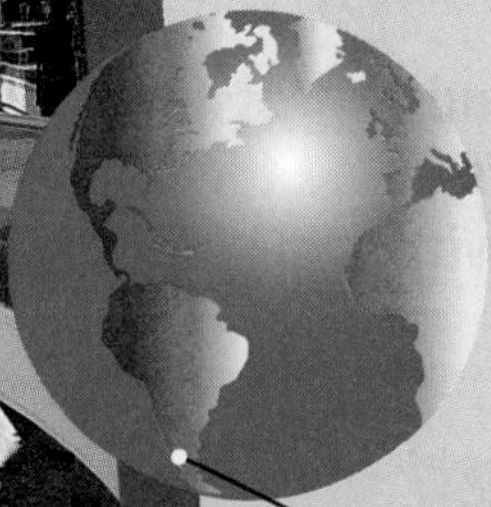

Santiago, Chile

Barcelona, España

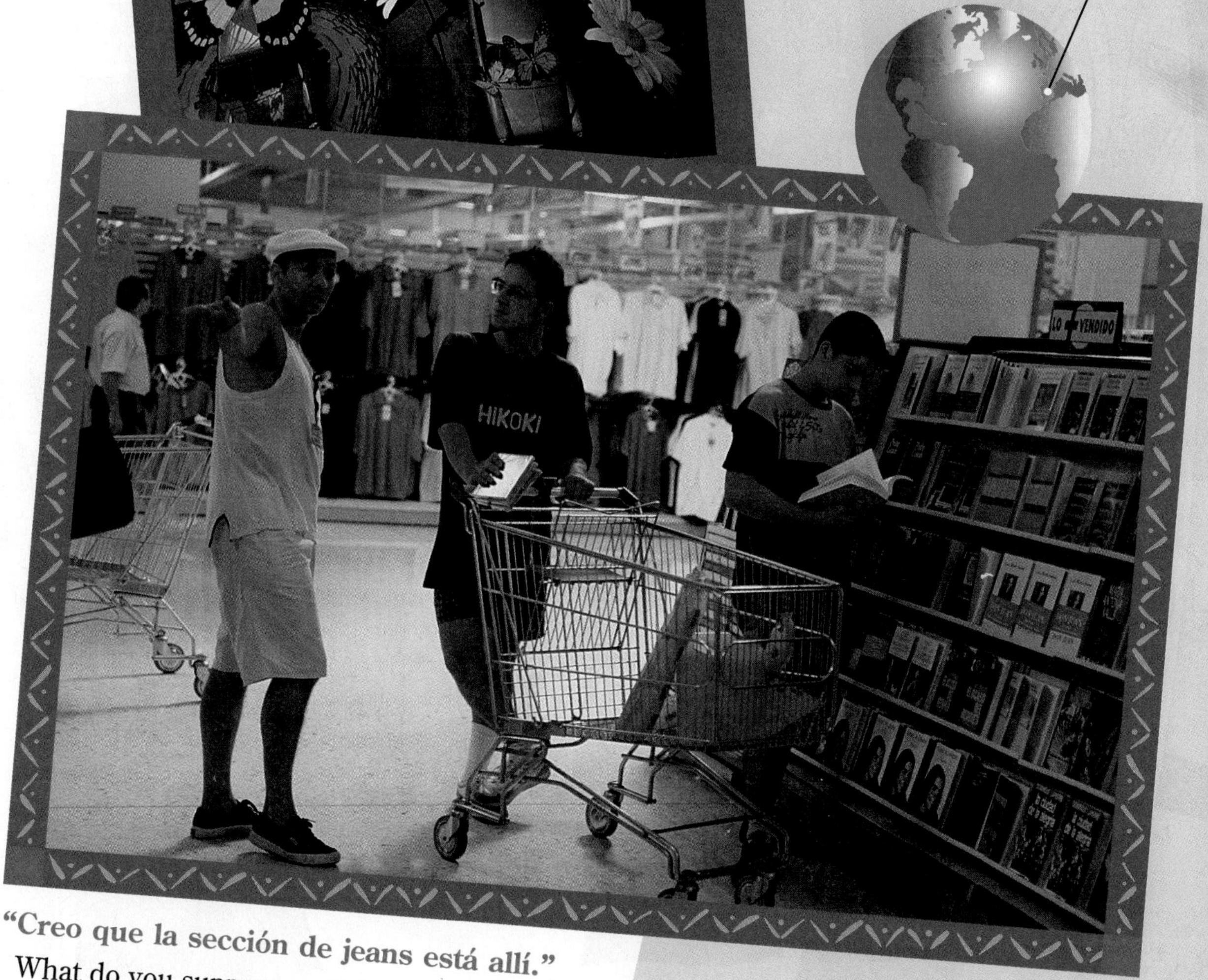

"Creo que la sección de jeans está allí."
What do you suppose *una tienda de descuentos* is?

www.pasoapaso.com
Visit these countries on-line

Vocabulario para conversar

¿Cuánto cuesta la camisa?

Here are some new words and expressions you will need to talk about clothes and colors. Read them several times, then turn the page and practice with a partner.

La ropa

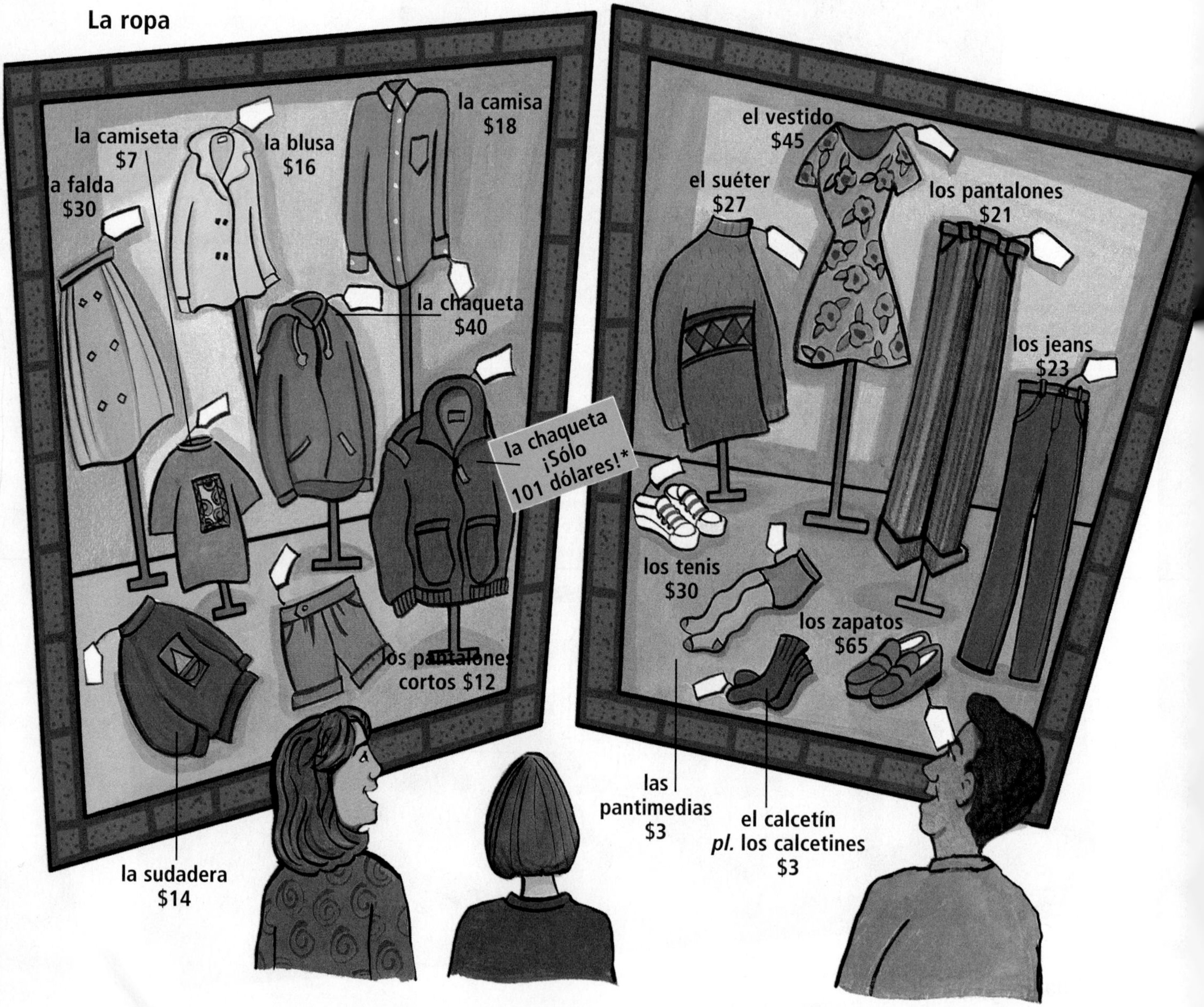

la camiseta $7

la blusa $16

la camisa $18

a falda $30

la chaqueta $40

la chaqueta ¡Sólo 101 dólares!*

los pantalones cortos $12

la sudadera $14

el vestido $45

el suéter $27

los pantalones $21

los jeans $23

los tenis $30

los zapatos $65

las pantimedias $3

el calcetín pl. los calcetines $3

* Note that the number 100, *cien*, becomes *ciento* when followed by another number: *cien dólares*, but *ciento un dólares*. If followed by a feminine noun, we use *ciento una*: *ciento una camisas*.

Los colores

amarillo, -a

anaranjado, -a

blanco, -a*

rosado, -a

rojo, -a

marrón,
pl. marrones

morado, -a

negro, -a

verde

azul, *pl.* azules

gris,
pl. grises

También necesitas...

¿Cómo te queda(n)?	*How does it (do they) fit you?*	los, las	*them*
Me queda(n) bien.	*It fits (They fit) me well.*	¿Cuánto?	*How much?*
¿De qué color?	*What color?*	Cuesta(n) . . .	*It costs (They cost) . . .*
buscar	*to look for*	¿Qué desea (Ud.)?	*May I help you?*
comprar	*to buy*	el / la joven, *pl.* los jóvenes	*young person,* pl. *young people*
llevar	*to wear*	perdón	*excuse me*
para mí / ti	*for me / you, to me/ you*		
este, esta; ese, esa	*this; that*		
lo, la	*it*		

¿Y qué quiere decir . . . ?

el dólar

* When talking about individual colors, we use the masculine definite article: *Me gustan el rojo y el amarillo.*

Empecemos a conversar

With a partner, take turns being *Estudiante A* and *Estudiante B*. Use the words that are cued or given in the balloons to replace the underlined sections in the model. means you can make your own choices.

1 A —*Perdón, ¿cuánto cuesta la chaqueta?*
 B —*Cuesta ciento veinticinco dólares.*

Estudiante A   **Estudiante B**

2 A —*Perdón, ¿cuánto cuestan los jeans?*
 B —*Sólo cuestan treinta y seis dólares.*

Estudiante A   **Estudiante B**

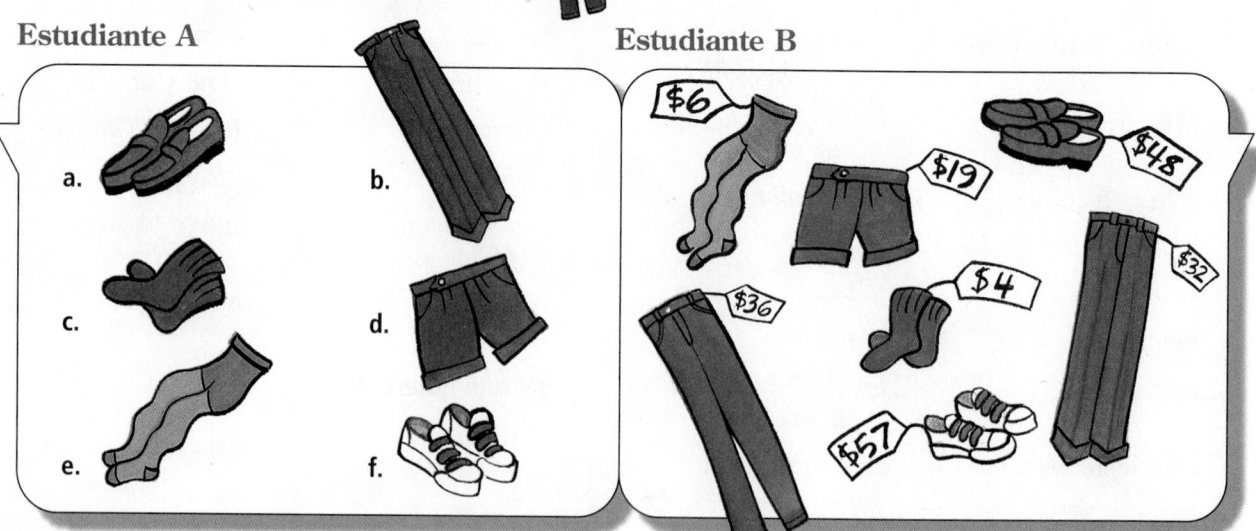

3   A —¿Qué desea, señor (señora/joven/señorita)? ¿_Una camisa_?

   B —Sí, busco _una camisa amarilla_ para mí y _una camisa rosada_ para (nombre).

Estudiante A

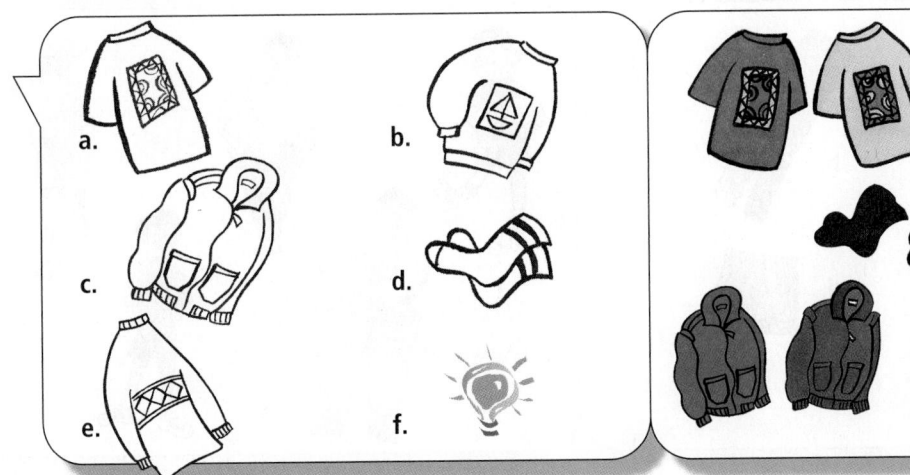

Estudiante B

a.

b.

c.

d.

e.

f.

4   A —Me encanta esa _camiseta_ azul. ¿La tiene en amarillo?

   B —¿Esta _camiseta_? Sí, aquí la tiene.
      o: No, no la tenemos en amarillo.

Estudiante A

Estudiante B

a.

b.

c.

d.

e.

5
A —¿*Cómo te quedan los zapatos?*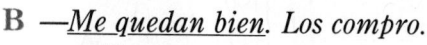
B —*Me quedan bien. Los compro.*
  o: *No me quedan bien. Son muy grandes (pequeños).*

Estudiante A

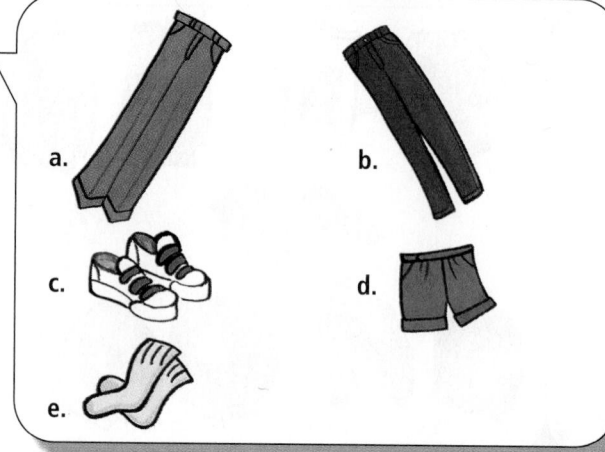

a.

b.

c.

d.

e.

Estudiante B

Empecemos a escribir

Write your answers in Spanish.

6 The seasons affect how we dress. List a couple of clothing items you wear in each season of the year.

7 Choose five of those items and say which colors you prefer for each one.

8 ¿Qué ropa vas a llevar mañana? ¿De qué color es?

9 ¿Qué colores te gustan más? ¿Qué colores no te gustan nada?

10 ¿Qué ropa compras para ti?

Unos jóvenes chilenos en la playa

También se dice...

el jersey
la chompa

el vaquero

la pollera

la remera
la franela
la playera

la chamarra
la campera

Esquiadores en Bariloche, Argentina

Turistas en el Parque Nacional Nahuel Huapi, Argentina

MORE PRACTICE

Más práctica y tarea, p. 523
Practice Workbook 6–1, 6–2

el short

las medias

las zapatillas (deportivas)
los zapatos de tenis

de color café

Vocabulario para conversar

¿Cuánto pagaste por el suéter?

Here's the rest of the vocabulary you will need to talk about where and when you bought clothes.

el almacén, *pl.* los almacenes

la ropa

la tienda de ropa

la zapatería

¡MUCHAS GANGAS!

la tienda de descuentos

¿Por qué pagar mucho?

También necesitas...

la ganga	*bargain*	pagar:
		  (yo) pagué
		  (tú) pagaste
			to pay:
			* I paid*
			* you paid*

barato, -a	*inexpensive*		
caro, -a	*expensive*	por	*for*
nuevo, -a	*new*	estos, estas; esos, esas	*these; those*
¡Qué + *adjective*!	*How ___!*	otro, -a	*another, other*

comprar:
  (yo) compré
  (tú) compraste
	to buy:
	* I bought*
	* you bought*
		hace + *time expression*	*___ ago*

		por aquí	*around here*

Empecemos a conversar

11 A —*¿Dónde compraste esos <u>pantalones</u> nuevos?*
B —*Los compré en <u>el almacén</u>.*

Estudiante A   Estudiante B

12 A —*Estos <u>calcetines</u> son caros, ¿verdad?*
B —*Sí, para mí son muy caros. ¿Hay <u>otra tienda de ropa</u> por aquí?*

Estudiante A   Estudiante B

13

A —¿Cuánto pagaste por <u>la falda</u>?
B —Pagué <u>veintiséis</u> dólares.
A —¡Qué cara (barata)!

Estudiante A

a.   b.   c.   d.   e.   f.

Estudiante B

14

A —Esa <u>blusa</u> es muy bonita. ¿Es nueva?
B —Más o menos. La compré <u>hace una semana</u>.

Estudiante A

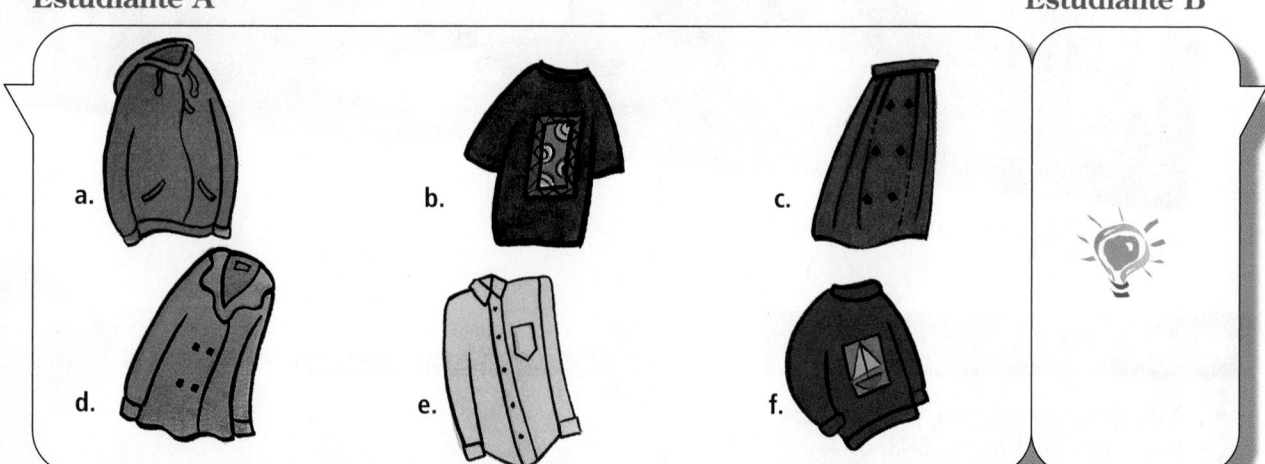

a.   b.   c.   d.   e.   f.

Estudiante B

Empecemos a escribir y a leer

Write your answers in Spanish.

15 Choose three of your favorite clothing items, and tell in what kinds of stores you bought them.

16 Describe your three favorite items of clothing.

17 Cuando vas de compras, ¿buscas gangas o no?

18 ¿Compraste algo hace dos semanas? ¿Qué? ¿Y hace un mes?

Dos jóvenes en un centro comercial en México

"¿A qué tienda quieres ir ahora?"

MORE PRACTICE

- Más práctica y tarea, pp. 523–524
- Practice Workbook 6–3, 6–4

Vocabulary Practice · www.pasoapaso.com

19 Lee este diálogo.

SILVIA   Hola, Marta. ¡Qué bonito tu vestido!

MARTA   ¿Te gusta?

SILVIA   Sí, me gusta mucho. ¿Es nuevo?

MARTA   Pues, lo compré hace una semana.

SILVIA   ¿Dónde lo compraste?

MARTA   En la tienda de descuentos Nosotras.

SILVIA   ¿Y cuánto pagaste?

MARTA   ¡Diez dólares!

SILVIA   ¡No me digas! ¡Qué ganga! Yo también necesito comprar un vestido nuevo. ¿Quieres ir de compras mañana?

MARTA   ¡Claro que sí!

a. ¿Quién tiene un vestido nuevo?

b. ¿Quién necesita un vestido nuevo?

c. ¿Qué es "Nosotras"?

d. En tu opinión, ¿la ropa en los almacenes es barata o cara? ¿Es necesario comprar ropa cara? ¿Por qué?

¡COMUNI

¡NO OLVIDES!

a + el = al

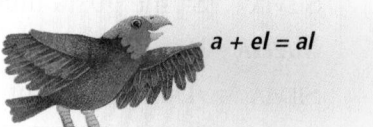

1

Find out what your partner usually wears when he or she goes to at least three different places.

A —*¿Qué ropa llevas cuando vas al parque?*

B —*Generalmente llevo . . .*
o: *Nunca voy al parque.*

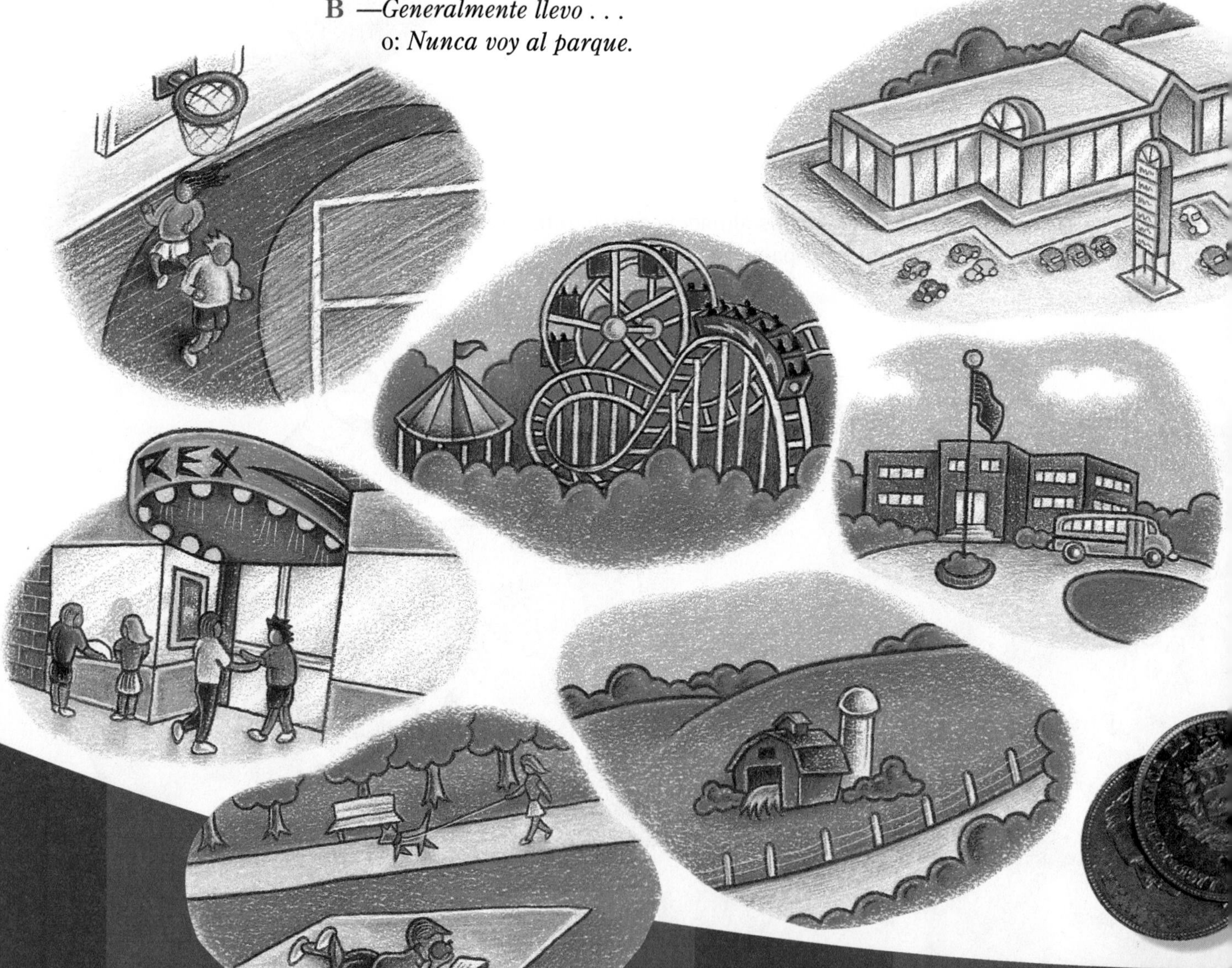

2

Find out how much your partner paid for at least five of his or her school supplies. For example:

A —¿Cuánto pagaste por . . . ?

B —Pagué cinco dólares, más o menos.

3

You want to buy some clothes for a trip or special event you will be attending. You have a budget of $100. Decide on three items you would like and what colors they will be. Your partner will estimate how much each item costs and keep a tally. Can you get what you will need and stick to your budget? For example:

A —Me gustaría comprar unos pantalones azules.

B —Cuestan 25 dólares.

A —También necesito . . .

¿Qué sabes ahora?

Can you:

► describe what you are wearing?
—Hoy llevo ___.

► tell where you bought something?
—___ mis jeans en ___.

► tell how much you paid for something?
—___ veinte dólares ___ la camisa.

► ask how much something costs?
—¿Cuánto ___ esa camisa?

Perspectiva cultural

Las tiendas en los países hispanos

¿Te gusta ir de compras en los almacenes o los centros comerciales? ¿Qué compras?

L ook at the photos on these pages. What kinds of stores do you think are shown here?

In big cities in Spanish-speaking countries, you can usually find a variety of malls or shopping centers. The idea of the shopping mall originated in the United States, and other countries have

Centro comercial en Zaragoza, España

Fox Delicias Mall en Ponce, Puerto Rico

adopted the concept by creating malls of great beauty. However, there are also tailors and dressmaking stores where people can have their clothes custom-made at affordable prices.

Teenagers in Spanish-speaking countries like to window-shop at malls and clothing stores, just as they do here. And just as in other countries, there is a wide variety of materials, styles, and fashions to choose from. Teens in Spanish-speaking countries tend to be fashion-conscious and stylish in the way they dress, and many like to wear custom-made formal clothes on special occasions.

Cultural Activity www.pasoapaso.com

Distrito comercial Sabana Grande en Caracas, Venezuela

La cultura desde tu perspectiva

1 What do you think are some of the advantages and disadvantages of shopping in a mall rather than in separate stores within several blocks?

2 Do you think you would be able to find clothing brands that you are familiar with in the stores pictured? Why or why not?

Tienda de ropa en la Ciudad de México

www.pasoapaso.com

Cultural Activity

Gramática en contexto

Here is an ad for a store. What kinds of information would you expect to find in an ad for a discount clothing store?

¿Por qué la Tienda de Descuentos Bolívar?

¿Por qué pagar los precios altos de un almacén por camisas, blusas y faldas cuando nosotros las tenemos a precios mucho más bajos?

La Tienda de Descuentos Bolívar tiene ropa espectacular, y ahora Ud. la puede comprar a un precio razonable. Esta ropa es nueva y elegante pero muy barata. Este mes Ud. debe visitar la Tienda de Descuentos Bolívar para ver las muchas gangas que ofrecemos.

Calle Colón 356, Bogotá • lunes a sábado, 9:00—18:00

A You know that *estos* and *estas* mean "these." Look at the ad. Which word is used before *ropa?* And before *mes?* Which form of the word would be used before *gangas?* Can you explain the difference?

B You know that *lo* and *la* can mean "it," and *los* and *las* can mean "them." In the question that begins *"¿Por qué pagar los precios altos . . .*

cuando nosotros las tenemos . . . ," what does *las* refer to? In the sentence that begins *"La Tienda de Descuentos Bolívar tiene . . . y ahora Ud. la puede comprar . . . ,"* why do you think *la* is used, and not *lo?* If you were talking about a shirt *(camisa),* would you say *lo compro* or *la compro?*

La posición de los adjetivos

In Spanish, adjectives usually come after the noun they describe.

Me gusta más la camisa **blanca.**

Tenemos un perro **grande y feo.**

¡NO OLVIDES!

Adjectives agree in number (singular / plural) and gender (masculine / feminine) with the nouns they describe.

1 You and your partner are going shopping for clothing. Look at the items pictured and tell your partner which you would like to buy. Your partner will respond with his or her choice.

A —*Me gustaría comprar una camiseta blanca.*

B —*A mí también.*
   o: *A mí no. Prefiero una camiseta roja.*

a.

b.

c.

d.

e.

f.

g.

h.

2 Take turns with your partner playing the roles of a
salesperson and a customer. The salesperson should find
out what item the customer is looking for and for whom.
The items can be for yourself or for a person of your choice.
You decide the colors you want.

A —¿Qué desea, señor (señora/joven/señorita)?

B —Busco unos calcetines rojos.

A —¿Para Ud.?

B —Sí, para mí.
   o: No, para . . .

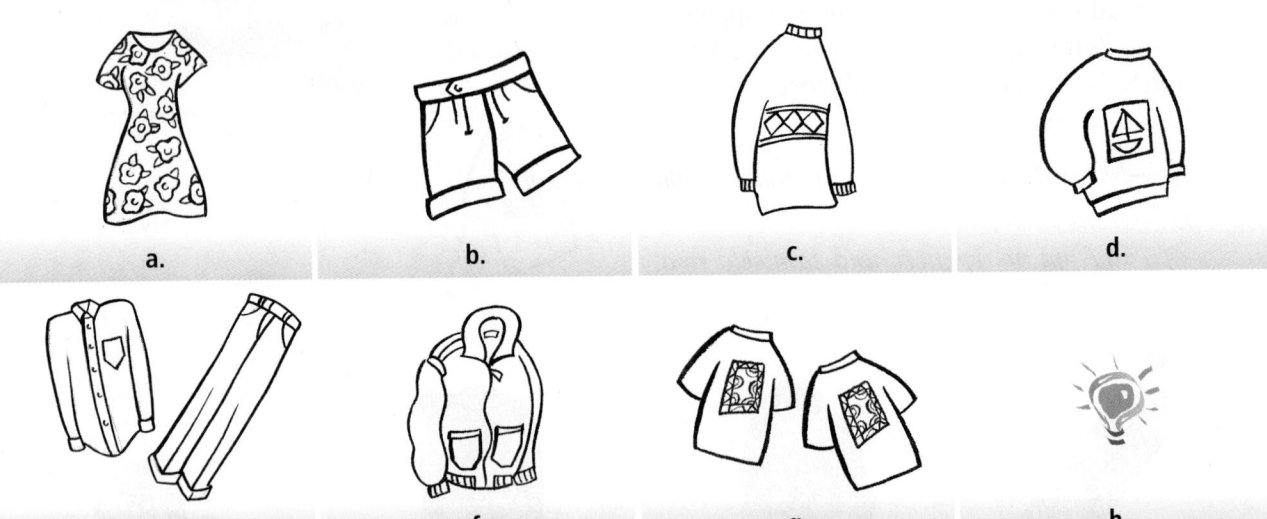

a.	b.	c.	d.
e.	f.	g.	h.

Los adjetivos demostrativos

We use demonstrative adjectives to point out people and things.
You've already seen these forms: *este, esta, estos, estas* (this, these),
and *ese, esa, esos,* and *esas* (that, those).

Demonstrative adjectives come before the noun. They have the
same gender and number as the nouns that follow them.

SINGULAR	PLURAL
este vestido (***this*** *dress*)	**estos** vestidos (***these*** *dresses*)
esta blusa (***this*** *blouse*)	**estas** blusas (***these*** *blouses*)
ese suéter (***that*** *sweater*)	**esos** suéteres (***those*** *sweaters*)
esa sudadera (***that*** *sweatshirt*)	**esas** sudaderas (***those*** *sweatshirts*)

3 With a partner, decide which words in this list you would use with the demonstrative adjective *este* or *ese*. Which would you use with *estos* or *esos*? *Esta* or *esa*? *Estas* or *esas*? Afterward write sentences using five of the words with an appropriate demonstrative adjective.

a. tienda
b. zapatos
c. sudaderas
d. calcetín
e. zapatería

f. ganga
g. pantimedias
h. vestido
i. suéteres
j. almacén

k. pantalones cortos
l. blusas
m. ropa
n. tienda de descuentos
o. colores

4 You are at a party and you want to get to know the guests. Find out from your partner their names and ages.

A —¿*Cómo se llama esa muchacha alta y rubia?*

B —*Marta.*

A —¿*Cuántos años tiene?*

B —*Quince.*

Marta

Marta, 15

Javier, 35

Lucía, 28

Pilar y Conchita, 17

Carlitos, 9

Eva, 75

Miguel y Mateo, 14

5 While shopping with a friend, you pick up and look at several items. Ask if your partner likes them.

A —¿Te gusta este suéter azul?

B —Sí, me gusta mucho.
    o: No, no me gusta nada.

a.

b.

c.

d.

e.

f.

6 Get together in groups of four or five. Each person should put at least two of his or her school supplies in a pile. Take turns holding up items and trying to find out to whom each one belongs. For example:

A —¿De quién es este marcador amarillo? ¿Es de (nombre)?

B —Sí. Ese marcador es de (nombre).
    o: No, ese marcador no es de (nombre).

El complemento directo: Los pronombres

A direct object tells who or what receives the action of the verb.

> Quiero **esa falda.**
> Compré **unos zapatos.**

To avoid repeating a direct object noun, we often replace it with a direct object pronoun ("it" or "them").

> —¿Cuándo compraste **la falda?**
> —**La** compré hace cinco días.

> —Isabel, ¿tienes **mi suéter?**
> —No, no **lo** tengo.

	SINGULAR			PLURAL	
lo	*it* (masculine)		**los**	*them* (masculine)	
la	*it* (feminine)		**las**	*them* (feminine)	

- The direct object pronoun usually comes right before the verb. If the verb is negative, the pronoun is placed between *no* and the verb.

  —¿Compras **esos pantalones?**
  —No, no **los** compro.

- When we have a verb followed by an infinitive, the direct object pronoun is usually placed right before the main verb (not the infinitive).

  —¿Quieres comprar **esa falda?**
  —Sí, **la** quiero comprar.

- Direct object pronouns have the same gender and number as the nouns they are replacing. When the pronoun replaces both a masculine and a feminine direct object noun, we use *los*.

  —¿Cuándo compraste **la falda y el vestido?**
  —**Los** compré el sábado.

7 Read each sentence on the left and tell which noun on the right has been replaced by a direct object pronoun.

No, no **la** necesito.	camisetas
Jorge **los** tiene.	chaqueta
Es caro pero **lo** quiero comprar.	tenis
Susana y Felipe **las** van a comprar.	vestido

8 Write four sentences similar to those in Exercise 7. Ask your partner to rewrite your sentences using an appropriate noun in place of the pronoun you used.

9 With a partner, take turns asking and answering.

A —¿De qué color prefieres las camisas?

B —Las prefiero grises (blancas).

Estudiante A

Estudiante B

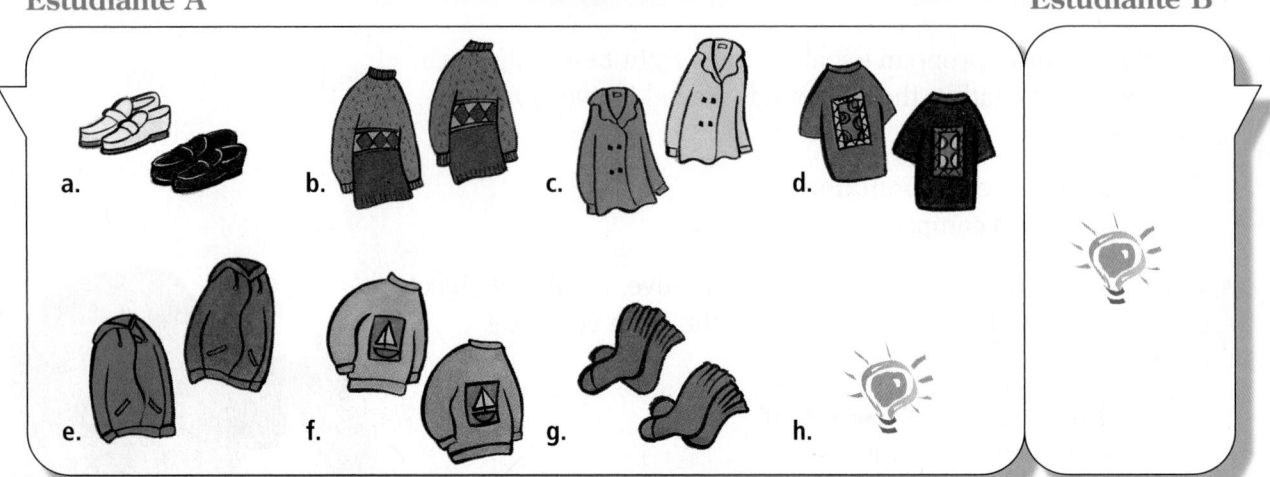

a.

b.

c.

d.

e.

f.

g.

h.

10 Today is January 28 and this month you have bought a lot of new clothes. Use the calendar to answer your partner's questions.

A —Tu camisa es nueva, ¿no?

B —Sí. La compré hace tres semanas.

11 You're trying to help your partner clean out a messy locker. Ask whether or not he or she needs the objects pictured.

A —¿*Necesitas la calculadora?*

B —¡*Claro que sí! La necesito para mi clase de matemáticas.*
    o: *No, no la necesito.*

Ahora lo sabes

Can you:

▶ identify and describe articles of clothing?
—Necesito un(a) ____.

▶ point out people and things?
—¿Qué bolígrafo prefieres?
—Prefiero ____ bolígrafo.

▶ avoid reusing a noun by replacing it with *lo, la, los,* or *las?*
—¿Tienes la calculadora y la regla?
—Sí, ____ tengo.

MORE PRACTICE

Más práctica y tarea, pp. 524–525
Practice Workbook 6–5, 6–8

TODO JUNTO

De compras en Madrid, España

Actividades

1 With your partner, play the roles of a store clerk and a customer who wants to buy an item of clothing:

- Get the clerk's attention
- The clerk will ask how he or she can help you
- Tell the clerk that you want to see an item
- The clerk will clarify which item you are talking about
- Find out the price of the item
- Find out if they have it in another color
- Tell the clerk whether you will buy it or not

2 On an index card or sheet of paper, write a description of a classmate and what he or she is wearing. Put all of the cards into a pile and take turns removing them one at a time. As each one is removed, someone reads it aloud, clue by clue, as others try to guess who is being described. For example: *Es un muchacho rubio. Lleva jeans y tenis negros y blancos. También lleva . . .*

3 Role-play a scene in which you try to convince a parent or other adult that you need to buy some new clothes. As the adult, your partner will try to convince you that you don't need the clothing.

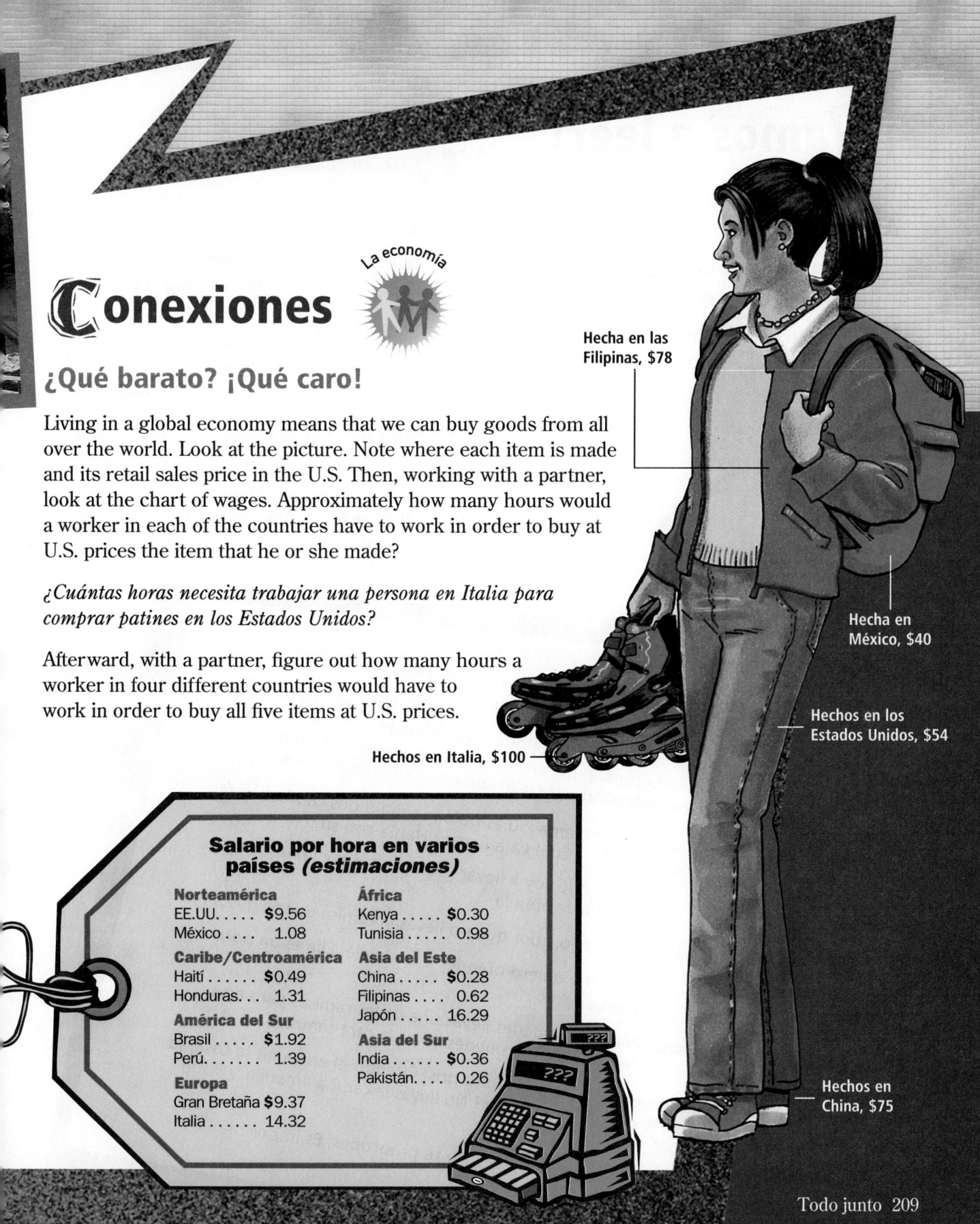

Conexiones

La economía

¿Qué barato? ¡Qué caro!

Living in a global economy means that we can buy goods from all over the world. Look at the picture. Note where each item is made and its retail sales price in the U.S. Then, working with a partner, look at the chart of wages. Approximately how many hours would a worker in each of the countries have to work in order to buy at U.S. prices the item that he or she made?

¿Cuántas horas necesita trabajar una persona en Italia para comprar patines en los Estados Unidos?

Afterward, with a partner, figure out how many hours a worker in four different countries would have to work in order to buy all five items at U.S. prices.

Hecha en las Filipinas, $78

Hecha en México, $40

Hechos en los Estados Unidos, $54

Hechos en China, $75

Hechos en Italia, $100

Salario por hora en varios países *(estimaciones)*

Norteamérica		**África**	
EE.UU.	$9.56	Kenya	$0.30
México	1.08	Tunisia	0.98
Caribe/Centroamérica		**Asia del Este**	
Haití	$0.49	China	$0.28
Honduras	1.31	Filipinas	0.62
América del Sur		Japón	16.29
Brasil	$1.92	**Asia del Sur**	
Perú	1.39	India	$0.36
Europa		Pakistán	0.26
Gran Bretaña	$9.37		
Italia	14.32		

¡Vamos a leer!

Antes de leer

STRATEGY ➤ **Using titles and pictures to predict**

Look at the title and pictures to predict what the story is about.

Mira la lectura

STRATEGIES ➤ **Skimming
Identifying the
main idea**

Skimming is another useful strategy. By quickly glancing through a reading selection, you can often get a general idea of the subject and content.

This story tells of a decision a boy has to make. Skim through it quickly to get the main ideas.

a. What is Juanito's problem?
b. What does he decide to do?
c. What is the grandmother's reaction?

El problema de las dos camisas

Juanito es un muchacho amable y sociable. Para su cumpleaños, Juanito recibe muchos regalos y muchísima ropa de su familia. Le encanta la ropa, pero una semana después de su cumpleaños, recibe una invitación para ir a cenar a la casa de su abuela.

Ahora tiene un problema: Su abuela le regaló dos camisas, una gris y otra amarilla. ¿Cuál va a llevar? Habla con su mamá.

Juanito: Mamá, ¿qué voy a llevar? Tengo las dos camisas nuevas de la abuela.

La mamá: Bueno, hijo, ¿por qué no llevas la camisa que te gusta más?

Juanito: Es que no quiero ofender a la abuela. Ella es un poco difícil a veces.

La mamá: Pues, hijo, puedes llevar una de las camisas para esta cena, y otro día puedes llevar la otra camisa.

Juanito decide llevar la camisa gris. Cuando él entra en la casa, la abuela le dice: "Y, ¿qué pasa? No llevas la camisa amarilla. ¿No te gusta?"

La mamá le dice a Juanito: "No te preocupes. Es imposible contentarles a todos."

Infórmate

STRATEGY ➤ **Using context to get meaning**

Remember that when you are reading and you come across a word you don't understand, you should look at the other words in the sentence to see if they will help you understand.

As you read the story again, make a list of five words or phrases you don't understand.

a. What type of boy is Juanito? What words or phrases tell you that?

b. What do you think of the mother's advice? Would you have given the same advice? Why or why not?

c. What would you have done in Juanito's place?

d. What do you think the last line means?

Aplicación

Think of a similar situation where it seemed impossible to please someone. Create a short dialogue with a partner and end it with a solution that pleases both of you.

¡Vamos a escribir!

Many teens love to shop. They read fashion magazines and browse in stores to learn about the newest fashions, styles, and colors. Create an ad for an article of clothing to appear in a teen magazine or catalog.

"No cuesta mucho."

1 First, think about what might appeal to you and your friends. What article of clothing are you going to sell? What colors does it come in? Where can you buy it? How much does it cost? Write out the answers to these questions in Spanish.

2 Invent a brand name for your clothing. Use it and the answers to the questions in Part 1 to help you design your ad. Be sure to give all the information and arrange it in a way that will catch the eye.

3 Show your ad to a partner. Does he or she want to suggest changes or additions? Think about any changes you might want to make, and rewrite your ad.

4 Check the ad for spelling, accents, and punctuation. Did you use the correct forms of the adjectives? If necessary, make a clean copy and add drawings or magazine pictures to illustrate your ad.

5 You can file your ad in your writing portfolio, or the entire class can collect the ads into a catalog ("ROPA DE PRIMAVERA / VERANO/ OTOÑO / INVIERNO 200__").

LOS NUEVOS **PAREDES**
¡ya están en las zapaterías!

Con éstos, de base de POLIURETANO no sentirás el frío ni el calor, son ISOTÉRMICOS. Su base es totalmente ANATÓMICA. Caminar con ellos, es un auténtico placer.

Su diseño, te permite sin cambiarte de zapatos, saltar directamente de la pista de tenis, a tomar una

...y, si te gusta cosido,

Ésta, es la nueva versión (mejorada) del legendario modelo COMPETICIÓN

Su piel, es napa y está cosida a una estudiada suela de caucho de gran agarre. Se le ha incorporado una entresuela de EVA para que amortigüe y absorba los impactos que se producen en el talón durante un partido de tenis.

PAREDES la estrella
DISEÑO:

Nuevas marcas

BASS
fórmul@ JOVEN

STUDIO CLASICS
ARCO IRIS

Green Coast
NUDOS
El Corte Inglés
PLANTA JOVEN

Repaso ¿Lo sabes bien?

This section will help you organize your studying for the proficiency test, where you will be asked to do similar, though not identical, tasks. There will not be any models on the test.

► **Listening**

Can you understand when people talk about clothes? Listen as your teacher reads a sample similar to what you will hear on the test. How many items is the person planning to buy? Approximately how much money is he or she going to spend?

► **Reading**

Can you understand a description about shopping and clothes? Read through this paragraph to get the main idea. What kind of store does Inés prefer to go to, and why?

"A mí me gusta ir de compras en todas partes, pero lo que más me gusta es ir a los centros comerciales. Es agradable también ir a los almacenes, y a veces puedes comprar ropa buena y barata en las tiendas de descuentos. Pero hay muchas tiendas de todo tipo en los centros comerciales. También hay restaurantes allí, y si estás cansada puedes ir a beber un refresco y descansar."

► **Writing**

Can you write a letter to your parents similar to the one an exchange student might write home asking for money to buy school clothes? Here is an example:

Queridos papá y mamá:
Necesito comprar ropa nueva. Me gustaría comprar tres o cuatro camisetas. Hay camisetas muy bonitas y baratas. Sólo cuestan 10 dólares. No tengo pantalones cortos ni tenis. Necesito también unos pantalones y dos camisas. Los necesito para ir a fiestas. La ropa aquí es muy barata. Voy a necesitar sólo... 150 dólares.

Su hijo,
Luis

► **Culture**

If you were visiting a Spanish-speaking country, would you prefer to buy clothes at a shopping center or go to a tailor or dressmaker? Why?

Centro comercial en Buenos Aires, Argentina

► **Speaking**

Can you and a partner play the roles of a salesperson and a customer in a store? For example:

A —¿Qué desea, señora (joven / señor / señorita)?

B —Busco un suéter blanco.

A —Sí, señora. Tenemos unos suéteres muy bonitos.

B —¿Cuánto cuestan?

A —Sólo 165 dólares.

B —¿Sólo 165 dólares? Perdón, señor . . . ¿hay otra tienda de ropa por aquí?

Self Test www.pasoapaso.com

Resumen del vocabulario

Use the vocabulary from this chapter to help you:

► describe the color, fit, and price of clothes

► ask about and buy clothes

► tell where and when you bought clothes and how much you paid for them

to talk about articles of clothing
la blusa
el calcetín, *pl.* los calcetines
la camisa
la camiseta
la chaqueta
la falda
los jeans
los pantalones (cortos)
las pantimedias
la ropa
la sudadera
el suéter
los tenis
el vestido
los zapatos

to describe clothes
la ganga
barato, -a
caro, -a
nuevo, -a
¿Cómo te queda(n)?
Me queda(n) bien.
¡Qué + *adjective!*

to talk about colors
el color
¿De qué color?
amarillo, -a
anaranjado, -a
azul, *pl.* azules
blanco, -a
gris, *pl.* grises
marrón, *pl.* marrones
morado, -a
negro, -a
rojo, -a
rosado, -a
verde

to talk about places to shop for clothing
el almacén, *pl.* los almacenes
la tienda de descuentos
la tienda de ropa
la zapatería

to talk about shopping
buscar
comprar: (yo) compré
      (tú) compraste
llevar
pagar: (yo) pagué
    (tú) pagaste
para mí / ti
por

to indicate a specific item or items
ese, -a, esos, -as
este, -a, estos, -as
lo, la, los, las
otro, -a

to talk about prices
ciento un(o), una . . .
¿Cuánto?
Cuesta(n) . . .
el dólar, *pl.* los dólares

to assist customers in a store
¿Qué desea (Ud.)?

to address people
el / la joven, *pl.* los jóvenes

to start a conversation
perdón

to talk about when something happened
hace + *time expression*

to indicate location
por aquí

VISIT www.pasoapaso.com

CAPÍTULO 7

¿Adónde vas a ir de vacaciones?

Objectives

At the end of this chapter you will be able to:

► describe vacation choices and activities

► talk about the weather

► discuss what to take on a trip

► talk about how teens in Chile spend their vacations

PASO CULTURAL

The brilliant civilization of the pre-Columbian Maya flourished in what is now southern Mexico and upper Central America. Uxmal, on Mexico's Yucatán Peninsula, is especially famous for its well-preserved ancient buildings. This massive structure, known as *la Pirámide del Adivino* (the Pyramid of the Magician), is exceptionally hard to climb—and even worse to descend! How does this pyramid compare to structures left behind by ancient civilizations in the United States?

Pirámide maya en Uxmal, México   217

¡Piensa en la CULTURA!

Vacation destinations in Ecuador, Mexico, Colombia, and Uruguay

Look at these photographs of four vacation destinations in Mexico, Colombia, Ecuador, and Uruguay. Which place would you most like to visit? Why?

. . . o explorar las Islas Galápagos en Ecuador. . .

"Quisiera ver la cancha de juego de Chichén Itzá en Yucatán . . .

In what ways is this playing field like or different from a football field or a basketball court that you know?

Islas Galápagos, Ecuador

PASO CULTURAL

The Galápagos Islands, located off the coast of Ecuador, are considered one of the world's greatest natural history treasures. They are home to a richly diverse plant and animal life and were the first of Ecuador's national parks. Do you know the name of a famous nineteenth-century British scientist who visited the islands? What theory did he propose based on his observations of nature there?

Chichén Itzá, México

. . . o visitar el Museo del
Oro en Bogotá, Colombia . . .

Bogotá, Colombia

Punta del Este,
Uruguay

. . . o descansar en las playas
de Punta del Este, Uruguay."

Vocabulario para conversar

¿Qué puedes hacer en México?

Here are some new words and expressions you will need to talk about vacation choices and activities. Read them several times, then turn the page and practice with a partner.

la selva tropical

explorar la selva

pasear en bote

el bote

el lago

los recuerdos

el museo

las montañas

sacar fotos

la foto

esquiar

las cataratas

la pirámide
subir la pirámide

tomar el sol

las ruinas

la catedral

bucear

el mar

También necesitas...

la ciudad	*city*	no . . . ninguna parte	*nowhere, not anywhere*
el país	*country*	para + *inf.*	here: *in order to*
los lugares de interés	*places of interest*		
descansar	*to rest*		
quisiera	*I'd like*		

ir: (yo) fui	*to go: I went*
(tú) fuiste	*you went*
pasado, -a	*last (year, month, week)*

¿Y qué quiere decir . . . ?

cuando*	ir de vacaciones
las vacaciones *(pl.)*	visitar

* When question words are used as conjunctions to join two parts of a sentence, we do not use
  the accent mark: ¿*Cuándo?* → *cuando,* ¿*Dónde?* → *donde,* etc.

Empecemos a conversar

With a partner, take turns being *Estudiante A* and *Estudiante B*.
Use the words that are cued or given in the balloons to replace
the underlined sections in the model.  means you can
make your own choices.

1 A —*Cuando voy de vacaciones a <u>las montañas</u>,
 <u>¿qué puedo hacer</u>?*

 B —*Puedes <u>esquiar</u>. (También puedes . . .)*

Estudiante A

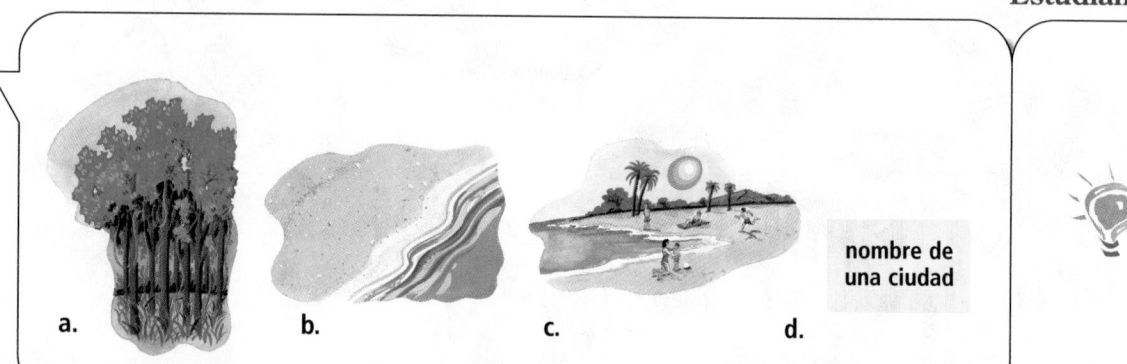

a.   b.   c.   nombre de una ciudad d.

Estudiante B

2 A —*¿Adónde fuiste <u>el verano pasado</u>?*   el verano pasado

 B —*Fui a <u>Los Ángeles</u>.*
   o: *No fui a ninguna parte.*

Estudiante A

a. el año pasado   d. el invierno pasado

b. el mes pasado   e. el fin de semana pasado

c. la semana pasada   f.

Estudiante B

3

A —¿*Adónde vas a ir este verano*?

B —*Quisiera ir a la playa para tomar el sol*.

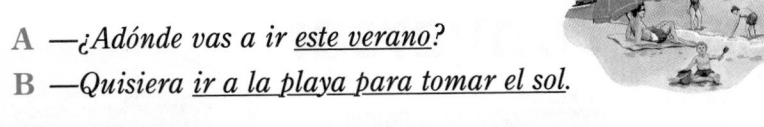

Estudiante A　　　　　　　　　　　　　　　　　**Estudiante B**

a.
b.
c.
d.

Empecemos a escribir

Write your answers in Spanish.

4 Write down three things that you would like to do on vacation.

5 ¿Adónde fuiste la semana pasada? ¿El mes pasado? ¿El año pasado? ¿Con quiénes fuiste a esos lugares?

6 ¿Adónde te gustaría ir de vacaciones?

7 ¿Qué países donde se habla español te gustaría visitar? ¿Por qué?

8 ¿Qué puede hacer un(a) turista en tu ciudad? ¿Qué lugares de interés puede visitar?

■ Turismo

A dónde va la gente con la maleta a cuestas

(Cifras en millones de visitantes)

Francia se encuentra a la cabeza de los destinos predilectos de los turistas del mundo, según datos de la Organización Mundial del Turismo. Nuestro país –con 41,3 millones de visitantes anuales– ocupa el tercer lugar del ranking.

Francia 62,4
Estados Unidos 46,3
España 41,3
Italia 32,8
Inglaterra 25,3
China 22,8
México 21,4
Hungría 20,7
Polonia 19,4
Canadá 17,2

También se dice...

los suvenires　　　　　tomar fotos

MORE PRACTICE

• Más práctica y tarea, p. 526
• Practice Workbook 7–1, 7–2

Vocabulario para conversar

¿Qué tiempo hace?

At Home **VIDEO** Chapter 7 Vocabulary

Here's the rest of the vocabulary you will need to talk about the weather and to discuss what to take on a trip.

Hace fresco.

el viento

Hace viento.

la lluvia

Llueve.

el abrigo

el gorro

la bufanda

la nieve

Nieva.

los guantes

las botas

Hace frío.

los anteojos de sol

el traje de baño

el bronceador

Hace calor.

Hace mal tiempo.

Hace sol.

el sol

Hace buen tiempo.

el impermeable

la maleta   el paraguas

También necesitas...

llevar	here: *to take, to carry along*	¡Vaya!	*My goodness! Gee! Wow!*
salir*	*to leave*	Menos mal que ___.	*It's a good thing that ___.*
regresar	*to come back, to return*		
pensar + *inf.*: (yo) pienso (tú) piensas	*to plan: I plan you plan*	**¿Y qué quiere decir . . . ?**	
¿Qué tiempo hace?	*What's the weather like?*	la cámara fantástico, -a	el pasaporte

*Salir has an irregular *yo* form: *salgo*.

Empecemos a conversar

9 A —¿Qué tiempo hace en <u>San Antonio</u> en <u>noviembre</u>?

B —<u>Un tiempo fantástico</u>. <u>Hace sol</u>.

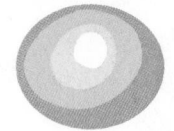

San Antonio / noviembre

Estudiante A

a. Miami / julio

b. Denver / enero

c. San Francisco / noviembre

d. Chicago / octubre

e. Washington, D.C. / abril

f.

Estudiante B

Miami

San Francisco

Washington, D.C.

Denver

Chicago

10 A —¡Vaya! <u>Hace frío</u> hoy.

B —Menos mal que tienes <u>tu abrigo</u>.

Estudiante A

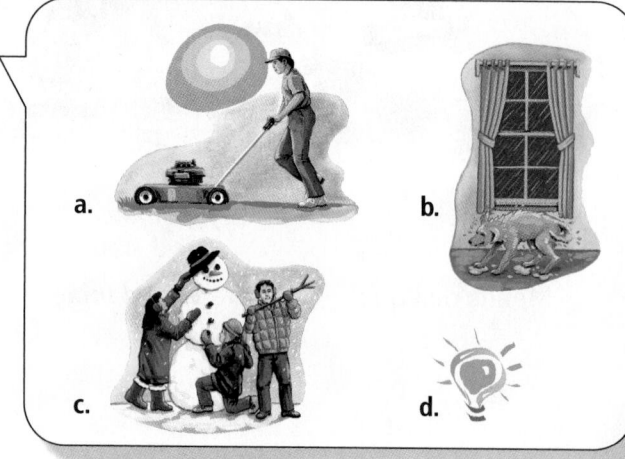

a.

b.

c.

d.

Estudiante B

11 A —¿*Qué piensas llevar* <u>*a la playa*</u>?

B —*Pienso llevar* <u>*el bronceador y una cámara*</u>.

Estudiante A

Estudiante B

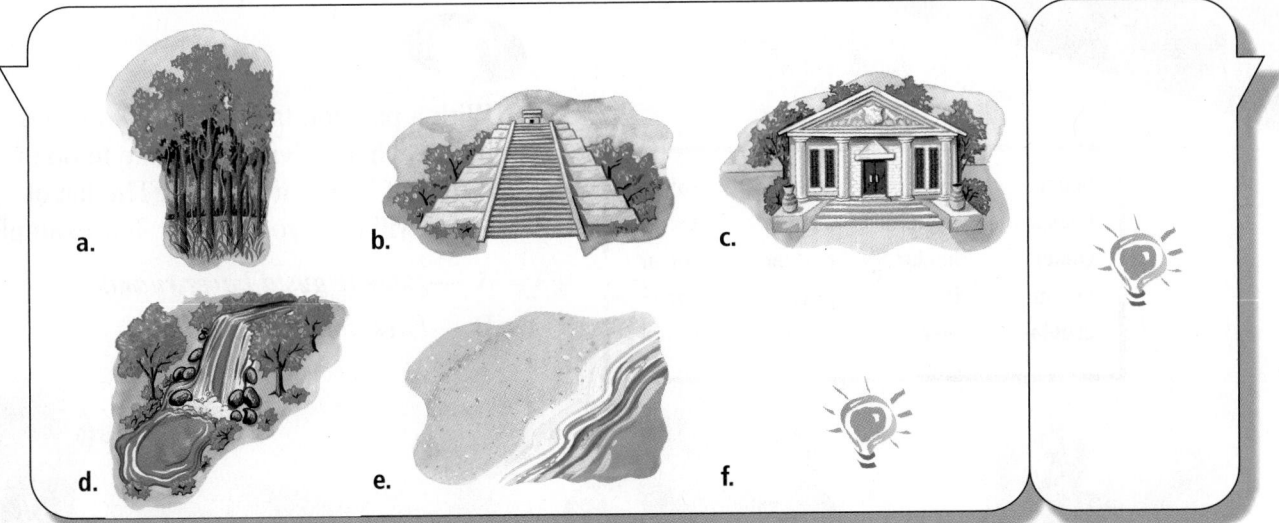

a.

b.

c.

d.

e.

f.

Empecemos a escribir y a leer

Write your answers in Spanish.

12 Describe what the weather is like in your community in all four seasons. *En el invierno . . .*

13 Choose three types of weather and tell one activity you like to do in each one. *Cuando hace mal tiempo, . . .*

14 ¿Vas a ir de vacaciones este año? ¿Cuándo piensas salir? ¿Y regresar?

15 Cuando una persona va a esquiar, ¿qué ropa lleva en su maleta?

16 ¿Es lógico o no?

¡Vaya! Hace frío hoy. Me gustaría ir a la playa para tomar el sol.

¿Piensas ir a Argentina? Debes llevar tu pasaporte y una cámara para sacar fotos de los lugares de interés.

El año pasado no fui a ninguna parte. Este año voy a ir a la selva tropical para pasear en bote.

MORE PRACTICE

- Más práctica y tarea, p. 527
- Practice Workbook 7–3, 7–4

www.pasoapaso.com

También se dice...

la loción bronceadora
la crema para el sol

las gafas de sol
los lentes de sol

la máquina fotográfica

el bañador   la malla
la trusa   la ropa de baño

beber	estar	nadar	salir
bucear	explorar	pasear	tocar
comer	hablar	patinar	tomar
descansar	ir	practicar	ver
esquiar	leer	sacar	visitar

1

With a partner, take turns asking and telling what activities you like to do in different kinds of weather. The list of verbs will help you answer. For example:

A —¿Qué te gusta hacer cuando . . . ?

B —Pues, me gusta . . .

2

With a partner, can you come up with good, logical exclamations using *Menos mal que . . .* in response to each of these statements? Afterward, compare your exclamations with those of another pair of students.

a. ¡Vaya! No tengo ni paraguas ni impermeable.
b. Yo pienso ir a la playa esta tarde.
c. ¡Estos recuerdos cuestan mucho!
d. Estoy enfermo(a).
e. ¡Nieva!
f. No esquío.

3

You and your partner are planning your vacations. Take turns asking and answering where and with whom you would like to go, and what activities you would like to do there. Don't forget to say when you are leaving and when you are planning to come back.

¿Qué sabes ahora?

Can you:

► tell what you can see or do on a vacation?
—En México puedo ____.

► tell what you plan to do on a vacation?
—En las vacaciones ____ visitar museos.

► tell what you will take on your vacation?
—Pienso llevar ____ a España.

► describe the weather at your vacation destination?
—____ en Orlando en el invierno.

CUBA

Encuéntrate
con nuestra
riqueza
cultural

CAMAGÜEY • CIENFUEGOS • LA HABANA • MATANZAS • SANTIAGO DE CUBA • TRINIDAD

Acércate a Cuba. Tenemos mucho que compartir

Perspectiva cultural

Las vacaciones de los jóvenes chilenos

Chile

En el verano, muchas personas van de vacaciones. A muchos jóvenes les gusta ir a la playa. A otros les gusta ir a las montañas. Y a ti, ¿qué te gusta hacer?

The two photos were taken in Chile. In which months might the activities be taking place?

January and February are summer months in Chile. Because of Chile's long coastline along the Pacific Ocean, going to the beach is very popular.

A Chilean teen reports, *"Me gusta ir a Viña del Mar con mi familia. Por la mañana, tomamos el sol y nadamos en el océano o en la piscina. Por la tarde, descansamos y por la noche, jugamos tenis, vamos al cine o vemos la tele. Hay muchas personas de mi edad allí."*

In July, Chilean students have a short winter vacation. Some may go to a ski resort in the Andes, but it is much more common for them to visit relatives and friends.

In Chile, most high-school students do not get a summer job. However, some may bag groceries at a supermarket or work at one of the growing number of fast-food restaurants.

Esquiando en Le Grand Mur, Valle Nevado, Chile

En una playa de Chile

La cultura desde tu perspectiva

1 How is your vacation similar to or different from that of Chilean teens?

2 How does the geography affect vacation options for Chilean students? How does the geography of your area affect your vacation options?

www.pasoapaso.com

Perspectiva cultural   231

Gramática en contexto

Look at this ad for a travel agency. How does a travel agency attract new clients?

¿Qué piensa hacer Ud. este invierno?

¿Adónde puede ir Ud. para hacer todo esto y mucho más?

¡A la República Dominicana, el paraíso de las vacaciones!

¿Piensa llevar a la familia? Pues, debe ir a Puerto Plata, donde hay muchas actividades que sus hijos pueden hacer. ¿Piensa llevar un suéter o su abrigo? Pues, no los necesita. En Puerto Plata nunca hace frío. Hace buen tiempo todo el año.

Aquí en la Agencia de Viajes Cristal estamos para ayudar a nuestros clientes. Queremos y pensamos hacer de sus vacaciones algo fabuloso. Visite nuestra oficina en la Quinta Avenida 578, o llame al número:

1-555-523-3493

La República Dominicana, donde el verano nunca termina...

¿Quiere tomar el sol?

¿Quiere pasear en bote?

¿Quiere jugar tenis?

A Can you find in the ad at least one other form of each of these verbs: *puedo / puedes, quiero / quieres,* and *pienso / piensas?* What do these verb forms mean? How is the *nosotros* form of *pensar* different from its other forms?

B Look at the question in red that begins with *¿Adónde . . . ?* and the first sentence of paragraph 3. What form of the verb follows *para?*

C In paragraph 2, look at the two questions that begin, *¿Piensa llevar . . . ?* What are the direct objects? In which question is the direct object a thing? In which question is the direct object people? What word comes before the direct object that refers to people?

El verbo *poder*

Puedo and *puedes* come from the infinitive *poder,* "can, to be able to."

(yo)	**puedo**	(nosotros) (nosotras)	**podemos**
(tú)	**puedes**	(vosotros) (vosotras)	**podéis**
Ud. (él) (ella)	**puede**	Uds. (ellos) (ellas)	**pueden**

- When we drop the *-er* of the infinitive, the part that remains is called the stem. Notice that in four forms of *poder*, the *o* of the stem changes to *ue*. We call *poder* an *o* → *ue* stem-changing verb.*

- The endings follow the pattern of regular *-er* verbs.

- When the forms of *poder* are followed by another verb, the second verb is always in the infinitive. For example:

    No **puedo ir** al cine contigo el viernes.

Artesanía maya

 **PASO CULTURAL** Women were the ceramics artisans in ancient Mayan society. Working without a potter's wheel, they crafted beautifully shaped and decorated objects. The ruling class dictated the designs and motifs used by the artisans. As a result, these works of art repeatedly feature scenes from Mayan mythology and from the lives of the rulers. What are some other wonders that were created by ancient civilizations without the benefit of modern tools or inventions?

* The verb *jugar*, which you learned in Chapter 3, is also a stem-changing verb. The *u* of the stem changes to *ue* except in the *nosotros* and *vosotros* forms. Here are all of its forms: *juego, juegas, juega; jugamos, jugáis, juegan.*

1 Respond to these invitations giving a reason why you can or cannot accept.

A —*¿Puedes ir a nadar conmigo este fin de semana?*

B —*Sí, puedo. Tengo un traje de baño nuevo.*
    o: *Lo siento, pero no puedo. No tengo traje de baño.*

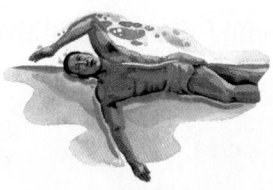

Estudiante A   **Estudiante B**

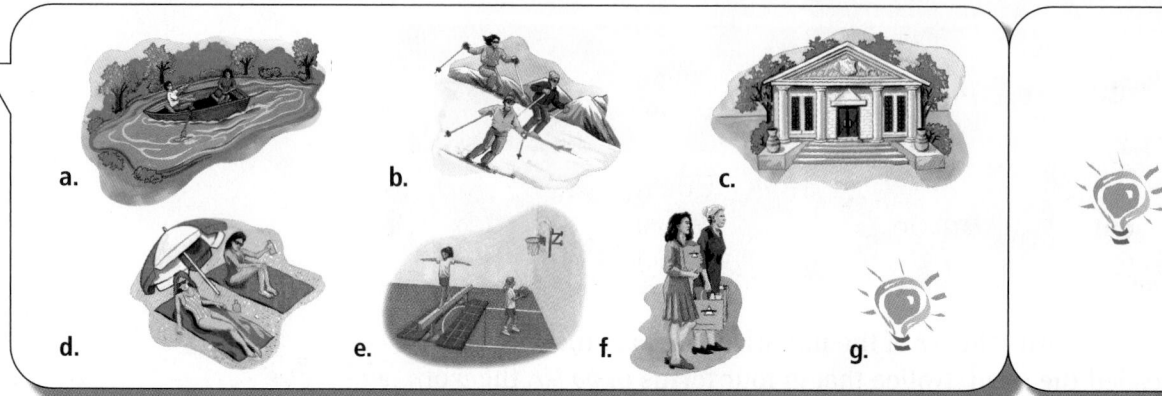

2 The weather is terrible today. With a partner, take turns telling what these people can and cannot do as a result. Use as many different logical activities as you can think of.

Carlos puede visitar un museo.
o: *Carlos no puede ir a la playa porque llueve.*

a. (nombre de dos compañeros)
b. (nombre de una compañera)
c. yo
d. tú
e. mis amigos y yo
f. mis profesores
g.

La Plaza de Cataluña
en Barcelona, España

Para + infinitivo

You know that *para* means "for" or "in order to." Whenever *para* is followed by a verb, the verb is in the infinitive form. For example:

Vamos a México **para bucear** y **tomar** el sol.

---

3 With a partner, take turns telling what you need these things for.

Necesitamos un cuaderno para estudiar.   cuaderno

Estudiante A

a. piscina
b. hoja de papel
c. libro
d. papas
e. cámara
f. 💡

Estudiante B

cocinar
sacar fotos
nadar
leer
dibujar
💡

---

4 With a partner, take turns telling why these young people are going to a friend's house.

A —*Antonia va a la casa de Felipe, ¿verdad?*

B —*Sí, va allí para escuchar música.*

Antonia / Felipe

Estudiante A

a. Marisol / Yolanda

b. Eduardo y Raúl / David

c. Tú / Manuel

d. Lourdes / Andrea

e. Armando y tú / Sergio

Estudiante B

Los verbos *querer* y *pensar*

You know that we use *quiero* and *quieres* to tell what we want to do, and we use *pienso* and *piensas* to tell what we plan to do. These verb forms come from the infinitives *querer* and *pensar*. Here are their present-tense forms:

(yo)	**pi**enso **qui**ero	(nosotros) (nosotras)	pensamos queremos
(tú)	**pi**ensas **qui**eres	(vosotros) (vosotras)	pensáis queréis
Ud. (él) (ella)	**pi**ensa **qui**ere	Uds. (ellos) (ellas)	**pi**ensan **qui**eren

- Notice that there is a stem change from *e* to *ie* in all except the *nosotros* and *vosotros* forms. *Querer* and *pensar* are called *e → ie* stem-changing verbs.

- The endings follow the pattern of regular *-ar* and *-er* verbs.

- When the forms of *querer* and *pensar* are followed by another verb, the second verb is always in the infinitive. For example:
  —¿Quieres **estudiar** conmigo?
  —No, pienso **ver** la tele.

PRACTICA EL TURISMO ANDALUZ

Andalucía tiene todo lo que hay que tener: buen clima, p... Parques Naturales, interesantes circuitos monumentales... practicar deportes de todo tipo, desde el golf hasta el es...

Para que practiques el turismo que prefieras de acuerdo a tu tiempo y posibilidades, te ofrecemos estas **Guías prácticas**. Ellas son tus mejor "guía" para practicar el turismo andaluz.

EMPRESA PUBLICA DE TURISMO
Autovía Sevilla-Coria, Km. 3,5. Edif. Eurocei
41920 San Juan de Aznalfarache (Sevilla)
Telf: (95) 417 11 60. Fax: (95) 417 12 78

5 With a partner, take turns asking and answering.

a. what each of you plans to do tomorrow

b. what you and a friend plan to do tomorrow

c. what your partner plans to do to help out around the house this weekend

d. what your partner and his or her friends plan to do this weekend

Turistas sacando fotos en la Alhambra en Granada, España

6 Choose four of the topics below and interview your partner about his or her preferences. Then report to the class what you and your partner would like.

¿Qué quieren tú y tu compañero(a)?

a. más tarea o menos tarea

b. leer más libros en la clase de inglés o leer menos libros

c. llevar ropa informal o llevar uniformes en la escuela

d. hablar más en la clase de español o hablar menos

e. más tiempo *(time)* para practicar deportes o menos tiempo

f. más días de vacaciones o menos días de vacaciones

g.

Nosotros(as) queremos menos tarea.
o: *Mi compañero(a) quiere menos tarea pero yo quiero más.*

La *a* personal

You know that the direct object is the person or thing that receives the action of a verb. In Spanish, when the direct object is a specific person or group of people, we use *a* before it. That's why it's called the personal *a*.

Quiero visitar **a** mis abuelos.
Quiero visitar **al** señor López.

- To ask who receives the action of a verb, we use ¿*A quién?*

  —¿**A quién** quieres visitar?
  —Quiero visitar **a** mis primos.

- We can also use the personal *a* when the direct object is an animal, especially a pet.

  Busco **a mi perro.**

- We usually do not use the personal *a* after the verb *tener.*

  Tengo muchos tíos.

7 Imagine that the members of the Ramírez family live in different parts of the country. They all want to visit each other. Ask your partner which family member each person wants to visit. Your partner's answers will be based on the family tree.

Andrea y Armando

Graciela y Gustavo

Dolores y Ernesto

Anita y Claudia

Marta y Paco

A —¿A quién quiere visitar Claudia?

B —Quiere visitar a sus primos.

Claudia /
Marta y Paco

a. Anita y Claudia / Armando y Andrea
b. Armando y Andrea / Ernesto
c. Paco y Marta / Anita y Claudia

d. Paco / Gustavo y Graciela
e. Graciela / Armando y Andrea
f. Ernesto / Graciela

8 Tell your partner which of the following people and places you are planning or are *not* planning to visit this year. Remember to use the personal *a* when you talk about people.

primos
(nombre de un(a) amigo(a) que no vive en tu ciudad)
Puerto Rico
tíos
un parque de diversiones
un lago
países en Hispanoamérica
unas pirámides
Leonardo DiCaprio
el mar
los Everglades
abuelos
el (la) gobernador(a) del estado
Mark McGwire
una selva tropical

Ahora lo sabes

Can you:

► tell what someone can do, plans to do, and wants to do?
—Yo ___ nadar.
—Julio ___ visitar la selva tropical.
—Ellas ___ subir la pirámide.

► tell the reason for doing something?
—Luz va a la playa para ___.

► use the personal *a* correctly?
—¿___ quién ves?
—Veo ___ Antonio.

SI QUIERES OLVIDARTE DE TODO Y RELAJARTE, ENCONTRARÁS UNO DE LOS CENTROS DE AGUAS TERMALES MÁS IMPORTANTES DEL MUNDO.

SI TE VUELVE LOCO IR DE COMPRAS, EN ANDORRA ENCONTRARÁS MÁS DE 4.000 COMERCIOS. SI TE GUSTA COMER BIEN, ENCONTRARÁS MÁS DE 400 RESTAURANTES. SI TE GUSTA HACER DEPORTE, ENCONTRARÁS LAS MEJORES INSTALACIONES DEL PIRINEO. SI QUIERES OLVIDARTE DE TODO Y RELAJARTE, ENCONTRARÁS CALDEA, CON MÁS DE VEINTE JACUZZIS, SAUNAS Y ZONAS DE RELAJACIÓN. SI TE APASIONA EL ROMÁNICO, ENCONTRARÁS UNO DE LOS MEJORES DEL MUNDO. SI QUIERES DISFRUTAR DE TODO ESTO Y DE MUCHO MÁS, ENCONTRARÁS MÁS DE 150 HOTELES DE TODAS LAS CATEGORÍAS DONDE PODER ALOJARTE.

Y SI, ADEMÁS, ERES DE LOS QUE AMAN LA NATURALEZA, ENCONTRARÁS SESENTA Y CUATRO PICOS DE MÁS DE 2.500 METROS DE ALTURA.

DISFRUTA. TU PAÍS ES ANDORRA.

Andorra EL PAÍS DE LOS PIRINEOS

PASO CULTURAL

Located in *los Pirineos* (the Pyrenees Mountains) between France and Spain, Andorra is one of the world's smallest countries. Its population of approximately 75,000 is made up mainly of Spanish and French speakers. The official language, however, is *catalán,* a Romance language that is also spoken in northeastern Spain in the region known as Cataluña. Like Spain, the U.S. has regions in which languages other than English have been spoken for generations. What are some of these regions and their languages?

MORE PRACTICE

Más práctica y tarea, pp. 527–529
Practice Workbook 7–5, 7–10

TODO JUNTO

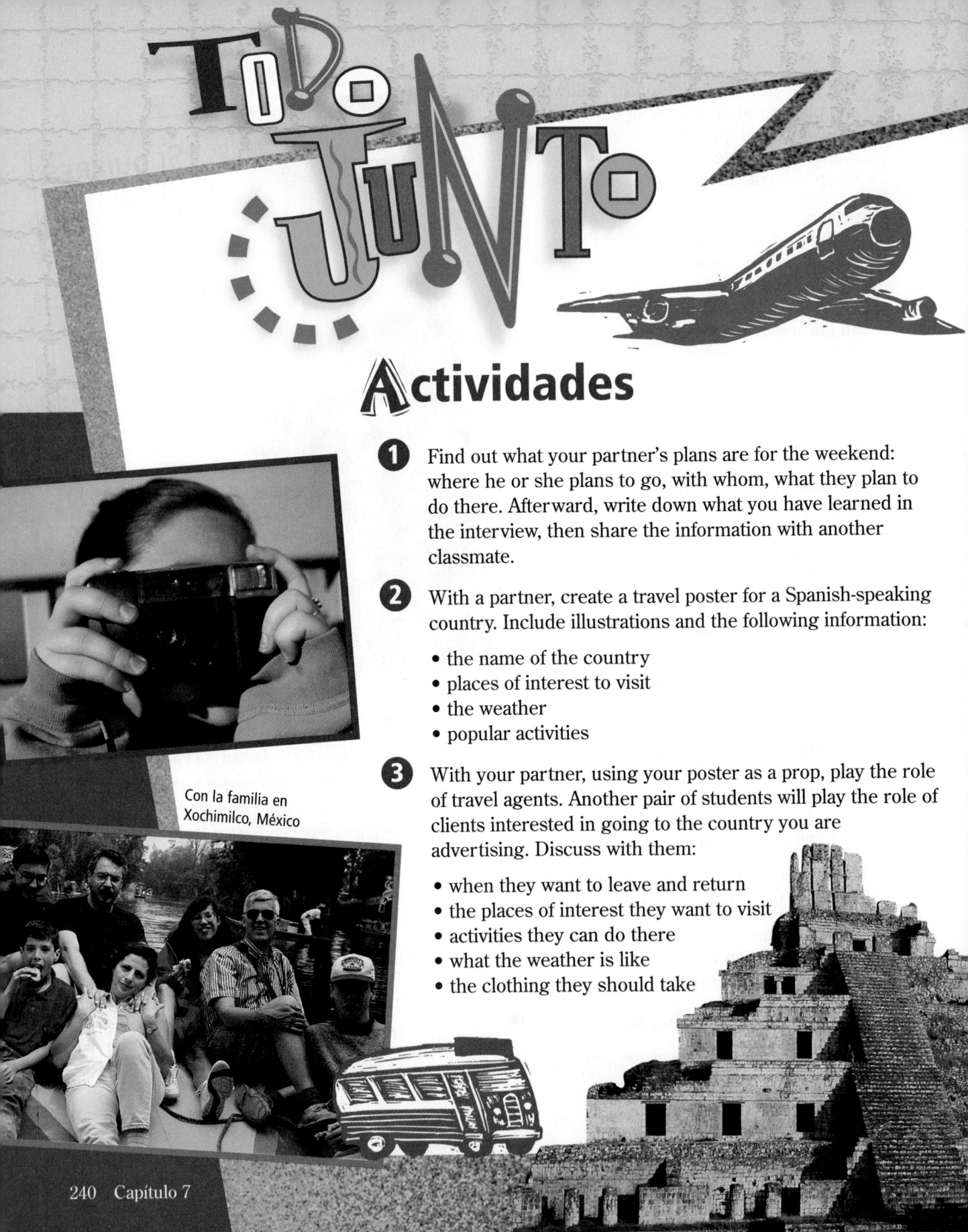

Actividades

1 Find out what your partner's plans are for the weekend: where he or she plans to go, with whom, what they plan to do there. Afterward, write down what you have learned in the interview, then share the information with another classmate.

2 With a partner, create a travel poster for a Spanish-speaking country. Include illustrations and the following information:

- the name of the country
- places of interest to visit
- the weather
- popular activities

3 With your partner, using your poster as a prop, play the role of travel agents. Another pair of students will play the role of clients interested in going to the country you are advertising. Discuss with them:

- when they want to leave and return
- the places of interest they want to visit
- activities they can do there
- what the weather is like
- the clothing they should take

Con la familia en Xochimilco, México

Conexiones

La geografía

Juego de geografía

How well do you know the countries of the world? On a sheet of paper, write the names of the countries from the list that are being referred to in each of these descriptions. Afterward, write similar descriptions in Spanish of three other countries. Can your partner tell what three countries they are?

1. Soy famoso por el chocolate, por las montañas y por organizaciones internacionales, como la Cruz Roja, que tienen oficinas aquí.
2. Puedes visitar unas ruinas antiguas de los incas en mis montañas altas.
3. Estoy al lado del Mar Rojo. Los sitios más santos del islam están aquí.
4. Tengo una civilización muy antigua y la población más grande del mundo.
5. Si quieres subir la montaña más alta del mundo, tienes que visitarme.
6. Mi capital es Rabat. El nombre de mi ciudad más grande quiere decir "white house" en español. Soy el país africano más cerca de España.
7. Puedes sacar fotos de pirámides mayas aquí.
8. Soy la isla más grande del Caribe.
9. Tengo la selva tropical más grande de las Américas. Las cataratas magníficas de Iguazú están en mi frontera con Argentina y Paraguay.
10. Soy una isla en el Océano Atlántico, una posesión de Dinamarca, pero ¡1550 veces más grande que ella!

Arabia Saudita
Australia
Brasil
China
Colombia
Congo
Cuba
Egipto
Finlandia
Groenlandia
India
Irán
Japón
Marruecos
México
Nepal
Panamá
Perú
Puerto Rico
Suiza

¡Vamos a leer!

Antes de leer

STRATEGY ➤ **Using prior knowledge**

Advertisements can give us lots of ideas about things to do in unknown locales. What kinds of information might you expect to find in this travel advertisement? Name three or four different kinds of activities that you would expect to find.

Mira la lectura

STRATEGY ➤ **Scanning**

Look at the title, photograph, and coupon.

- What country is advertised?
- What two tourist attractions does the photograph suggest it offers?
- What aspect of Mexico is mentioned in the coupon heading?
- What would you receive if you sent the coupon?

Deja de soñar y haz la maleta.

México.

México, un tesoro de 3,000 años de antiguas civilizaciones. Olmecas, Aztecas, Mixtecas y Mayas. Sus monumentos se encuentran por todas partes: Pirámides y templos, murales y frisos e, incluso, ciudades totalmente amuralladas. Todo en México es increíble.

Ven a México, tendrás mucho que recordar. Sus nobles ciudades coloniales, 10,000kms. de soleadas playas. Sus alegres mariachis. Su arte y escultura. Sus fiestas y folklore.

Tiendas de piel, plata, laca, tejidos. Y sus gentes que te reciben cordialmente, dándote siempre la bienvenida para que te sientas como en casa.

En México, vas a encontrar lo más moderno, elegante, lujoso y confortable. Con todo su pasado milenario a tu alrededor, México todavía sigue siendo México. Todavía sigue siendo mágico.

Visita México este año. Vas a tener las vacaciones que tú siempre has deseado. Ahora está a tu alcance. 14 días desde 123,050. pts.

Infórmate en tu agencia de viajes o envía este cupón a: Oficina de Turismo de México en España. Velázquez, 126. 28006 Madrid. Tel.261.18.27.

Venga. Viva La Hospitalidad De México.

Sírvase enviarme más información..   HO.2

Nombre _____

Dirección _____

_____

Código postal _____

Secretaría de Turismo de México.

Mapa del mundo de 1589

Infórmate

STRATEGIES > **Identifying main ideas**
Coping with unknown words

If you run across a word you don't know, there are several things you can do. You can keep reading and discover that you don't need to know its meaning. You may discover that you can figure out its meaning from the surrounding words or the following sentence. Or you may find out that you do need to know its meaning and must either look it up or ask someone. Use this strategy when you run across a word you don't understand.

1 Look at each paragraph to find the main idea, then tell in which paragraph (1–6) each of the following ideas is featured.

   Affordable vacation package

   Monuments of ancient civilizations

   Modern and traditional features

   Places and things to see

   How to get more information

   Opportunities for shopping

2 Which of the first four paragraphs describes the attractions that you find most appealing? Why do they appeal to you?

3 Scan the last paragraph to discover the country where this advertisement appeared.

Aplicación

List at least three words you did not know or need to know in order to understand this ad.

Montando en bicicleta en el Zócalo de la Ciudad de México

¡Vamos a escribir!

Imagine that the government of Puerto Rico is offering a free vacation in San Juan to the student who writes the best short essay in Spanish on vacationing in Puerto Rico. Write an entry for this contest. Follow these steps.

1 First, think about what you want to say. Use the postcards to help you brainstorm some ideas. You may want to list your ideas under the headings Weather, Sights, Recreation, and Clothing.

San Juan

El Capitolio, San Juan

Puerto Rico

El Parque Nacional de Luquillo (El Yunque), Puerto Rico

PASO CULTURAL

The Caribbean island of Puerto Rico became a U.S. territory in 1898 and a self-governing U.S. commonwealth in 1952. Its tropical climate and varied natural beauty make it a popular tourist destination. Puerto Rico's rain forest, El Yunque, is the only tropical National Forest in the U.S. Puerto Rico also offers well-preserved Spanish colonial architecture in *el viejo San Juan,* the second-oldest city in the Americas (after Santo Domingo), founded in 1521. Look at the postcard of El Morro. Keeping in mind the meaning of *puerto rico* (rich port), why do you think the Spaniards built this structure?

La Plaza de Colón, San Juan

2 Write a first draft of your essay. Focus on communicating your ideas clearly.

3 Show your first draft to a partner. Ask what he or she likes about it and what should be changed. Think about any changes that you want to make, then revise it.

4 Check your work for spelling, accents, and question and exclamation marks.

5 Make a clean copy. You can file your work in your writing portfolio, or you can share it with your classmates, who can vote on the one that most makes them want to visit Puerto Rico.

La Casa de España, San Juan

San Juan

El Castillo de El Morro, San Juan

Repaso ¿Lo sabes bien?

This section will help you organize your studying for the proficiency test, where you will be asked to do similar, though not identical, tasks. There will not be any models on the test.

► Listening

Can you understand when people talk about their vacation activities? Listen as your teacher reads a sample similar to what you will hear on the test. Can you name, in Spanish, at least two items that Tomás may need today? What do you think the weather was like yesterday? Is Tomás definitely going to the waterfalls tomorrow?

► Reading

Can you scan this travel ad and identify its author's main idea?

EN ISLA MUJERES EN MÉXICO

El mar es azul y las playas son blancas. En diciembre hace calor, hace sol y nunca llueve. Si no le gusta un invierno frío, venga a Isla Mujeres. Sólo necesita llevar su traje de baño, sus anteojos de sol y su pasaporte.

► Writing

Can you write a postcard telling about your vacation at a ski resort? Here is an example:

Hola, Marisol:

Hace mucho frío aquí, pero también hace sol. Mañana quiero ir a la tienda para comprar unos anteojos de sol. Esta tarde voy a visitar a mis nuevos amigos. El sábado pienso ir a esquiar con ellos.

Tu amiga,
Susana

► Culture

Based on what you know about vacation time in Chile, how would that affect the time of year you would visit that country?

► Speaking

Can you discuss vacation choices and activities with a partner? For example:

A —¿Adónde te gustaría ir este verano?

B —A mí me gustaría visitar las ruinas en Guatemala. ¿Y a ti?

A —Yo prefiero ir a una ciudad grande. Me gusta mucho visitar museos y comprar recuerdos. ¿Con quién piensas ir a Guatemala?

B —Con mi familia. Mi padre es de Guatemala. Y tú, ¿con quién piensas ir?

A —Con mi madre. A ella le gustan las ciudades grandes también.

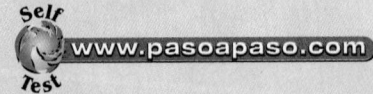
Self Test www.pasoapaso.com

Use the vocabulary from this chapter to help you:

► describe vacation choices and activities

► talk about the weather

► discuss what to take on a trip

to talk about vacation
las vacaciones (pl.)
ir de vacaciones

to talk about places to visit on vacation
las cataratas *waterfull*
la catedral *church*
la ciudad *city*
el lago *lake*
los lugares de interés *Intrest*
el mar *Ocean*
las montañas *mountains*
el museo *musem*
el país *country*
la pirámide *pyramid*
las ruinas *ruins*
la selva tropical *rain forest*

to talk about things to do on vacation
bucear *Dive*
los recuerdos *memorys*
descansar *rest*
esquiar *ski*
explorar (la selva) *explore*
llevar *wear/carry*
pasear (en bote) *To sail*
el bote *boat*
sacar fotos *take pics*
la foto (f.)
subir (la pirámide) *Go up*
tomar el sol *sunbath*
visitar *visit*

to talk about planning a vacation
pensar (e → ie) + *inf.* *think*
regresar *return*
salir *To leave*

to name items to take on vacation
el abrigo *Coat*
los anteojos de sol *sunglasses*
las botas *Boots*
el bronceador *sunscreen*
la bufanda *scarf*
la cámara *camera*
el gorro *hat*
los guantes *glove*
el impermeable *rain coat*
la maleta *suitcase*
el paraguas *(sing.)* *umbrella*
el pasaporte *passport*
el traje de baño *Bathing suit*

to ask about or describe weather
¿Qué tiempo hace?
fantástico, -a
Hace buen tiempo. *Sub*
Hace calor. *hot*
Hace fresco. *cold*
Hace frío. *freezing*
Hace mal tiempo. *bad*
Hace sol. *sunny*
Hace viento. *windy*

la lluvia *rain*
la nieve *snow*
el sol *Sun*
el viento *windy*
Llueve. *rain*
Nieva. *snow*

to say that you want or would like something
querer (e → ie)
quisiera

to say where you went
ir: (yo) fui
(tú) fuiste
no . . . ninguna parte

to say when events occur
cuando
pasado, -a

to indicate use or purpose
para + *inf.*

to express amazement
¡Vaya!

to express satisfaction
menos mal que

to express ability or permission
poder (o → ue)

VISIT
www.pasoapaso.com

CAPÍTULO 8

¿Qué haces en tu casa?

Objectives

At the end of this chapter you will be able to:

► tell where you live

► describe your home

► name household chores

► compare and contrast the use of outdoor space in a home in Spain and in the United States

PASO CULTURAL Maracaibo is located near the coast of Venezuela and on the shore of one of the world's largest lakes, *el lago de Maracaibo.* The fronts of these houses in the center of town were reconstructed by the government to look like those built during the colonial period. In what ways do these houses differ from homes in your town?

Una casa en Maracaibo, Venezuela

¡Piensa en la CULTURA!

Homes in Colombia, Venezuela, and Spain

In what ways is this house in Colombia similar to and different from homes that you know?

En Cartagena, Colombia

The port city of Cartagena, Colombia, was founded in 1533 as a Spanish base for the conquest of the rest of South America. A series of massive forts and walls was built to protect the city from attack by sea or land. This colonial house is in the old walled city, which has been declared a World Cultural Heritage Site by UNESCO. How is the architectural style of this house different from that of colonial houses in New England or in the southeastern United States?

Cartagena, Colombi

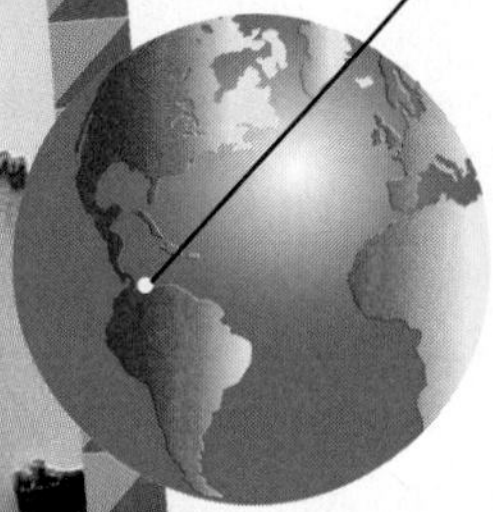

Caracas, Venezuela

"Nuestro dormitorio no es muy grande, pero hay espacio para todo."

"Me gustan las cocinas modernas.
¡Puedo preparar de todo!"

In the captions, find the Spanish names for
the rooms shown in the photographs. What
do you think *dormitorio* might mean? What
Spanish word do you know that is related to
la cocina?

Madrid, España

www.pasoapaso.com
Cultural Exploration
Visit these countries on-line

Vocabulario para conversar

¿Cómo es tu casa?

At Home **VIDEO** Chapter 8 Vocabulary

Aquí tienes palabras y expresiones necesarias para hablar sobre dónde vives, cómo es tu casa y algunas cosas que tienes que hacer en casa. Léelas varias veces y practícalas con un(a) compañero(a) en las páginas siguientes.

una casa de dos pisos

el segundo piso

el primer piso*

el baño

el cuarto

el dormitorio

la sala

el comedor

la cocina

el coche

el lavadero

la sala de estar

el garaje

el sótano

el apartamento

hacer la cama

sacudir los muebles

lavar los platos

quitar la mesa

pasar la aspiradora

limpiar el baño

arreglar el cuarto

poner la mesa

lavar la ropa

cortar el césped

sacar la basura

310

También necesitas...

cerca (de)	*near*	hacer:	*to do, to make:*
		(yo) hago	*I do / make*
lejos (de)	*far (from)*	(tú) haces	*you do / make*
vivir: (yo) vivo	*to live: I live*	el quehacer	*(household) chore*
(tú) vives	*you live*	(de la casa)	
el piso	*floor*	tener que + *inf.*	*to have to ___*
bastante	*rather, quite*	más	*here: else*
nuestro, -a	*our*		

* In a multistory building, we usually call the ground floor *la planta baja*, the second floor *el primer piso*, the third floor *el segundo piso*, the fourth floor *el tercer piso*, and so on. Note that for "first" and "third," we use *primer* and *tercer* in front of a masculine singular noun.

Empecemos a conversar

Túrnate con un(a) compañero(a) para ser *Estudiante A* y *Estudiante B*.
Reemplacen las palabras subrayadas con las palabras representadas o
escritas en los recuadros. 💡 quiere decir que puedes escoger tu propia
respuesta. Para el Ejercicio 1, ve *(see)* el dibujo de la casa en la página 252.

1

A —¿Dónde está <u>la cocina</u>?

B —Está en <u>el primer piso</u>.

Estudiante A

Estudiante B

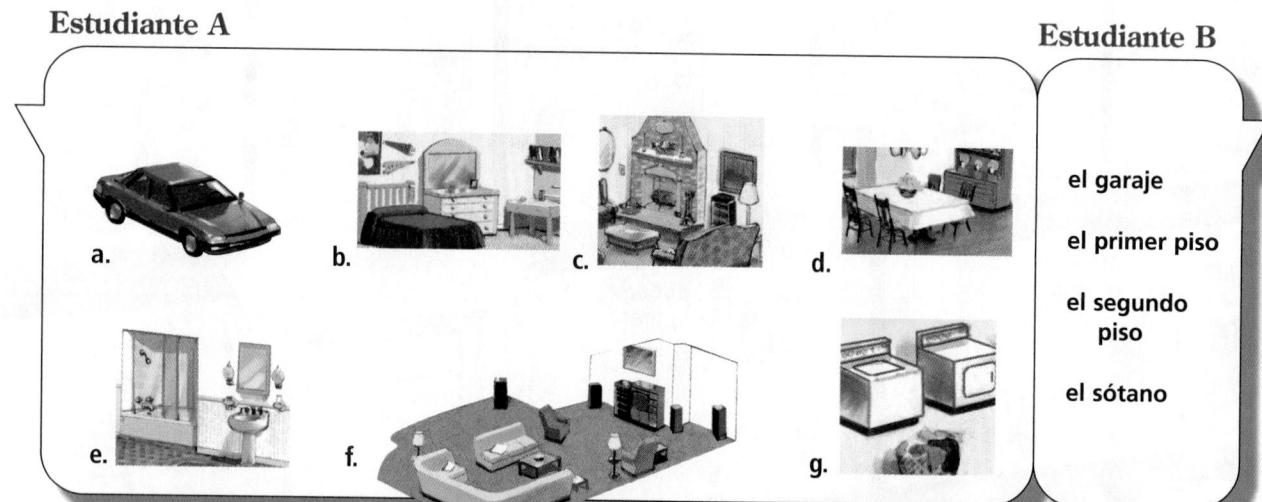

a.

b.

c.

d.

e.

f.

g.

el garaje

el primer piso

el segundo
  piso

el sótano

2

A —¿Vives cerca de <u>un almacén</u>?

B —<u>Sí, bastante cerca</u>.
  o: *No, vivo lejos*.

Estudiante A

Estudiante B

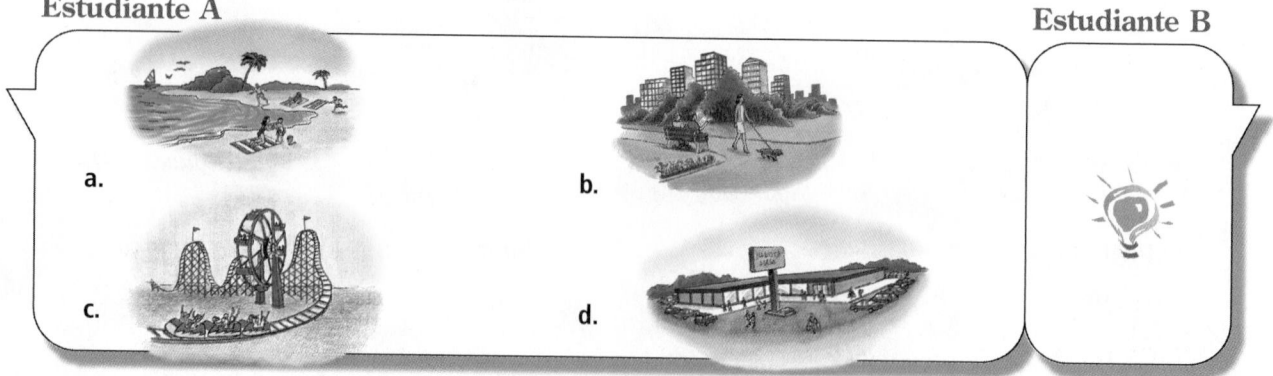

a.

b.

c.

d.

💡

3 A —¿*Tienes que lavar los platos?*

B —*Sí, todos los días.*
    o: *Sí, a veces.*
    o: *No, nunca.*

Estudiante A   Estudiante B

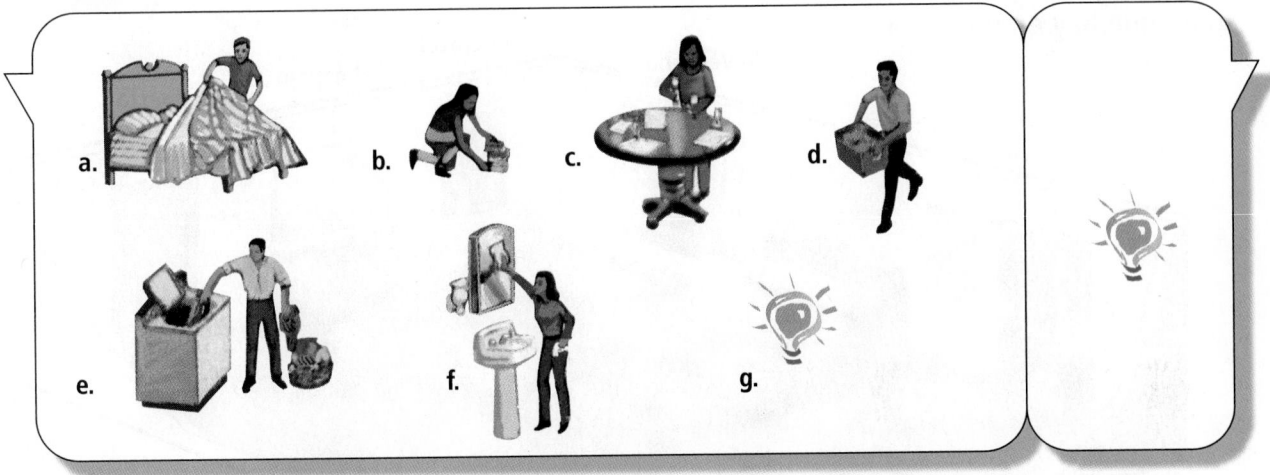

a.   b.   c.   d.
e.   f.   g.

Empecemos a escribir

Escribe tus respuestas en español.

4 ¿Cuántos pisos y cuántos cuartos hay en tu casa o apartamento?

Nuestra casa / Nuestro apartamento tiene…

5 ¿En qué cuarto de la casa prefieres estudiar? ¿Por qué? ¿En qué cuarto prefieres escuchar música? ¿Ver la tele? ¿Hablar por teléfono?

6 ¿Te gusta más cortar el césped, pasar la aspiradora o sacudir los muebles? ¿Por qué?

7 ¿Qué quehaceres tienes para este fin de semana? ¿Qué más vas a hacer?

www.pasoapaso.com

MORE PRACTICE

- Más práctica y tarea, p. 529–530
- Practice Workbook 8–1, 8–2

También se dice…

el living

la recámara la habitación (de dormir)
la alcoba la pieza   el cuarto

el carro
el auto
la máquina

el zacate la hierba
el pasto la grama

Vocabulario para conversar

¿Cómo es tu dormitorio?

At Home VIDEO Chapter 8 Vocabulary

Aquí tienes el resto del vocabulario necesario para hablar sobre las cosas que hay en una casa.

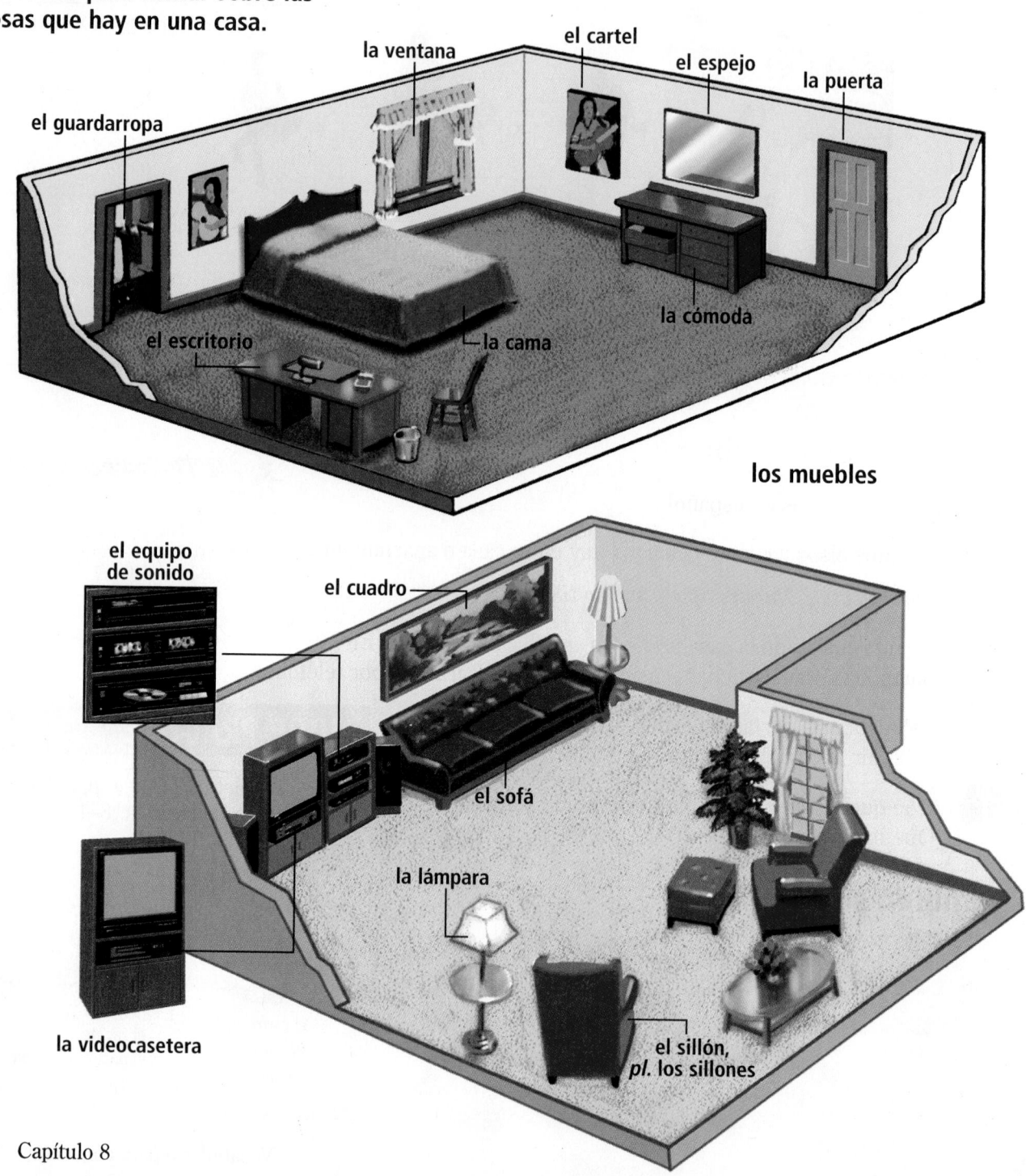

el guardarropa

la ventana

el cartel

el espejo

la puerta

el escritorio

la cama

la cómoda

los muebles

el equipo de sonido

el cuadro

el sofá

la lámpara

la videocasetera

el sillón, *pl.* los sillones

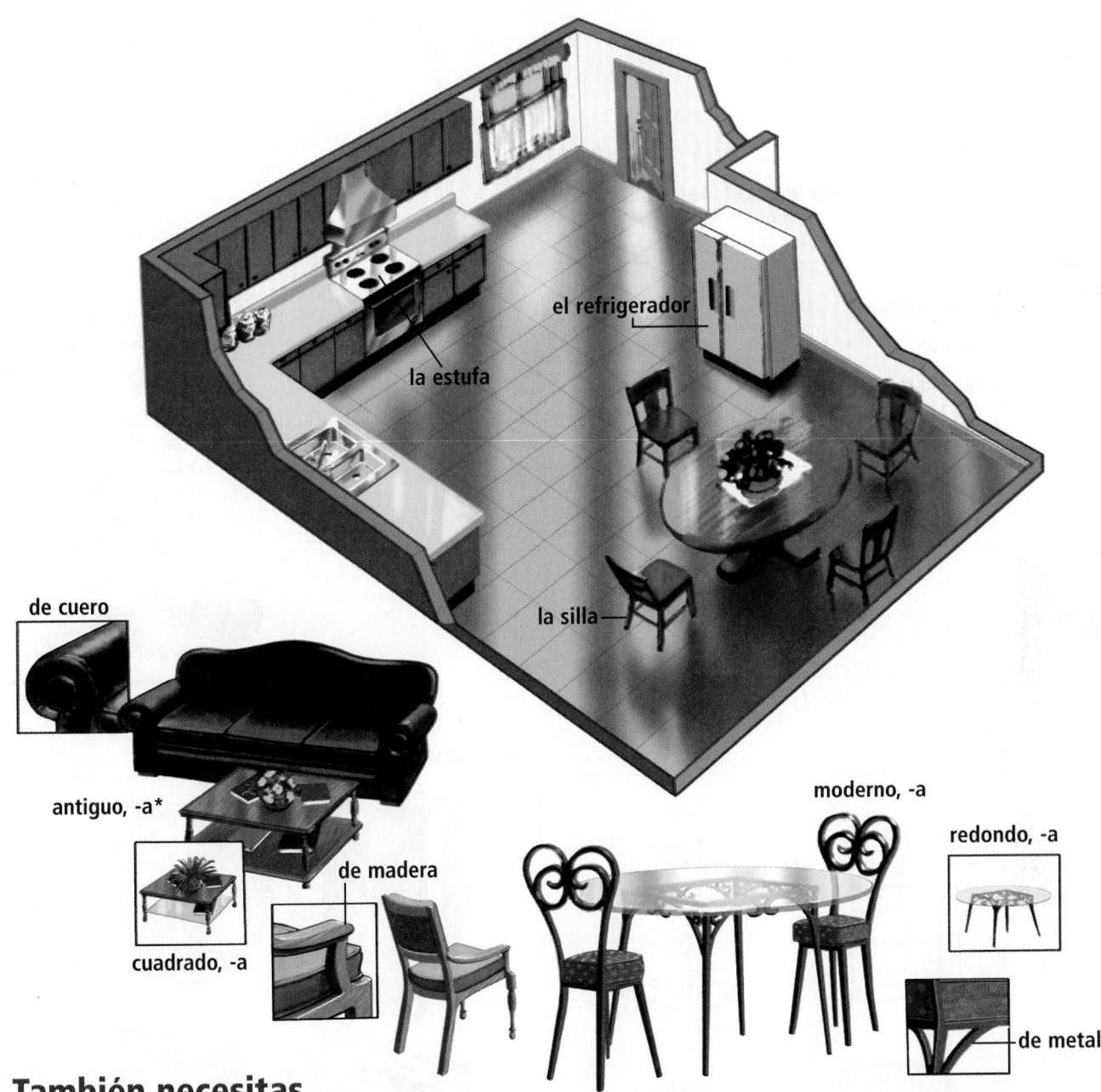

de cuero

antiguo, -a*

cuadrado, -a

de madera

moderno, -a

redondo, -a

de metal

el refrigerador

la estufa

la silla

También necesitas...

las cosas	*things*	poner:	*to put, to place, to set*
cómodo, -a	*comfortable*	(yo) pongo	*I put*
incómodo, -a	*uncomfortable*	(tú) pones	*you put*
limpio, -a	*clean*	(no) tener razón	*to be right (wrong)*
sucio, -a	*dirty*	(no) estar de acuerdo	*to (dis)agree*

* In general, we use the adjective *antiguo, -a* for things, whereas we can use *viejo, -a* for either people or things. *Antiguo, -a* can imply value, as in *muebles antiguos.*

Empecemos a conversar

8 A —*¿Qué hay en <u>la cocina</u> de tu casa (apartamento)?*   la cocina

   B —*A ver . . . hay <u>una estufa y un refrigerador</u>.*

Estudiante A

a. el dormitorio

b. la sala

c. la sala de estar

d. el comedor

Estudiante B

¡NO OLVIDES!

Remember that the adjective agrees with the noun in gender and number and that a direct object pronoun *(lo, la, los, las)* has the same gender and number as the noun it is replacing: *La **cocina** está sucia. **La** tengo que limpiar.*

9 A —*<u>El refrigerador</u> está <u>sucio</u>.*

   B —*¿Sucio? ¡Pero está limpio!*
      o: Tienes razón. <u>Lo</u> tengo que limpiar.

Estudiante A

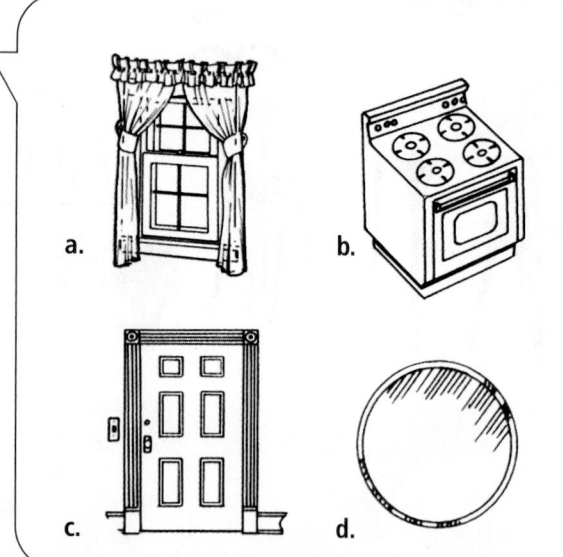

a.   b.

c.   d.

Estudiante B

10 A —¿Qué vas a poner en <u>la sala</u>?

B —Voy a poner <u>un sofá muy cómodo</u>.

Estudiante A

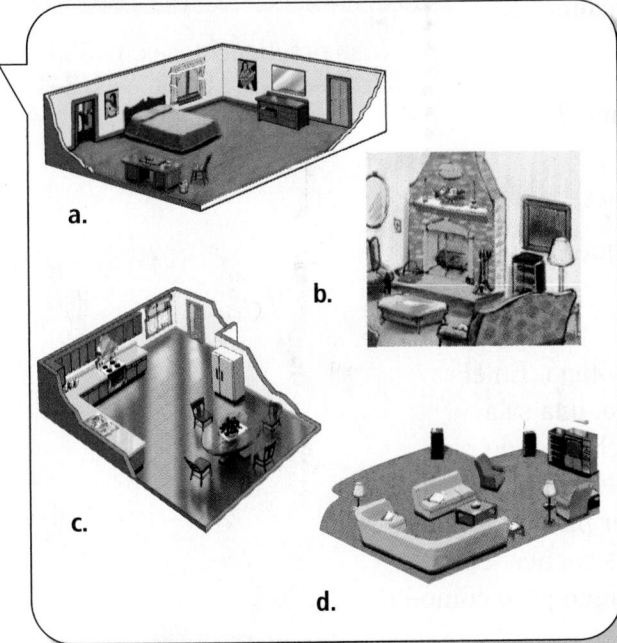

a.

b.

c.

d.

Estudiante B

11 A —¿Prefieres <u>un escritorio de madera o de metal</u>?

B —Prefiero <u>un escritorio de metal</u>.

Estudiante A

a.

b.

c.

d.

Estudiante B

Empecemos a escribir y a leer

Escribe tus respuestas en español.

MORE PRACTICE

- Más práctica y tarea, p. 530
- Practice Workbook 8–3, 8–4

12 Describe los muebles de un cuarto en tu casa. Di *(tell)* de qué colores son y si *(if)* son cómodos o incómodos.
En nuestra sala de estar hay dos sofás. Son . . .

13 ¿Cómo es tu dormitorio? ¿Hay muchas ventanas? ¿Cuadros? ¿Qué más hay?

14 ¿Estás de acuerdo con que todos tienen que ayudar con los quehaceres de la casa? ¿Por qué?

15 Lee este párrafo y dibuja la casa descrita aquí.

Nuestra casa tiene dos pisos, pero no tiene sótano. En el primer piso hay una cocina, un baño pequeño, una sala grande, un comedor y una sala de estar. En el segundo piso hay otro baño y tres dormitorios: dos bastante grandes y uno muy pequeño. También tenemos en el primer piso un lavadero moderno y muy práctico y un garaje para dos coches. Los muebles que más me gustan son un sofá antiguo pero cómodo, y ¡la videocasetera!

En la sala de una casa en Rosario, Argentina

Usando el lavaplatos en Zaragoza, España

Cortando el césped en la Ciudad de México

También se dice...

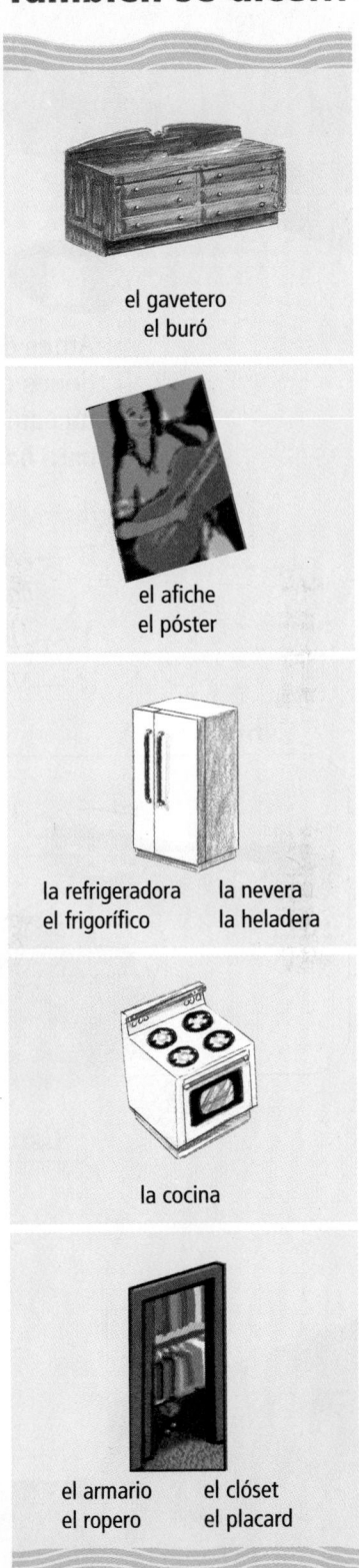

el gavetero
el buró

el afiche
el póster

la refrigeradora   la nevera
el frigorífico   la heladera

la cocina

el armario   el clóset
el ropero   el placard

Antes de *(before)* hacer planes con tus amigos, tienes que hacer otras cosas. Usa los dibujos y túrnate *(take turns)* con un(a) compañero(a) para hacer y aceptar invitaciones.

A —*¿Por qué no vamos al cine?*

B —*¿A qué hora? Tengo que limpiar el baño primero.*

A —*¿Puedes ir a las dos?*

B —*No, pero puedo ir a las cuatro.*

Estudiante A

Estudiante B

Tu familia acaba de mudarse *(has just moved)* a una casa nueva. Con un(a) compañero(a), di dónde están los muebles y los aparatos *(appliances)* y dónde quieres ponerlos. Después, tu compañero(a) va a decir *(say)* si *(if)* está de acuerdo o no.

A —*¿Dónde está la videocasetera?*

B —*Creo que está en el dormitorio de mamá.*

A —*Sí, aquí está. La pongo en la sala de estar.*

B —*No estoy de acuerdo. La debemos poner en el dormitorio.*

¿Qué sabes ahora?

Can you:

► tell where you live?
—Vivo en un(a) ____ cerca de ____.

► name the rooms in your house?
—Mi casa tiene una cocina, ____,
____ y ____.

► describe some furnishings?
—Las sillas que están en el comedor son ____.

► name some household chores?
—Yo tengo que ____ y mis hermanos tienen que ____.

Perspectiva cultural

Los patios

Un patio en Córdoba, España ►

En España hay casas y apartamentos muy diferentes. También hay diversos tipos de patios.

What family members might use the part of the house pictured, and for what purpose? What might some people call it in English?

In the large cities of Spain, neighbors often visit each other's apartments in the same building. In small towns, you might see neighbors talking to each other through the windows that open onto the *patio*.

When you hear the English word "patio" you probably think of a small patch of concrete in a backyard. In Spanish, however, it can mean different things. For example, in a modern apartment building in a large city like Madrid, the *patio* is an air shaft in the center of the building. The kitchen may have a window that opens onto it.

However, in the south, in towns such as Sevilla and Córdoba, some *patios* are gardens with flowers, chairs, and perhaps caged birds. Some *patios* in Sevilla are in the front of the house and lead visitors in. More often, they are in the middle of the house, with big doors leading into the rooms. A *patio* in Sevilla is a place for friends and family to gather and talk.

Even though a *patio* in an apartment building in Madrid looks very different from a traditional one in Sevilla, they still have similar functions. A *patio* is a space that opens to the sky where friends and neighbors can spend time together chatting.

Una familia en su patio, Santiago de Chile

La cultura
desde tu
perspectiva

1 Many houses in the United States have patios in back. They are usually made of concrete. In what ways is the design and function of a patio in the United States similar to and different from one in Spain?

2 In the United States, most open spaces are in front or in back of the house, while in Spain you might find them in the middle. What advantages do you see to having an open space in the middle of a house? If you were building a home, would you include a Spanish-style patio in your plans? Why or why not?

Cultural Activity **www.pasoapaso.com**

Gramática en contexto

Look at this page from a teenager's sketchbook made during her term as an exchange student in San José, Costa Rica. What do you think she will remember as she looks back at these pictures?

Aquí estamos Marcia y yo con nuestra familia costarricense—los señores Ortiz y sus hijos, Julia y Ramón. Viven en una casa cómoda cerca del Parque Central.

Hacemos nuestras camas todos los días. ¡A Marcia no le gusta hacer su cama! Pero nuestros quehaceres no son muchos porque todos nosotros ponemos y quitamos la mesa, lavamos los platos y sacamos la basura.

A In the captions you find the words *nuestra, nuestras,* and *nuestros*. What words determine which form of the adjective is used? Tell a partner which form you would use with the word *mamá*. And *papá*?

B You also find the phrases *sus hijos* and *su cama*. What does the word *su(s)* mean in each of those instances? To whom does *sus* refer in the first caption? To whom does *su* refer in the second caption?

Los verbos *poner* y *hacer*

The forms of *poner* ("to put, to place, to set") and *hacer* ("to make, to do") follow the pattern of other *-er* verbs in all except the *yo* forms, *pongo* and *hago*.

Here are all the present-tense forms of *poner* and *hacer*.

(yo)	pon**go** h**ago**	(nosotros) (nosotras)	pon**emos** hac**emos**
(tú)	pon**es** hac**es**	(vosotros) (vosotras)	pon**éis** hac**éis**
Ud. (él) (ella)	pon**e** hac**e**	Uds. (ellos) (ellas)	pon**en** hac**en**

1 Estas personas ayudan a una amiga a mudarse. Di en qué cuarto ponen las cosas.

Teresa pone el espejo en el baño.

 **Teresa**

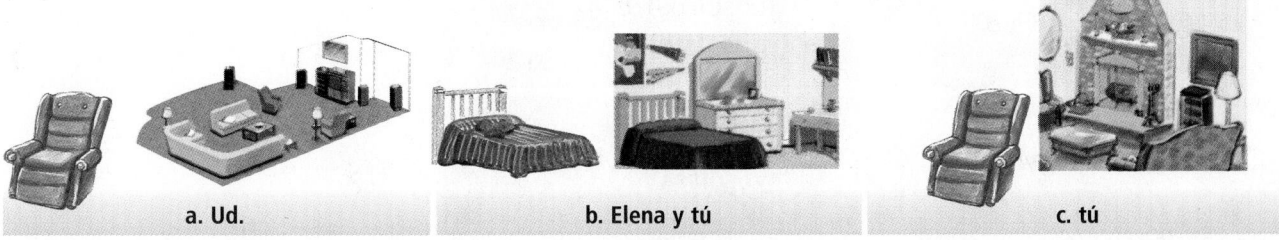

a. Ud. **b. Elena y tú** **c. tú**

d. yo

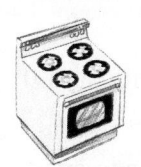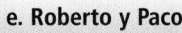

e. Roberto y Paco

f. Enrique y yo

2 ¿Qué tareas tienen que hacer estos estudiantes todos los días?

A —¿Qué tarea hacen Carlos y Javier todos los días?

B —Generalmente hacen la tarea de matemáticas.

Carlos y Javier

a. Felipe

b. Fabiola y tú

c. Irene y Bárbara

d. Ud.

e. Lupe y Raúl

f. tú

Los verbos que terminan en *-ir*

You already know the pattern of endings of present-tense *-ar* and *-er* verbs. There is one other group of regular verbs, those that end in *-ir*. *Vivir* ("to live") is a regular *-ir* verb. Here are all its present-tense forms.

(yo)	viv**o**	(nosotros) (nosotras)	viv**imos**
(tú)	viv**es**	(vosotros) (vosotras)	viv**ís**
Ud. (él) (ella)	viv**e**	Uds. (ellos) (ellas)	viv**en**

- Notice that the pattern of endings for *-ir* verbs is identical to that of *-er* verbs, except for the *nosotros* and *vosotros* forms.

- Notice that *salir* is a regular *-ir* verb in the present tense except for its *yo* form: *(yo) salgo.*

3 Mira *(look at)* el dibujo de este pueblo *(town)*. Di a tu compañero(a) si estas personas viven cerca o lejos de ciertos lugares *(places)*.

A —¿Dónde viven David y Agustín?

David y Agustín

B —Viven cerca del centro comercial.
o: *Viven lejos de la escuela.*

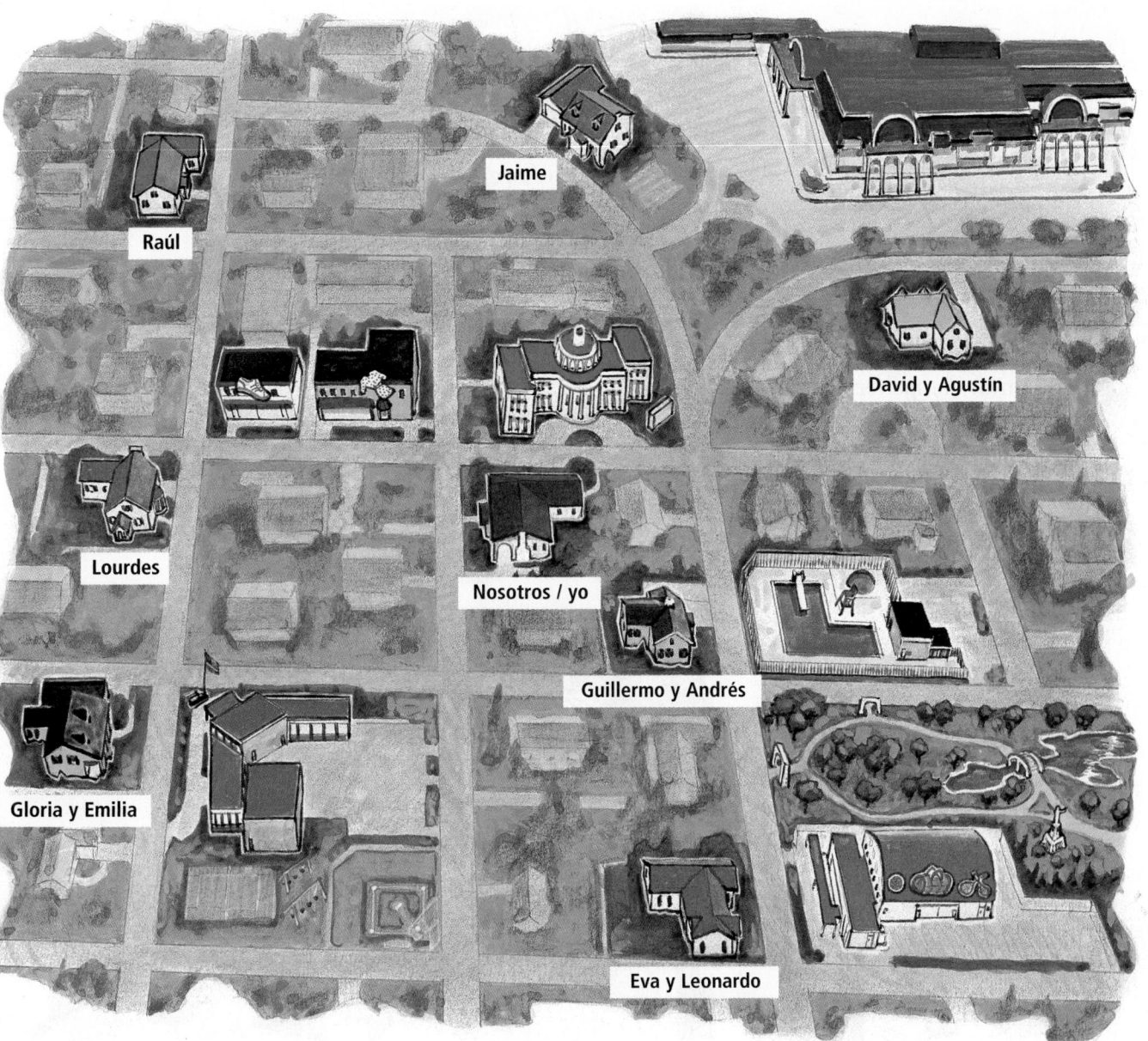

Jaime

David y Agustín

Raúl

Lourdes

Nosotros / yo

Guillermo y Andrés

Gloria y Emilia

Eva y Leonardo

a. Gloria y Emilia
b. Uds.
c. Eva y Leonardo

d. Raúl
e. tú
f. Jaime

g. Lourdes
h. Guillermo y Andrés

El verbo *preferir*

Preferir ("to prefer") is an *e* → *ie* stem-changing verb, similar to *querer* and *pensar*. Here are all its present-tense forms.

(yo)	pref**ie**ro	(nosotros) (nosotras)	preferimos
(tú)	pref**ie**res	(vosotros) (vosotras)	preferís
Ud. (él) (ella)	pref**ie**re	Uds. (ellos) (ellas)	pref**ie**ren

• Notice that the endings of *preferir* follow the pattern of regular *-ir* verbs, like *vivir*.

4 Con un(a) compañero(a), túrnate para preguntar y contestar *(asking and answering)* sobre las preferencias de estas personas.

A —*¿Qué prefiere tu hermana, jugar fútbol o tenis?*
B —*Mi hermana prefiere jugar tenis.*

tu
hermana

a. tu abuelo

b. tu papá

c. tus amigos(as)

d. tus primos

e. ustedes

f. tu amiga

Di que las personas prefieren hacer estos pasatiempos y por qué.

A —*¿Qué prefiere hacer Nicolás?*

B —*Prefiere jugar béisbol. Es muy deportista.*

Nicolás

a. Víctor y Sonia

b. Clara y Beatriz

c. Patricio

d. Antonio y Claudia

e. tú

f. tú y tu familia

Los adjetivos posesivos: *Su* y *nuestro*

You already know that when we want to tell what belongs to someone and to show relationships, we can use *mi(s)*, *tu(s)*, and *su(s)*. Here are the other possessive adjectives.

nuestro	primo		**nuestra**	prima
nuestros	primos		**nuestras**	primas
vuestro*	tío		**vuestra**	tía
vuestros	tíos		**vuestras**	tías
su	hermano		**su**	hermana
sus	hermanos		**sus**	hermanas

*Vuestro, -a, -os, -as is used mainly in Spain. We will use it occasionally and you should learn to recognize it.

• Like other adjectives, the possessive adjectives agree in number with the nouns that follow them. Only *nuestro* and *vuestro* have different masculine and feminine endings.

6 Describe parte de tu casa o de otra casa. Usa las palabras *(words)* de abajo *(below)*.

casa / azul
Nuestra casa (no) es azul.
dormitorios / grandes
Nuestros dormitorios (no) son grandes.

a. mesa / de metal
b. sillas / de madera
c. sillones / antiguos
d. sofá / de cuero
e. equipo de sonido / moderno
f. cuadros / bonitos
g. garaje / para dos coches
h. sala de estar / cómoda
i.

7 Intercambia *(exchange)* tu hoja del Ejercicio 6 con un(a) compañero(a). Usa esta información para describir su casa a otro(a) estudiante.

La casa de los Johnson es azul. Sus dormitorios son muy grandes.

PASO CULTURAL Ushuaia, on the Argentine (east) side of the island of Tierra del Fuego, is the southernmost city in the world and the closest to Antarctica. The island's western side is owned by Chile. It is said that Tierra del Fuego (Land of Fire) was named by Ferdinand Magellan, the Portuguese explorer, who saw fires on its shore. These fires were used by the island's inhabitants to warm their houses and to keep invaders away. What are some advantages and disadvantages of living in such a remote location?

Una casa típica en Ushuaia, Tierra del Fuego, Argentina

Una casa cerca de San José, Costa Rica

Una casa en Copacabana, Bolivia

Ahora lo sabes

Can you:

► tell where someone puts something?
—Generalmente (yo) ___ mis papeles en mi carpeta.

► say what someone makes or does?
—Ana María y yo ___ las camas todos los días.

► tell where a person lives?
—Mis abuelos ___ en Los Ángeles.

► tell what someone prefers?
—Mis hermanos y yo ___ ir al cine el sábado.

► describe possession using *su* and *nuestra?*
—___ mesa es redonda pero ___ mesa es cuadrada.

MORE PRACTICE

Más práctica y tarea, pp. 530–532
Practice Workbook 8–5, 8–9

Gramática en contexto   273

TODO JUNTO

Actividades

Una casa moderna
en Cantel, Guatemala

1 Usando el dibujo de la página 269, escoge una casa
e imagina que vives allí. Tu compañero(a) va a adivinar
(guess) dónde vives con preguntas como las siguientes.

¿Vives cerca o lejos del centro comercial?
¿Es amarilla tu casa?

2 ¿Qué prefieren hacer tu compañero(a) y sus amigos cuando
hace mucho calor o mucho frío? Pregunta y contesta y anota
(make a note of) sus actividades preferidas. Después, en
grupos de cuatro o cinco personas, haz *(make)* una lista de
las actividades más populares de la clase.

3 Con un(a) compañero(a), haz una lista de algunos
quehaceres. Pregunta y contesta cuáles tienen que hacer
Uds. Después, haz un informe *(report)* para la clase.
Tus compañeros van a preguntar cuáles son los
quehaceres que prefieren Uds.

Conexiones

Las ciencias sociales

Casas diferentes

Las casas pueden variar mucho de una región del mundo a otra. Pero siempre reflejan la vida de la gente y lo que es importante para ella.

1. Haz una lista en español para describir el comedor japonés.

2. Haz otra lista para describir el comedor costarricense.

3. Con un(a) compañero(a), haz un diagrama de Venn para indicar en qué se parecen y en qué se diferencian los dos cuartos. Los tres segmentos del diagrama deben ser: Comedor japonés, Comedor costarricense y Los dos.

4. Con tu compañero(a), imagina cómo puede ser la vida de la gente que vive en estas dos casas.

¡Vamos a leer!

Antes de leer

STRATEGY ➤ **Using prior knowledge**

Remember the story of Cinderella? Did you ever wonder what it would be like to be in her shoes? In this reading, a young man is about to find out. Use the pictures and what you know about Cinderella to predict what this reading might be about.

Mira la lectura

STRATEGY ➤ **Skimming**

Skim through the story. Is it what you expected?

La historia de Esteban

Esteban es un muchacho de 18 años. Vive en una casa más o menos grande con su padre, su madrastra y un hermanastro y una hermanastra. Pero su padre está frecuentemente fuera del país. ¿Y quién hace todos los quehaceres de la casa? Esteban, ¡claro! Los hace, pero no está nada contento.

UN DÍA . . .

TV: . . . La princesa Gabriela de Xilá está de visita aquí. Hay una gran fiesta en su honor.

Madrastra: ¡Claro que vamos a la fiesta!

LA NOCHE DE LA FIESTA . . .

Hermanastro y Hermanastra: Hasta luego, Esteban.

Madrastra: Tienes que lavar los platos y pasar la aspiradora… y cortar el césped.

Esteban: Pero . . .

Madrastra: Tú no puedes ir a la fiesta. Tienes que preparar nuestra ropa.

Infórmate

STRATEGIES▸ **Using prior knowledge
Recognizing word
families**

Often you can use Spanish words you know to
figure out the meaning of new words. For
example: *madrastra, hermanastra,* and
hermanastro. What names for family members
do you recognize as parts of these words?
Then think about the characters in Cinderella.
Use this information to figure out the meaning
of the three words. What do you think
madrina means?

1 Compare the story with Cinderella.
How are they alike and how are they
different?

2 What is the turning point in the story?
What happens?

3 Do you agree with the way the story ends?
Why or why not?

Aplicación

What do you think *padrastro* means?

Madrina: Hola, Esteban. Soy la
madrina de la Cenicienta. Y tú
también vas a ir a la fiesta. A
ver, ¿dónde están tu perro y la
aspiradora? Los voy a convertir
en un chófer y una limosina.

Pero ¿quién es? ¡Qué guapo!
¡Debe ser un príncipe!
¡Mira los zapatos de vidrio!

Hermanastra: Mamá . . . ¡Es Esteban!
Hermanastro: Pero ¿qué hace aquí?
Madrastra: No sé, hijo . . .

UNA SEMANA MÁS TARDE . . .
Esteban: Voy a ser el asistente
personal de la princesa. Y ¡no
voy a hacer nunca más los
quehaceres!

¡Vamos a escribir!

En la zona de Chapultepec, Ciudad de México ►

Una casa al estilo de Gaudí en Los Ángeles

Everyone can picture an ideal home—the perfect dream house. How would you describe your dream house? Write an ad in Spanish for a dream house for sale.

1 First, think about the house plan and list the rooms. Is it a one- or two-story house? Name three or four special features.

2 Then write at least five sentences describing the house as if you were trying to sell it. You can start with the phrase *Se vende casa* (House for sale).

3 Show your description to a partner. Then revise and edit it. Recopy your corrected description. You might want to add a sketch of the floor plan with the rooms labeled.

4 Now you are ready to share your work. You can:
- collect all the ads into a book called *Se venden casas* and exchange books with another class
- display the ads on a bulletin board for each student to choose the house he or she would like to buy
- keep your ad in your writing portfolio

Una hacienda tradicional en San Antonio de Areco, Argentina

PASO CULTURAL

Spanish architect Antonio Gaudí (1852–1926) blended forms found in nature with elements of Gothic and modern art to design structures with waving, flowing lines and irregular shapes and features. Would you like to live in a house like this? Why or why not?

This section will help you organize your studying for the proficiency test, where you will be asked to do similar, though not identical, tasks. There will not be any models on the test.

► Listening

Can you understand when people talk about their household chores? Listen as your teacher reads a sample similar to what you will hear on the test. This is a note from Marina's mother explaining what Marina has to do on Saturday. What could you do to help Marina? How long do you think it would take you to do two of these chores? What are you going to do when you finish?

► Reading

Can you understand a description of a dream house? Read the text that follows. Do you agree with some of the things María Elena wants?

"Quiero tener una casa no muy grande y amueblarla con cosas que me gustan— prácticas pero bonitas. Y me gusta vivir cómodamente. Quiero un equipo de sonido, una videocasetera, una piscina, una cancha de tenis, . . . ¡y otra persona para hacer todos los quehaceres!"

► Writing

Can you write a letter to a friend describing the new house or apartment you've just moved into? Here is a sample:

> Querido Ernesto:
> Vivo con mi madre en un apartamento de Manhattan. Tenemos dos dormitorios, un baño, una cocina y una sala. Nuestro apartamento es pequeño, pero tenemos muchos muebles. En la sala hay una mesa con ocho sillas, un sofá con dos sillones, tres mesitas, un escritorio, tres lámparas, diez cuadros y dos espejos. Menos mal que en mi cuarto no hay muchas cosas. Tengo sólo una cama y una cómoda. Me gusta donde vivo, pero quisiera tener una casa más grande.
>
> Tu amiga,
> Magdalena

► Culture

Can you describe a patio in Sevilla and in Madrid and its uses?

► Speaking

Can you talk about household chores? Create a dialogue with your partner. Do you and your friend like and dislike the same chores? Here is a sample dialogue:

A —¿Tienes quehaceres de la casa para el sábado?
B —Sí. Por la mañana tengo que cortar el césped, lavar los platos y sacar la basura.
A —A mí no me gusta ni sacar la basura ni limpiar el baño, pero lo hago todos los sábados. Prefiero hacer las camas.

Self Test www.pasoapaso.com

Resumen del vocabulario

Use the vocabulary from this chapter to help you:

► tell where you live

► describe your home

► name household chores

**to talk about where
someone lives**
cerca (de)
lejos (de)
vivir: (yo) vivo
      (tú) vives

**to talk about houses
or apartments**
el apartamento
el baño
la casa (de . . . pisos)
el césped
la cocina
el comedor
el cuarto
el dormitorio
el garaje
el lavadero
el (primer) piso
la sala
la sala de estar
el sótano

to name household items
la cama
el cartel
el coche
la cómoda
las cosas
el cuadro
el equipo de sonido
el escritorio
el espejo

la estufa
el guardarropa
la lámpara
los muebles
la puerta
el refrigerador
la silla
el sillón, *pl.* los sillones
el sofá
la ventana
la videocasetera

**to describe
household items**
antiguo, -a
bastante
cómodo, -a
cuadrado, -a
de cuero
de madera
de metal
incómodo, -a
limpio, -a
moderno, -a
redondo, -a
sucio, -a

to indicate possession
nuestro, -a
su, -s (here: *their)*

**to name chores
around a home**
arreglar
cortar (el césped)
hacer: (yo) hago
      (tú) haces
hacer la cama
lavar la ropa / los platos
limpiar el baño
pasar la aspiradora
poner: (yo) pongo
      (tú) pones
poner / quitar la mesa
el quehacer (de la casa)
sacar la basura
sacudir los muebles

to indicate preferences
preferir (e → ie)

to indicate obligation
tener que + *inf.*

**to indicate that someone
is right or wrong**
(no) tener razón

**to indicate whether you
agree with someone or
something**
(no) estar de acuerdo

other useful expressions
más (here: *else)*

VISIT
www.pasoapaso.com

CAPÍTULO 9

¿Cómo te sientes?

Objectives

At the end of this chapter you will be able to:

► describe how you are feeling

► tell what parts of your body hurt

► suggest things you or others can do to feel better

► discuss attitudes toward health and health practices in the Spanish-speaking world

PASO CULTURAL Diego Rivera's murals often contrasted what he saw as the greed and corruption of the ruling class with the dignity and courage of those fighting for the poor. In this mural, poor and working-class families wait for medical care as workers contribute to the public health care system that will help them. Yet other, less noble things are happening here. Note the official holding the law book passing money to the card-playing rich. Describe the appearance (clothes, face, posture) of one person in this scene. What do you think Rivera is saying about that person and his or her place in society?

La medicina antigua y la moderna
(1953), Diego Rivera

¡Piensa en la CULTURA!

Medical care in Puerto Rico, Honduras, and Colombia

Look at the pictures and read the captions.

"Pero mamá, no me gusta ir al médico."
What do you think a *Centro Pediátrico* is?
What are the specialties of the doctors in this medical center?

Isla Verde, Puerto Rico

Medical personnel and facilities can be scarce in rural areas of Latin America. People may have to wait hours before they can be seen by visiting doctors.

Una clínica en Moramulca, Honduras

Moramulca, Honduras

"Me lastimé el pie."

What do you think *Cruz Roja* means?
What do you think might have happened
to the boy? How might it have happened?

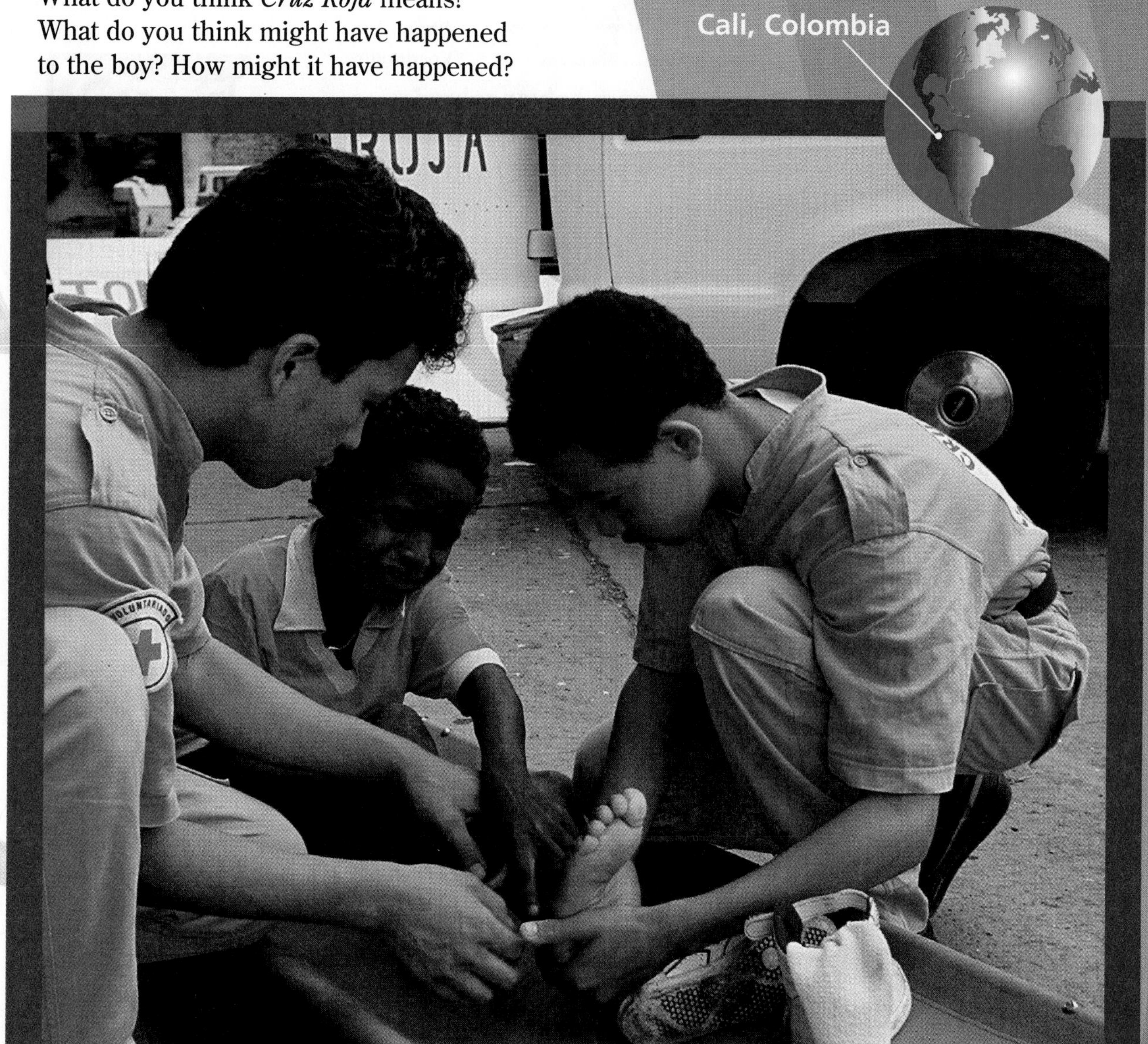

Cali, Colombia

Ayudando a un niño en Cali, Colombia

PASO CULTURAL

La Cruz Roja offers disaster relief, social
assistance, and first-aid courses in just
about every country in the Spanish-speaking
world. When was the last time you heard about
the efforts of workers in this organization?
Where were they? Why? What were they doing?

www.pasoapaso.com
Visit these countries on-line

¡Piensa en la cultura! 285

Vocabulario para conversar

¡Ay! ¡Me duele el pie!

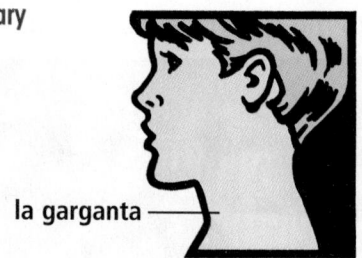

At Home VIDEO Chapter 9 Vocabulary

Aquí tienes palabras y expresiones necesarias para hablar sobre las partes del cuerpo que te duelen y para sugerir *(suggest)* qué puedes hacer para sentirte mejor. Léelas varias veces y practícalas con un(a) compañero(a) en las páginas siguientes.

la garganta

El cuerpo

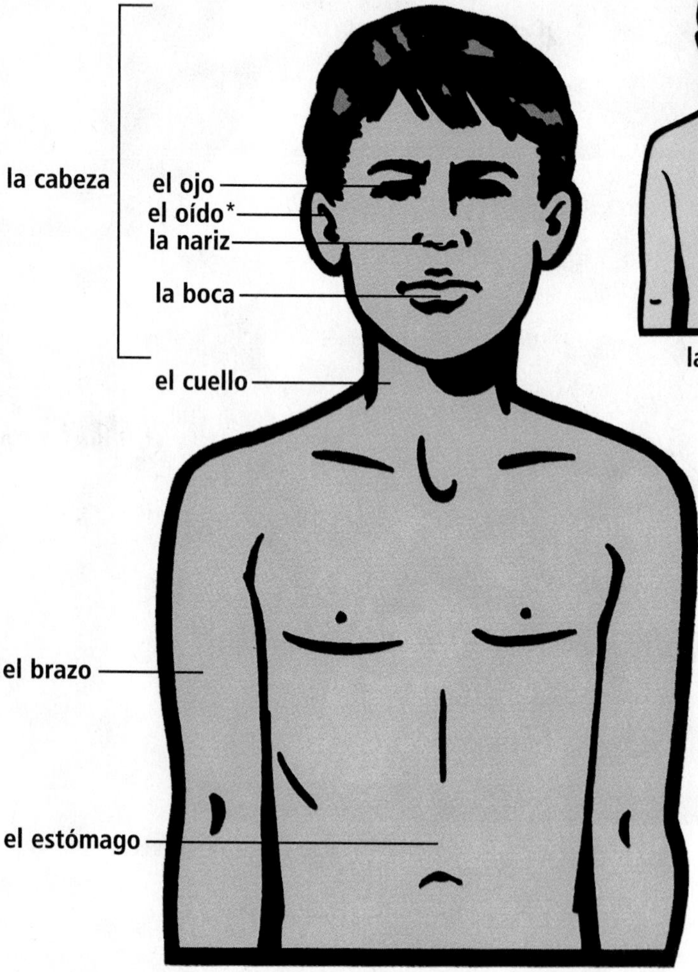

la cabeza

el ojo
el oído*
la nariz

la boca

el cuello

la espalda

la pierna

el brazo

el dedo

la mano *(f.)*

el estómago

el pie

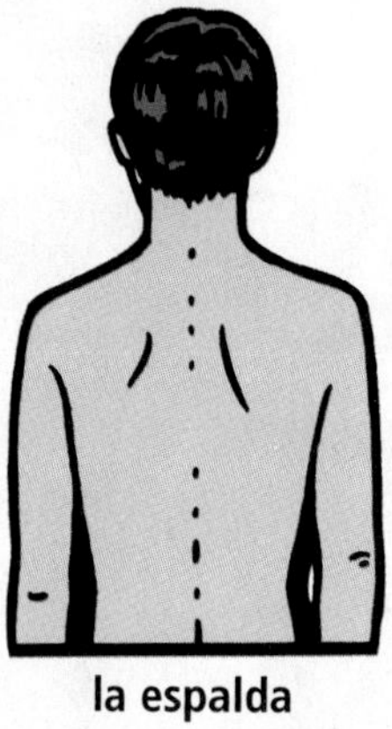

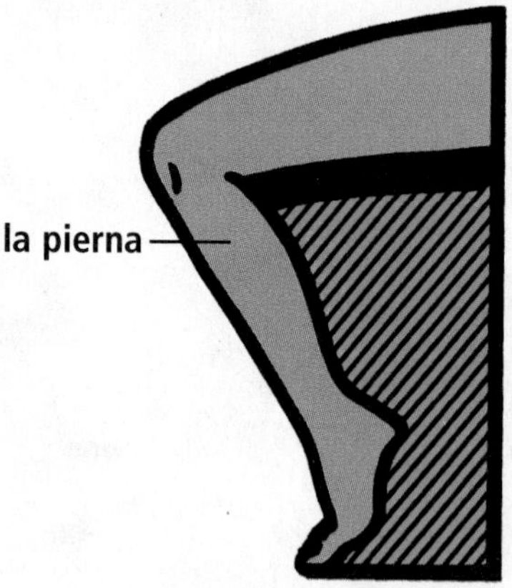

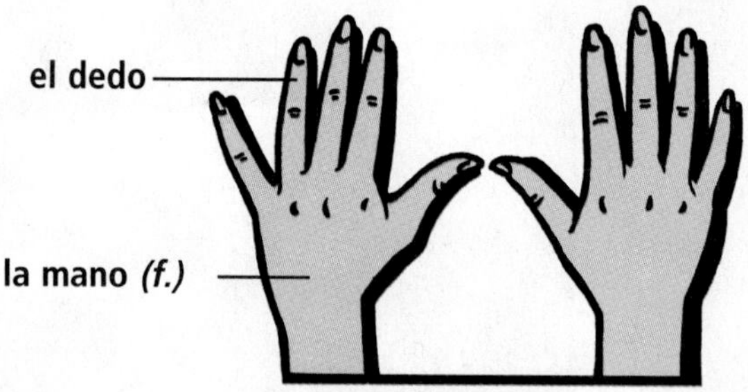

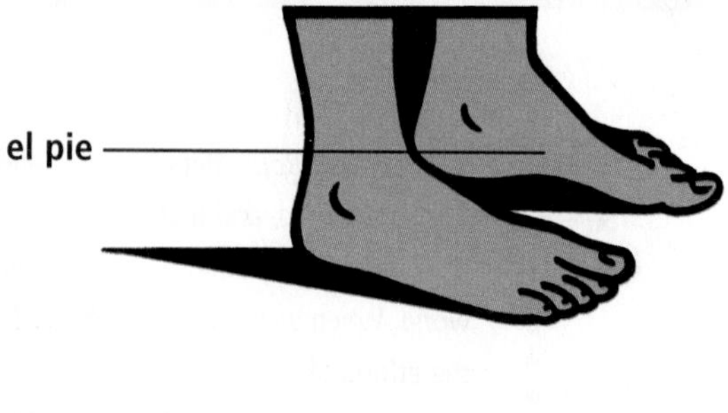

* In Spanish we use *el oído* to mean the inner ear and *la oreja* to mean the outer ear. It is usually the inner ear that hurts.

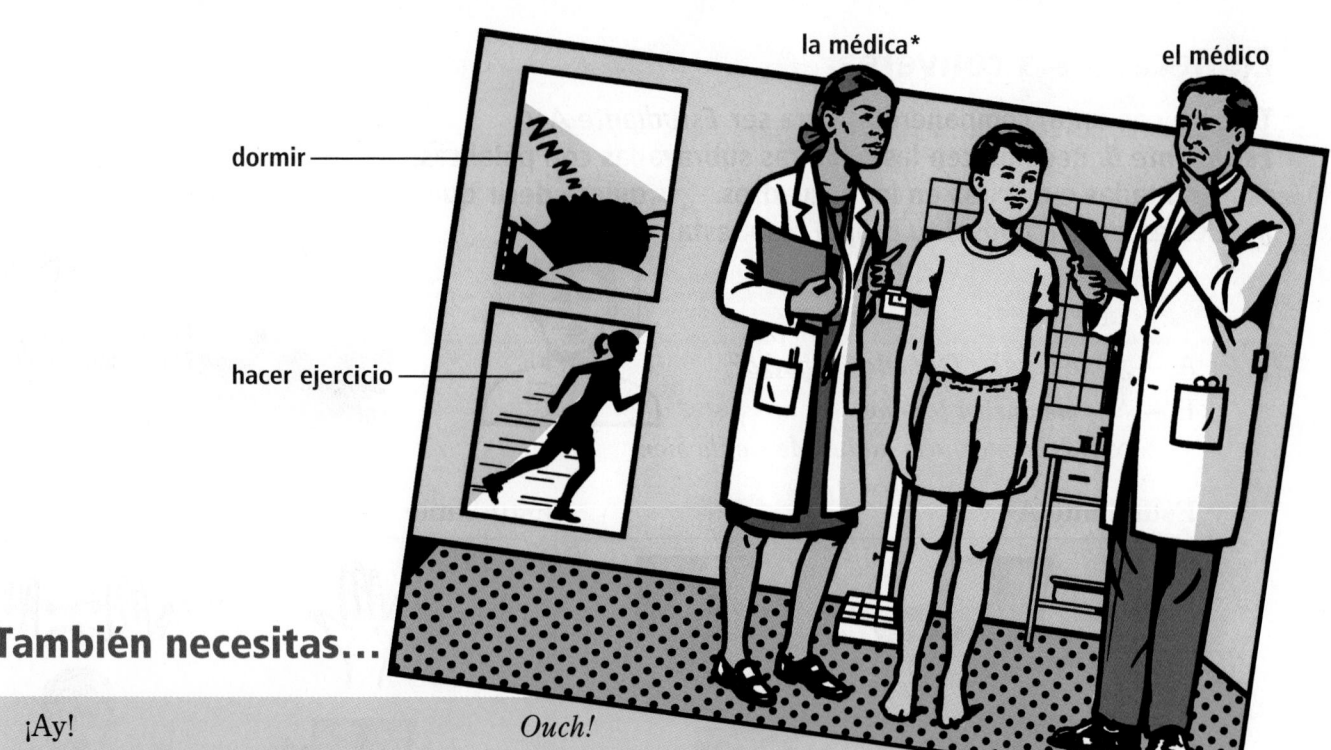

dormir

hacer ejercicio

la médica*

el médico

También necesitas...

¡Ay!	*Ouch!*
Me siento bien / mal.	*I feel well / ill.*
¿Qué pasa?	*What's the matter?*
doler (o → ue)	*to hurt, to ache*
¿Qué te duele?	*Where does it hurt?*
(A mí / ti) me / te duele(n)† ___.	*My / your ___ hurts (hurt).*
(No me duele) nada.	*Nothing (hurts me).*
derecho, -a	*right*
izquierdo, -a	*left*
¿Cuánto (tiempo) hace que ___?	*How long has it been since ___? /* *(For) how long ___?*
Hace + *time expression* + que ___.	*It's been* + time expression + *since ___. /* *___ for* + time expression
(Yo) creo que ___.	*I think that ___.*
Debes quedarte en la cama.	*You should stay in bed.*
llamar	here: *to call*

¿Y qué quiere decir . . . ?

el dedo del pie
el dolor

* To refer to or address a physician, we use the term *doctor(a):* —*Doctor, me duele mucho la cabeza.*

† With expressions like *me / te duele(n),* we usually use the definite article when talking about body parts: *Me duele el brazo.*

Empecemos a conversar

Túrnate con un(a) compañero(a) para ser *Estudiante A* y *Estudiante B.* Reemplacen las palabras subrayadas con palabras representadas o escritas en los recuadros. 💡 quiere decir que puedes escoger *(choose)* tu propia respuesta.

1 A —¿Qué pasa? ¿Te duele <u>la cabeza</u>?

   B —No, me duelen <u>los ojos</u>.
      o: *No, no me duele nada. Me siento bien.*

Estudiante A

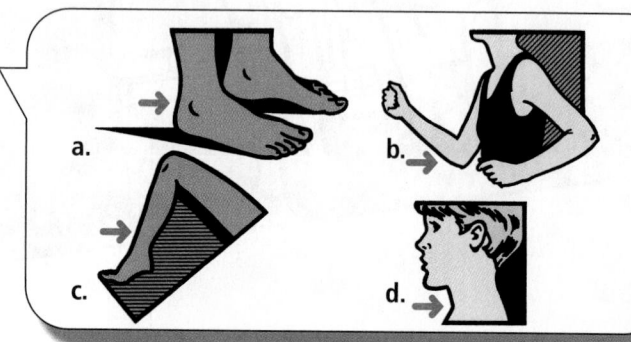

Estudiante B

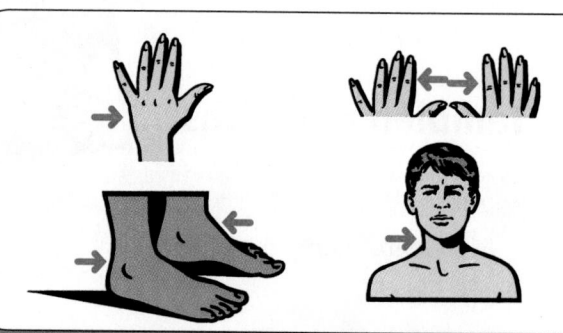

2 A —*Hoy no puedo hacer ejercicio.*
     Me siento mal; me duele <u>el oído</u>.

   B —*Creo que debes <u>llamar al médico</u>.*

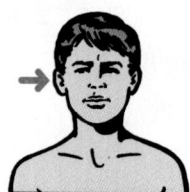

Estudiante A

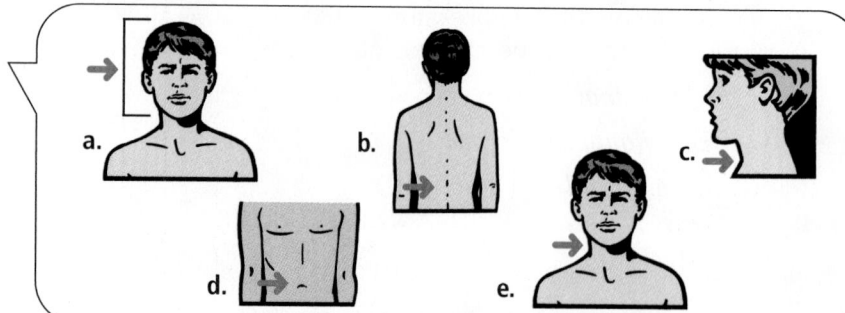

Estudiante B

- descansar
- dormir
- llamar al médico
- no hacer ejercicio
- no practicar deportes
- quedarte en la cama

3 A —¿*Cuánto tiempo hace que te duele <u>la espalda</u>?*

B —*Hace <u>una semana</u> que me duele.*

Estudiante A   **Estudiante B**

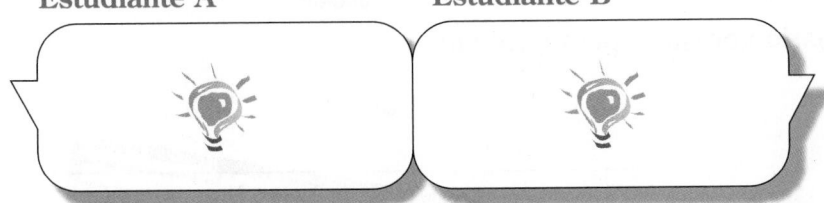

MORE PRACTICE

• Más práctica y tarea, p. 532–533
• Practice Workbook 9–1, 9–2

4 A —*¿Qué pasa? ¿Te duele <u>el oído</u>?*

B —*Sí, <u>el derecho</u>.*
   o: *No, no me duele.*

Estudiante A   **Estudiante B**

Empecemos a escribir

Escribe tus respuestas en español.

5 Dale *(give him / her)* dos consejos *(pieces of advice)* a un(a) amigo(a) que tiene dolor de garganta.

6 ¿Qué te duele cuando . . .

participas en un maratón? *Me duelen los pies.*

  a. estudias toda la noche para un examen?
  b. comes demasiado?
  c. lanzas la pelota *(pitch)* en un partido de béisbol?
  d. animas *(cheer)* mucho en un partido de básquetbol?
  e. tocas el piano por tres horas?

7 ¿Te duele algo? ¿Qué?

LAVESE
LAS MANOS

ASOCIACION
CHILENA DE
SEGURIDAD
LIDER EN PREVENCION DE RIESGOS

02/90

Vocabulario para conversar

¿Qué tienes?

 Chapter 9 Vocabulary

Aquí tienes el resto del vocabulario necesario para describir cómo te sientes.

La enfermería

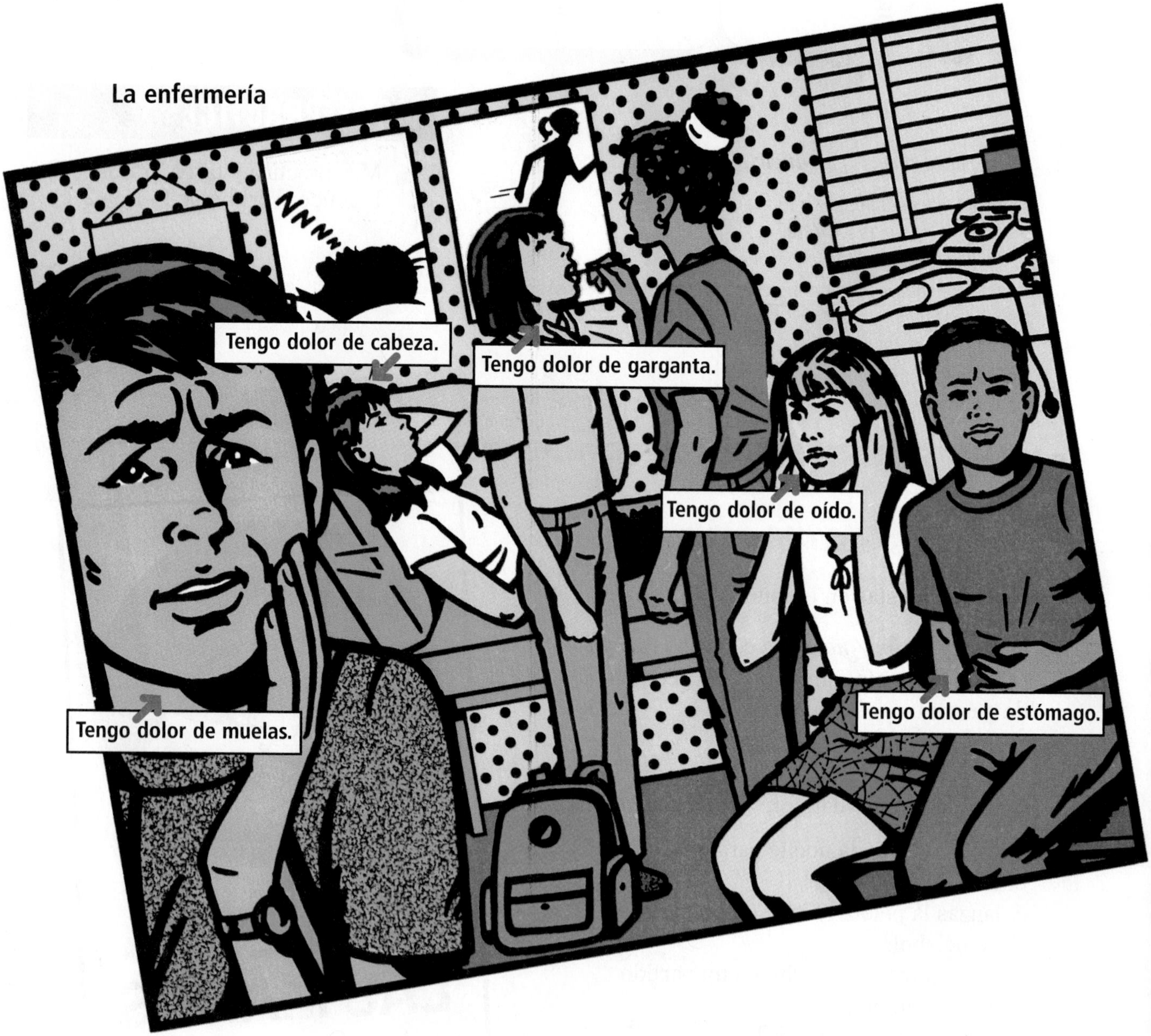

Tengo dolor de cabeza.

Tengo dolor de garganta.

Tengo dolor de oído.

Tengo dolor de muelas.

Tengo dolor de estómago.

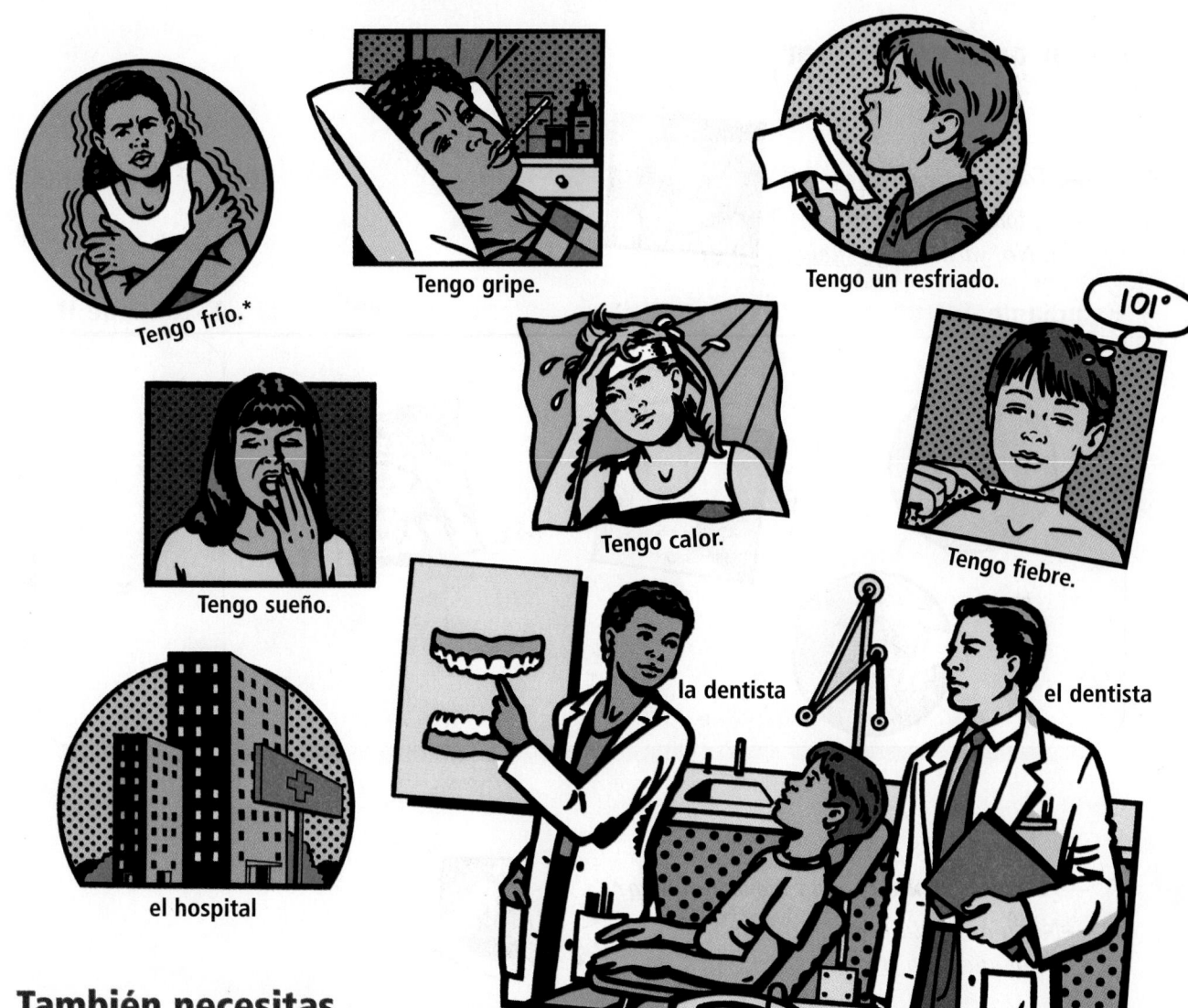

Tengo frío.*

Tengo gripe.

Tengo un resfriado.

Tengo sueño.

Tengo calor.

Tengo fiebre.

101°

el hospital

la dentista

el dentista

También necesitas...

¿Qué tienes?	*What's wrong?*	ahora	*now*
(Yo) me lastimé (la pierna).	*I hurt my (leg).*	todavía	*still*
		ya no	*no longer, not anymore*
¿Cómo te sientes?	*How do you feel?*	¿no?	*don't you? aren't I? etc.*
mejor	*better*		
peor	*worse*	**¿Y qué quiere decir . . . ?**	
Debo quedarme en la cama.	*I should stay in bed.*	la clínica	
		la fiebre	
tomar	here: *to take*	terrible	

* If we want to say "very," we use *mucho* with *sueño*, *frío*, and *calor*, but *mucha* with *hambre* and *sed*: *Tengo mucho sueño*, but *Tengo mucha sed*.

Empecemos a conversar

8 **A** —¿Todavía tienes <u>sueño</u>?

    B —Sí, todavía tengo <u>sueño</u>.
       o: *No, ya no tengo <u>sueño</u>.*

Estudiante A　　　　　　　　　　　　　　　　　　　　　　　　　　**Estudiante B**

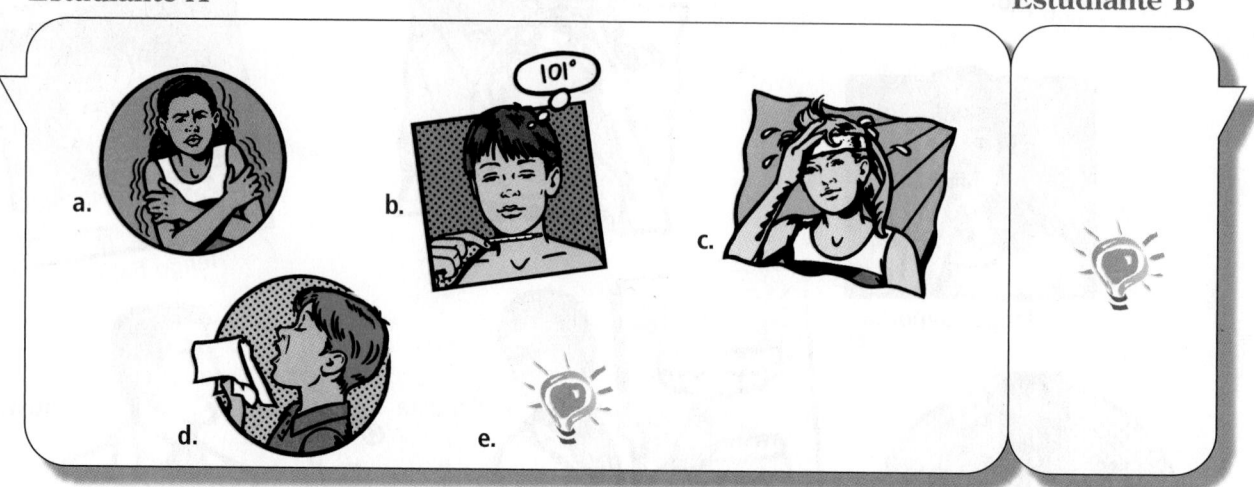

9 **A** —¿Cómo te sientes? ¿Está mejor <u>tu brazo</u>?

    B —No, ahora está peor.
       Creo que debo <u>ir a la enfermería</u>.

Estudiante A　　　　　　　　　　　　　　　　　**Estudiante B**

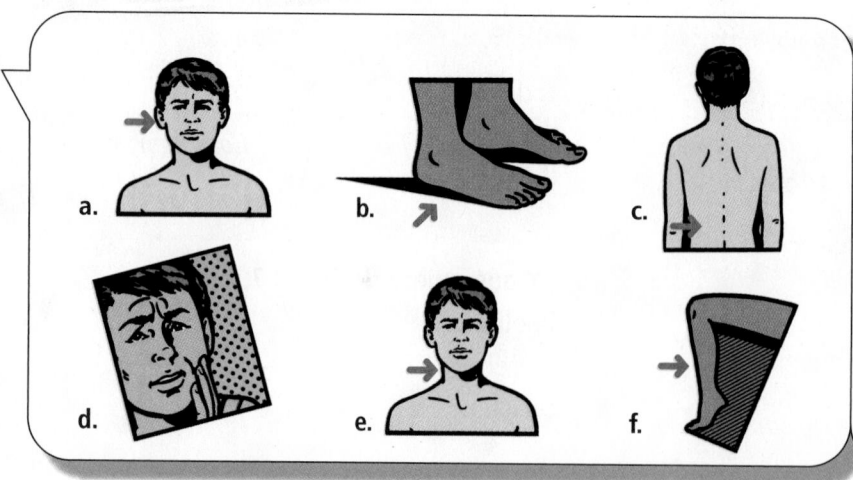

ir al hospital

ir a la enfermería / clínica

llamar al médico / al
   dentista

quedarme en la cama

tomar algo

descansar

10

A —*Vamos a <u>hacer ejercicio</u> el viernes, ¿no?*

B —*Lo siento, pero no puedo. Me lastimé <u>la pierna</u> y <u>me duele</u> mucho.*

A —*¡Qué lástima!*

Estudiante A   **Estudiante B**

a.   b.   c.   d.

Empecemos a escribir y a leer

Escribe tus respuestas en español.

11 ¿Cómo te sientes?

12 Escribe otras dos formas diferentes para decir *¿Cómo te sientes?*

13 Cuando tienes dolor de estómago, ¿qué debes hacer?

14 Marta dice: "Carolina, lo siento, pero hoy no puedo ir al cine contigo. Me siento mal. Tengo mucho frío y me duele la garganta. Tengo un terrible dolor de cabeza también. Creo que debo quedarme en la cama."

a. ¿Qué crees que tiene Marta?
b. ¿Qué más debe hacer?
c. ¿Qué le dice Carolina a Marta?
d. ¿Qué va a hacer Carolina?

www.pasoapaso.com

También se dice...

Tengo calentura.

Tengo gripa.

Tengo catarro.
Tengo resfrío.

MORE PRACTICE

- Más práctica y tarea, p. 533
- Practice Workbook 9–3, 9–4

Tu amigo(a) no se siente bien. Cada vez *(each time)* que le preguntas le duele algo diferente. Túrnate con un(a) compañero(a) para preguntar y contestar.

A —*¿Cómo te sientes? ¿Todavía tienes fiebre?*

B —*Ya no. Ahora tengo dolor de cabeza.*

¿Es lógica la tercera línea? Si no, escribe una solución lógica. Después, escribe un diálogo semejante *(similar)*. Un(a) compañero(a) va a escribir una buena solución.

A —*¿Por qué no quieres ir a nadar?*

B —*Porque llueve.*

A —*Ah, podemos ir a tomar el sol.*

A —*¿Por qué no vamos al cine?*

B —*Porque me duelen mucho los ojos.*

A —*Pues, podemos ver la tele aquí en tu casa.*

A —*¿Por qué no vamos al gimnasio?*

B —*Porque me lastimé la espalda.*

A —*¿Prefieres jugar golf?*

A —*¿Por qué no comes algo?*

B —*Todavía tengo este terrible dolor de estómago*

A —*Yo creo que debes llamar al médico.*

Túrnate con un(a) compañero(a) para representar a una turista entusiasta y a su amiga que nunca se siente bien.

A —*¡Qué bonito está el día! ¿Quieres ir a hacer ejercicio?*

B —*Lo siento, pero me duelen mucho las piernas.*
   o: *Pues, no. Tengo un terrible dolor de cabeza.*

¿Qué sabes ahora?

Can you:

► name some parts of your body?
—Tengo dos ___, dos ___ y diez ___.

► tell how you feel or describe your symptoms?
—¿Cómo te sientes?
— ___.

► tell how long you have been feeling that way?
—¿Cuánto tiempo hace que te duele el oído?
— ___ dos días ___ me duele el oído.

► make a suggestion to someone who is feeling ill?
—Me duele la garganta.
—Creo que debes ___.

Perspectiva cultural

La salud

Algunas veces, cuando no me siento bien, voy a la farmacia para comprar una medicina. Otras veces tomo algunas hierbas medicinales.

Why do you think these two photos are shown? Why might someone who is sick choose to go sometimes to one of these two places and sometimes to the other?

Imagine this. You aren't feeling well. Your mother talks to some friends, but they can't agree on what your illness is or how to treat it. There is a woman in your community who is not a doctor, but who is known to be able to help people who are sick. You go to see her. She asks about your recent activities. After a while she decides which of her remedies is best for your situation.

In many Hispanic communities, folk remedies have been passed down from generation to generation, largely due to the availability of plants with medicinal value. For example, a tea made from mint (known in Mexico as *yerbabuena*) may be given to someone with a stomachache. A little piece of camphor *(alcanfor)* or the herb rue *(ruda)* wrapped in cotton and put in the ear is said to cure an earache. Other home remedies, such as quinine, have found their way into modern medicine.

Members of many ethnic groups treat an illness in this way. They may consult a doctor, or they may decide the illness can be more easily cured by a long-used folk remedy.

Today scientists are investigating new sources of medicine by consulting ethnic groups that have traditionally used remedies made from local plants.

Cultural Activity
www.pasoapaso.com

Una farmacia en Chetumal, México ▶

La cultura desde tu perspectiva

1 What folk remedies are you familiar with? Why might someone choose to go to a folk healer instead of a doctor?

2 If you were living in a different country and your friends and neighbors went to folk healers, would you do the same? Why or why not?

Gramática en contexto
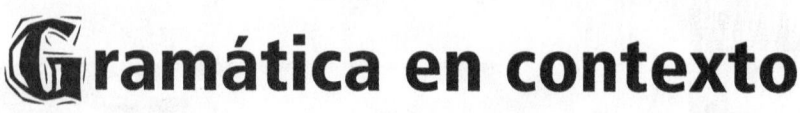

Look at this article from a health magazine that tells parents how to detect an illness in their children. What kind of information would you expect to find?

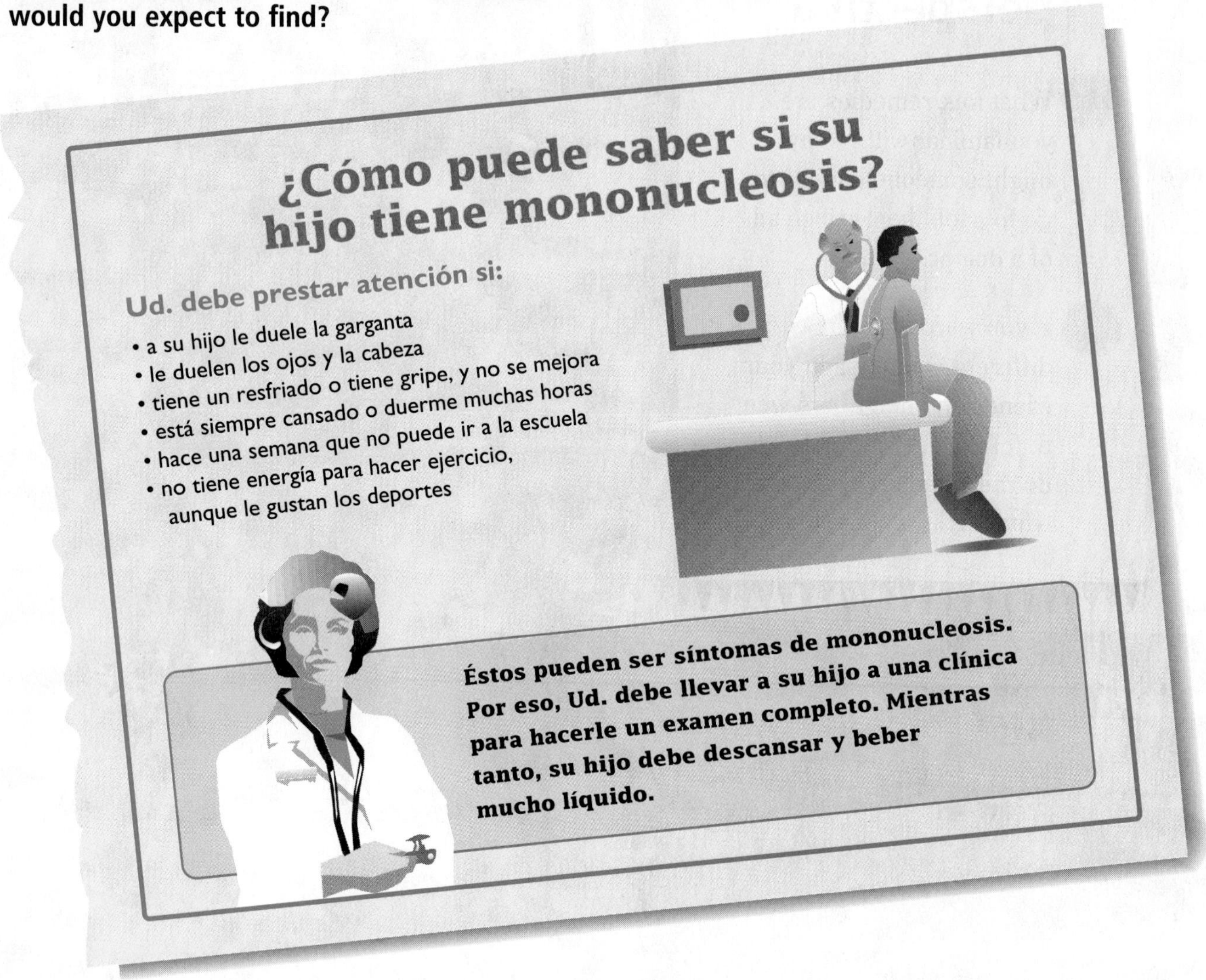

¿Cómo puede saber si su hijo tiene mononucleosis?

Ud. debe prestar atención si:

- a su hijo le duele la garganta
- le duelen los ojos y la cabeza
- tiene un resfriado o tiene gripe, y no se mejora
- está siempre cansado o duerme muchas horas
- hace una semana que no puede ir a la escuela
- no tiene energía para hacer ejercicio, aunque le gustan los deportes

Éstos pueden ser síntomas de mononucleosis. Por eso, Ud. debe llevar a su hijo a una clínica para hacerle un examen completo. Mientras tanto, su hijo debe descansar y beber mucho líquido.

A In the article, find the expressions *le duele(n)* and *le gusta(n)*. Why do you think *le* is used instead of *me?*

B Compare the two sentences that use *duele* and *duelen*. When do we use each of these? Find another verb in the article that follows this pattern.

C Look at the sentence *Hace una semana que no puede ir a la escuela. Que* connects two parts of this sentence. The second part tells what the person cannot do. What information does the first part of the sentence give?

El verbo *dormir*

Like *poder, dormir* is an *o → ue* stem-changing verb. Here are all its present-tense forms:

(yo)	d**ue**rmo	(nosotros) (nosotras)	dormimos
(tú)	d**ue**rmes	(vosotros) (vosotras)	dormís
Ud. (él) (ella)	d**ue**rme	Uds. (ellos) (ellas)	d**ue**rmen

¡NO OLVIDES!

Here are all of the other *o → ue* stem-changing verbs that you know: *costar, doler, poder.*

1 Pregunta a un(a) compañero(a) si estas personas duermen bien.

A —*¿Duerme bien Marta?*

B —*No, duerme mal porque todavía tiene dolor de oído.*

Marta

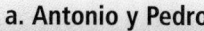

a. Antonio y Pedro

b. Rosita

c. Juanito y Miguel

d. tú

e. Uds.

¿Y cómo duermes tú? ¿Por qué?

El complemento indirecto: Los pronombres *me, te, le*

Indirect object pronouns replace indirect object nouns. We use indirect object pronouns with *doler (o → ue)*.

- In Spanish, the part of the body that hurts is the subject of the sentence and the verb agrees with it. The indirect object pronoun tells who hurts:

    Me duele **la pierna.** / **Me** duele**n las piernas.**

(yo)	**me**	(tú)	**te**	(Ud.) (él) (ella)	**le**

- We also use indirect object pronouns with *gustar* and *encantar:*

    Le encanta tocar la guitarra.

- Sometimes we use *a* + a pronoun or a person's name for emphasis or to make it clear who we are referring to.

    Me duelen los pies. Y **a ti,** ¿qué **te** duele?
    A Pablo le duelen los pies.
    A Ud. le duelen los pies, ¿no?

2 ¿Qué palabras de la columna de la derecha puedes usar con cada expresión de la columna de la izquierda? Puedes usar las palabras más de una vez.

a. me duele   las piernas
b. me encantan   la cabeza
c. le encanta   las papas fritas
d. le duelen   los dedos
e. te gusta   el jugo de naranja
f. te duelen   hacer ejercicio

3 Después de hacer ejercicio durante mucho tiempo, te duele todo el cuerpo. Túrnate con un(a) compañero(a) para preguntar y decir qué te duele.

A —¿Qué te duele?

B —Me duele el cuello.

4 Después de un examen difícil de historia estos estudiantes están cansados. Habla con un(a) compañero(a) y di cómo se sienten.

A —*Veo que José está cansado.*

B —*Sí, y también le duele mucho la cabeza.*

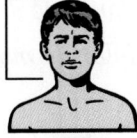

José

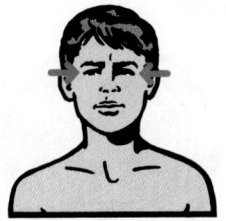

a. Felipe

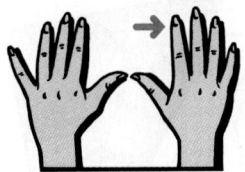

b. Maricarmen

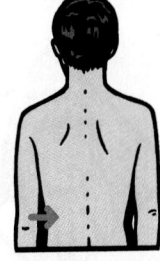

c. Tomás

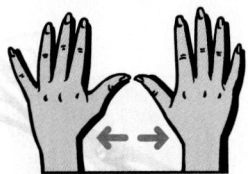

d. Fernando

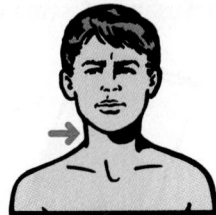

e. Pepe

f. Sarita

5 Pregunta a tus compañeros de clase qué comidas les gustan o no les gustan.

A —*¿A ti te gustan las uvas?*

B —*Sí, a mí me gustan.*
  o: *Sí, a mí me encantan.*
  o: *No, a mí no me gustan.*

Ahora di qué comidas les gustan o no les gustan a tus compañeros de clase.

A Verónica le encantan las uvas.

La expresión *hace . . . que*

To tell how long something has been going on, we use *Hace* + period of time + *que* + present-tense verb.

  Hace tres días **que estoy** enfermo.

If we want to ask how long something has been going on, we can use *¿Cuánto (tiempo) hace que* + present-tense verb?

  ¿Cuánto tiempo hace que Elena **está** enferma?

6 Pregunta a un(a) compañero(a) cuánto tiempo hace que estas personas están enfermas.

A —¿*Cuánto tiempo hace que Rodolfo tiene dolor de muelas?*

B —*Pues, hace seis días que tiene dolor de muelas.*

Rodolfo / 6 días

a. María / 2 días

b. Susana / 1 semana

c. Alejandra / 3 días

d. José / 4 días

e. Andrés / 2 días

f. Cecilia / 5 días

7 Escribe cinco actividades que te gusta hacer o cinco cosas que tienes. Lee tus frases a un(a) compañero(a). Tu compañero(a) debe averiguar *(find out)* cuánto tiempo hace que haces esas actividades o que tienes esas cosas.

A —*A mí me gusta patinar.*
    o: *Yo patino.*

B —*¿Cuánto tiempo hace que patinas?*

A —*Hace seis años (que patino).*

8 Dile a un(a) compañero(a) lo que aprendiste en el Ejercicio 7 de las actividades y las cosas del (de la) primer(a) compañero(a).

A Patricia le gusta patinar. Hace seis años que patina.

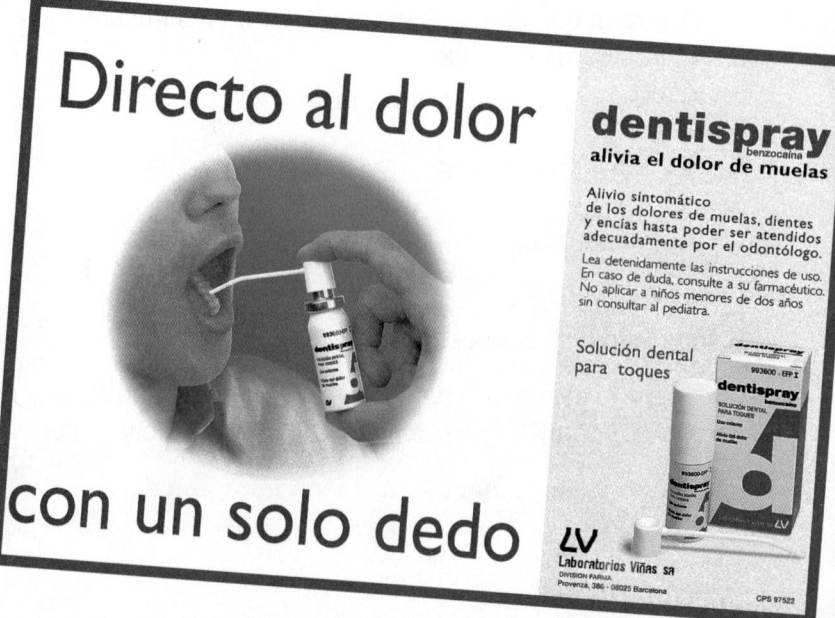

La sustantivación de adjetivos

Look at how we can avoid repeating the noun in these instances:

¿Te duele **la pierna derecha** o **la izquierda?**

¿Qué prefieres, **un gorro azul** o **uno amarillo?**

To avoid repetition we drop the noun in the second part of the sentence and put the definite or indefinite article right before the second adjective. Note that the adjective must agree in gender and number just as if the noun were still there. Also note that *un* becomes *uno(a)* when it is not followed by a noun.

We can do the same thing with what we call a "prepositional phrase," or a description that begins with *de.*

¿Qué haces, **la tarea de matemáticas** o **la de ciencias?**

¿Necesitas marcadores para **la clase de inglés** o para **la de arte?**

9 Con un(a) compañero(a), pregunta y contesta. En vez de *(instead of)* repetir el sustantivo, usa el adjetivo como sustantivo.

a. ¿Prefieres los muebles modernos o los muebles antiguos?
b. En tu baño, ¿tienes un espejo redondo o un espejo cuadrado?
c. En tu sala, ¿hay un sofá incómodo o un sofá cómodo?
d. ¿Prefieres un escritorio de madera o un escritorio de metal?
e. ¿Vives en una casa grande o en una casa pequeña?
f. ¿Te gustaría una silla roja o una silla azul?

Ahora, escribe tres preguntas semejantes *(similar)* que puedes preguntarle a tu compañero(a).

Ahora lo sabes

Can you:

▶ recommend a way to maintain good health?
—Debes dormir más. Estás enfermo porque no ____ bien.

▶ say that a part of the body hurts?
—____ María ____ la mano derecha.

▶ tell how long something has been going on?
—____ tres días ____ Rafael tiene un resfriado.

▶ avoid repeating a noun?
—¿Te duele el oído derecho o ____?

MORE PRACTICE

Más práctica y tarea, pp. 533–535
Practice Workbook 9–5, 9–9

TODO JUNTO

Actividades

1 Trae *(Bring)* a la sala de clases dos cosas iguales *(alike)* pero de color diferente; por ejemplo, una camisa roja y otra amarilla. Con un(a) compañero(a), inventa un diálogo con un(a) vendedor(a) *(salesperson)* y su cliente.

2 Cada estudiante debe escribir un problema de salud en una hoja de papel. El (La) profesor(a) recogerá *(will collect)* los papeles y le dará *(will give)* uno a cada estudiante. Ahora representa *(act out)* el problema que tú recibes. La clase debe identificar el problema y hacer una recomendación médica.

Conexiones

El arte

Las meninas

En 1656, Diego Velázquez, un artista de la corte del Rey Felipe IV, pintó *Las meninas*. Trescientos un años después, Pablo Picasso creó su propia versión del cuadro famoso. Compara los cuadros. Menciona por lo menos:

- la infanta (princesa) Margarita, hija del rey, que está en el centro
- las meninas *(ladies-in-waiting)*, incluso la enana *(dwarf)*
- el artista
- el perro

Las meninas (1656), Diego Velázquez

Las meninas (1957), Pablo Picasso

¡Vamos a leer!

Antes de leer

STRATEGY ➤ **Using prior knowledge**

Look at the pictures. What do you think this article will be about? In two or three sentences, try to summarize what you know about the topic. What new information do you think you might find out?

Mira la lectura

STRATEGY ➤ **Using titles and photos to predict**

Find the title and the name of the section in the magazine where it appears. Look at the photo and the caption, and read the boldface headings. What cause of headaches do you think will be discussed?

TU SALUD

CAUSAS DEL DOLOR DE CABEZA

El dolor de cabeza tiene diferentes causas. La mala postura puede ser una de ellas. Diversos doctores y terapistas han hablado sobre la importancia de comprobar la postura de nuestro cuerpo cada vez que nos sentamos. Para eso, hay que considerar varios aspectos:

- **Los pies** deben apoyarse totalmente sobre el suelo mientras estamos sentados.

- **La espalda baja** debe apoyarse contra el respaldo de la silla.

- **La cabeza** debe estar colocada correctamente sobre los hombros.

- **Los hombros** no deben estar tensos.

Sin duda, una buena postura puede evitar que nos duela la espalda, el cuello, los hombros y, por supuesto, la cabeza.

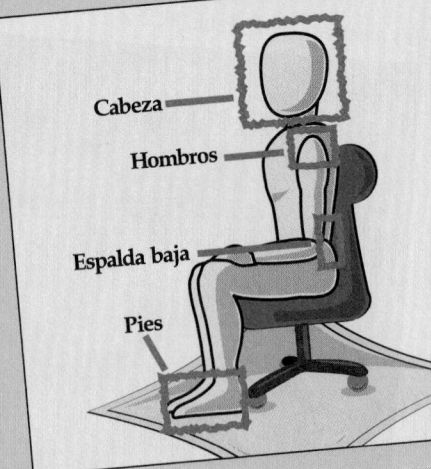

Siéntate derecho y di adiós al dolor de cabeza.

Infórmate

STRATEGY ➤ **Coping with unknown words**

Remember that you should keep reading when you come across an unknown word. You may find that you do not need to know its meaning, that you can use the surrounding words to figure it out, or that you may have to look it up or ask someone the meaning.

1 Read the entire article several times, without stopping to puzzle over words you do not know. What general body behavior does the author recommend to avoid headaches?

2 Now read the article carefully, paying attention to words you don't know. Can you identify instances where the exact meaning of unknown words isn't important for getting the gist of the sentence?

Use context clues and the diagram to figure out the meaning of each underlined word.

hombros . . . estar <u>tensos</u>

pies . . . sobre *(on)* el <u>suelo</u>

cabeza . . . está <u>colocada</u> . . . sobre <u>los hombros</u>

Aplicación

Look at yourself and your classmates right now. Are you following the article's recommendations? If not, try doing the four things that the author advises. Do they feel comfortable or uncomfortable, natural or unnatural? Evaluate the article's recommendations on a scale of 1 to 5 (1 = not at all useful; 5 = extremely useful).

Para no tener dolor de cabeza, visita al dentista regularmente

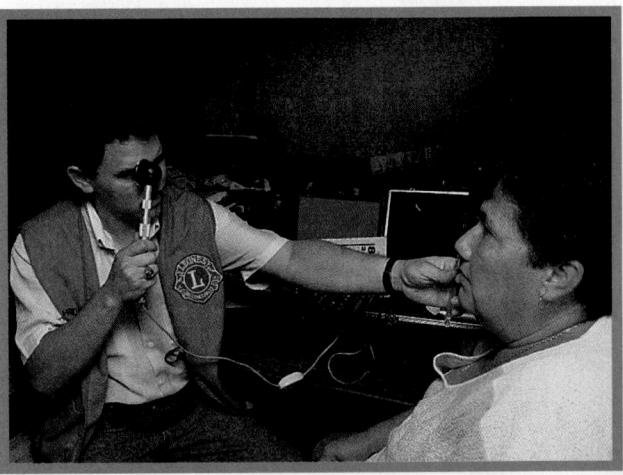

Un examen de la vista en Nueva Suyapa, Honduras

¡**V**amos a escribir!

Cartel en una clínica rural ▶
cerca de Torreón, México

Make a poster in Spanish that might be displayed in a nurse's office or other medical facility. The poster should give information about how to prevent illness or how to take care of yourself when you are sick.

1 First, decide on your theme. Do you want to give suggestions for staying healthy *(Ideas para mantener la salud),* such as eating healthful foods, exercising, and getting enough sleep? Or do you want to make suggestions for someone who isn't feeling well *(Ideas para sentirte mejor),* such as staying in bed, drinking a lot of water, and resting?

2 Write the suggestions that you will put on your poster. You may want to use the verbs *debes* or *necesitas.*

3 Show the text of your poster to a partner. Then revise and edit it. Recopy the corrected sentences on your poster. You may want to add a drawing or a picture from a magazine to illustrate your suggestions.

4 Now you are ready to share your work. Here are some ways you can do this:

- Display your posters in the classroom, the hallway, or the nurse's office.
- With your teacher's help, organize a school health fair, and make your posters the main display.
- With your teacher's help, find out if some nearby elementary school or health facility would like to display your posters.

MUJER

SI PIENSAS TENER UN HIJO, PROTÉGELO.
VACÚNATE CONTRA EL TÉTANOS.

ACUDE A TU CENTRO DE SALUD

CONSEJO NACIONAL
DE VACUNACION

This section will help you organize your studying for the proficiency test, where you will be asked to do similar, though not identical, tasks. There will not be any models on the test.

► Listening

Can you understand this telephone conversation between Justino and his boss, Señor Donoso? Listen as your teacher reads a sample similar to what you will hear on the test. How is Justino feeling? Mention at least two problems he has. What does his boss suggest?

► Reading

Can you read the label on this prescription bottle and use cognates, context, or any other strategy to understand the gist of it? What is the prescription for? Should this medicine be taken on an empty stomach?

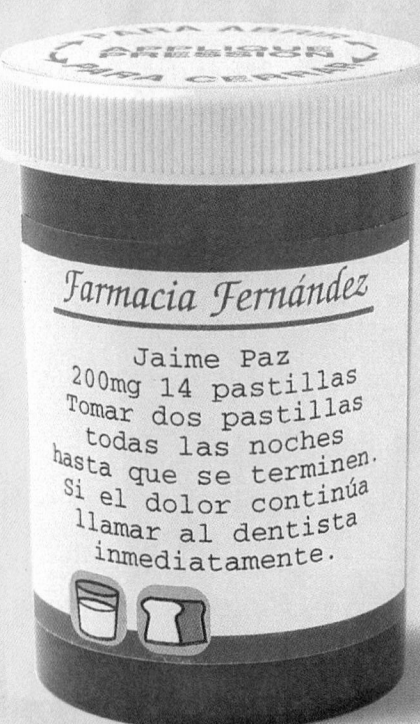

► Writing

Can you write a letter to a friend explaining how you are feeling after an accident you have just had? Here is a sample:

> Querida María Marta:
>
> Hace una semana que estoy en la cama. Me lastimé la pierna derecha, los brazos y la espalda. Me siento muy mal. Todavía me duelen mucho los brazos. Pero creo que voy a estar mejor en unos días y voy a poder ir a la escuela.
>
> Tu amiga,
> Maribel

► Culture

Can you explain some options for what you could do if you had a stomachache while visiting México?

► Speaking

Can you work with a partner to play the roles of a doctor and a patient? Here is a sample dialogue:

A —*Doctor, me siento muy mal. Me duele mucho el estómago.*

B —*¿Cuánto tiempo hace que te duele el estómago?*

A —*Hace sólo unas horas, doctor.*

B —*Pues, creo que comes mucho. Pero, ahora debes ir a tu casa, quedarte en la cama y no comer nada esta noche.*

Self Test www.pasoapaso.com

Use the vocabulary from this chapter to help you:

► describe how you are feeling

► tell what parts of your body hurt

► suggest things you or others can do to feel better

to name parts of the body
la boca
el brazo
la cabeza
el cuello
el cuerpo
el dedo
el dedo del pie
derecho, -a
la espalda
el estómago
la garganta
izquierdo, -a
la mano (f.)
la nariz
el oído
el ojo
el pie
la pierna

**to ask how someone
is feeling**
¿Cómo te sientes?
¿Qué pasa?
¿Qué te duele?
¿Qué tienes?

**to describe how someone
is feeling**
¡Ay!
el dolor
doler (o → ue)
(A mí / ti) me / te duele(n) ___.

(No me duele) nada.
la fiebre
Me siento bien / mal.
Tengo dolor de cabeza.
     estómago.
     garganta.
     muelas.
     oído.
Tengo calor.
   fiebre.
   frío.
   gripe.
   sueño.
   un resfriado.
(Yo) me lastimé ___.
mejor
peor
terrible

**to name places to go or
things to do when you
are sick**
la clínica
la enfermería
el hospital
Debo quedarme en la cama.
Debes quedarte en la cama.
llamar
tomar

**to name ways to maintain
good health**
dormir (o → ue)
hacer ejercicio

to name medical professions
el / la dentista
el médico, la médica

**to indicate how long
something has been going on**
¿Cuánto (tiempo) hace que
  ___?
Hace + *time expression* + que
  ___.
ahora
todavía
ya no

**to express and ask
for an opinion**
(Yo) creo que ___.
¿no?

VISIT
www.pasoapaso.com

CAPÍTULO 10
¿Qué hiciste ayer?

Objectives

At the end of this chapter you will be able to:

► name various places in your community

► name activities or errands you do

► identify different means of transportation available in your area

► compare and contrast a Hispanic community with a community you are familiar with

PASO CULTURAL

Mexico City's *Plaza de la Constitución,* also known as *el Zócalo,* is one of the world's largest plazas. It was paved by Hernán Cortés in the 1520s with stones from the rubble of the great temples and palaces of the Aztecs. This cathedral, modeled on those in the Spanish cities of Toledo and Granada, was begun in 1525 and completed in 1813. Why do you suppose the Spanish built their house of worship on the site of and with materials from the Aztec temples?

La catedral en el Zócalo en la Ciudad de México

313

¡Piensa en la CULTURA!

Places to go and things to do in the Dominican Republic, Mexico, and Argentina

Look at the pictures and read the captions.

Think about the many different errands and activities you normally do in your community. Which of the activities in these photos have you done most recently? When?

PASO CULTURAL

Baseball is a year-round sport in the Caribbean. The Dominican Republic, Puerto Rico, Mexico, and Venezuela all have winter leagues, in which many U.S. major league baseball stars play. In February, professional teams from these countries and Cuba compete in *la Serie del Caribe,* the winter season championship. Many Caribbean players play or have played in the U.S. majors. Can you name three, present or past, who have had outstanding careers?

San Pedro de Macorís, República Dominicana

"Yo fui a ver un partido de béisbol."
What do you suppose *un partido* means?

"Fui a la librería para comprar un libro sobre la historia de México."

Librería is a false cognate. Based on the photograph, what do you suppose it means?

Mérida, México

"Fuimos al Centro Cívico y después al Museo de La Patagonia."

San Carlos de Bariloche, Argentina

PASO CULTURAL

Located at the foot of the Andes near the Chilean border, San Carlos de Bariloche is one of Argentina's most popular winter resort towns. Its steep streets and stone and wood chalets have earned it the name, "the Switzerland of South America." The clock tower in the town's *Centro Cívico* is a popular attraction at noon, when four wooden figures emerge and move in rotation. The figures represent the four groups of people who have inhabited and shaped the region's history: indigenous, conquistador, colonial, and missionary. What groups of people have lived in your area? What impact did they have on regional history?

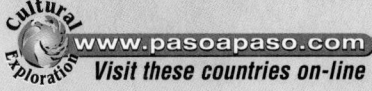

Cultural Exploration www.pasoapaso.com
Visit these countries on-line

Vocabulario para conversar

¿Adónde vas?

Aquí tienes palabras y expresiones necesarias para hablar de las cosas que puedes hacer en tu comunidad. Léelas varias veces y practícalas con un(a) compañero(a) en las páginas siguientes.

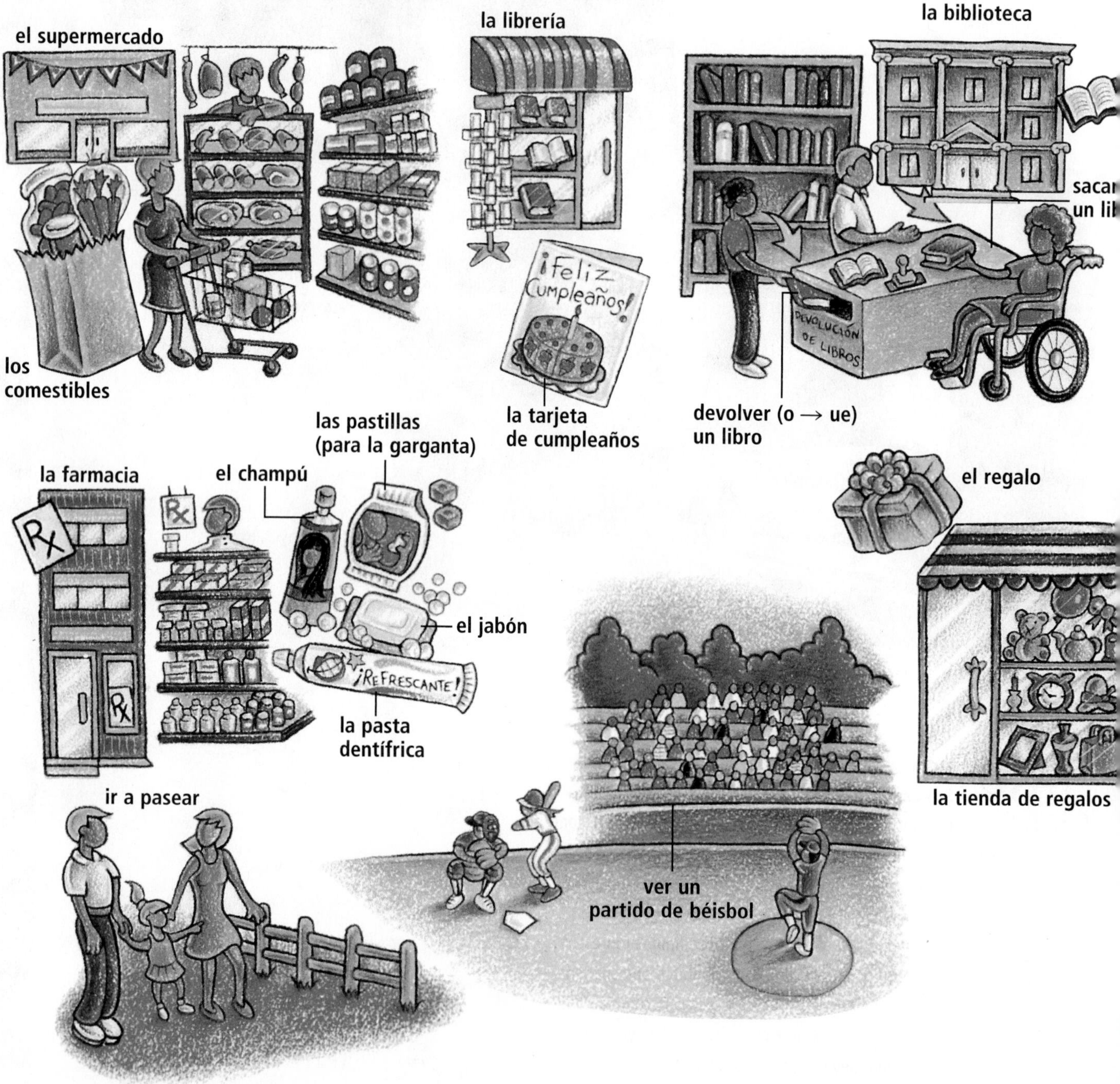

el supermercado

la librería

la biblioteca

sacar un libro

los comestibles

¡Feliz Cumpleaños!

la tarjeta de cumpleaños

devolver (o → ue) un libro

la farmacia

el champú

las pastillas (para la garganta)

el jabón

el regalo

¡REFRESCANTE!

la pasta dentífrica

la tienda de regalos

ir a pasear

ver un partido de béisbol

el sello

la tarjeta postal

la carta

enviar una carta

el correo

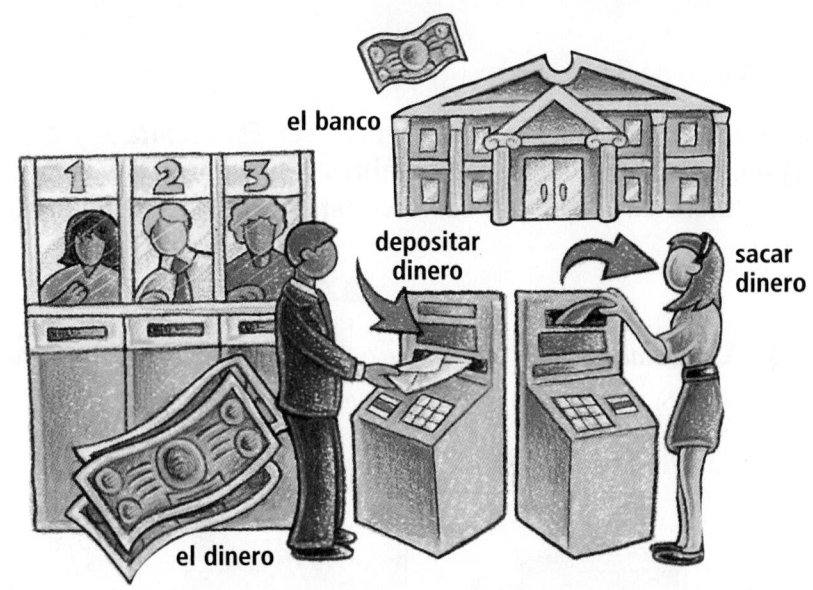

el banco

depositar dinero

sacar dinero

el dinero

200	doscientos*	700	setecientos
300	trescientos	800	ochocientos
400	cuatrocientos	900	novecientos
500	quinientos	1000	mil
600	seiscientos		

También necesitas...

abrir	*to open*	anoche	*last night*
cerrar (e → ie)	*to close*	ayer	*yesterday*
llegar	*to arrive, to get to*	luego	*afterward, later, then*
devolver:	*to return (an object):*	temprano	*early*
(yo) devolví	*I returned*	tarde†	*late*
(tú) devolviste	*you returned*	ya	*already*
enviar: (yo) envié	*to send: I sent*	(Yo) no lo sabía.	*I didn't know that.*
hacer:	*to do, to make:*	si	*if, whether*
(yo) hice	*I did / made*		
(tú) hiciste	*you did / made*		
sacar: (yo) saqué	*to take out: I took out*		
ver: (yo) vi	*to see: I saw*		
(tú) viste	*you saw*		

¿Y qué quiere decir . . . ?

¿Me compras ___?
(yo) deposité

* Note that when a number ending in *-ientos* is followed by a feminine noun, we use *-ientas* instead: *doscientas personas, trescientas cincuenta cartas.*
†Remember that *la tarde* means "afternoon" or "evening."

Empecemos a conversar

Túrnate con un(a) compañero(a) para ser *Estudiante A* y *Estudiante B*. Reemplacen las palabras subrayadas con palabras representadas o escritas en los recuadros. 💡 quiere decir que puedes escoger *(choose)* tu propia respuesta.

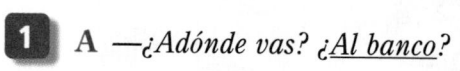  

1 A —*¿Adónde vas? ¿Al banco?*

B —*Sí, y luego tengo que ir al parque.*

Estudiante A

a.
b.
c.
d.
e.

Estudiante B

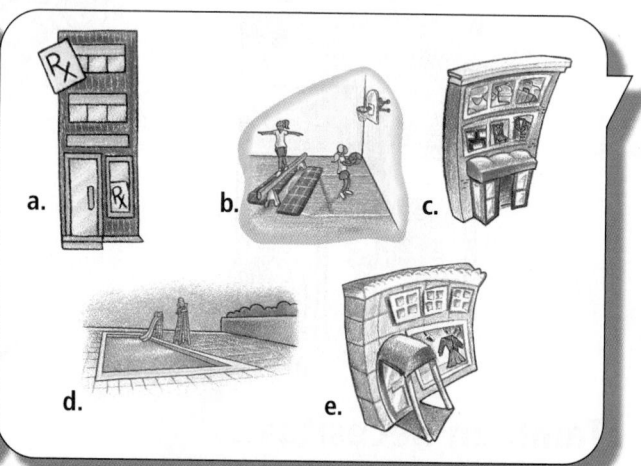

a.
b.
c.
d.
e.

---

2 A —*Si vas a la farmacia, ¿me compras pastillas para la garganta?*

B —*Pero ya las compré ayer.*

A —*¡Ah! No lo sabía.*

Estudiante A

a.
b.
c.
d.
e.

Estudiante B

3

A —¿Qué hiciste ayer? ¿Fuiste _al banco_?

B —Sí, fui y _saqué (deposité) dinero (doscientos dólares)_.
   o: No, fui _al parque de diversiones_.

Estudiante A   **Estudiante B**

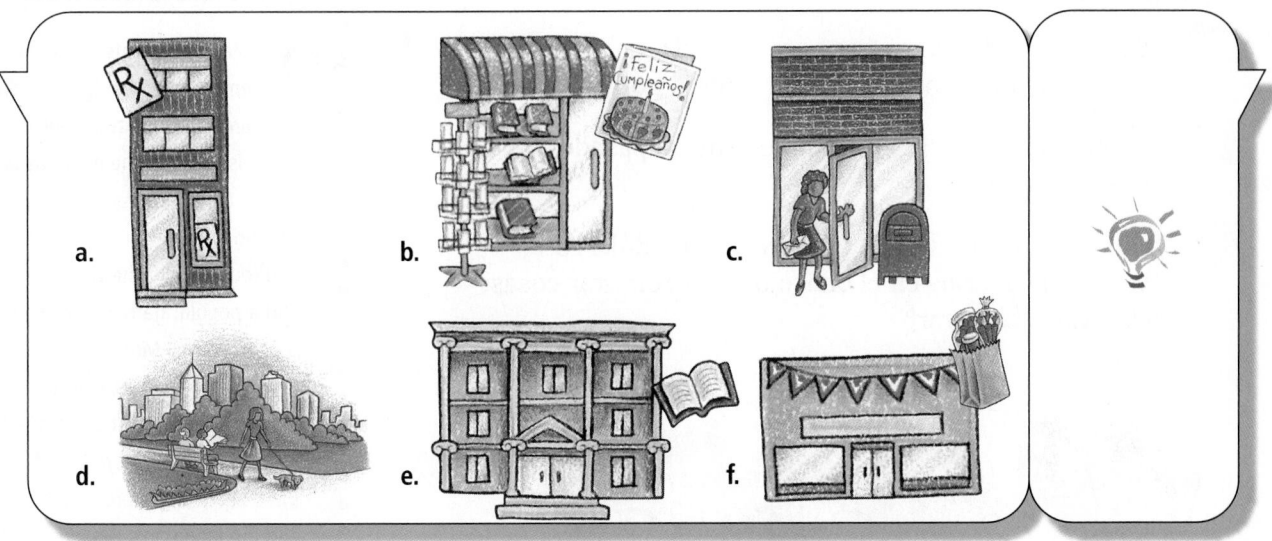

a.   b.   c.

d.   e.   f.

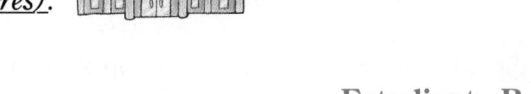

4

A —¿_La biblioteca_ abre tarde los sábados?

B —_Sí, abre a las diez y cierra temprano por la noche_.
   o: No, abre temprano y cierra temprano por la tarde.

Estudiante A   **Estudiante B**

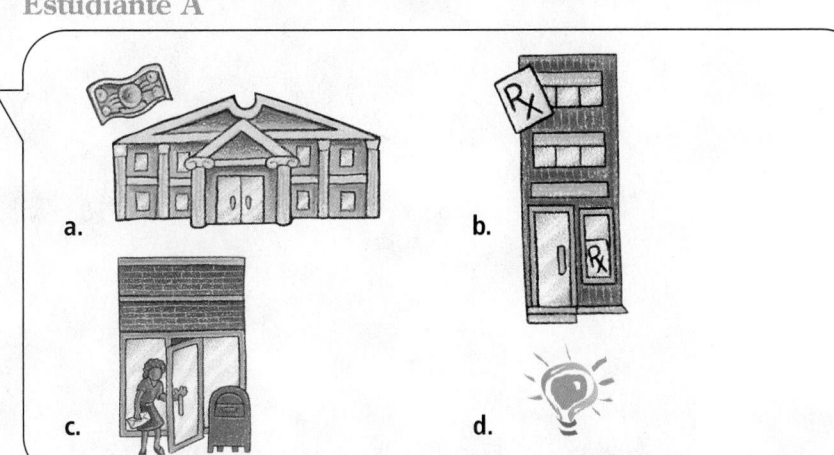

a.   b.

c.   d.

Empecemos a escribir

Escribe tus respuestas en español.

5 ¿Prefieres llegar tarde o temprano a una fiesta? ¿A un partido? ¿Al cine?

6 ¿Ya hiciste todas las tareas para hoy? ¿Las hiciste anoche? Generalmente, ¿las haces por la tarde o por la noche?

7 ¿Adónde fuiste ayer? ¿Y el fin de semana pasado? ¿A quién viste?

8 ¿Qué vas a hacer si recibes *(receive)* mil dólares? ¿Vas a depositarlos en el banco o vas a comprar cosas? ¿Qué vas a comprar?

si recibo $1000...

PASO CULTURAL

Madrid's streets are rarely empty, even at night. Landmarks and cultural attractions fill up with visitors into the night, as do stores, cafés, and *tapas* restaurants. The eighteenth-century Cibeles statue and fountain are the city's symbol and a popular gathering place for special events. Most major cities have landmarks—statues, city squares, buildings, or other structures—that have become their symbols. Name three cities anywhere in the world and the landmarks that you associate with them.

La Plaza de la Cibeles en Madrid

MORE PRACTICE

Más práctica y tarea, p. 535
Practice Workbook 10–1, 10–2

Delante del Palacio de Comunicaciones, el correo central de Madrid

La estación de trenes Atocha, en Madrid

la estampilla
el timbre

la postal

el hipermercado

los correos
la oficina de correos

la botica
la droguería

Vocabulario para conversar

¿Dónde queda el banco?

At Home VIDEO Chapter 10 Vocabulary

Aquí tienes el resto del vocabulario necesario para hablar de tu comunidad.

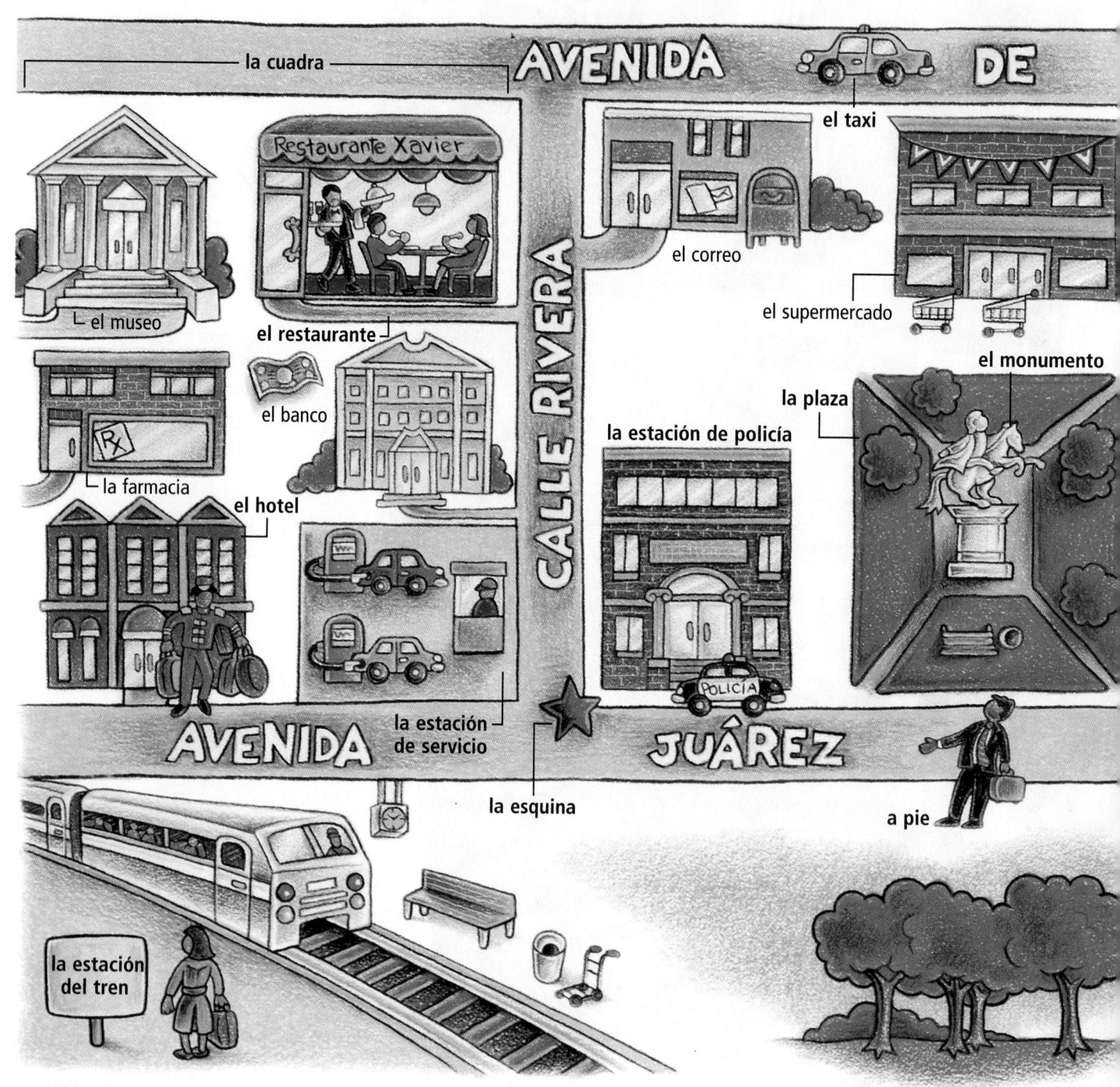

la cuadra
AVENIDA
DE
el taxi
Restaurante Xavier
el correo
el supermercado
el museo
el restaurante
el monumento
la plaza
el banco
la estación de policía
la farmacia
el hotel
la estación de servicio
la esquina
CALLE RIVERA
AVENIDA
JUÁREZ
a pie
la estación del tren

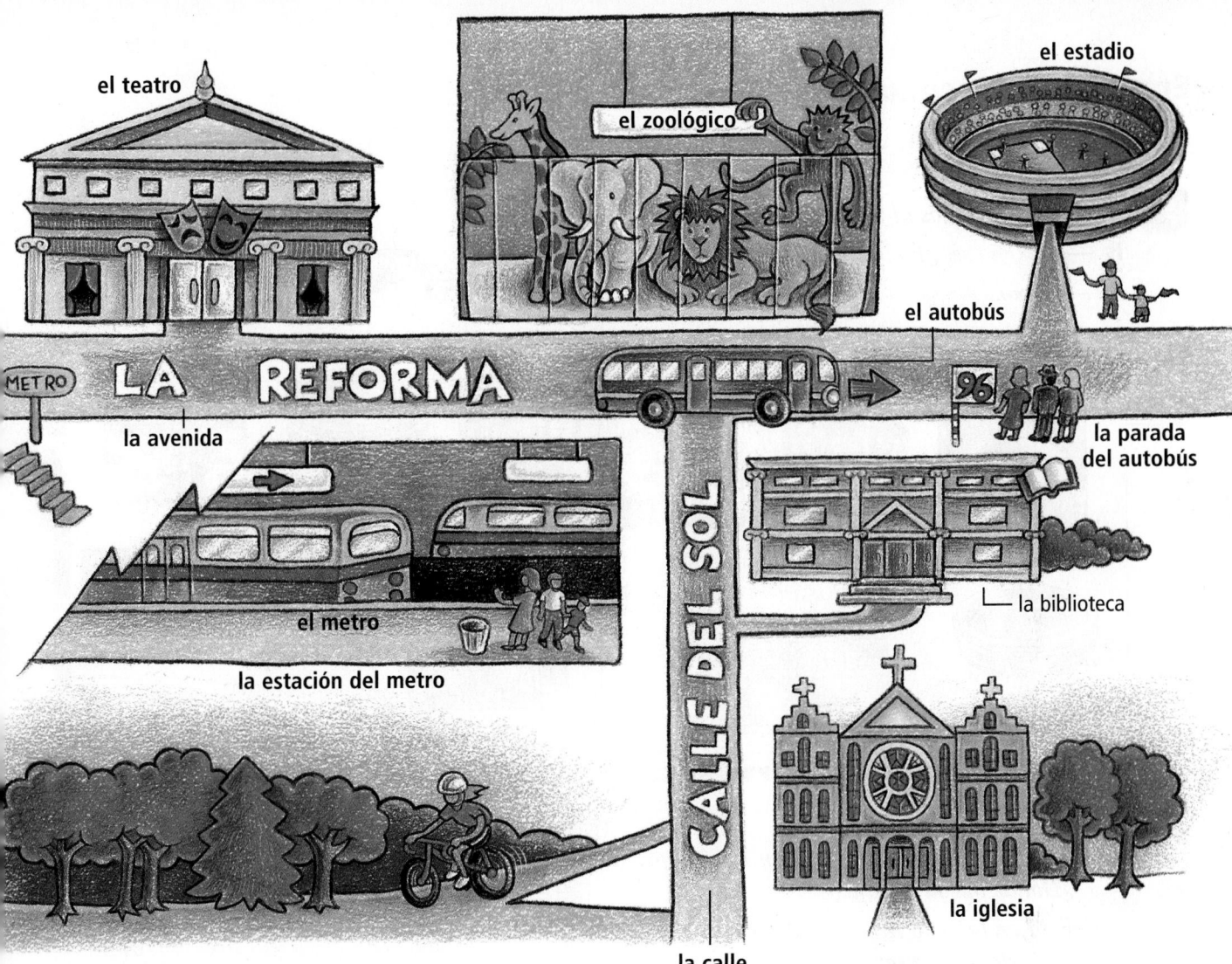

el teatro

el zoológico

el estadio

el autobús

la avenida

LA REFORMA

METRO

la parada del autobús

la biblioteca

CALLE DEL SOL

el metro

la estación del metro

la iglesia

la calle

También necesitas...

trabajar	*to work*	enfrente (de)	*facing, opposite, in front (of)*
¿A cuántas cuadras (de ___)?	*How many blocks (from ___)?*	entre	*between, among*
A (cinco) cuadras (de ___).	*(Five) blocks (from ___).*	en + *vehicle*	*by* + vehicle
queda(n)	*is (are) located*	Bueno	here: *OK, fine, all right*
a la derecha (de)	*to the right (of)*		
a la izquierda (de)	*to the left (of)*		

¿Y qué quiere decir...?
la comunidad
el templo
(Yo) no sé.

al lado (de)	*next to, beside*
detrás (de)	*behind*

Empecemos a conversar

Para los ejercicios 10–11, usa el mapa en las páginas 322–323.

Para los ejercicios 10–11, usa el mapa en las páginas 322–323.

9
A —¿Cómo vamos _al teatro_?
B —Pues, no sé. ¿Por qué no vamos _en coche_?
A —Bueno.

Estudiante A   **Estudiante B**

a. b. c. d. e.

10
A —Perdón, señora (señor / joven / señorita).
¿Dónde queda _el banco_?
B —Está en la _calle Rivera, entre el restaurante y la estación de servicio_.

Estudiante A   **Estudiante B**

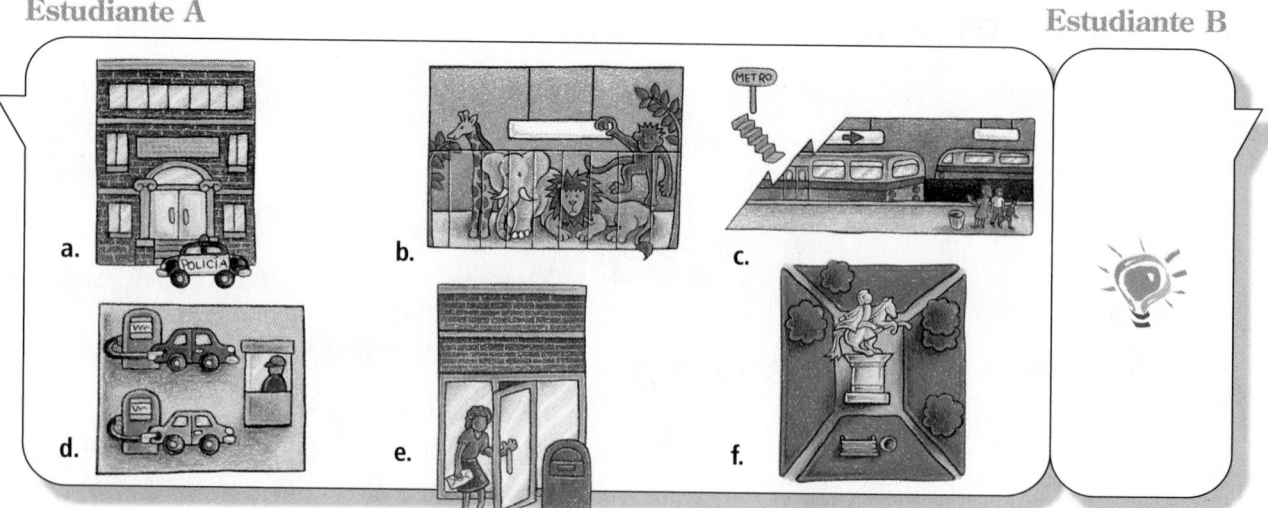

a. b. c. d. e. f.

11 A —¿Qué hay _cerca de la biblioteca_?
B —A ver . . . está _la iglesia_.

cerca de

Estudiante A

Estudiante B

a. al lado del

b. detrás de la

c. enfrente de la

d. a la izquierda del

e. a la derecha del

Empecemos a escribir y a leer

Escribe tus respuestas en español.

12 ¿Qué hay en tu comunidad? Por ejemplo:

En mi comunidad hay un monumento en una plaza, un templo, una iglesia, dos bancos, . . .

13 ¿Dónde trabajan tus padres? ¿Trabajan en tu comunidad o en otra comunidad? ¿Y los padres de tu compañero(a)?

14 ¿Dónde queda la estación de policía de tu comunidad? ¿Queda cerca o lejos de tu casa? ¿A cuántas cuadras?

15 Lee la carta y luego cambia _(change)_ las palabras _(words)_ o frases que no tienen sentido _(make sense)_.

> Querida mamá:
>
> Ayer estuve muy ocupada todo el día. Primero fui al correo y compré unas pastillas para la garganta. Luego fui al teatro y vi un partido de vóleibol. Por la tarde fui al supermercado, donde compré unas tarjetas postales deliciosas. Luego, fui al zoológico para comprar zapatos nuevos. Hoy tengo que ir a la biblioteca porque necesito comprar un regalo para papá.
>
> Tu hija,
> Teresa

También se dice...

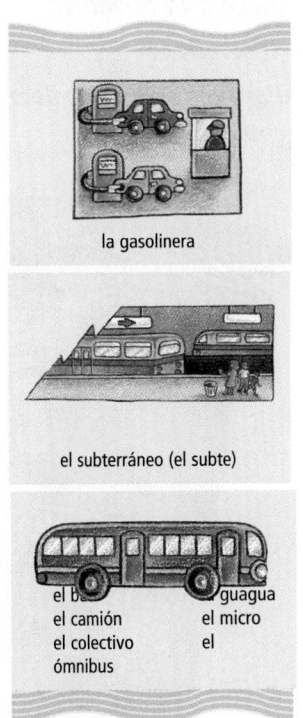

la gasolinera

el subterráneo (el subte)

el ba_____ _____guagua
el camión   el micro
el colectivo el
ómnibus

www.pasoapaso.com

MORE PRACTICE

Más práctica y tarea, p. 536
Practice Workbook 10–3, 10–5

1

Con un(a) compañero(a), imagina que tienes muchos quehaceres hoy. Por ejemplo:

A —¿Adónde vas?

B —*Primero tengo que ir a la biblioteca y luego a la farmacia.*

A —*¿Por qué?*

B —*Porque quiero devolver un libro y comprar champú.*

2

Averigua cuatro cosas que tu compañero(a) hizo ayer. Usa expresiones de la lista.

A —*¿Fuiste al gimnasio ayer?*

B —*Sí, fui al gimnasio para jugar básquetbol.*
o: *No, no fui al gimnasio.*

ir a la (al) ___   hacer ejercicio
ver la tele   ir de compras
ver un partido de ___   comprar algo
escuchar ___   comprar algo en
hacer la tarea de ___   el supermercado

QUEMOS!

Plaza Morazán en Tegucigalpa (1969), José Antonio Velásquez

PASO CULTURAL

Plaza Morazán is the main square in Honduras's capital, Tegucigalpa. It is named after the great national hero, Francisco Morazán (1792–1842), whose statue appears in this painting. An able, progressive leader, Morazán tried unsuccessfully to bring under one government the area that today includes the countries of Guatemala, El Salvador, Honduras, Nicaragua, and Costa Rica. What do you see in this plaza that is similar to what you might expect to see in a public square in the U.S.?

¿Qué sabes ahora?

Can you:

► name places in your community
—En mi comunidad hay ___.

► ask about and give the location of a place?
—¿Dónde ___ la estación de policía?
—Está ___ la librería.

► tell where you go to run errands?
—Voy ___ para enviar unas cartas.

Los padres van a visitar tu escuela esta noche y tú tienes que trabajar de guía *(guide)*. Con un(a) compañero(a), ayuda a los padres a llegar a los lugares correctos.

A —¿Quién es tu profesor(a) de ___?
B —Es el señor / la señora ___.
A —¿Dónde queda su sala de clases?
B —Queda cerca de ___. Es la sala número ___.

Perspectiva cultural

Las comunidades hispanas en los Estados Unidos

En esta ciudad hay muchos productos hispanos y servicios en español.

Do you think these photographs were taken in the United States? Why do you think so? Looking at the signs, which language do you think predominates? Why? What do the signs tell you about the community and the people who live there?

Yrma is fourteen and lives in Chicago with her family. When she wants to see a Spanish-language movie at a local theater, she can find the information she needs in any of several Spanish-language papers published in the city. These are the papers that almost one million Hispanic residents in Chicago can read to keep informed, look for a job, or find weekly sales on groceries.

Yrma's neighborhood is called Pilsen. It's one of several large Hispanic communities in Chicago. Most residents of Pilsen are Mexican American. The Pilsen community offers its residents and the rest of the city a large variety of products and services. Within walking distance of Yrma's home, you can find several small tortilla factories; offices of bilingual doctors, lawyers, and dentists; grocery stores with products from the United States and Mexico; bookstores and record stores with Spanish-language titles; restaurants; and several travel agencies.

www.pasoapaso.com

Tienda de productos latinoamericanos en Nueva Jersey

A few blocks from Yrma's home is the Mexican Fine Arts Center Museum, where works by Mexican and Mexican American artists are always on view.

People from other areas of Chicago come to Pilsen looking for the special products and services it offers. Where else would you buy the freshest tortillas in town? Or the latest pop hits from Mexico?

Yrma's neighborhood is a good example of how the many Hispanic communities throughout the United States provide unique goods and services to the entire population of the city. Pilsen is part of the diverse mosaic of cultures that make the United States a multicultural society.

Cultural Activity
www.pasoapaso.com

La cultura desde tu perspectiva

1 How is Pilsen similar to your own community?

2 Are there communities in your city where the primary language is something other than English? Have you visited them? What products and services do they provide?

Del Centro Museo de Bellas Artes Mexicanas en Chicago: tapiz de madera hecho por una joven mexicana; árbol de la vida en la tienda de regalos.

Gramática en contexto

Read this story about a reporter and some visiting aliens.

Hoy dos individuos muy extraños llegaron a nuestra ciudad. Creemos que son agentes secretos de otro planeta.

Los dos agentes fueron a diferentes partes de la ciudad. Uno de ellos fue a ver un desfile y sacó fotos.

El otro agente fue al estadio a escuchar un concierto del grupo Los Tigres. El agente escuchó la música rock y grabó el concierto. También habló con varias personas.

Creemos que los agentes llevaron las fotos y otras cosas a su nave espacial y las enviaron a su líder.

No sabemos dónde están en este momento, pero creemos que los agentes ya regresaron a su planeta.

A In the story, the verb forms *llegaron, llevaron, enviaron,* and *regresaron* are used. What do you think they mean? (Remember you already know the meaning of *llegar, llevar, enviar,* and *regresar.*)

B The verbs *escuchó* and *habló* are used to talk about what one of the secret agents did. Can you figure out what these words mean?

C In the second paragraph, find two verb forms that tell where both secret agents went and then where one secret agent went.

La preposición *de + el*

When we use the preposition *a + el*, we form the contraction *al.* In the same way, when we use the preposition *de + el*, we form the contraction *del* ("of the," "from the").

Luisa está enfrente **del** cine.

1 Mira el mapa de abajo. Imagina que buscas varios lugares y tu compañero(a) es un(a) agente de policía. Pregunta y contesta según *(according to)* el modelo. Puedes usar las palabras *(words)* de la lista a la derecha.

A —*¿Dónde está la farmacia? ¿Queda lejos?*

B —*No, no queda lejos. Está al lado del hotel.*

A —*¿A cuántas cuadras de aquí?*

B —*Pues, queda a una (dos) cuadra(s) de aquí.*

cerca (de)

lejos (de)

a la izquierda (de)

a la derecha (de)

detrás (de)

enfrente (de)

al lado (de)

entre

El pretérito de los verbos que terminan en -ar

Up to now you have seen verbs in the present tense and a few in the past tense. This past tense is called the preterite. Here are all the forms of *comprar* in the preterite.

(yo)	compr**é**	(nosotros) (nosotras)	compr**amos**
(tú)	compr**aste**	(vosotros) (vosotras)	compr**asteis**
Ud. (él) (ella)	compr**ó**	Uds. (ellos) (ellas)	compr**aron**

- You have already learned that the verb endings tell you who does an action. They also tell you when an action is done (in the present, in the past, or in the future). In the same way that *-o, -as, -a, -amos, -áis, -an* tell you that the action takes place in the present, *-é, -aste, -ó, -amos, -asteis, -aron,* tell you that the action took place in the past.

- Notice the accent marks on the endings *-é* and *-ó*. Also notice that the *nosotros* form is the same in the present tense and the preterite.

- Verbs whose infinitive ends in *-gar,* like *pagar, jugar,* and *llegar,* end in *-gué* in the *yo* form of the preterite. For example:

  Lle**gué** al teatro a las ocho. ¿Cuándo lle**gaste** tú?

- Verbs whose infinitive ends in *-car,* like *buscar, tocar,* and *sacar,* end in *-qué* in the *yo* form of the preterite. For example:

  Sa**qué** dos libros de la biblioteca. ¿Cuántos sa**caste** tú?

- Verbs that have a stem change in the present do *not* have a stem change in the preterite. For example:

  Generalmente el museo **cierra** a las cinco.
  Anoche **cerró** a las nueve.

PASO CULTURAL Mexico City's reliable and inexpensive *metro* serves five million passengers a day. Many stops, like this one, feature murals on Mexican culture and history. Others, like the Pino Suárez stop, display archaeological treasures unearthed at that location as the *metro* was being built. What is the mass transportation system like in the largest city in your state? Are there cultural attractions in the stations?

La estación del metro Universidad, Ciudad de México

2 Con un(a) compañero(a), decide cuál es el infinitivo de estos verbos.

a. busqué   c. llegué   e. toqué   g. saqué

b. practiqué   d. pagué   f. jugué   h. apagué

3 Dile a tu compañero(a) cuáles de estas formas se pueden usar con la expresión *anoche,* cuáles se pueden usar con la expresión *los lunes* y cuáles se pueden usar con las dos. Después, haz frases usando seis de estas formas.

a. deposité
b. cerraste
c. cierras

d. pensaron
e. cortan
f. compras

g. estudiamos
h. cerré
i. llego

j. sacó
k. enviamos
l. trabajan

Cádiz, España

4 Los empleados de este banco tienen que llegar a las 9:00 de la mañana. ¿A qué hora llegaron ayer?

A —¿A qué hora llegó Carlos al banco?

B —*Llegó muy tarde: a las nueve y veinticinco.*

 Carlos

a. Alejandro y Carmen

b. Catalina

c. Agustín

d. Soledad y Victoria

e. tú

f.

5 Dile a tu compañero(a) a qué hora llegaste a estos lugares ayer o el viernes pasado. Dile también si llegaste temprano o tarde.

- a la escuela
- a la clase de español
- a casa después de las clases

Una estación del metro en Caracas, Venezuela

6 Escoge *(choose)* cinco de las actividades y di cuándo las hiciste la última vez *(last time)*. Tu compañero(a) va a preguntar con quién las hiciste.

¡NO OLVIDES!

You know how to use *hace* + time expression to say "ago."

A —*Hace dos días que escuché música.*

B —*¿Con quién escuchaste música?*

A —*Con mi amiga Isabel.*
  o: *Lo hice solo(a).*

7 Piensa en cuatro personas de tu clase y escribe sus nombres en una hoja de papel. Luego escribe las actividades del Ejercicio 6 que piensas que ellos hicieron y cuándo. Por ejemplo:

¿Quién?	¿Qué?	¿Cuándo?
Marcos	sacó fotos	el domingo pasado
Luz y Juana	esquiaron	ayer

Luego, hazles preguntas a esas personas para averiguar si tienes razón.

A —*Marcos, ¿sacaste fotos el domingo pasado?*

B —. . .

8 Escoge dos de las actividades del Ejercicio 6 y averigua si tu profesor(a) las hizo el fin de semana pasado.

El pretérito del verbo *ir*

You know that we use *fui* and *fuiste* to say that "I went" and "you went" somewhere. They are preterite-tense forms of *ir*. Here are all the forms of *ir* in the preterite.

(yo)	**fui**	(nosotros) (nosotras)	**fuimos**
(tú)	**fuiste**	(vosotros) (vosotras)	**fuisteis**
Ud. (él) (ella)	**fue**	Uds. (ellos) (ellas)	**fueron**

Notice that, unlike regular *-ar* verbs in the preterite, the forms of *ir* do not have accent marks.

Plano de los transportes del Centro de Madrid

9 Con un(a) compañero(a), di adónde y cómo fueron estas personas.

A —*¿Adónde fueron Federico y Esteban?*
B —*Fueron al centro comercial.*
A —*¿Cómo fueron?*
B —*En taxi.*

Federico y Esteban

a. Jorge

b. los Sánchez

c. Adela y Nicolás

d. la Sra. Ochoa

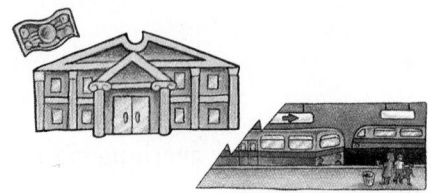

e. Pilar

f. tú y (nombre de un amigo)

10 Escoge la respuesta de la derecha que mejor responde a cada pregunta de la izquierda.

a. ¿Con quién fuiste al partido de fútbol?   Fuimos con Felipe.

b. ¿Con quién fueron Ana y tú al partido   Fue con Gloria.
de básquetbol?   Fueron con Gregorio.

c. ¿Con quién fue Nicolás?   Fui con mi hermano.

d. ¿Con quién fueron Jaime y Tomás al
partido de fútbol americano?

11 Di adónde fueron tú y otras personas, cuándo fueron y qué hicieron *(what you/they did)* allí. Usa verbos de la lista.

Mis amigos y yo fuimos al parque ayer y jugamos básquetbol.
a. mis amigos y yo
b. mis padres
c. yo
d. (nombre de un amigo)
e. (nombres de dos amigos)

arreglar	lavar
ayudar	limpiar
bucear	llamar
buscar	llegar
cerrar	llevar
cocinar	nadar
comprar	pagar
cortar	pasar
depositar	pasear
descansar	patinar
dibujar	pensar
empezar	practicar
enseñar	regresar
enviar	sacar
escuchar	terminar
esquiar	tocar
explorar	tomar
hablar	trabajar
jugar	visitar

Ahora lo sabes

Can you:

▶ indicate where one person or place is in relation to another?
—El restaurante está al lado ____ hotel. Está ____ la biblioteca.

▶ talk about an errand someone ran?
—Mi mamá ____ al banco para ____ dinero.

▶ tell where someone went?
—Anoche mis hermanos ____ a la farmacia y nosotros ____ al supermercado.

MORE PRACTICE

- Más práctica y tarea, pp. 536–538
- Practice Workbook 10–6, 10–9

TODO JUNTO

Actividades

La escuela de madera más antigua de los Estados Unidos, en San Agustín, Florida

1 En una hoja de papel, cada estudiante debe escribir tres cosas que él (ella) hizo el mes pasado. Por ejemplo:

Compré champú y pasta dentífrica.

Junten *(put together)* las hojas de papel. Luego deben sacar los papeles y preguntar quién hizo cada cosa.

¿Quién compró champú y pasta dentífrica?

¿Cuántas personas hicieron la misma *(same)* cosa? ¿Qué actividades hizo la mayoría de las personas?

2 En una tarjeta, escribe una frase sobre cuándo y adónde fueron de vacaciones tú y tu familia. (Si prefieres, puedes escoger un lugar que te gustaría visitar.)

Hace tres años que mi familia y yo fuimos a San Agustín, Florida.

Intercambia *(exchange)* tarjetas con tu compañero(a). En una hoja de papel, escribe cinco preguntas sobre lo que hicieron tu compañero(a) y su familia. Hazle las preguntas.

Después, di a un grupo de tres o cuatro estudiantes lo que hicieron tu compañero(a) y su familia cuando fueron de vacaciones.

La Casa González-Álvarez, la casa más antigua de San Agustín

Conexiones

La historia

¿Cuánto costó los Estados Unidos?

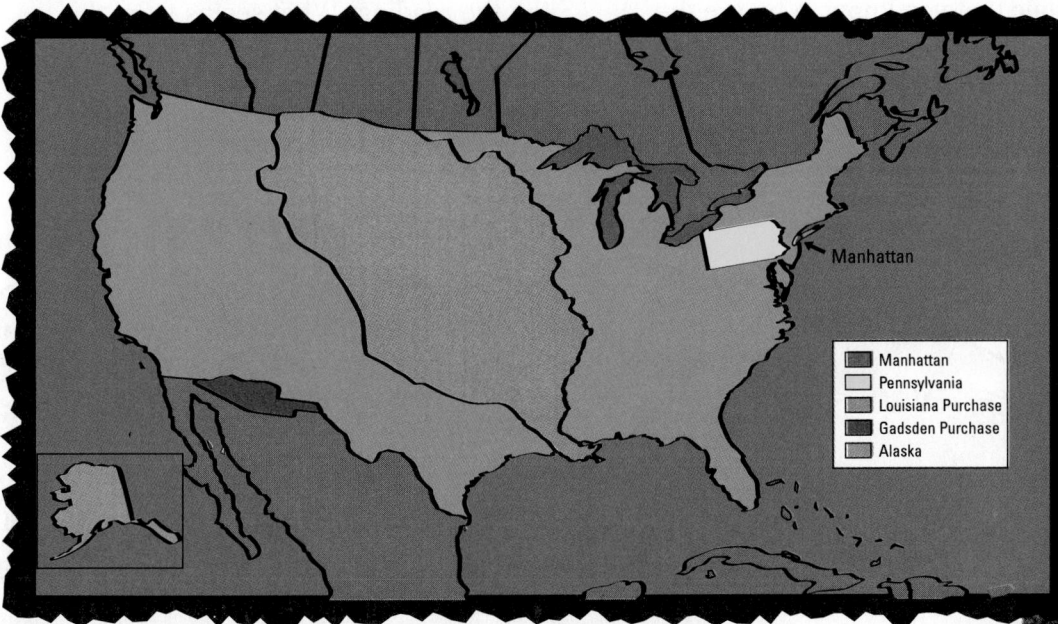

Manhattan

- Manhattan
- Pennsylvania
- Louisiana Purchase
- Gadsden Purchase
- Alaska

1626	Peter Minuit	la isla de Manhattan		$24
1682		Pennsylvania	indios Delaware	£1200 [1]
1803		Louisiana	franceses	$15.000.000 [2]
1853	James Gadsden	76.000 kilómetros cuadrados en dos estados		$10.000.000
1867	William Seward		rusos	$7.200.000

Con un(a) compañero(a), hagan los papeles *(play the roles)* de la gente que compra y vende en dos de las situaciones de la tabla. Usa el mapa y lo que sabes de la historia de los Estados Unidos para completar la información que falta *(that is missing)* en la tabla. Después, en un párrafo *(paragraph)*, describe una de las compras territoriales que hiciste.

[1] *Mil doscientas libras*
[2] We use *de* with *millón* or *millones* before a noun: *quince millones de dólares.*

¡Vamos a leer!

Cultural Activity www.pasoapaso.com

Antes de leer

STRATEGY ➤ **Using prior knowledge**

Think of a folktale that you know. Who are the characters? What problem do they have? How is it resolved? How are folktales different from other stories?

Mira la lectura

STRATEGY ➤ **Skimming**

Skim the reading. What seems to be the problem facing the Tolencianos?

EL PUEBLO DE TONTOS

Hay muchos tontos en la Tierra, pero en el pueblo de Tolencia todos son tontos. Un día don Hortensio Hortalecio, el alcalde de Tolencia, fue a su oficina y vio un hoyo enorme en el camino. "¿Qué pasa?" dijo don Hortensio. "¡Vamos a arreglar este hoyo ahora!"

Don Hortensio llamó a los tolencianos. "¡Tienen que arreglar el hoyo del camino!" Y lo arreglaron.

Después de trabajar don Hortensio fue a su casa. ¿Qué vio en el camino? ¡Otro hoyo! Llamó a los tolencianos y ellos arreglaron ese hoyo también.

Un día después don Hortensio salió de casa. ¿Qué vio delante de su puerta? ¡Sí! ¡OTRO HOYO! El alcalde llamó a los tolencianos y ellos arreglaron ese hoyo también. "¡Ya estamos cansados de arreglar hoyos!" dijeron. Pero esta cosa de los hoyos ocurría todos los días. Estaban enfrente de la

Infórmate

STRATEGIES> **Using the dictionary
Scanning**

In a dictionary, adjectives and nouns that have
masculine and feminine forms are listed under
the masculine singular form. Verbs are listed
in the infinitive form. Look up these words:
tontos, tierra, alcalde, hoyo, camino, cavaron,
and *llenaron.*

Now read the story thoroughly. How did
looking up the words help you?

1 How did the Tolencianos' problem worsen?

2 How was it solved?

3 Do you think the Tolencianos
learned from their mistake?

Aplicación

If you had written this folktale, how
would your ending have differed? Get
together with a partner and write your
own ending for this tale.

escuela, a la izquierda del
banco, a la derecha de la
biblioteca, ¡en todas partes!

¿Cómo arreglaron los
tolencianos los hoyos? Fueron
un poco lejos del hoyo y
cavaron tierra. Cavaron y
cavaron . . . ¡e hicieron otro
hoyo! Después llevaron la
tierra al primer hoyo y lo
llenaron con la tierra.

Bueno . . . la gente del otro
pueblo, al lado, vio los hoyos
y el trabajo tonto de los
tolencianos. Una noche esa
gente fue a Tolencia y llenó
los hoyos con cosas viejas:
guitarras, teléfonos, radios
y equipos de sonido . . . y un
niño los llenó con zanahorias
y guisantes. ¡Ya no había
más hoyos!

Esa mañana don Hortensio
Hortalecio salió de su casa.
¡Y no vio hoyos! Todos los
tolencianos y él estaban
muy contentos.

¡Vamos a escribir!

Every community has places or programs that depend on volunteers. Think about the programs in your community. What kinds of help do they need, and who can help? Make a poster that encourages people to volunteer. Follow these steps.

1 First, think about why community service is important. *(¿Por qué es importante trabajar como voluntario?)* List three reasons. Who can help? *(¿Quién puede ayudar?)*

2 Use your list and the answers to the questions to design your poster.

3 Show the draft of your poster to a partner. Then revise, edit, and make a final copy.

4 Now you are ready to show your poster. In addition to sending it to a Spanish-language newspaper or magazine, you can:

- post your work in the classroom
- submit it to your school newspaper
- include it in a newsletter or other publication that the school sends home
- add it to your writing portfolio

¿Puedes ayudarnos? ¡La Casa de los Amigos necesita tu ayuda!

¿Qué puedes hacer?
- Ayudar a otros jóvenes
- Jugar con los niños
- Cortar el césped de los patios

¿Adónde hay que ir?
¡A la calle 23!
¿A qué número hay que llamar?
Al 555-1212

PASO CULTURAL Young people such as these in Guatemala and Honduras are key to community improvement efforts throughout Latin America. Local governments and organizations often help to organize volunteers for projects that beautify public areas, conserve the environment, and improve public health and education. What similar volunteer projects are going on in your school or community? How can you benefit from volunteering for these kinds of projects?

"¡Hola! Soy Jorge y trabajo en un proyecto escolar en Tegucigalpa."

Repaso ¿Lo sabes bien?

This section will help you organize your studying for the proficiency test, where you will be asked to do similar, though not identical, tasks. There will not be any models on the test.

► Listening

Can you understand when someone talks about what he or she did in different places in the community? Listen as your teacher reads a sample similar to what you will hear on the test. Can you mention two places the person making the statement went to run these errands?

► Reading

Can you read a passage and know how to look up unknown words in the dictionary?

Ayer vi a Ana en el centro. Ella fue al banco y después a la biblioteca, donde sacó varios libros. Después tomó el autobús y la vi luego cerca del estadio. Por la tarde la vi en una tienda de regalos. Entonces recordé que va a ser el cumpleaños de su esposo dentro de dos semanas. Me gustaría saber qué le compró…

► Culture

Can you name some services or products especially offered to meet the needs of the Hispanic community?

► Writing

Can you write a letter about various places in your community and the activities that you did there? For example:

Querida Luisa:

Este fin de semana hice muchas cosas. Por la mañana, fui a la librería para comprar un regalo para mi tía, y luego fui al correo para enviarlo. Luego, fui a pasear en el parque y al supermercado para comprar comestibles. Por la tarde, vi un partido de béisbol en la tele.

Cariños,
Rebeca

► Speaking

Can you tell someone the location of a place? Here is a sample:

—*Ud. tiene que tomar el metro porque el correo no está muy cerca de aquí. Queda cerca de la farmacia, en la esquina de la Calle Ocho y Valencia. Enfrente del correo hay un banco y una tienda de ropa. Debe ir rápido; es tarde. El correo cierra a las dos y ya es la una y media.*

Self Test www.pasoapaso.com

Una tienda hispana en San Francisco

Resumen del vocabulario

Use the vocabulary from this chapter to help you:

► name various places in your community

► name activities or errands you do

► identify different means of transportation available in your area

to talk about places
la avenida
el banco
la biblioteca
la calle
el correo
la cuadra
la esquina
la estación (de policía / etc.)
el estadio
la farmacia
el hotel
la iglesia
la librería
el monumento
la parada del autobús
la plaza
el restaurante
el supermercado
el teatro
el templo
la tienda de regalos
el zoológico

to talk about activities or errands in a community
abrir
cerrar
la comunidad
el partido

devolver (o → ue) un libro
ir a pasear
llegar
sacar un libro
trabajar

to talk about things you buy
¿Me compras ___?
los comestibles
el champú
el jabón
la pasta dentífrica
las pastillas (para la garganta)
el regalo

to talk about money
el dinero: depositar / sacar
doscientos . . .
quinientos . . .
setecientos . . .
novecientos
mil

to talk about mailing things
la carta
enviar
el sello
la tarjeta de cumpleaños
la tarjeta postal

to ask and give directions
¿A cuántas cuadras (de ___)?
A (cinco) cuadras (de ___).
queda(n)
del
a la derecha / izquierda (de)
al lado (de) / detrás (de) / enfrente (de)
entre

to talk about transportation
el autobús   a pie
el metro   en + *vehicle*
el taxi

to talk about past activities
(yo) devolví, (tú) devolviste
(yo) hice, (tú) hiciste
(yo) vi, (tú) viste

to indicate when an event occurred
anoche / ayer
luego
temprano / tarde
ya

to say you don't / didn't know something
(Yo) no sé. / (Yo) no lo sabía.

to express a condition
si

to express agreement
Bueno.

CINES
CALLAO
ABOGADOS
NADA EN EL MUNDO PODRIA SEPARARLOS.
LEONARDO DiCAPRIO
KATE WINSLET
TITANIC
CHANGE

CAPÍTULO 11

¿Qué te gustaría ver?

Objectives

At the end of this chapter you will be able to:

► talk about a TV show or movie

► tell when events begin and end, and how long they last

► express and defend an opinion

► compare and contrast Spanish-language TV shows with the TV shows you usually see

PASO CULTURAL

American-made movies have always been especially appealing in foreign countries, and not only for their entertainment value. For moviegoers who may never travel to the U.S., they can be a window on the American way of life. Spanish-speaking viewers of *Titanic,* for example, may enjoy the plot, acting, and special effects, yet they may also get an idea of the experiences of Europeans emigrating to the U.S. in the early twentieth century. Discuss a foreign film that you have seen or one whose story focuses on life or events in a foreign country and explain what you learned about that culture from the film.

Un cine en Madrid, España

Vocabulario para conversar

¿Cuál es tu programa favorito?

At Home **VIDEO** Chapter 11 Vocabulary

el canal

Aquí tienes palabras y expresiones necesarias para hablar sobre la televisión y para expresar o defender una opinión. Léelas varias veces y practícalas con un(a) compañero(a) en las páginas siguientes.

un concierto

el programa musical

cómico, -a

la comedia

el programa de detectives

la actriz
el actor

la telenovela

el programa deportivo

el anuncio

interesante

el programa educativo

las noticias

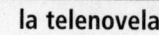

divertido, -a

los dibujos animados

realista

el programa de hechos
de la vida real

el programa de
entrevistas

aburrido, -a

el pronóstico del tiempo

el documental

También necesitas...

dar + *movie or TV program*	*to show*
la clase (de)	here: *kind / type (of)*
sobre	*about*
pensar (e → ie) (que)	here: *to think (that)*
por eso	*that's why, for that reason, therefore*
¿Cuál(es)?	*What? Which? Which one(s)?*
demasiado	*too*
aburrido, -a	*boring*
emocionante	*exciting, touching*
tonto, -a	*silly, dumb*
triste	*sad*

más	here: *more*
el / la / los / las mejor(es)	here: *best*
el / la / los / las peor(es)	here: *worst*
aburrir*	*to bore*
dar miedo*	*to scare*
fascinar*	*to fascinate*
interesar*	*to interest*

¿Y qué quiere decir . . . ?

en blanco y negro
en colores
fascinante

* With the verbs *aburrir, dar miedo, fascinar,* and *interesar* we use the indirect object pronouns *me, te,* and *le,* as we do with *gustar* and *encantar*: **Me fascinan** *los programas de detectives.*

Empecemos a conversar

Túrnate con un(a) compañero(a) para ser *Estudiante A* y *Estudiante B*. Reemplacen las palabras subrayadas con palabras representadas o escritas en los recuadros. quiere decir que puedes escoger tu propia respuesta.

1 A —¿*Te gustaría ver un programa de entrevistas?*
    B —*Sí, me gustaría mucho*.
       o: *No, esa clase de programas me aburre*.

Estudiante A

Estudiante B

a.

b.

c.

d.

2 A —¿*Quién es la mejor actriz de televisión?*
    B —*Para mí, (nombre) es la mejor. Me fascina*.

la mejor actriz de televisión

Estudiante A

Estudiante B

  a. el mejor actor de televisión   c. el peor actor de televisión

  b. la mejor actriz de televisión   d. la peor actriz de televisión

3

A —*Pienso que deben dar <u>más (menos)</u> <u>programas de detectives</u>. Y tú, ¿qué piensas?*

B —*<u>(No) Estoy de acuerdo</u>. Esos programas <u>(no) son muy interesantes</u>.*

Estudiante A

Estudiante B

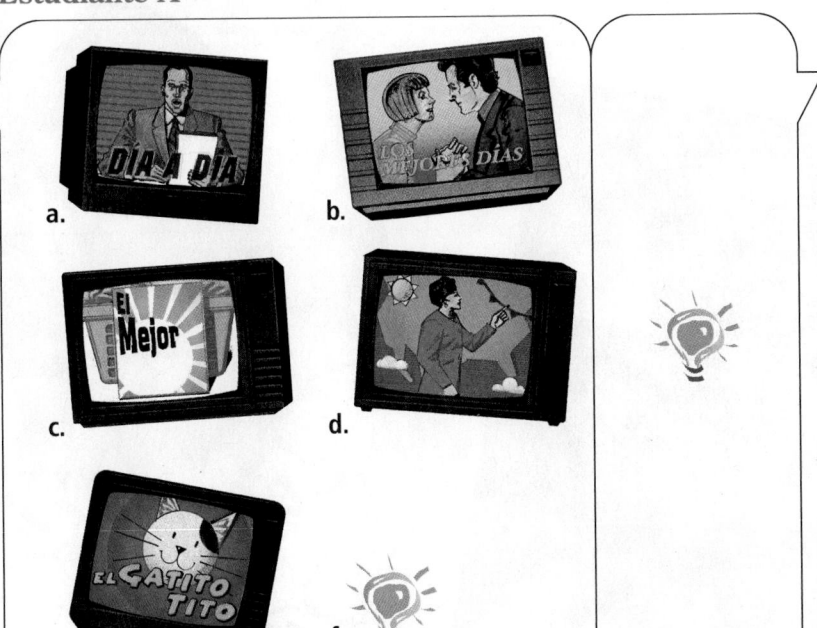

a.

b.

c.

d.

e.

f.

Empecemos a escribir

Escribe tus respuestas en español.

4 ¿Ves la televisión después de la escuela? ¿Qué programas de televisión te interesan? ¿Por qué?

5 ¿Qué piensas tú? ¿Crees que deben dar más o menos programas de hechos de la vida real en la tele? ¿Más o menos programas de entrevistas? ¿Por qué?

6 ¿Te interesan las noticias o te aburren? ¿Y los dibujos animados? ¿Y las telenovelas? ¿Por qué?

7 ¿Cuál es tu programa favorito? ¿A qué hora empieza? ¿Qué día de la semana lo dan? ¿En qué canal?

También se dice...

la artista   el artista

el programa policial
el programa policíaco
el programa de misterio

el comercial
la propaganda

el noticiero
el informativo

MORE PRACTICE

- Más práctica y tarea, p. 538
- Practice Workbook 11–1, 11–2

Vocabulario para conversar

¿Quién es la mejor actriz de cine?

Aquí tienes el resto del vocabulario necesario para hablar sobre el cine y para decir cuándo algo empieza y termina, y cuánto dura.

la película romántica

EL MONSTRUO DE LA MONTAÑA

la película de terror

REBELIÓN EXTRATERRESTRE

la película de ciencia ficción

LA JUSTICIA DEL DESIERTO

la película del oeste

la película de aventuras

la película musical

También necesitas...

en punto	*sharp, on the dot*	el tiempo	here: *time*
de la mañana	*in the morning, A.M.*	un poco	*a little*
de la tarde	*in the afternoon, early evening; P.M.*	largo, -a	here: *long* (duration)
		corto, -a	here: *short* (duration)
de la noche	*in the evening, at night; P.M.*	más tarde	*later*
		más temprano	*earlier*
la medianoche	*midnight*		
el mediodía	*noon*		
casi	*almost*	**¿Y qué quiere decir . . . ?**	
durar	*to last*	media hora	
hasta	*until*	el minuto	
		puntualmente	
		todavía no	

Vocabulario para conversar   355

Empecemos a conversar

8 **A** —¿Qué piensas sobre las películas _de ciencia ficción_?

B —Pienso que son _interesantes y divertidas_.
     Por eso _me gustan_.

Estudiante A

a.   b.   c.   d.

Estudiante B

9 **A** —¿Hoy dan _una película de terror_ en el cine?

B —Sí, pero empezó a _las nueve_ y ya son casi _las nueve y media_.

¡NO OLVIDES!

You know the word _empezar._ It is an e → _ie_ verb.

Estudiante A

Estudiante B

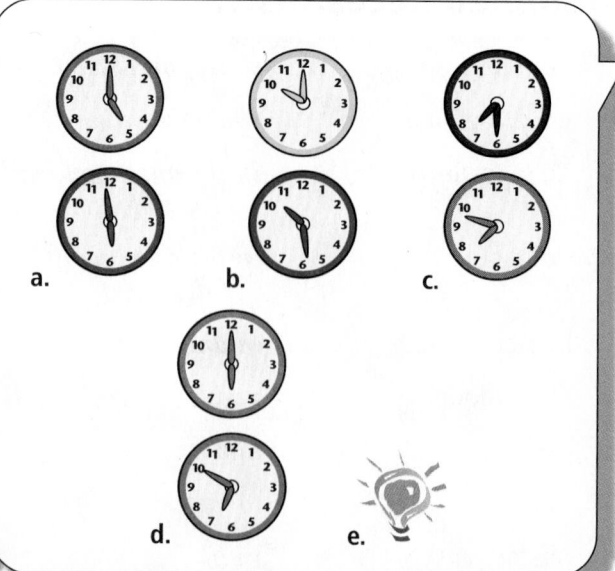

10

A —¿Va a ser largo *el documental*?

B —*Sí. Dura una hora y media*.

   o: *No, es corto. Solamente dura . . .*

Estudiante A

a.

b.

c.

d.

e.

Estudiante B

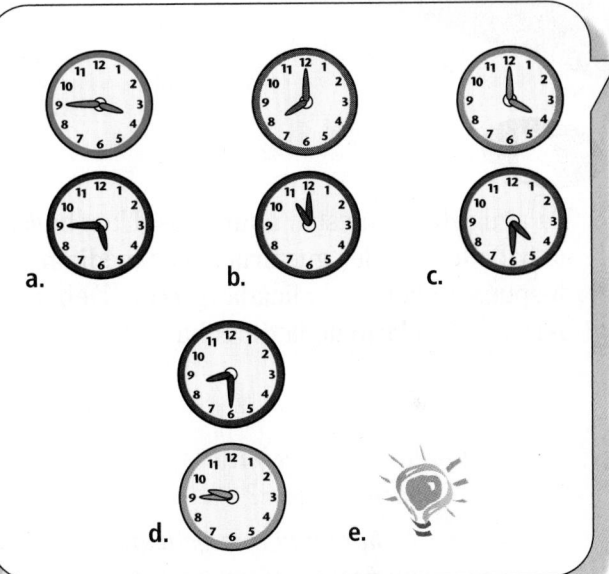

a.

b.

c.

d.

e.

Empecemos a escribir y a leer

Escribe tus respuestas en español.

11 ¿Qué clases de películas te interesan? ¿Por qué? ¿Cómo se llama tu película favorita?

12 ¿Cuánto tiempo dura tu programa favorito? ¿Lo dan tarde o temprano? ¿De qué hora a qué hora?

13 ¿Qué prefieres, las películas en blanco y negro o en colores? ¿Por qué?

14 Mariana dice: "El domingo, a las nueve de la noche, dan una presentación especial en el cine Elíseos. Dura tres horas y media. Quiero llegar puntualmente. ¿Quieres venir conmigo?"

   ¿Termina la película antes de la medianoche?

MORE PRACTICE

- Más práctica y tarea, p. 539
- Practice Workbook 11–3, 11–4

También se dice...

la película de vaqueros

www.pasoapaso.com

Tu amigo(a) y tú están aburridos. Uds. buscan actividades que les gustaría hacer media hora después de la hora indicada *(given)*. Deben usar el calendario de la derecha.

7:20

A —*Ya son las siete y veinte.*
     ¿Qué podemos hacer?

B —*En media hora hay una película*
     de ciencia ficción. ¿Quieres ir?

A —*Sí, vamos.*
     o: *Hoy no. A mí me aburre esa*
     clase de películas.

a. 8:00   d. 4:30
b. 3:15   e. 7:20
c. 9:00   f. 3:30

Este sábado en nuestra comunidad

Deportes
Béisbol: Tigres contra Leones   5:00
Fútbol: Cachorros contra Medias Blancas   3:45

Cine
El detective perezoso
La conquista del Sol   4:00 y 7:50
Aventura en la selva   7:50
                                        3:45

Teatro
Festival nacional de teatro
La casa de Teresa   7:45
                                        4:15 y 8:45

Conciertos
La guitarra de Paco Argollas
Orquesta Nacional   5:00
Música folklórica   9:30
                                        8:30

Museos
Exposición internacional
Impresionismo mexicano   4:00 y 5:00
                                        7:15

Con un(a) compañero(a) haz *(make)* planes para ver una película este sábado. Luego, dile a un grupo pequeño lo que Uds. piensan hacer.

3

En una hoja de papel, escribe una descripción corta de tu actor o actriz favorito(a). ¿Es alto(a)? / ¿Bajo(a)? ¿Es joven? / ¿Viejo(a)? ¿Cuál es el nombre de una película o del programa de televisión en el que aparece? No escribas su nombre. En grupos de cuatro, cada *(each)* estudiante lee su descripción. El resto del grupo debe adivinar *(guess)* quién es.

¿Qué sabes ahora?

Can you:

► tell what kind of television programs and movies you are interested in?
—Los programas ___ me ___.

► say why you like or dislike certain programs or movies?
—Las telenovelas (no) me gustan porque ___.

► tell how long something lasts?
—Este programa dura ___; de la(s) ___ hasta la(s) ___ de la ___.

PASO CULTURAL

Univisión is the largest Spanish-language television network in the U.S. More than 90 percent of Spanish-speaking households in the U.S. tune in to Univisión regularly. What daytime shows on English-speaking networks are similar to the show in this ad?

Univisión Despierta Su Apetito Con Un Programa Que Cae Bien.

Igual que una buena sopa, "Al Mediodía" es el nuevo programa de televisión que cae bien a la hora de almuerzo.
Maria Antonieta Collins y Mauricio Zeilic con Cristina Aceves y Ambrosio Hernández les traen lo mejor en noticias locales e inter-nacionales, lo último en medicina y salud, entrevistas con sus artistas favoritos, segmen-tos de viajes, moda, cocina y mucho más.
"Al Mediodía" contiene todos los ingre-dientes para convertirse en su programa favorito.

Lunes a viernes 12 pm/11 am Centro.

Univisión

Perspectiva cultural

Los programas de televisión en los países hispanos

En un estudio de televisión en San José, Costa Rica

En estos canales dan programas divertidos. ¿Qué clases de programas son más populares en América del Sur? ¿Son como los que ven tus amigos y tú?

Look at the picture of a Venezuelan household. What does the information in the photo tell you about what room the TV is usually located in and who you would find watching it?

Imagine this: You're an exchange student living in Caracas. You're staying with a family that has two children: Jaime, who is fourteen, and Mariana, sixteen. On your first night there, you sit down with them to watch television and . . . surprise! Bill Cosby pops up speaking perfect Spanish!

What you're watching is the dubbed version *El Show de Bill Cosby.*

Although Jaime and Mariana can also watch other dubbed imports from the United States, those programs are the exception. Venezuela has one of the largest television industries in Latin America.

Some weekend variety shows in Venezuela last several hours. For instance, *Super Sábado Sensacional.* It features performers from all over the world, combining entertainment with mini-interviews. *Super Sábado Sensacional* competes with similar shows from other countries that are also shown in Venezuela, such as *Sábado gigante,* produced by a Spanish-language station in Miami.

In most of the Spanish-speaking world, teenagers rarely have their own TV, even if the family can afford it. So at night, Jaime and Mariana sit down with the rest of the

C/8 EL NACIONAL

TELEVISION

Fiel a la causa

El actor mexicano José Angel Llamas, quien hizo el papel de Luis Mario en Nada personal, no firmará ningún contrato con Televisa, según lo anuncia una publicación mexicana, pues está agradecido con TV Azteca ya que allí empezó su carrera artística. Actualmente está en las grabaciones de una nueva telenovela, llamada, tentativamente, Lagunilla, la cual esteralizará junto a Lucía Méndez.

RCTV		VENEVISION		VTV		TELEVEN	
		6:00	Alegres navidades	5:30	Procompra	6:00	Sólo para el record
6:00	Perdidos en el espacio	9:00	Super cine	6:00	Supervivencia		Information
		11:00	Kino Táchira	6:30	La Superabuela	6:30	
7:00	Batman	11:30	Beisbol	7:00	La Santa Misa	8:00	Los boombies
7:30	Locademia de policía III		profesional: Round Robin	8:00	El Angelus	8:30	Plaza sésamo
				8:30	Reflexiones de un venezolano	9:00	Mumbly
9:30	Bitácora	2:30	Los descerebrados			9:30	Hanna Barbera
10:00	Lois y Clark	4:30	Royce	9:00	Cine continuado		
11:00	El renegado	6:00	La fortaleza	12:30	La esquina caliente		
12:00	Nash	9:00	La casa de los espíritus				**Infantiles**
1:00	La femme Nikita			1:30	Deporte total		
2:00	Cine: Conan el destructor			3:00	Monitor hípico		

Película épica

El feroz Arnold Schwarznegger invade la pantalla con una de sus películas más agresivas, Conan el destructor.

4:00	Cine: Los francotiradores
6:00	Cine:La noche del escape suicida

Mansión encantada

Si quieres sentir todo el escalofriante suspenso de los thrillers de terror, no te pierdas La casa de los espíritus.

| 10:00 | Mar de amor |

A todo galope

Conozca los más prometedores equinos de las carreras en Favoritos de monitor hípico con Alí Khan.

No te pierdas toda la diversión que Hanna Barbera trae para tí con las más graciosas comiquitas.

10:00	Pato Lucas
11:30	Perfectos extraños
12:00	Cobra
1:00	Beisbol profesional
4:30	Cine
6:30	Cine

family to watch TV in the living room. They usually tune in to one of several *culebras.* The word means "snake," which is how Venezuelans jokingly refer to their soap operas, because they're long and winding. Venezuela, Mexico, Argentina, and Spain produce many popular soap operas. They usually last several months, then new shows begin, with new characters.

If Jaime and Mariana could watch Spanish-language TV in other countries, they would be surprised to see how many shows from Venezuela are broadcast there. This would give them a sense of how Venezuelan television plays an important role in world communications.

"Me gusta ver la televisión con mi familia."

La cultura desde tu perspectiva

1 If there is a Spanish-language TV channel in your area, watch a program for at least ten minutes. Make sure you see a commercial break. Write down everything you understood. Which was easier to understand, the program or the commercials? How might watching TV in Spanish benefit you beyond learning the language?

2 If you don't have access to a Spanish-language broadcast, imagine that you are living in Venezuela for an extended period of time. What would be the advantages of watching TV? What could you learn from a Venezuelan program that you could not learn from a dubbed imported program? How might you benefit from watching a dubbed imported program?

Gramática en contexto

Look at the story boards for this TV commercial for a restaurant delivery service. How is the restaurant using TV to advertise?

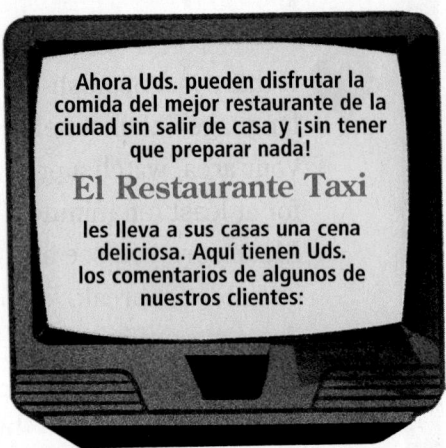

Ahora Uds. pueden disfrutar la comida del mejor restaurante de la ciudad sin salir de casa y ¡sin tener que preparar nada!

El Restaurante Taxi

les lleva a sus casas una cena deliciosa. Aquí tienen Uds. los comentarios de algunos de nuestros clientes:

A nosotros nos gustan mucho las enchiladas. Por eso, siempre llamamos al Restaurante Taxi, donde hacen las más sabrosas enchiladas.

Las ensaladas del Restaurante Taxi son más sabrosas y baratas que las ensaladas de otros restaurantes.

El pollo al horno del Restaurante Taxi tiene menos grasa que el pollo frito de los otros restaurantes. A nuestros hijos les encanta.

A You know that we use *me gusta(n)* and *me encanta(n)* when we talk about things we "like" or "love." In the ad, there are similar expressions, but *nos* and *les* are used instead of *me*. Find these expressions. To whom do you think *nos* refers? To whom do you think *les* refers?

B Find the sentence that begins *El pollo al horno del Restaurante Taxi tiene . . .* and the one that begins *Las ensaladas del Restaurante Taxi son . . . .* In each sentence, what foods are being compared? Which words make the comparison? What word do the two comparisons have in common?

Los comparativos

You have learned *más* and *menos* in certain expressions.
Me gusta el tenis pero me gusta **más** el fútbol.
¿Te gustan las manzanas? Sí, **más o menos**.

- We also use *más / menos* + adjective + *que* ("than") to make comparisons.
  Las películas de aventuras son **más emocionantes que** las películas del oeste.
  Una telenovela es **menos realista que** un programa de hechos de la vida real.

- The adjectives agree with the nouns they refer to.

- The adjectives *bueno, -a, malo, -a, viejo, -a,* and *joven* have irregular comparative forms. We do not use *más* with them.

ADJETIVO	COMPARATIVO
bueno, -a	**mejor (que)**
malo, -a	**peor (que)**
viejo, -a	**mayor (que)**
joven	**menor (que)**

- *Mejor, peor, mayor,* and *menor* have plural forms ending in *-es*. However, they don't have a different feminine form:
  Las hermanas de Pedro son **menores** que las de Juan.

- *Mejor* ("better") is also the comparative form of *bien* ("well"), and *peor* ("worse") is also the comparative form of *mal* ("badly"). When used in this sense, *mejor* and *peor* have only one form.
  Graciela y Fabián son **mejores que** Susana y Gustavo en tenis.
  Graciela y Fabián juegan tenis **mejor que** Susana y Gustavo.

1 En una hoja de papel escribe V *(verdad)* o F *(falso)* para cada frase.

a. Una nota de B es mejor que una nota de A.
b. Dormir ocho horas es peor para la salud que dormir seis horas.
c. Los refrescos son peores para la salud que la leche.
d. Jugar videojuegos es mejor para la salud que practicar deportes.
e. Generalmente los estudiantes de séptimo grado son mayores que los de octavo grado.

2 Túrnate con un(a) compañero(a) para comparar estos programas y películas. Usa estos adjetivos.

aburrido, -a   divertido, -a   interesante   triste
cómico, -a   emocionante   realista

Los dibujos animados son más divertidos que las noticias.
o: *Las noticias son menos divertidas que los dibujos animados.*

a.

b.

c.

d.

e.

f.

3 Haz una lista de tus actores y atletas favoritos y escribe una frase sobre cada uno. Túrnate con un(a) compañero(a) para comparar a las personas de tu lista con las de su lista.

A —*Michael Jordan juega béisbol mejor que Sammy Sosa.*
    o: *Sammy Sosa es peor atleta que Leonardo DiCaprio.*

B —*Tienes razón.*
    o: *¡No lo creo!*
       (No) Estoy de acuerdo.

4 Con un(a) compañero(a), compara la edad de estos personajes.

A —*¿Crees que Donald Duck es mayor que Mickey Mouse?*

B —*Creo que Donald Duck es menor.*
    o: *Creo que Mickey Mouse es mayor.*

a. Batman y Robin
b. Superman y Lois Lane
c. Bert y Ernie
d. Kermit y Miss Piggy
e. Seinfeld y Frasier
f. 💡

5 Con un(a) compañero(a), usa unos adjetivos de la lista para comparar a los personajes del Ejercicio 4.

alto, -a	inteligente
amable	ordenado, -a
atrevido, -a	pequeño, -a
bonito, -a	perezoso, -a
deportista	simpático, -a
guapo, -a	trabajador, -a

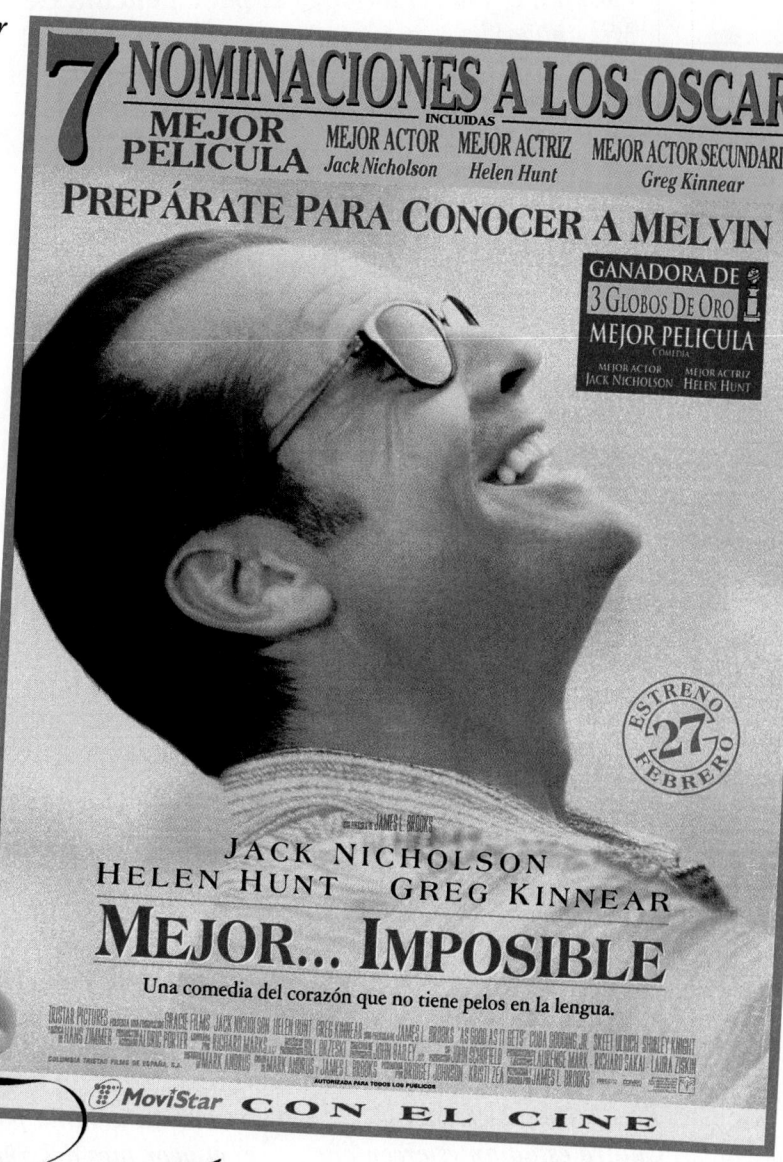

7 NOMINACIONES A LOS OSCAR
INCLUIDAS
MEJOR PELICULA — MEJOR ACTOR *Jack Nicholson* — MEJOR ACTRIZ *Helen Hunt* — MEJOR ACTOR SECUNDARIO *Greg Kinnear*

PREPÁRATE PARA CONOCER A MELVIN

GANADORA DE 3 GLOBOS DE ORO
MEJOR PELICULA COMEDIA
MEJOR ACTOR JACK NICHOLSON — MEJOR ACTRIZ HELEN HUNT

ESTRENO 27 FEBRERO

JACK NICHOLSON
HELEN HUNT — GREG KINNEAR

MEJOR... IMPOSIBLE
Una comedia del corazón que no tiene pelos en la lengua.

MoviStar CON EL CINE

Los superlativos

- To say that someone or something is "the most" of a group, we use the definite article
  + (noun) + *más* + adjective.
    Para mí, *Los tres perezosos* es **el programa más divertido**.

- To say that someone or something is "the best" or "the worst,"
  we use *el / la mejor* and *el / la peor.* These come before the noun.
    Pienso que Gonzalo Ochoa es **el mejor actor**.

- When we say that someone or something is "the most," "the best," or "the worst" in a
  group or category, we use *de.*
    Para mí, *El día del terror* es **la peor película de todas**.
    Mis amigos los perros es **el mejor programa del domingo**.
    Clara Vega es **la mejor actriz de las telenovelas**.

6 Con un(a) compañero(a), contesta las preguntas.
interesante

A —¿*Cuál es el programa más interesante?*

B —*El programa más interesante es* . . .

a. aburrido   d. tonto
b. divertido   e. 💡
c. emocionante

7 En grupos de cinco o seis, hagan una encuesta *(survey)*
para averiguar *(find out)* el / la mejor y el / la peor de
estas categorías y por qué. Luego, escribe los resultados
de la encuesta.

mes del año

A —*Para ti, ¿cuál es el mejor mes del año?*

B —*Creo que el mejor mes del año es* . . . *porque* . . .

A —*¿Y cuál es el peor mes del año?*

B —*El peor mes del año es* . . . *porque* . . .

a. programa de televisión   d. película del año
b. anuncio de televisión   e. restaurante de la ciudad
c. grupo musical   f. tienda de la ciudad

Ahora, informa a la clase sobre los resultados de la encuesta.
Tres personas creen que . . . *es el mejor mes del año porque* . . .
Cuatro estudiantes creen que . . . *es el peor mes del año porque* . . .

JULIA ROB[...]

PRETTY WOMAN
fue la PASIÓN,
ahora llega
la TERNURA.

Próximo
enlace
17 Octubre

Julianne se enamoró de su mejor amigo
el día que él decidió casarse con otra.

La Boda
DE MI MEJOR AM[...]
(MY BEST FRIEND'S WEDDING)

El complemento directo: Los pronombres y el infinitivo

You know that we use direct object pronouns (*lo, la, los, las*) to avoid repeating a noun.

- When we use direct object pronouns with infinitives, we can either put them before the verb or attach them to the end of the infinitive.
  For example:
  —¿Vas a ver **las noticias**?
  —Sí, **las** voy a ver.
    o: Sí, voy a ver**las.**

8 Empareja *(match up)* cada expresión de la derecha con dos frases de la izquierda. Dos frases sobrarán *(will be left over)*.

a. Debo llamarlos.
b. Lo voy a enviar.
c. No podemos llevarlos.
d. La necesito hacer.
e. Pienso verlo.
f. Los voy a comprar.
g. Los quiero visitar.
h. Tengo que hacerla.

mis amigos
estos zapatos
mi tarea

9 Escribe los nombres de cinco películas o programas de televisión y de qué clase es cada uno de ellos. Después, pregunta a otros(as) compañeros(as) si quieren verlos y por qué.

A —*¿Quieres ver la comedia (nombre)?*

B —*Sí, me gustaría verla.*
    o: *No, no quiero verla.*

A —*¿Por qué?*

B —*Porque me encantan las comedias.*
    o: *Porque a mí me aburren las comedias.*

HÉROES DE PLASTILINA

Wallace y Gromit ya están en España. Gracias a BMG Vídeo podremos disfrutar en casa de las disparatadas aventuras de estos maravillosos personajes realizados en plastilina por Nick Park. Con su inigualable animación, exquisito humor e inolvidables personajes, Wallace y Gromit enamorarán tanto a niños como adultos. Los dos primeros títulos en venta directa son *Los Tecnopantalones*, que ganó el Oscar al mejor corto de animación en 1994, y *La gran excursión*, candidata al mismo premio. Para celebrar este lanzamiento, sorteamos 25 camisetas de Wallace y Gromit. Para conseguirla, envíe una carta con sus datos personales antes del 24 d noviembre a Club Mi TRÓPOLI, Sorteo Walla y Gromit, c/ Pradillo 4 28002 Madrid, y digan qué profesión tiene W llace.

Sección coordinada por BEATRIZ TORRES

10 Pregúntale a un(a) compañero(a) si tienes que hacer estos quehaceres en la casa y por qué.

A —¿*Tengo que lavar la ropa?*

B —*Sí, tienes que lavarla. Está sucia.*

a.

b.

c.

d.

e.

f.

El césped está
demasiado alto.

Vamos a comer en
cinco minutos.

Hay ropa en la cama, en la
silla y en el escritorio.

¡Ya son las once y no
vas a dormir más!

Puedes empezar con la sala.

Está sucio.

El pretérito del verbo *ver*

We use *vi* and *viste* to talk about things that we saw. Here are all of the preterite-tense forms of the verb *ver*.

(yo)	**vi**	(nosotros) (nosotras)	**vimos**
(tú)	**viste**	(vosotros) (vosotras)	**visteis**
Ud. (él) (ella)	**vio**	Uds. (ellos) (ellas)	**vieron**

Recuerdos de un viaje
a Bogotá, Colombia

11 En grupos de cuatro, pregunta quiénes vieron una de estas clases de programas anoche. Después, dile a la clase quiénes las vieron.

A —¿Viste un documental anoche?

B —No. No vi un documental anoche.
   o: Sí, vi uno.

Nadie vio un documental anoche.

o: *(Nombre/nombres/nombre y yo) vio/vieron/vimos un documental anoche.*

12 ¿Qué películas vieron tus compañeros(as) el mes pasado? ¿Dónde? Haz una encuesta para averiguarlo. Escribe la información y comparte *(share)* tus resultados con la clase.

A —¿Qué películas viste el mes pasado?

B —Vi (título).

A —¿Dónde la viste?

B —La vi en mi casa (en el cine).

El complemento indirecto:
Los pronombres *nos* y *les*

We use the indirect object pronouns *me, te,* and *le* with verbs like *dar, doler, encantar, fascinar, gustar,* and *interesar.* Here are all of the indirect object pronouns.

me	*(to / for) me*	**nos**	*(to / for) us*
te	*(to / for) you*	**os***	*(to / for) you*
le	*(to / for) you him her it*	**les**	*(to / for) you them*

* The pronoun *os* is used mainly in Spain. We will use it occasionally and you should learn to recognize it.

13 Pregúntales a unos compañeros qué clases de programas de televisión les gustan. Después, dile a la clase qué programas les gustan (o no) a tus compañeros y a ti.

A —¿Te gustan los documentales?

B —Sí, me fascinan.
  o: No, no me interesan.

A (nombre/nombres) le/les fascinan los documentales.
o: A (nombre y a mí) no nos interesan los documentales.

14 Averigua qué piensan estas personas de las varias clases de películas. Luego, diles a tus compañeros en grupo lo que aprendiste.

A mi amiga (nombre) no le gustan nada las películas de ciencia ficción. Piensa que son aburridas.

a. (nombre de un amigo)
b. (nombre de dos compañeras)
c. tu profesor(a) de español
d. tu compañero(a) y tú
e. tus padres o hermanos(as)
f.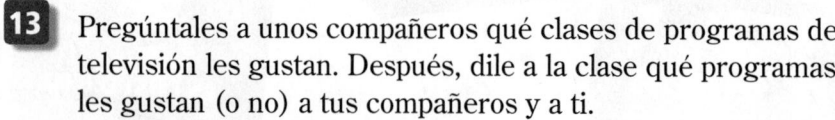

Ahora lo sabes

Can you:

► compare people and things?
—Las películas de aventuras son ___ emocionantes ___ las románticas.

► tell what is the best or worst in a group or category?
—(No) me gusta ese programa. Es _____ programa de televisión.

► avoid repeating a noun?
—¿Cuándo vas a ver la película? Voy a ___ esta tarde.

► tell what you saw?
—La semana pasada, mis hermanos y yo ___ una película del oeste.

► tell what you and others are interested in?
—A nosotros _____ las ciencias.

MORE PRACTICE

Más práctica y tarea, pp. 539–540
Practice Workbook 11–5, 11–9

Todo Junto

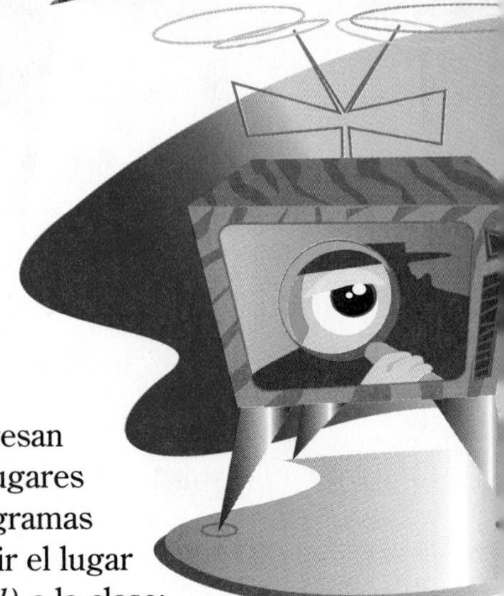

Actividades

1 ¿Qué programas de televisión te interesan más? Para esta actividad, diferentes lugares de la clase representan clases de programas diferentes. Tu profesor(a) te va a decir el lugar adonde debes ir. En grupo, digan *(tell)* a la clase:

- qué clase de programa les gusta y por qué
- cuál es el mejor ejemplo de esta clase de programa
- cuándo lo vieron

2 Prepara una crítica *(review)* de una película. En tu crítica puedes hablar sobre:

- qué película viste y cuándo
- qué clase de película es
- quiénes son los actores y qué piensas de ellos
- algo que uno de los actores hizo *(did)* en la película
- qué piensas de la película

3 Para esta actividad, necesitas la sección de pasatiempos del periódico. Haz planes con otro(a) estudiante para ir al cine este fin de semana. Tienes que:

- averiguar qué clase de películas le gusta a tu compañero(a)
- buscar en el periódico una película que le va a interesar
- invitarle a ir al cine
- decidir qué día van a ir y a qué hora
- decidir cómo van a ir

El otro crítico

Aquí publicaremos las mejores reseñas de nuestros lectores, sin que impliquen remuneración económica.

Perdidos en el espacio
(Lost in Space, EUA, 1997)

POR ALMA DELIA PUGA AGUILAR

Sinopsis: La Tierra sufre las consecuencias de la inconsciencia humana y parece morir irremediablemente. La familia Robinson es la seleccionada para colonizar el planeta Alpha Prima a bordo de la nave Júpiter II, pero los rebeldes contratan a un hombre sin escrúpulos para sabotear la misión: el doctor Zachary Smith (Gary Oldman). Así, él y la familia Robinson se ven involucrados en una gran aventura cuya meta es encontrar el camino a casa.

Reseña: Vuelve a la pantalla grande una serie más de nuestra infancia, la cual –sin duda alguna– nos mantenía sentados frente al televisor. Una película que respeta la idea original de la serie, sin cambios innecesarios, pero con una novedad excelente: los efectos especiales. Además, destaca el cínico y malévolo doctor Smith, a quien el director Stephen Hopkins quitó la personalidad caricaturesca de la serie, dándole un toque que contrasta con el resto de los personajes. Si tú eres de los que piensa que los tiempos pasados fueron mejores, no te puedes perder esta película. Y si piensas que las series de ficción son inmortales, entonces, ¡definitivamente tienes que verla!

Conexiones

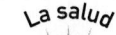

La salud

¡Cuidado con el televisor!

Este artículo se trata de la relación entre el nivel de colesterol y la cantidad de tiempo que los jóvenes pasan frente al televisor. Antes de leerlo, lee de nuevo *(again)* el título de esta actividad. ¿Cuáles de estas ideas crees que van a aparecer en el artículo? Escribe las letras en una hoja de papel.

a. El nivel de colesterol de los jóvenes que ven mucha televisión es más alto que el nivel de los que no ven mucha televisión.
b. Los jóvenes que ven mucha televisión generalmente no practican deportes.
c. No hay ninguna relación entre el nivel de colesterol de una persona y la cantidad de tiempo que ve la televisión.
d. El nivel de colesterol no es muy importante.

¿Aparecieron en el artículo las ideas que tú marcaste?

En Chile, una persona que ve mucha televisión se llama *un(a) tevito(a)*. Escribe un párrafo para persuadir a *un(a) tevito(a)* a ir a pasear contigo. Puedes usar información del artículo y también otros argumentos.

WASHINGTON, (EFE).—Los niños que ven de dos a cuatro horas diarias de televisión tienen mayor riesgo de acumular altos índices de colesterol que aquéllos que se sientan frente a la pequeña pantalla menos de dos horas, según un estudio.

Una investigación dirigida por expertos de las universidades de California y Loma Linda entre 550 varones y 531 hembras, de dos a 20 años, encontró una mayor concentración de colesterol entre los que se sientan más horas frente al televisor.

El 53 por ciento de los niños y jóvenes observados entre los que veían más de dos horas la TV registró niveles de más de 200 miligramos de colesterol por cada decilitro.

El mismo estudio determinó que aquéllos que son propensos a sentarse por más tiempo frente al aparato de televisión tienen poca predisposición para participar en las actividades deportivas.

¡**V**amos a leer!

www.pasoapaso.com

Cultural Activity

Antes de leer

STRATEGY ➤ **Using prior knowledge**

What kind of information would you expect to find in a page of movie listings? How would you expect it to be presented? Think of a movie you know well and write a movie listing for it.

Mira la lectura

STRATEGY ➤ **Skimming**

Look at this selection from the Puerto Rican magazine *Vea*. What is the topic of this page? How is the information organized? (Alphabetically? By time sequence? By location?)

los películas de est
Puerto Rico/televisión
el cine en la tv

Semana del 15 al 21 d
(Cualquier deficiencia o cambio er responsabilidad de los diverso

CIONES:
Excelente
Buena
Regular
Pobre

DOMINGO 15

11 AM 11 9 22 "Alice in Wonderland" con las voces de Kathryn Beaumont y Ed Wynn (1951). Versión animada del clásico de Disney sobre la famosa historia de Lewis Carroll de una niña que al caer en una cueva de conejo entra a un mundo mágico poblado por extrañas criaturas. ★★★

12 PM 2 "First Blood" con Sylvester Stallone y Brian Dennehy (1982). Después de ser arrestado por vagancia, un Boinas Verde veterano de Vietnam escapa a las junglas y emplea la guerrilla en contra de la Policía y de la Guardia Nacional. ★★★

1 PM 11 9 22 "The Towering Inferno" con Steve McQueen y Paul Newman (1974). Dramático rescate que comienza justo en el momento en que unos invitados a la inauguración de un rascacielos quedan atrapados en el piso 138 cuando el edificio se enciende en llamas. ★★★

2 PM 2 "Black And White".

3 PM 7 "Caña Brava"

con Braulio Castillo.

5 PM 2 5 "Romancing The Stone" con Michael Douglas y Kathleen Turner (1984). Una solitaria y romántica novelista pasa su tiempo escribiendo y soñando con el hombre perfecto. Pero su vida toma un giro drástico y comienza a parecerse a una de sus novelas cuando vuela a Sudamérica para rescatar a su hermana secuestrada y se encuentra a sí misma buscando un misterioso tesoro con su sueño del hombre perfecto hecho realidad. ★★★

6 PM 4 12 "Oscar" con Sylvester Stallone y Peter Riegert (1991). Un hampón trata de enderezarse y conseguirle esposo a su hija en el Chicago de 1920. ★★

7 PM 2 5 "Teenage Mutant Ninja Turtles" con Judith Hoag y Elias Koteas (1990). Las adorables máquinas de batalla verdes hacen su debut cinematográfico como amantes del bien, de la gente buena y de las pizzas de pepperoni. ★★★

LUNES 16

agente a cargo de la oficina del FBI en el medio oeste en los 1930, transporta a un notorio gángster por tren a la ciudad de

11 7 9 22 "Father of The Bride" con Steve Martin y Diane Keaton (1991). Un padre no puede lidiar con el anuncio de su hija de que piensa comprometerse y menos con los preparativos para su boda. ★★★

10 PM 2 5 "Black Magic" con Bud Spenser y Philip Michael Thomas. La misteriosa muerte de una joven causa un sinnúmero de problemas a su novio quien, sin embargo, se canta inocente. Pero la Policía no le cree. Se unen dos detectives para investigar el crimen. ★★

11:30 4 12 "Things Change" con Don Ameche y Joe Mantegna (1989). Un sencillo zapatero italiano acepta, a cambio de dinero, pagar los platos rotos por un maleante de Chicago. Pero el hombre asignado a vigilarlo por un fin de semana decide lo imprevisto. ★★

12 AM 7 "La Devoradora" con María Félix y Luis Aldas.

11 9 22 "Dos Esposas".

William Shatner (1982). Una periodista de televisión resulta brutalmente atacada en su hogar después de transmitir un editorial a favor de los derechos de la mujer. En el chos de la mujer. descubre a su

1 PM Película.
7 **7 PM 11 7 9 22** "The Amy Fisher Story".

... "V.I. Wars-

7 "Dios Los Cría"
Tin Tan.

6 3 Película. R-TV no sabía el tí-

7 9 22 "Ta-Crime". "Lori" es ica de citas que tie oportunidad de iar su vida cuando a "Gironda", un ri ierciante, y su ami-

6 3 Película. R-TV no sabía el tí-

7 9 22 "To Sa-Child" con Marita hty y Peter Kowan 992). El recién naci-e una mujer le es se-stado por su esposo familia de brujos. La a pone en efecto un agado rescate para ar a su bebé. ★★

12 "Delta Force

7 "Caperucita y Tres Amigos" con Gracia y Manuel Valdez.

7 9 22 "The r Purple" con Who-Goldberg y Danny (1985). La historia mor de dos herma 1909 a 1949, quie fueron separadas al ento de su nacimien reunidas después.

MARTES 17

go "Pozzi", un pode político. A pesar de vertirse en la amante primero, "Pozzi" la suade a que lo dej que esté con él. Es traición que tendrá bles consecuencias muchas vidas. ★★

11 PM 6 3 Pe (WIPR-TV no sa

MIÉRCOLES 1

II" con Chuck Billy Drago (19 unidad especia la Marina se en una misión pa con el reino d noamericano
★★
9 PM 11 7 Encounter
11 PM 2 Cop" con Alex McA

JUEVES

Basada nadora zer" d
★★★
11 PM ze" co vid H Fox y La h cía que

Infórmate

$STRATEGY$ ➤ Using cognates

One of the most useful strategies for dealing with unfamiliar words is using cognates. Here are some patterns that might help you recognize them.

- Frequently a double consonant in an English word is represented by a single consonant in the Spanish cognate: *clase, inocente, aceptar.*
- Often words ending in *-y* in English end in *-ia* or *-ía* in Spanish: *historia, geografía, infancia.*
- Many English adjectives ending in *-ed* end in *-ado(a)* or *-ido(a)* in Spanish: *aceptado, -a; permitidos, -as.*

1 Look at the bold-faced headings in the reading.

- When are the most movies shown, in the morning, afternoon, or evening?
- How many channels show movies?
- Read the titles, then classify the movies according to type. Which category seems to be the most popular?

película de detectives
comedia
película musical
película del oeste
película romántica
película de aventuras
dibujos animados

"Titanic es una película muy emocionante."

2 Choose a movie that sounds interesting and read its description several times to get an idea about the plot. Pick out a few cognates that help you understand the description.

3 After reading the description, do you still think the movie belongs to the category suggested by its title? If you have already seen the movie, do you think the description tells what is most important about the plot? Would you change the description? How?

Aplicación

1 Which of these movies would you prefer to see? Why?

2 On a piece of paper, list at least ten new words that you learned from this reading selection and ten cognates that you found.

¡Vamos a escribir!

Choose a recent TV show that you enjoyed and write a review of it.

1 First, write out the answers to these questions about the program.

- ¿Cómo se llama el programa?
- ¿Qué clase de programa es?
- ¿Qué día viste el programa?
  ¿En qué canal?
  ¿Cuánto tiempo duró?
- ¿Qué artistas participaron?
  ¿Cómo son?
- ¿Te gustó el programa?
  ¿Por qué?
- ¿Lo recomiendas?
  ¿A quién lo recomiendas? (a los niños, a los jóvenes ...)

2 Now write the review using your answers to the preceding questions as a guide. Show your review to a partner. Ask if there is any other information he or she would want to have or if you should change or rearrange any of your information to make it more helpful to the reader.

3 Decide about the changes you might like to make, and rewrite your review.

El actor Franklin Virguez en una escena de una telenovela

La miniserie "Vida de mi Vida," de Radio Caracas Televisión

4 Check for spelling and accents. Did you use the correct forms of the verbs and adjectives? If necessary, rewrite your review.

5 Now you are ready to share your work. You can:

- collect all the reviews into a class program guide called *Guía de televisión: Los mejores programas,* or
- include it in your writing portfolio

La actriz Marlene Mesada

La comedia "Corte Tropical"

"Kassandra," una telenovela popular

377

Repaso ¿Lo sabes bien?

This section will help you organize your studying for the proficiency test, where you will be asked to do similar, though not identical, tasks. There will not be any models on the test.

► Listening

Can you understand when someone talks about how long an event will last? Listen as your teacher reads a sample similar to what you will hear on the test. According to the person making the statement, how much time would someone spend watching this, one hour or more than an hour? Would the person watching be at home or at a movie theater?

► Reading

Can you read this movie review and use the cognates that appear in it to find out what kind of movie it is?

Tren expreso

Con *Tren expreso*, Ud. no puede aburrirse. *Tren expreso* es una película divertida, con mucho humor, donde no hay ni fantasmas ni vampiros ni monstruos. Todo es real. Es una emocionante aventura que empieza con el robo de un banco. Los críticos dicen que es la mejor película del año. Véala en el Cine Acuario.

★ ★ ★ ★

► Writing

Can you write a letter describing a movie you saw recently? Here is a sample letter:

Hola, Carmelo:

La semana pasada, mi hermano y yo vimos una película bastante buena. Es muy realista. Nos fascinó. En la película hay una familia que no tiene dinero: el padre no tiene trabajo y la hija está enferma. Una persona generosa los ayuda. No es la mejor película del verano, pero es muy interesante.

Saludos, Ana

► Culture

Can you explain what is shown on TV in Venezuela, what programs you would choose to watch, and why?

El programa de entrevistas *Cristina*

► Speaking

Can you express and defend an opinion about a television program?

—*Para mí, el mejor programa del canal 9 es el programa educativo,* Ambiente. *Es un programa fascinante. Los dibujos animados son demasiado tontos y aburridos. No me interesan. Yo creo que deben dar más programas educativos.*

Self Test www.pasoapaso.com

Resumen del vocabulario

Use the vocabulary from this chapter to help you:

► talk about a TV show or movie

► tell when events begin and end, and how long they last

► express and defend an opinion

to name types of movies
la clase (de)
la película de aventuras
la película de ciencia ficción
la película musical
la película del oeste
la película romántica
la película de terror

to talk about TV and TV shows
el actor
la actriz, *pl.* las actrices
el anuncio (de televisión)
el canal
la comedia
el concierto
dar + *movie or TV program*
los dibujos animados
el documental
las noticias
el programa deportivo
el programa de detectives
el programa educativo
el programa de entrevistas
el programa de hechos de la
    vida real
el programa musical
el pronóstico del tiempo
la telenovela

to describe a movie or TV show
aburrido, -a
cómico, -a
¿Cuál(es)?
demasiado
divertido, -a
emocionante
en blanco y negro
en colores
fascinante
interesante
más (here: *more*)
el / la / los / las mejor(es)
    (here: *best*)
el / la / los / las peor(es)
    (here: *worst*)
realista
tonto, -a
triste
un poco

to indicate time or duration
casi
corto, -a
de la mañana
de la noche
de la tarde
durar
en punto
hasta
largo, -a

más tarde
más temprano
media hora *(f.)*
el mediodía
la medianoche
el minuto
puntualmente
el tiempo
todavía no

to express opinions or reactions
aburrir
dar miedo
fascinar
interesar
pensar (e → ie) (que)
sobre

to indicate a reason
por eso

VISIT www.pasoapaso.com

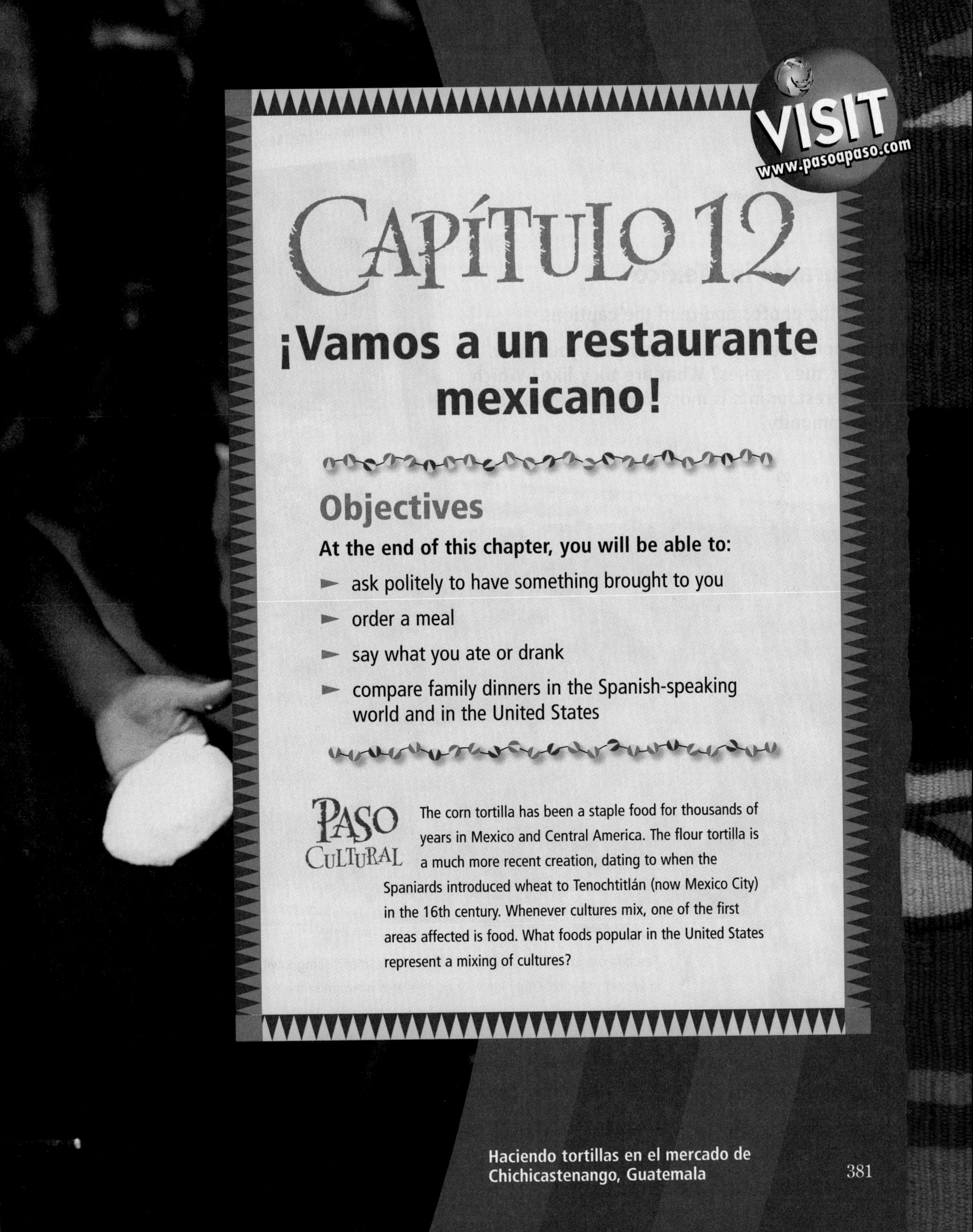

Capítulo 12

¡Vamos a un restaurante mexicano!

Objectives

At the end of this chapter, you will be able to:

- ask politely to have something brought to you
- order a meal
- say what you ate or drank
- compare family dinners in the Spanish-speaking world and in the United States

Paso Cultural The corn tortilla has been a staple food for thousands of years in Mexico and Central America. The flour tortilla is a much more recent creation, dating to when the Spaniards introduced wheat to Tenochtitlán (now Mexico City) in the 16th century. Whenever cultures mix, one of the first areas affected is food. What foods popular in the United States represent a mixing of cultures?

Haciendo tortillas en el mercado de Chichicastenango, Guatemala

¡Piensa en la CULTURA!

Restaurants in Mexico

Look at the photos and read the captions.

Think about the Mexican restaurants you know. What are their names? What are they like? Which of these restaurants is most similar to those in your community?

"Creo que voy a pedir lo mismo que esa muchacha."

"¿Y qué van a pedir?"

El restaurante El Set en la Playa Conchas Chinas en Puerto Vallarta, México

Puerto Vallarta, México

En Pátzcuaro, México

PASO CULTURAL

Pescado blanco is the specialty of Pátzcuaro, a small fishing town on *el Lago de Pátzcuaro* in western Mexico. Other kinds of fish are also plentiful in the local restaurants, whose offerings reflect the traditional diet of the region's Tarascan Indians. Menus feature *trucha* (trout), *caldo de pescado* (fish broth), and two kinds of tiny fish—*charales* (sardines) and *boquerones* (smelts)—which are fried plain or *a la mexicana*, with onions, tomatoes, and chiles. Another traditional dish is *sopa tarasca*, made with toasted tortillas, tomatoes, cream, cheese, and a bitter chile called *pasilla*. What are some *especialidades regionales* where you live? Why did they become regional specialties?

Pátzcuaro, México

382   Capítulo 12

The people of Mexico eat as wide a variety of foods as we do.

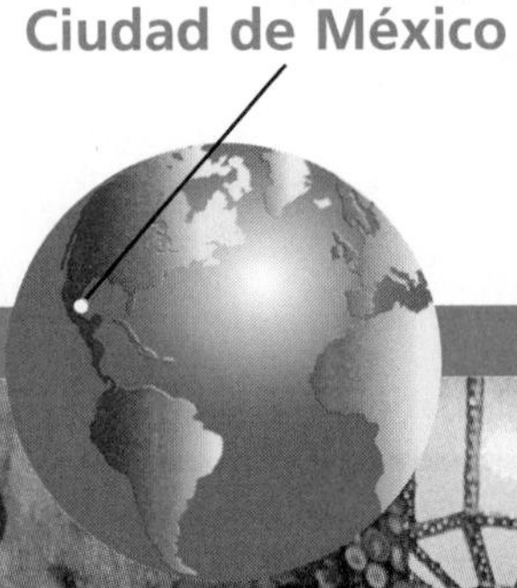
Ciudad de México

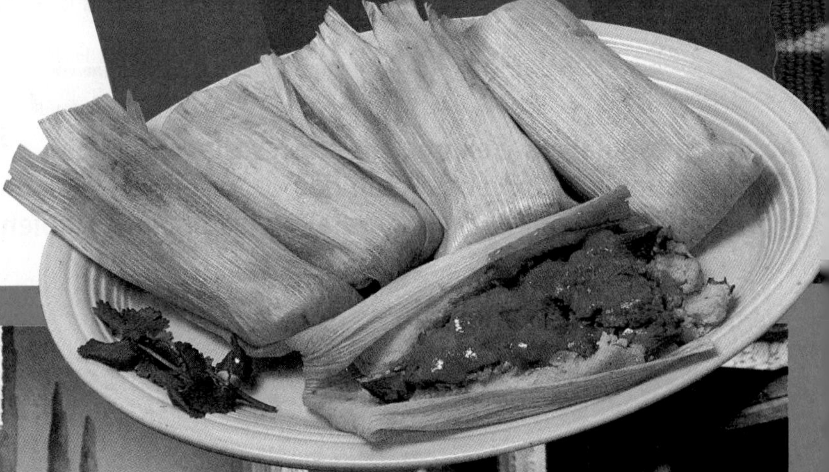

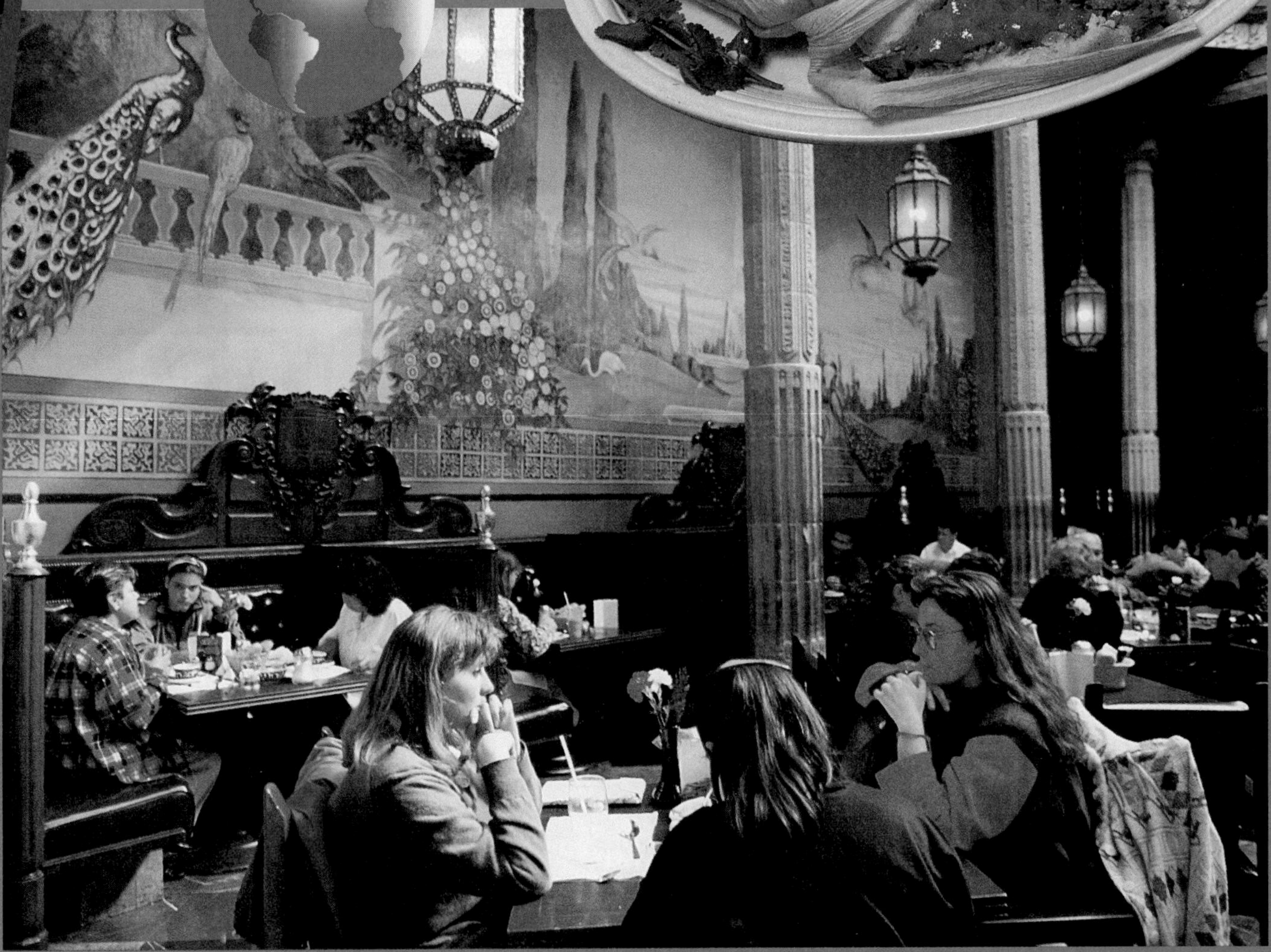

"¿Pedimos la cuenta, o van a querer algo más?"

Este restaurante Sanborn's está en la Casa de los Azulejos, un palacio del siglo XVI.

Cultural Exploration
www.pasoapaso.com
Visit these countries on-line

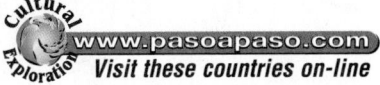

Vocabulario para conversar

¿Con qué se hacen las enchiladas?

At Home
VIDEO Chapter 12
Vocabulary

Aquí tienes palabras y expresiones necesarias para hablar sobre
algunas comidas mexicanas y con qué se hacen. Léelas varias veces
y practícalas con un(a) compañero(a) en las páginas siguientes.

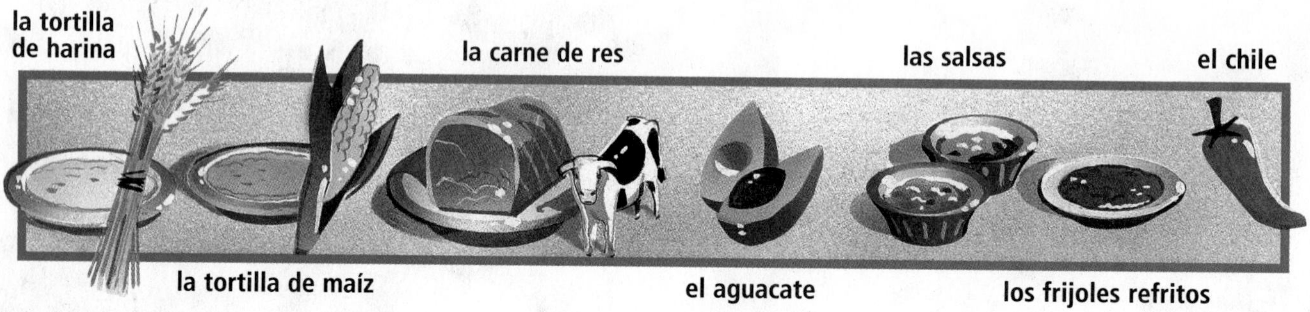

la tortilla
de harina

la carne de res

las salsas

el chile

la tortilla de maíz

el aguacate

los frijoles refritos

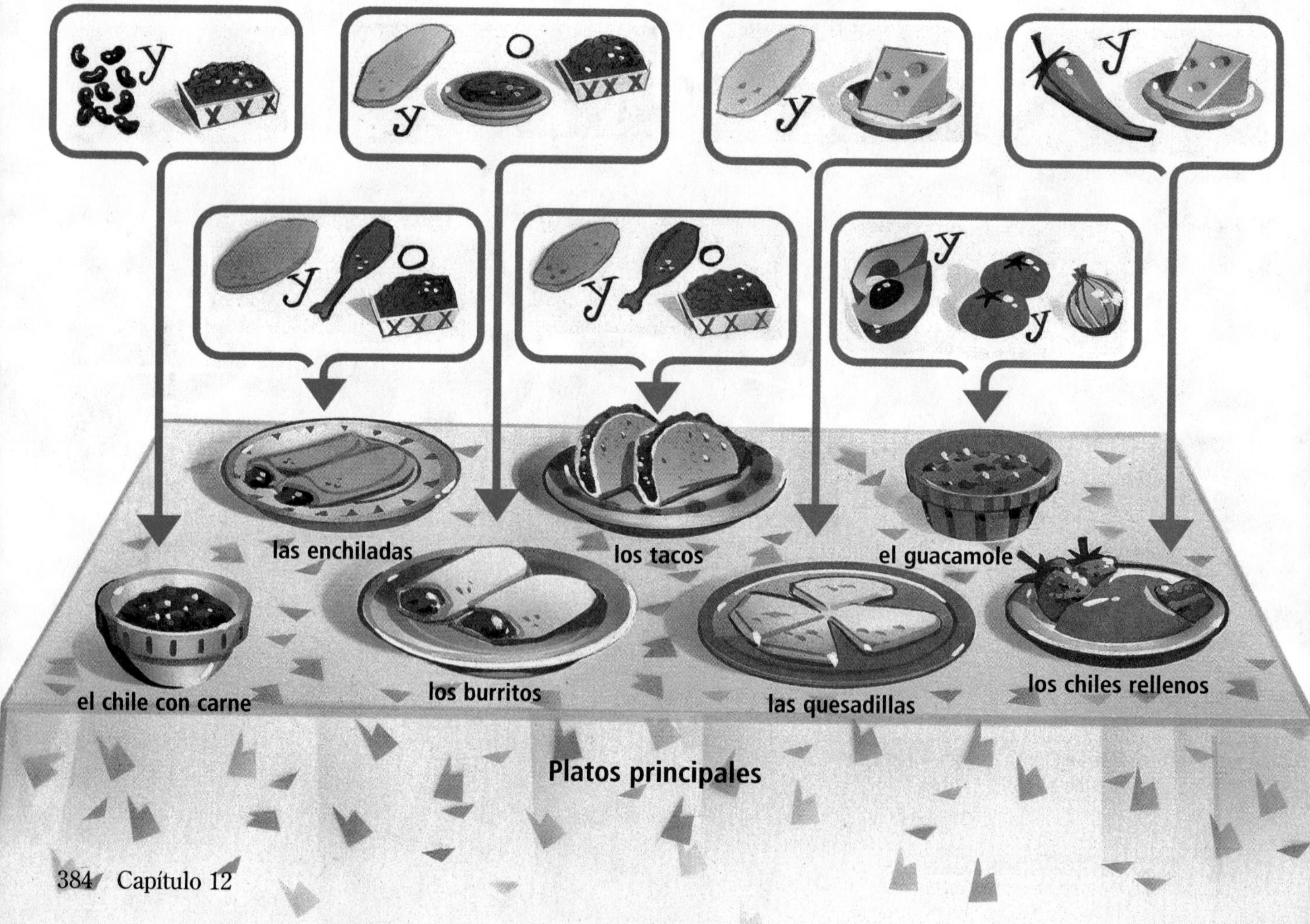

las enchiladas

los tacos

el guacamole

el chile con carne

los burritos

las quesadillas

los chiles rellenos

Platos principales

el chocolate

los pasteles

el flan

los churros

el helado

la merienda

También necesitas...

¿Con qué se hace(n) ___?	What is / are ___ made with?	de postre	*for dessert*
Se hace(n) con ___.	*It's (they're) made with . . .*	picante	*spicy, peppery, hot (flavor)*
pedir (e → i)	*to ask for; to order*	no picante	*mild (flavor)*
probar (o → ue)	*to try; to taste*	a menudo	*often*
¿Has probado ___?	*Have you tried ___?*	vender	*to sell*
he probado	*I've tried*	la comida	here: *food*
una vez	*once*		
alguna vez	*ever*		

¿Y qué quiere decir . . . ?

¿Algo más?	here: *Anything else?*
el postre*	*dessert*

de merienda
muchas veces
servir (e → i)

---

* It's not typical in Spanish-speaking countries to have ice cream or cake for dessert. When dining at home, the usual dessert is *queso y fruta.* For your late-afternoon *merienda* you might have sandwiches, pastries, rolls, and *té* or *café con leche,* or *chocolate con churros.*

Empecemos a conversar

Túrnate con un(a) compañero(a) para ser *Estudiante A* y *Estudiante B*.
Reemplacen las palabras subrayadas con palabras representadas o
escritas en los recuadros. quiere decir que puedes escoger
(choose) tu propia respuesta.

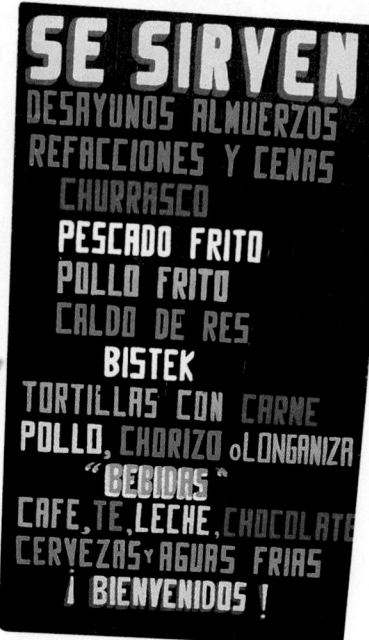

El menú de un restaurante
en Panajachel, Guatemala

1 A —¿*Qué vas a pedir de plato principal?*

B —*Quisiera probar las quesadillas.*

plato principal

Estudiante A

Estudiante B

a. de postre

c. para el almuerzo

b. de merienda

d. para la cena

2 A —¿*Has probado chiles rellenos alguna vez?*

B —*Sí, una vez. (Sí, muchas veces.)*

o: *No, nunca. (No me gustan los chiles rellenos.)*

Estudiante A

Estudiante B

a.

b.

c.

d.

e.

3

A —*¿Quieres probar <u>el flan</u>?*

B —*<u>Sí, voy a pedirlo</u>.*
    o: *No, no me gusta.*

¡NO OLVIDES!

Remember that you can attach the pronouns *lo, la, los,* or *las* to an infinitive.

Estudiante A   Estudiante B

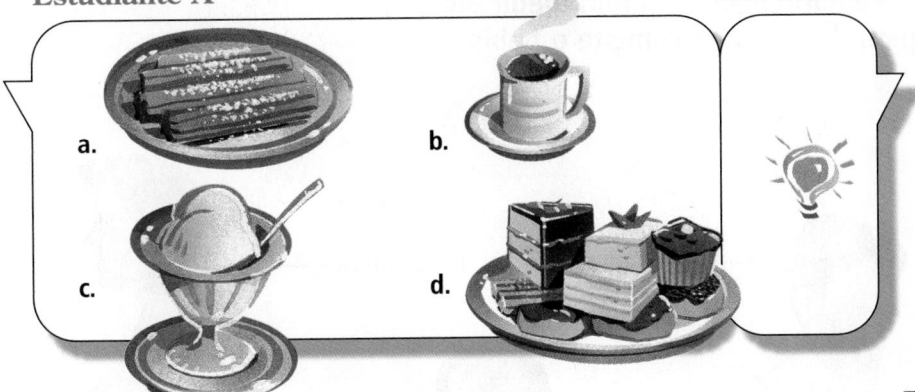

a.

b.

c.

d.

4

A —*¿Con qué se hacen <u>las enchiladas</u>?*

B —*Con <u>tortillas de maíz y pollo o carne de res</u>.*

Estudiante A   Estudiante B

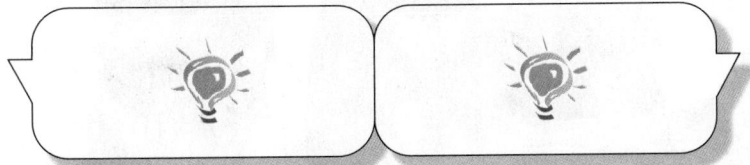

También se dice...

las masas

el ají

los porotos

la palta

Empecemos a escribir

Escribe tus respuestas en español.

5 ¿Cuáles de las comidas de la página 384 has probado? ¿Cuáles te gustaron? ¿Dónde las probaste?

6 ¿Prefieres la comida picante o no picante? ¿Qué restaurantes de tu comunidad sirven comida picante?

7 ¿Cuál es tu comida mexicana favorita? ¿Con qué se hace? ¿Puedes comprar los ingredientes necesarios en el supermercado donde tú vas de compras?

8 ¿Qué comes de postre más a menudo? ¿Pasteles, helado o frutas? ¿Cuál es tu favorito?

MORE PRACTICE

- Más práctica y tarea, p. 541
- Practice Workbook 12–1, 12–2

Vocabulario para conversar

¡Me falta una cuchara!

Chapter 12
Vocabulary

Aquí tienes el resto del vocabulario necesario para pedir algo,
para pedir una comida y para decir lo que comiste o bebiste.

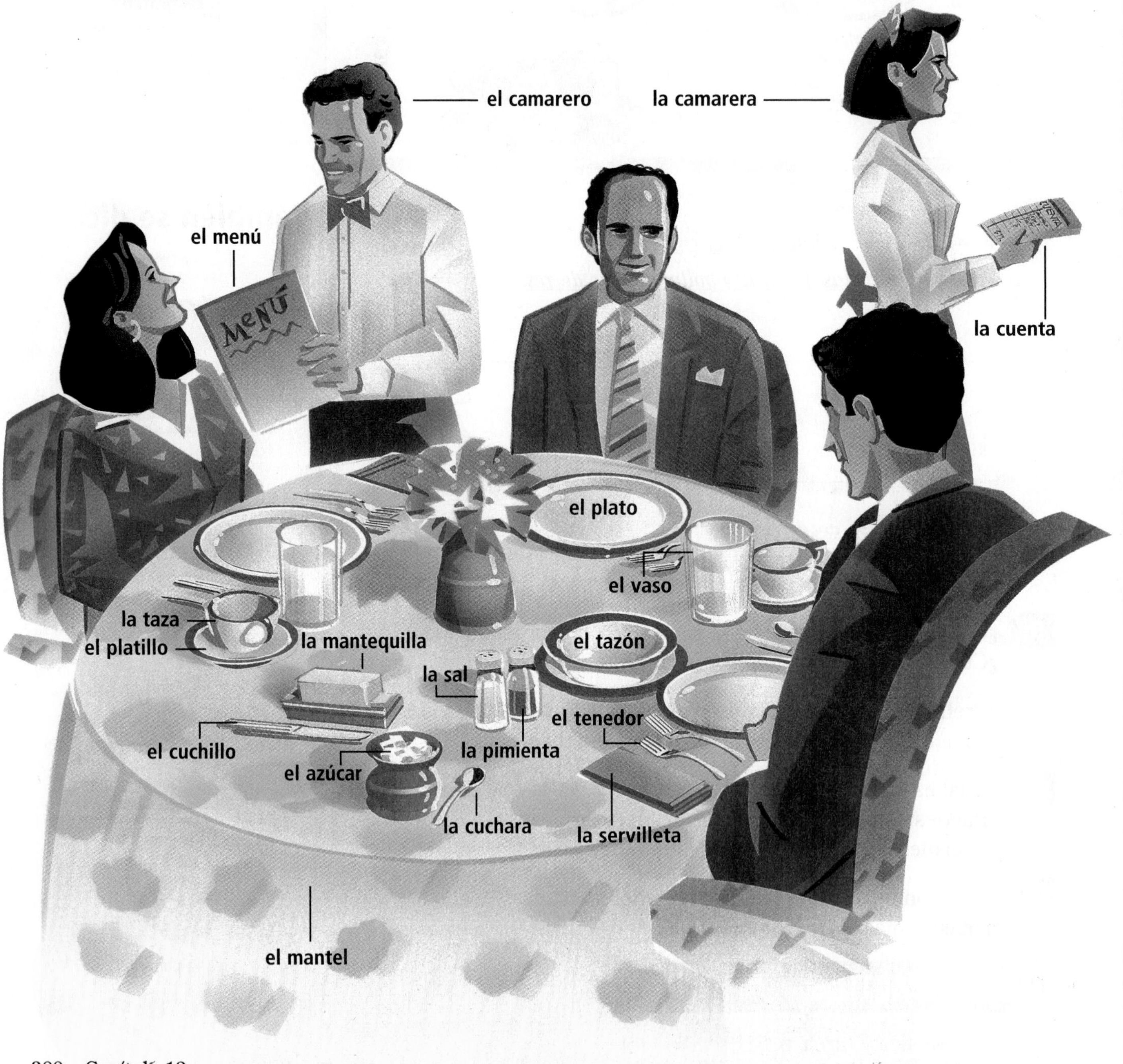

el camarero

la camarera

el menú

la cuenta

el plato

el vaso

la taza

el platillo

la mantequilla

el tazón

la sal

el tenedor

el cuchillo

la pimienta

el azúcar

la cuchara

la servilleta

el mantel

encima de

detrás de

debajo de

delante de

También necesitas...

Me falta(n)	*I need; I am lacking*
¿Me pasas ___?	*Will you pass me ___?*
traer	*to bring*
¿Me trae ___?	*Will you bring me ___?*
(Le) traigo	*I'm bringing (you)*

beber: (yo) bebí
    (tú) bebiste
	*to drink: I drank
	        you drank*

comer: (yo) comí
    (tú) comiste
	*to eat: I ate
	        you ate*

pedir: (yo) pedí
    (tú) pediste
	*to order: I ordered
	        you ordered*

lo mismo	*the same thing*
en seguida	*right away*

¿Y qué quiere decir . . . ?

a la carta
la especialidad de la casa
el plato del día

Empecemos a conversar

9 **A** —*Camarero, me falta <u>un vaso</u>. ¿Me trae <u>uno</u>, por favor?*

    B —*Sí, le traigo <u>un vaso</u> en seguida.*

Estudiante A

Estudiante B

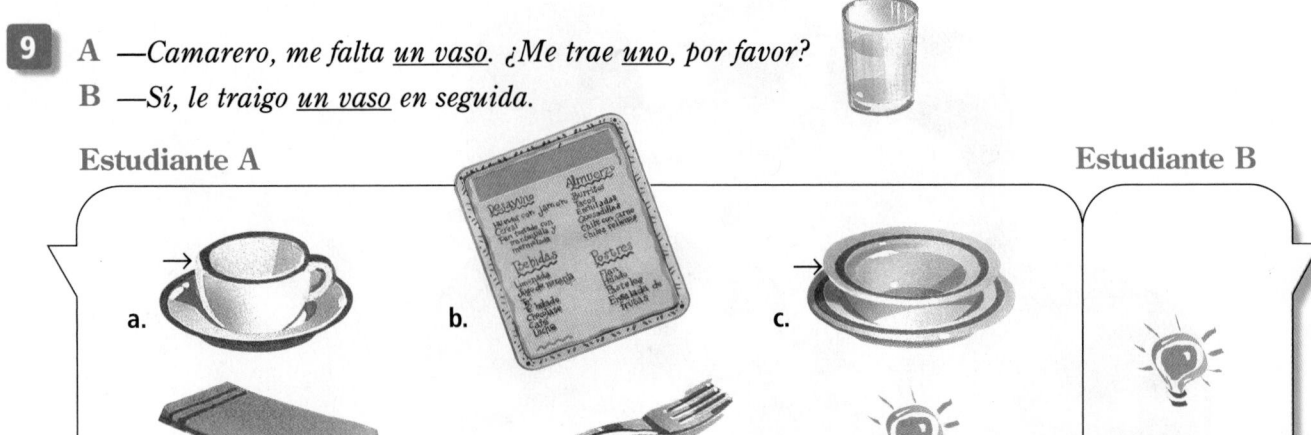

10 **A** —*No veo <u>la(s) cuchara(s)</u>. ¿Dónde está(n)?*

    B —*Está(n) <u>delante de los vasos</u>.*

Estudiante A

Estudiante B

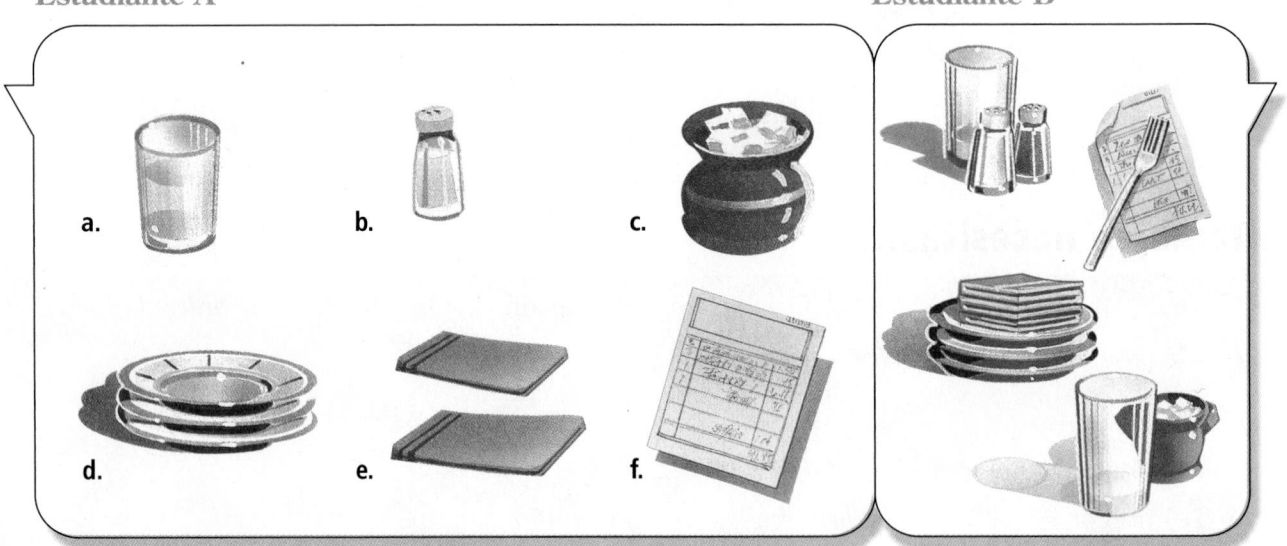

11

A —¿*Me pasas* <u>*la sal*</u>*, por favor?*

B —*Sí, aquí* <u>*la*</u> *tienes. ¿Necesitas algo más?*

A —*Ahora no, gracias.*

Estudiante A   Estudiante B

¡NO OLVIDES!

Remember that the pronouns *lo, la, los,* and *las* are placed before the conjugated verb.

Empecemos a escribir y a leer

Escribe tus respuestas en español.

12 ¿Qué comiste y bebiste en el desayuno esta mañana?

13 ¿Te gustó el plato del día de la cafetería ayer? ¿Qué platos de la cafetería te gustan más? ¿Cuáles no te gustan nada?

14 Un miembro de tu familia está enfermo y tú tienes que servirle estas comidas. ¿Qué utensilios necesitas? Una comida va a sobrar *(will be left over)*.

1. sopa de pollo, un sandwich de queso y té
2. sopa de verduras, arroz con pollo, ensalada de lechuga y, de postre, fruta
3. jugo de tomate, huevos, jamón, pan tostado con mantequilla y leche
4. pescado, zanahorias, guisantes y té helado
5. chile relleno y limonada
6. jugo de naranja y cereal
7. bistec, papas al horno, ensalada de tomate y agua mineral

a. dos vasos, un plato grande y un plato pequeño
b. un tazón, un plato grande y dos platos pequeños
c. un plato grande, un plato pequeño y un vaso
d. un tazón, un plato pequeño y una taza y un platillo
e. un vaso y un tazón
f. un vaso y un plato grande

15 Escoge una de esas comidas y escribe las otras cosas que vas a necesitar para poner la mesa.

También se dice...

el mesero, el mozo

la mesera, la moza

la carta
la minuta
la lista

MORE PRACTICE

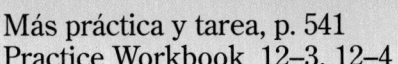

Más práctica y tarea, p. 541
Practice Workbook 12–3, 12–4

Usa el menú para pedir una comida completa. Con tu compañero(a) representen*(play the role)* al (a la) camarero(a) y al (a la) cliente.

A —*¿Qué desea, señor?*
  o: *¿Qué va a comer?*
  (¿Y para beber? ¿Y de postre?)

B —*Pan tostado con mantequilla y mermelada.*

¿Qué dirías *(would you say)* en estas situaciones?

Pediste el bistec pero sólo tienes un tenedor y una cuchara.

¿Me trae un cuchillo, por favor?

a. Pediste sopa pero sólo tienes un tenedor y un cuchillo.
b. Te gustaría pedir guacamole pero no sabes con qué se hace.
c. Hay pan pero no hay nada más en la mesa.
d. Pediste agua pero ya la bebiste.
e. Tu tenedor está sucio.
f. Quieres salir del restaurante pero no sabes cuánto tienes que pagar.
g. Las enchiladas que comes están demasiado picantes. Necesitas beber algo.

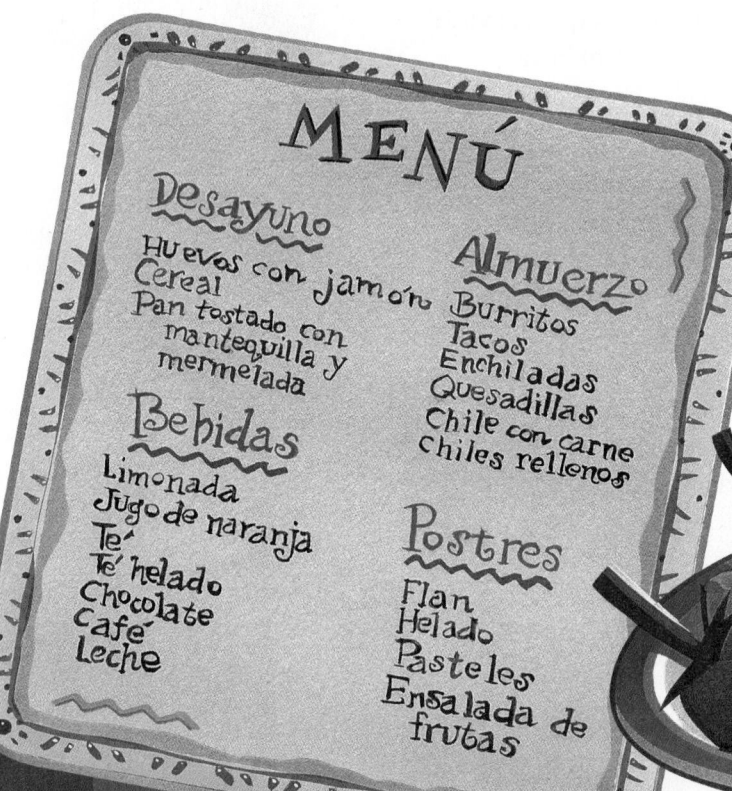

MENÚ

Desayuno
Huevos con jamón
Cereal
Pan tostado con mantequilla y mermelada

Almuerzo
Burritos
Tacos
Enchiladas
Quesadillas
Chile con carne
Chiles rellenos

Bebidas
Limonada
Jugo de naranja
Té
Té helado
Chocolate
Café
Leche

Postres
Flan
Helado
Pasteles
Ensalada de frutas

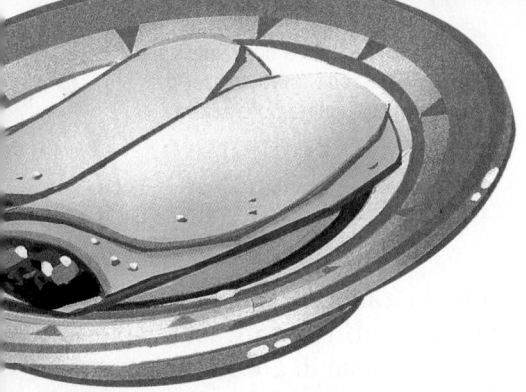

8

En este dibujo hay siete errores. ¿Cuántos puedes encontrar? Trabaja en grupos pequeños para encontrarlos. Después, compartan *(share)* con otros grupos los errores que encontraron.

¿Qué sabes ahora?

Can you:

► describe the ingredients in certain dishes?
  —Los burritos se hacen con ___ y con ___.

► make polite requests to have something brought or passed to you?
  ¿ ___ la salsa, por favor?

► order a meal?
  —Voy a comer ___, y de ___ quisiera un helado.

► tell what you ate or drank?
  —Ayer yo ___ chile con carne y ___ una limonada.

Perspectiva cultural

La cena en un restaurante mexicano

Un plato típico mexicano: camarones rancheros, arroz, frijoles, guacamole y salsa

¿Vas a restaurantes con frecuencia? ¿Te gusta ir con tu familia? ¿Con tus amigos? Generalmente, ¿con quién vas?

What words would you use to describe this restaurant and the people in it? How often do you eat the foods shown on the plate?

The large photo gives you a glimpse of what a family dinner might be like in a restaurant in Mexico. If you lived there, you'd probably be looking forward to seeing your favorite aunt and uncle because a restaurant meal usually implies a Sunday afternoon dinner, which is an important family event. It is generally a long, leisurely meal that can last for two or three hours. It is an occasion for the whole extended family to get together: brothers, sisters, parents, aunts, uncles, and godparents. Unlike in the United States, where children are often left at home with a baby-sitter, in Mexico even infants are an important presence during a family dinner.

A restaurant dinner can also take place very late at night, especially in a bustling metropolis such as Mexico City. It is common to see an entire family arrive at a restaurant at 10 or 11 in the evening. On Friday and Saturday nights, restaurants often stay open until 2 or 3 in the morning. Some restaurants have entertainment, such as a band.

Many late-night restaurants are inexpensive and the food is very good. They attract people from all walks of life. A man in a work shirt might end up having dinner with his family next to a table of people dressed in suits and expensive fur coats who have just come from the theater.

La cultura desde tu perspectiva

1. What are the similarities and differences between dining out in Mexico and in the United States?

2. You have read about a typical Saturday night and Sunday afternoon in a Mexican restaurant. What values do you think these customs reflect?

www.pasoapaso.com

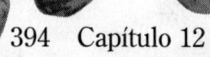

Cenando en la Ciudad de México

Gramática en contexto

Look at this page from a student's travel album and read the captions that she wrote.

En Guatemala, fuimos a visitar las ruinas mayas de Tikal.

Nuestro guía nos describió la ciudad antigua. Mis amigos subieron el Templo de las Máscaras. ¡Yo no! Las alturas me dan miedo. Yo les saqué esta foto a mis amigos.

Cuando bajaron, un vendedor nos vendió recuerdos de nuestra visita.

A You know that *-aron* is the ending for the *ellos/Uds.* form of *-ar* verbs in the preterite. In the captions, find an *-ir* verb that has the *ellos/Uds.* ending in the preterite. How is it similar to the ending for *-ar* verbs? How is it different?

B There are two verbs used in the caption that may be new to you: *describió* and *vendió*. Can

you guess their meanings? What do these preterite verb forms have in common?

C Find the sentence that begins *Nuestro guía*.... To whom did the guide describe the plan of the city? What word gives you this information?

Verbos con el cambio e → i

You know two types of stem-changing verbs: those like *poder (o → ue)* and those like *pensar (e → ie)*. There is a third type in which the *e* in the stem changes to *i* in some of the present-tense forms. *Pedir* is an example of this type.

(yo)	pido	(nosotros) (nosotras)	pedimos
(tú)	pides	(vosotros) (vosotras)	pedís
Ud. (él) (ella)	pide	Uds. (ellos) (ellas)	piden

¡NO OLVIDES!

Here are the *o →ue* stem-changing verbs that you know:

costar	llover
doler	poder
dormir	probar

These are the *e→ie* stem-changing verbs that you know:

cerrar	pensar
empezar	preferir
nevar	querer

Two of these twelve verbs have only one present-tense and one preterite form. Which ones are they?

- The infinitives of all *e → i* verbs end in *-ir*. Notice that the endings follow the pattern of regular *-ir* verbs.

- Another verb of this type that you know is *servir*.

  En ese restaurante siempre **sirven** arroz con pollo.
  Mi mamá y yo **servimos** jamón y huevos los domingos.

1 Dile a un(a) compañero(a) qué piden de postre o de merienda las siguientes personas en un restaurante.

A —*En un restaurante, ¿qué pide de postre tu profesor?*   tu profesor

B —*Generalmente pide flan.*

a. tú
b. (nombre de una amiga)
c. tú y tus amigos
d. tu hermano(a)
e. (nombre de dos amigos)
f. tu profesor(a)

En la Zona Rosa, Ciudad de México

PASO CULTURAL   *La Zona Rosa* is one of Mexico City's most beautiful and well-known neighborhoods. Its streets are lined with shops, art galleries, cafés, and restaurants. Many of its streets are named after cities in Europe, such as Génova, Hamburgo, Londres, Praga, and Varsovia. What do you think are the English names for these cities?

2 Escribe frases para decir qué comida sirven en diferentes ocasiones.

Mis amigos y yo servimos sandwiches y guacamole en la cena.

a. mis amigos   en el verano
b. mi restaurante   en el invierno
  favorito   los domingos
c. mi mamá / mi papá   los fines de semana
d. (yo)   en las fiestas
e. mis amigos y yo   todos los días
f. la cafetería de   en la cena
  la escuela   de postre
     el 4 de julio

3 ¿Cuál es tu restaurante favorito? ¿Puedes describirlo? Dile a un grupo pequeño:

- dónde está
- si el restaurante es caro o barato
- la clase de comida que sirven allí
- qué pides generalmente cuando vas allí
- qué piden generalmente las personas que van allí contigo

El verbo *traer*

Here are all of the present-tense forms of *traer* ("to bring").

(yo)	**traigo**	(nosotros) (nosotras)	**traemos**
(tú)	**traes**	(vosotros) (vosotras)	**traéis**
Ud. (él) (ella)	**trae**	Uds. (ellos) (ellas)	**traen**

- Like *poner* and *hacer, traer* has only one irregular present-tense form: *traigo.* All other forms follow the pattern of regular *-er* verbs.

4 Estás en la playa con un(a) amigo(a). Pregúntale a tu amigo(a)
qué trae al picnic cada una de estas personas.

A —¿*Qué trae Marta?*

B —*Creo que trae los platos y los vasos.*

a. Alejandro y Federico

b. Uds.

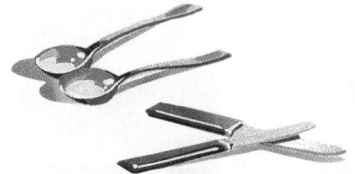

c. Paquita

d. Elena y Joaquín

e. tú

f. Diego

5 ¿Qué traen a la escuela estas personas todos los días?
¿Y qué traen sólo una vez o dos veces por semana?

Sara trae su mochila todos los días.

a. los profesores
b. (nombre de) un(a) estudiante trabajador(a)
c. (nombre de) un(a) estudiante deportista
d. tu mejor amigo(a)
e. tú y tus compañeros de la clase de español

Túrnate con un(a) compañero(a) para hablar de
lo que traen Uds. a la escuela.

¿Qué traes tú . . . ?
Traigo . . .

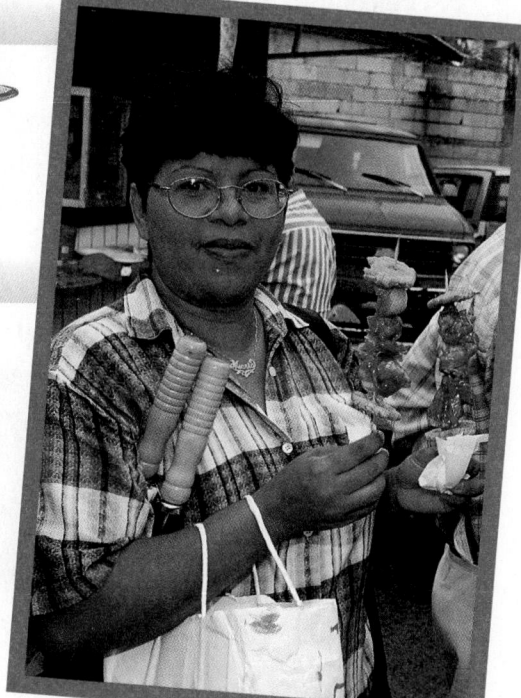

En Ponce, Puerto Rico

El complemento indirecto: Los pronombres

An indirect object tells to whom or for whom an action is performed. You already know the indirect object pronouns *me*, *te*, *le*, *nos*, and *les*. They are used to replace an indirect object noun.

El camarero **nos** sirve enchiladas de queso.	*The waiter serves **us** cheese enchiladas.*
Me trae un refresco.	*He's bringing **me** a soft drink.*
¿**Te** trae el postre ahora?	*Is he bringing **you** dessert now?*

- Because *le* and *les* can have more than one meaning, we can make the meaning clear by adding *a* + pronoun.

Rafael **le** trae el postre **a ella.**	*Rafael is bringing dessert **to her.***
Les servimos tacos **a ellos.**	*We serve **them** tacos.*

- When we use an indirect object noun, we usually use the indirect object pronoun too.

Le compro naranjas **a mi mamá.**	*I'm buying oranges **for my mom.***
Les sirvo burritos **a mis amigos.**	*I serve burritos **to my friends.***

- We can attach an indirect object pronoun to an infinitive or put it before the main verb.

Voy a trae**rles** guacamole.	*I'm going to bring **them** guacamole.*
Les voy a traer guacamole.	

Un Mantel Individual por 20 tapas

Consigue un mantel individual, 100% algodón, de 44x31 cms, con apliques bordados y servilleta, por 20 tapas de Flan de Huevo DHUL de 110 grs., con la palabra "Promoción" impresa. Canjéalas en tu establecimiento. Modelos variados.

¡Coléccionalos!

Dhul   LO NATURAL ES BUENO

6 Tu compañero(a) y tú van a preparar las siguientes comidas.
Pídele algo que necesitas. Luego continúa la conversación.

A —*Quiero hacer guacamole. ¿Me traes una cebolla?*

B —*Sí, ¿y te traigo tomates también?*

A —*Sí, por favor.*
    o: *No, gracias.*

a.

b.

c.

d.

e.

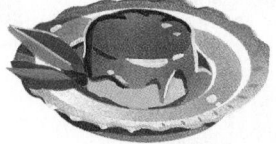

f.

g.

7 El camarero nunca les sirve a Uds. lo que *(what)* piden.
Explica la situación con un(a) compañero(a).

Cuando ella pide pollo, el camarero le sirve pescado.

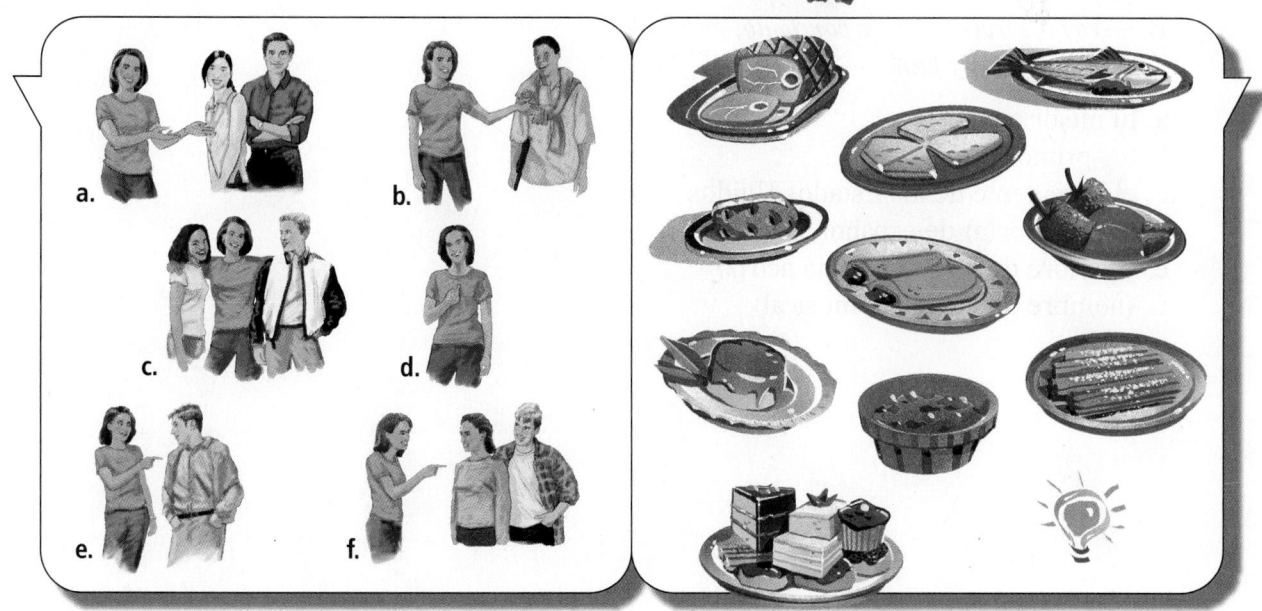

a.

b.

c.

d.

e.

f.

8 Vas a ir de compras. Tu compañero(a) te pregunta por qué vas a estos lugares.

A —*¿Por qué vas a la tienda de regalos?*

B —*Necesito comprarle un regalo a mi mamá.*

Estudiante A   **Estudiante B**

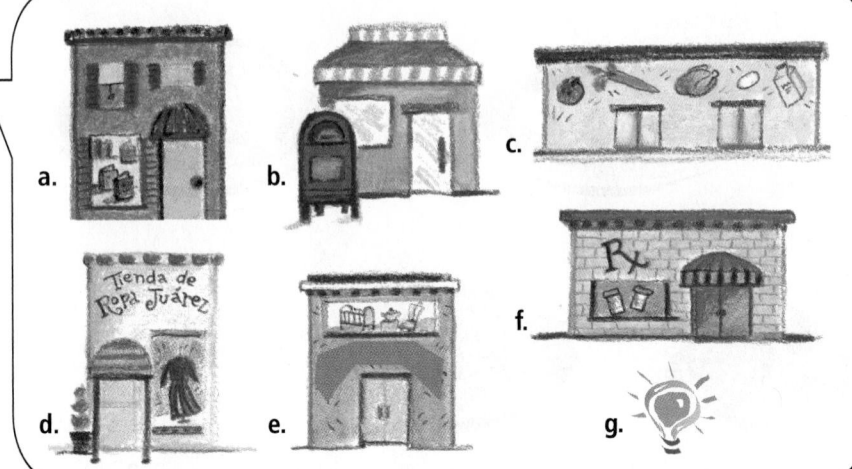

a.

b.

c.

d.

e.

f.

g.

a mis amigos

a mi amigo(a)

a mi mamá / papá

a mis padres

a (nombre de una amiga)

9 Vas a invitar a estas personas a tu casa. Dile a tu compañero(a) qué vas a servirles.

tus abuelos

A —*¿Qué vas a servirles a tus abuelos?*

B —*Voy a servirles arroz con pollo, ensalada, zanahorias y pan.*

a. tu mejor amigo(a)
b. tus primos
c. el Presidente de los Estados Unidos
d. tu profesor(a) de español
e. (nombre de un actor o una actriz)
f. (nombre de un grupo musical)

10 ¿Qué les sirve tu mamá a estas personas en estas ocasiones?
Habla con un(a) compañero(a).

cuando tú y tus amigos tienen mucho frío

A —¿*Qué les sirve tu mamá a ti y a tus amigos(as) cuando*
tienen mucho frío?

B —*Nos sirve chocolate.*

a. cuando tienes dolor de estómago
b. cuando tú y tus hermanos(as) tienen gripe
c. cuando tú y tus amigos(as) tienen mucho calor
d. cuando tienes fiebre
e. para tu cumpleaños
f.

El pretérito de los verbos que terminan en *-er* e *-ir*

As you know, we use the preterite tense to tell what happened in the past. For *-ar* verbs, we use this pattern of endings: *-é, -aste, -ó, -amos, -asteis, -aron*. The preterite endings for regular *-er* and *-ir* verbs are alike: *-í, -iste, -ió, -imos, -isteis, -ieron*.

Here are all of the preterite forms of *comer* and *salir*:

(yo)	com**í** sal**í**	(nosotros) (nosotras)	com**imos** sal**imos**
(tú)	com**iste** sal**iste**	(vosotros) (vosotras)	com**isteis** sal**isteis**
Ud. (él) (ella)	com**ió** sal**ió**	Uds. (ellos) (ellas)	com**ieron** sal**ieron**

• Notice the accent marks on the endings *-í* and *-ió*. These must be included as a part of the spelling.

¡NO OLVIDES!

Remember that *ver* does not have accent marks on any of its preterite forms: *vi, viste, vio; vimos, visteis, vieron.*

Un cartel en un restaurante chino en Santiago, Chile

11 Estas personas salieron de sus casas treinta minutos después de comer. Dile a tu compañero(a) a qué hora comieron y a qué hora salieron.

Pablo / 6:30

A —¿*A qué hora comió Pablo?*

B —*Comió a las seis y media.*

A —¿*Y luego salió?*

B —*Sí, salió a las siete.*

a. Eduardo y Santiago / 7:15
b. Benjamín / 8:20
c. Uds. / 8:45
d. Claudia y Soledad / 6:40
e. María Eugenia / 7:30
f. tú /

12 En cuatro hojas de papel escribe cuatro cosas diferentes que comiste o bebiste la semana pasada. Mezcla *(mix)* tus papeles con los de otros(as) tres compañeros(as). Una persona del grupo va a escoger un papel y preguntar quién comió o bebió esas cosas.

A —¿*Quién comió tacos la semana pasada?*

B —*Yo comí tacos.*

C —*Yo también.*

Lleva un registro *(keep a tally)* de las respuestas de tus compañeros(as) para informar a la clase qué comieron y bebieron las personas de tu grupo.

Miguel y yo comimos tacos la semana pasada.
o: *Miguel y Sara comieron tacos la semana pasada.*
o: *Ricardo no comió tacos la semana pasada.*

13 En grupos, hagan una encuesta para averiguar a qué hora los estudiantes de la clase salieron de su casa para ir a la escuela esta mañana. ¿A qué hora salió la mayoría de los estudiantes? ¿A qué hora saliste tú? Después, combinen los resultados en una gráfica en la pizarra.

Ahora lo sabes

Can you:

► tell what people order and serve?
—Mis padres siempre ___ pescado cuando van al restaurante.
—La cafetería de mi escuela ___ hamburguesas a menudo.

► tell what someone brings to a place or to another person?
—(Yo) le ___ una cuchara a mi hermana.

► tell what someone does or did for you or for someone else?
—Mis padres no tienen servilletas. Por eso, la camarera ___ trae servilletas.

► tell what someone ate?
—Federico ___ chile con carne anoche.

MORE PRACTICE

- Más práctica y tarea, pp. 542–543
- Practice Workbook 12–5, 12–10

Con la familia a la hora de la cena en Madrid

¡Do JuNToz!

Actividades

1 Haz una lista de lo que comiste y bebiste durante los últimos tres días. Si comiste o bebiste algo más de una vez, indica cuántas veces. Con un(a) compañero(a) habla de lo que Uds. comieron y bebieron y escríbanlo en una hoja de papel. Luego informen a la clase o a otro grupo sobre lo que comieron. Pueden hablar sobre:

- lo que comiste y bebiste y cuántas veces
- lo que tu compañero(a) comió y bebió
- si sus dietas tienen algo en común o no
- si comieron y bebieron cosas buenas o malas para la salud

"Aquí venden los ingredientes que necesito."
Dos jóvenes de compras en la Ciudad de México

2 Con un(a) compañero(a) prepara una comida para una fiesta de la escuela. Deben:

- decidir qué comida van a preparar
- hacer una lista de los ingredientes que van a necesitar y cuánto van a necesitar de cada uno

Luego, digan a la clase qué comida piensan traer a la fiesta. También pueden decidir quiénes van a:

- poner la mesa
- lavar los platos
- ser los camareros y las camareras
- sacar la basura

15 tortillas de maíz
carne de res
5 aguacates
4 tomates
2 cebollas
15 pasteles

Conexiones

La geografía

Más helado, por favor

Sin mirar *(without looking at)* la tabla, adivina en qué países del mundo se come más helado. Menciona tres países.

Busca en un mapa del mundo los tres países que escogiste. Localiza *(Locate)* el ecuador. Usa la clave *(key)* del mapa para determinar la distancia aproximada de estos países al ecuador.

Ahora, mira la tabla de abajo. ¿Coinciden los datos con tu predicción? Mira la tabla otra vez. Los países en los que se come más helado tienen algo en común. Sigue los pasos siguientes para descubrir este elemento común.

- Busca en tu mapa los países de la tabla. Averigua la distancia aproximada de cada uno de ellos al ecuador. Organiza la lista de acuerdo a la proximidad de los países al ecuador.

- En los países que están *cerca del ecuador,* hace mucho ___ en el verano y no hace mucho ___ en el invierno. En los países que están *lejos del ecuador,* hace mucho ___ en el invierno.

- ¿Qué tienen en común los países de la tabla?

Países en que se come más helado	
Estados Unidos	47,04 pintas por persona
Nueva Zelanda	37,70
Dinamarca	36,02
Australia	32,64
Bélgica/Luxemburgo	31,50
Suecia	30,09
Canadá	27,02
Noruega	25,65
Irlanda	19,32
Suiza	15,79

Source: *The Top Ten of Everything* by Russell Ash (DK Publishing, 1997)

Basándote en esta información, ¿en qué región de los Estados Unidos piensas que se come más helado por persona?

¡Vamos a leer!

Antes de leer

STRATEGY➤ **Using prior knowledge**

How familiar are you with Mexican food? Do you suppose the menu in a restaurant in Mexico might be different from one found in a Mexican restaurant in the United States? How do you think it might be different?

Mira la lectura

STRATEGY➤ **Scanning**

This article compares Mexican food found in Mexico with that found in the United States. It also points out the variety of dishes in three different states in Mexico. What states do the menus come from? Does American cooking vary from one region to another?

EN LA VARIEDAD ESTÁ EL GUSTO

¿Con qué frecuencia comes en restaurantes mexicanos? ¿Te gustan los burritos o el chile con carne? ¿Crees que estas comidas son auténticas? La comida mexicana en los Estados Unidos es diferente a la que se come en México. Los inmigrantes y los mexico-americanos han creado un nuevo mundo de la cocina mexicana. Los burritos y el chile con carne son populares en las ciudades norteamericanas, pero en México son casi desconocidos.

La comida de México es más variada y sustancial. Tiene sus orígenes en las diferentes culturas precolombinas y en España. El chile, el maíz y el tomate son de origen americano, pero la pimienta, la cebolla y el trigo fueron traídos por los españoles. La comida mexicana de hoy usa todos estos ingredientes.

En cada región de México se pueden encontrar diferentes tipos de comidas o platillos. Imagina que haces un viaje por tres estados de México y que en cada estado comes algo distinto. Mira los menús a la derecha.

PLATILLOS DE VERACRUZ, EN EL SURESTE DE MÉXICO

ensalada tropical
pescado a la veracruzana
arroz verde
dulce de guayaba
café

Infórmate

STRATEGY ➤ **Using illustrations to guess the meaning of unknown words**

1 Were you able to figure out some of the items in each menu by looking at the pictures? What drinks are offered with each meal?

2 Are there any ingredients you did not expect to find in a Mexican dish? What are they?

3 After reading these menus, explain how the food served in Mexico compares with that served in the United States.

Aplicación

A Mexican exchange student in your class wants to eat at a Mexican restaurant this weekend. What would you tell him about the Mexican food found in the United States? What do you think will surprise him the most?

PLATILLOS DE NUEVO LEÓN, AL NORTE DE MÉXICO

*guacamole con enchiladas
huevos con carne de res
dulce de leche
té helado*

¿Te gustaría probar alguna de estas tres variedades de comida? ¿Cuál te parece más interesante? ¡Las tres son deliciosas!

PLATILLOS DE JALISCO, EN EL CENTRO DEL PAÍS

*ensalada de nopales
carne asada
arroz con leche
agua de horchata*

¡Vamos a escribir!

Everyone enjoys going out to eat, but it's not always easy to decide where to go. Write a review of a restaurant that you would recommend to your classmates.

1 Think about a restaurant you go to. It can be a fast-food restaurant, a coffee shop, or even the school cafeteria.

- ¿Cómo se llama el restaurante?
- ¿Dónde está?
- ¿A qué hora abre y a qué hora cierra?
- ¿Qué clase de comida sirve?
- ¿Cuáles son sus platos especiales?
- ¿Qué plato te gusta más? ¿Por qué?
- ¿Es caro o barato? ¿Aceptan tarjetas de crédito?
- ¿Es accesible para personas incapacitadas?

2 Use the answers to the questions to write a review of the restaurant. Show your review to a partner. Does he or she think you should change anything? Is there some other information your partner would suggest adding?

3 Rewrite your review, taking into consideration the changes suggested by your partner and any others you might like to make. Check for spelling, accents, verb forms, and adjective agreement. If necessary, write your review again.

4 Now your review is ready to be published. You can:

- submit it to the school paper or Spanish club
- include it in a pamphlet about local restaurants called *Buenos restaurantes*
- add it to your writing portfolio

Buenos Restaurantes

En la Fonda Refugio se cocina la mejor comida mexicana de la ciudad. Allí puede probar la especialidad de la casa: chiles con queso. Son sabrosos, nutritivos y no son muy picantes. Además, en la Fonda Refugio hay una variedad de enchiladas, tacos, quesadillas y burritos.

El restaurante está en la calle Independencia, 4. Abren de 11:00 de la mañana a 11:00 de la noche. ¡Debe visitarlo!

"Y para la merienda, ¿te gustaría pedir unos pasteles?"

Café al aire libre en la Ciudad de México ►

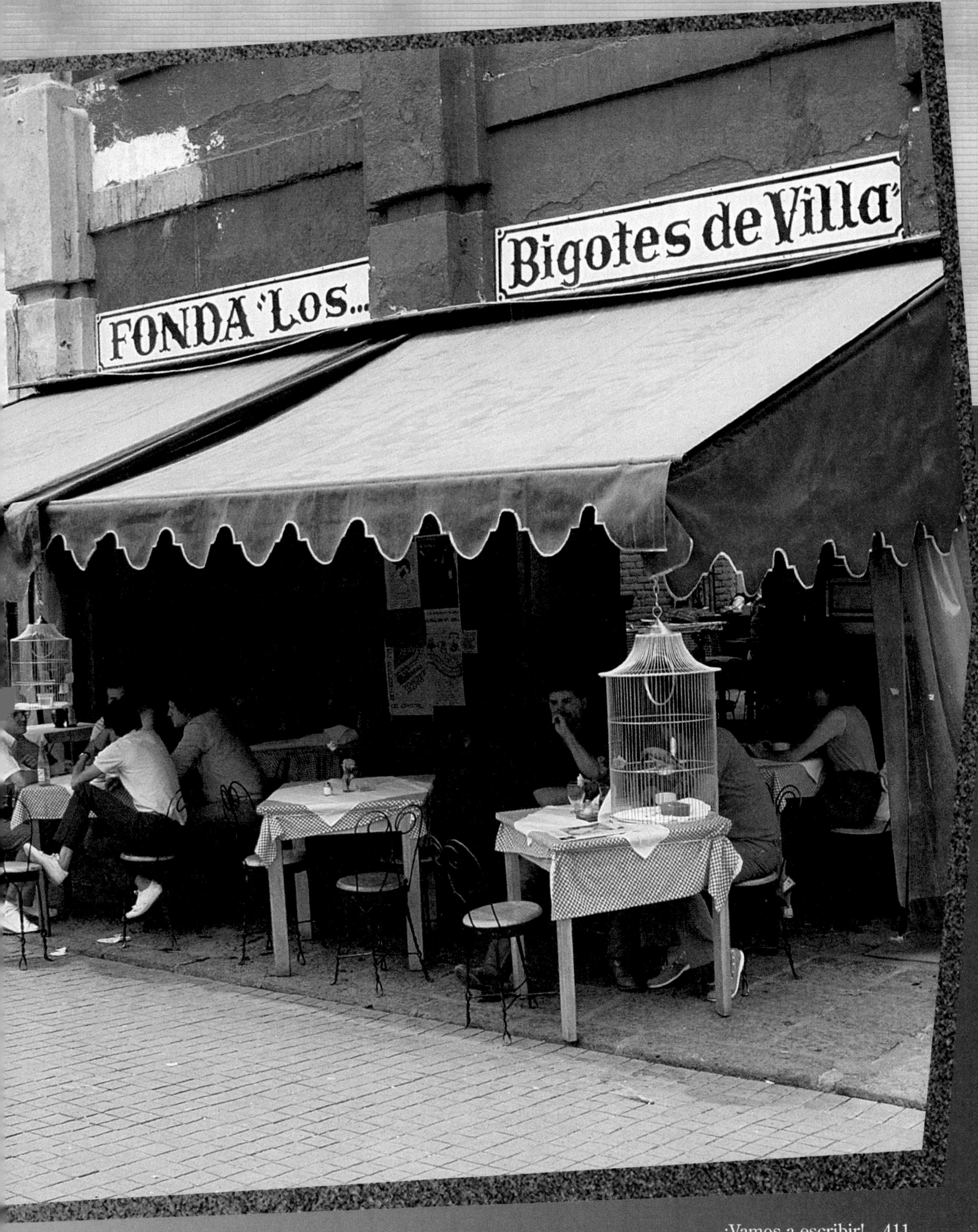
FONDA "Los...
Bigotes de Villa"

Repaso ¿Lo sabes bien?

This section will help you organize your studying for the proficiency test, where you will be asked to do similar, though not identical, tasks. There will not be any models on the test.

► Listening

Can you understand when someone talks about a meal? Listen as your teacher reads a sample similar to what you will hear on the test. Is the person planning to eat a snack, a main meal, or a dessert?

► Reading

Using the illustration on this recipe, can you figure out how to prepare this dish? What do you think *asar* means? Why is the dish called *carne al carbón*?

Carne al carbón

Ingredientes:

**carne de res
1 limón verde
sal y pimienta**

Diez minutos antes de servirla, pon el jugo de limón verde, la sal y la pimienta sobre la carne. Debes asar la carne tres minutos por cada lado.

► Writing

Can you write a letter to a friend describing a meal you ate recently? Here is a sample letter:

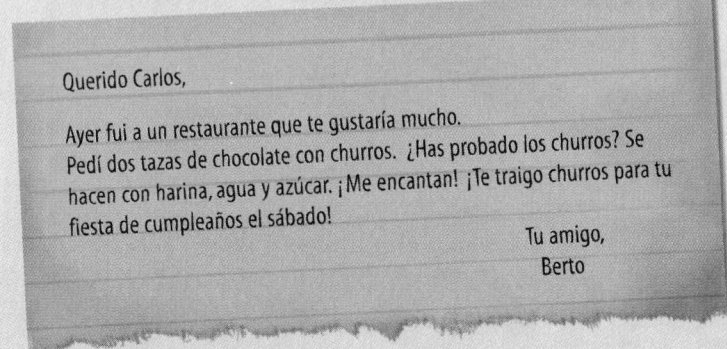

Querido Carlos,

Ayer fui a un restaurante que te gustaría mucho. Pedí dos tazas de chocolate con churros. ¿Has probado los churros? Se hacen con harina, agua y azúcar. ¡Me encantan! ¡Te traigo churros para tu fiesta de cumpleaños el sábado!

Tu amigo,
Berto

► Speaking

Can you and a partner play the roles of a waiter and a customer?

A —*Aquí le traigo el menú.*

B —*Gracias. ¿Cuál es el plato del día?*

A —*Enchiladas de pollo, pero no son muy picantes.*

B —*¡Genial! Pero, camarero, me faltan una servilleta y un tenedor.*

A —*¿De veras? ¡Los traigo en seguida!*

► Culture

Can you name two similarities and two differences between dining out in Mexico and in the United States.

Self
Test
www.pasoapaso.com

"El domingo voy al restaurante con mi familia."

Resumen del vocabulario

Use the vocabulary from this chapter to help you:

► ask politely to have something brought to you

► order a meal

► say what you ate or drank

to name and discuss foods

el aguacate
el azúcar
los burritos
la carne de res
el chile
el chile con carne
los chiles rellenos
el chocolate
los churros
la comida
las enchiladas
el flan
los frijoles refritos
el guacamole
el helado
la mantequilla
los pasteles
la pimienta
las quesadillas
la sal
las salsas
los tacos
la tortilla de harina / de maíz

to talk about food

a la carta
la especialidad de la casa
la merienda
de merienda
(no) picante
el plato del día

los platos principales
el postre
de postre
beber: (yo) bebí
　　　(tú) bebiste
comer: (yo) comí
　　　(tú) comiste
¿Con qué se hace(n) ___?
Se hace(n) con ___.
pedir (e → i)
probar (o → ue):
　(yo) he probado
　(tú) has probado
servir (e → i)
vender

to describe table settings

la cuchara
el cuchillo
el mantel
el platillo
el plato
la servilleta
la taza
el tazón
el tenedor
el vaso

to talk about eating out

el camarero, la camarera
la cuenta
el menú

to express needs

Me falta(n) ___.
¿Me pasas ___?
¿Me trae ___?
Le traigo ___.
traer: (yo) traigo
　　　(tú) traes

to indicate time or frequency

alguna vez
a menudo
en seguida
muchas veces
una vez

to indicate position

debajo de
delante de
encima de

other useful expressions

¿Algo más?
lo mismo

VISIT
www.pasoapaso.com

CAPÍTULO 13
Para proteger la Tierra

Objectives

At the end of this chapter, you will be able to:

► describe the natural environment

► list actions to protect the environment

► discuss environmental dangers

► name species in danger of extinction in the United States and the Spanish-speaking world and say what can be done to protect them

PASO CULTURAL

In the early 1900s, the area of *las cataratas de Iguazú* was made an Argentinian national park. Three countries—Brazil, Argentina, and Paraguay—meet at these spectacular falls, which are four times the width of Niagara Falls and 50 percent higher. Hundreds of species of insects, birds, and mammals are found in the area—pumas, jaguars, toucans, and at least 500 species of butterflies. As many as 15,000 tourists a day visit the falls, a worrisome number for environmentalist groups, who continue to lobby against nearby hotel construction projects. What natural phenomena are in the part of the country where you live? What efforts are being made to preserve or restore them?

¡Piensa en la CULTURA!

Environmental protection in Puerto Rico, Chile, Costa Rica, and Equatorial Guinea

Look at this photograph. What do you see that is similar to the environmental efforts in your community?

San Juan, Puerto Rico

"Es importante reciclar para proteger la Tierra."
Jóvenes en un centro de reciclaje en Puerto Rico

YO APOYO LA ACCION ECOLOGICA EN CHILE

VOLUNTARIO
ASCONA
ASOC. COSTARRICENSE PARA LA CONSERVACION DE LA NATURALEZA

What do you think the words *reciclar* and *proteger* mean?
What does *centro de reciclaje* mean?

En América Central el jaguar está en peligro de extinción.

América Central

Guinea Ecuatorial

PASO CULTURAL These conservation stamps were issued by Equatorial Guinea, a West African nation about the size of the state of Maryland, densely covered with tropical rain forests. The country was once ruled by Spain, and Spanish continues to be its official language alongside a dozen or more African languages. This series of stamps features birds from Asia and parts of Africa. Why do you think these images were used on these stamps? What three things would you choose to show on a series of stamps commemorating the environment?

What other animals do you know of that are endangered?

www.pasoapaso.com
Visit these countries on-line

¡Piensa en la cultura! 417

Vocabulario para conversar

¿Cómo podemos conservar energía?

Aquí tienes palabras y expresiones necesarias para discutir peligros del medio ambiente y para hablar sobre qué podemos hacer para protegerlo. Léelas varias veces y practícalas con un(a) compañero(a) en las páginas siguientes.

la luz, *pl.* las luces

At Home VIDEO Chapter 13 Vocabulary

la botella

la madera

el plástico

la piel

el cartón

el vidrio

la lata*

el aluminio

montar en bicicleta

la bicicleta

la revista

el periódico

la guía telefónica

También necesitas...

apagar	*to turn off*	(No) vale la pena.	*It's (not) worth it.*
proteger*	*to protect*	a la vez	*at the same time*
recoger*	*to pick up*		
la gente	*people*		
saber: (yo) sé	*to know: I know*		
(tú) sabes	*you know*		
(No) hay que ___ .	*It's (not) necessary to___.*		

¿Y qué quiere decir . . . ?

conservar	reducir†
la energía	separar
reciclar	usar

* Note that to talk about a tin can, a glass bottle, a cardboard folder, a metal table, etc., we use noun + *de* + material.
  For example: *lata de aluminio, botella de vidrio.*
* *Proteger* and *recoger* are regular *-er* verbs with a spelling change in the *yo* form of the present tense: *protejo, recojo.*
† *Reducir* is a regular *-ir* verb in the present tense, except for the *yo* form: *reduzco.*

Empecemos a conversar

Túrnate con un(a) compañero(a) para ser *Estudiante A* y *Estudiante B*. Reemplacen las palabras subrayadas con palabras representadas o escritas en los recuadros.

 quiere decir que puedes escoger *(choose)* tu propia respuesta.

1 **A** —¿Vale la pena reciclar *el aluminio*?
B —¡Claro que sí (o: *no*)!

Estudiante A   **Estudiante B**

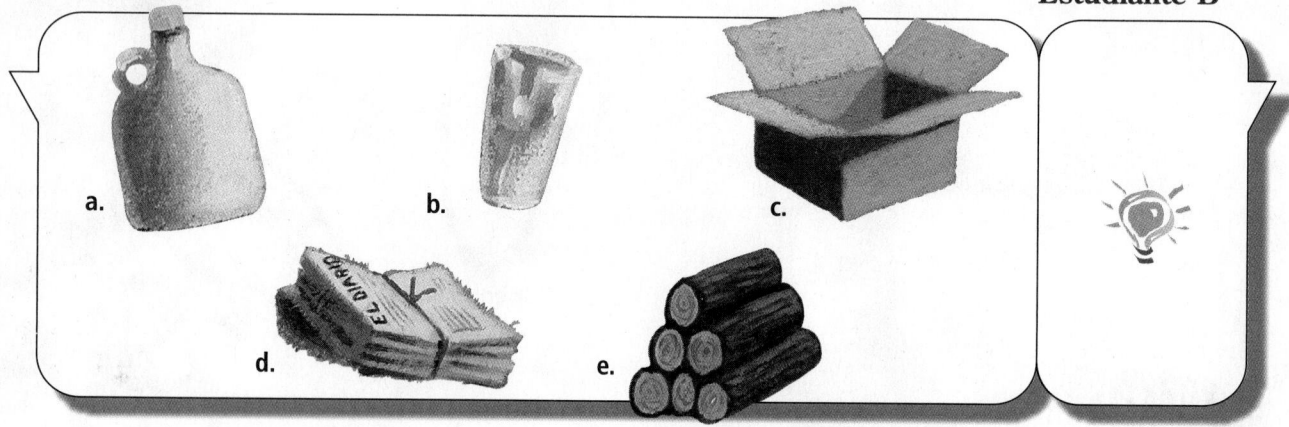

a.   b.   c.   d.   e.

2 **A** —¿Cómo puedo *conservar energía*?   conservar energía
B —Puedes *usar menos luz*.

Estudiante A

a. reducir la basura
b. conservar agua
c. proteger mi comunidad
d.

Estudiante B

reciclar latas y botellas
montar más en bicicleta
usar menos agua en el baño
lavar mucha ropa a la vez
lavar muchos platos a la vez
usar menos el coche
apagar las luces

3　A —¿Sabes si tenemos que reciclar
　　　<u>las botellas de plástico</u>?

　　B —Sí, las tenemos que reciclar.
　　　o: No. No hay que reciclarlas.

¡NO OLVIDES!

When we use direct object pronouns with infinitives, we can either attach them to the end of the infinitive or put them before the main verb. When we use *hay que* they must be attached to the infinitive.

Estudiante A　　　　　　　　　Estudiante B

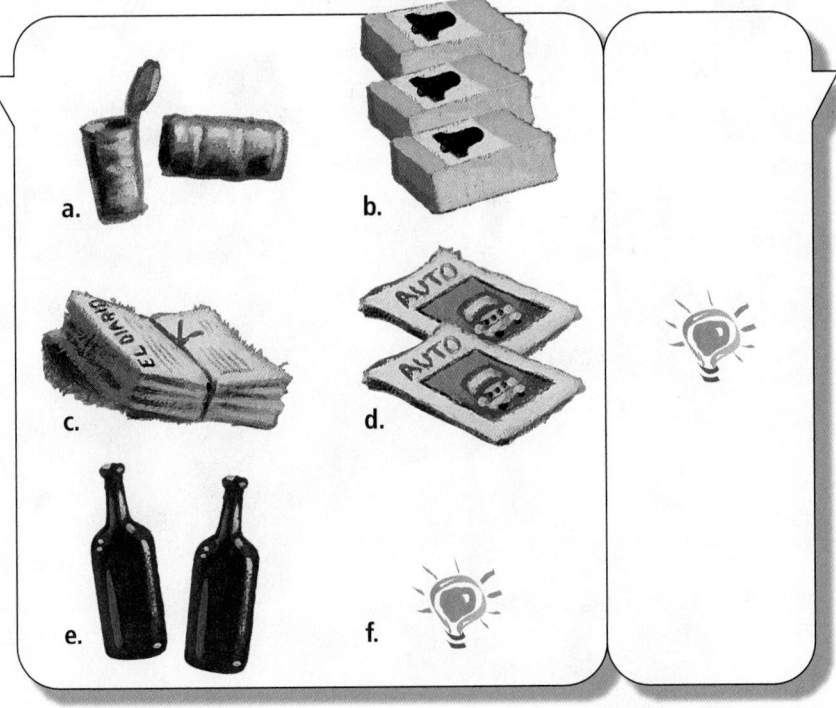

a.

b.

c.

d.

e.

f.

Empecemos a escribir

Escribe tus respuestas en español.

4　¿Qué puedes hacer con libros que ya no usas? ¿Con ropa que ya no te queda bien?

5　¿Cómo vas a la escuela? ¿En bicicleta? ¿En autobús? ¿A pie? ¿Por qué?

6　En tu comunidad, ¿qué pueden reciclar que no reciclan ahora?

7　¿Piensas que la gente debe comprar abrigos u otra ropa de piel o no? ¿Por qué?

MORE PRACTICE

- Más práctica y tarea, p. 543
- Practice Workbook 13–1, 13–2

También se dice...

andar en bicicleta

el directorio
la guía de teléfonos
el listín

Vocabulario para conversar

¿La Tierra forma parte del medio ambiente?

Aquí tienes el resto del vocabulario necesario para hablar
sobre el medio ambiente y sus peligros.

At Home VIDEO Chapter 13 Vocabulary

Los animales

el caballo

el jaguar

la vaca

el lobo

el oso

el gorila

la ballena

el océano

el elefante

la serpiente

el tigre

el aire

la fábrica

el pájaro

el árbol

el transporte público

la planta

la flor

la Tierra

También necesitas...

el medio ambiente	*environment*	hacer: hizo	*he / she did, he / she made*
la amenaza	*threat*	por supuesto	*of course*
el mayor peligro	*the greatest danger*		
en peligro de extinción	*endangered*	**¿Y qué quiere decir . . . ?**	
formar parte de	*to be a part of*	el centro de reciclaje	
decir	*to say*	contaminado, -a	
		puro, -a	

Empecemos a conversar

8 A —*¿La Tierra forma parte del medio ambiente?*
B —*No, claro que no.*
    o:
A —*¿Las fábricas forman parte del medio ambiente?*
B —*No. Las hizo la gente.*

Estudiante A   **Estudiante B**

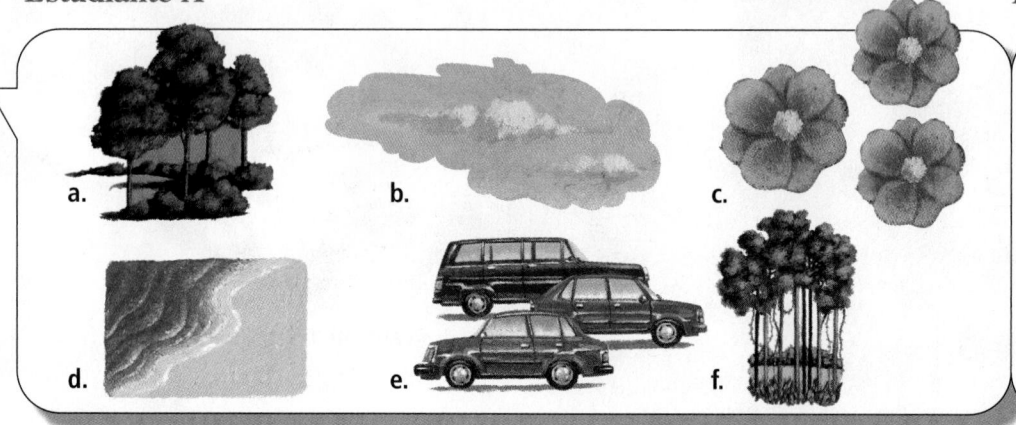

a.   b.   c.

d.   e.   f.

9 A —*¿Qué es una amenaza para el aire puro?*
B —*Los coches.*

Estudiante A   **Estudiante B**

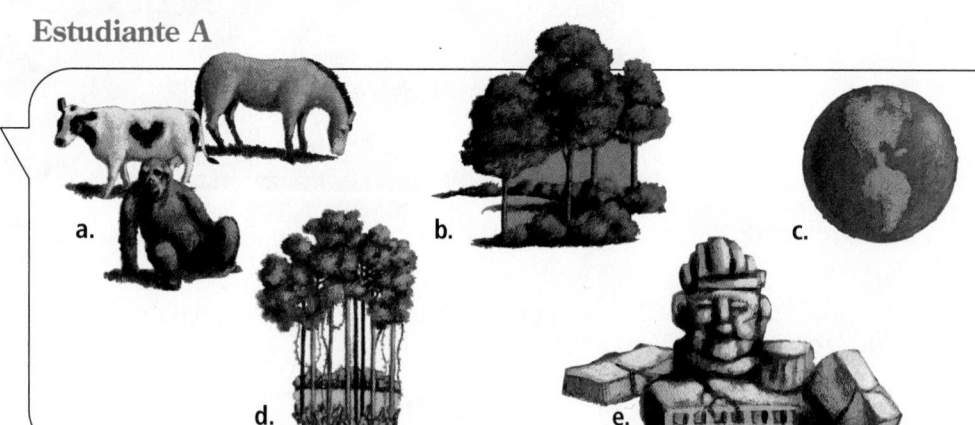

a.   b.   c.

d.   e.

las fábricas
las ciudades
la gente
el aire
  contaminado
el agua
  contaminada

10

A —*¿Están en peligro de extinción los jaguares?*

B —*Creo que sí.*
  o: *No, creo que no.*

Estudiante A

a.

b.

d.

e.

Estudiante B

c.

f.

g.

Born in 1935 in Morelia, Mexico, Alfredo Arreguín is today one of the best-known painters in the U.S. His artistic talents were already evident by age eight, when his grandfather bought him paint and brushes and enrolled him in the local fine arts school. He moved to the U.S. in 1958 to attend the University of Washington. Today he is a resident of the Seattle area. How might moving to another country and culture affect an artist's work? Give an example from the life of a painter, writer, composer, or performer whose work you know.

El último retorno del salmón (1988), Alfredo Arreguín

11

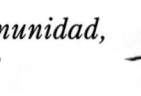

A —¿Qué es más importante para la comunidad, los árboles o los centros comerciales?

B —Los árboles.

o: No sé. Las dos cosas son importantes.

Estudiante A

Estudiante B

a.

b.

c.

d.

Ricky

Si mantienes presente estas tres palabras:

CORRESPONSABILIDAD, CODEPENDENCIA Y COEVOLUCION

podrás conservar mejor nuestro medio ambiente y nuestros recursos naturales. ¡Recuerda que tu comportamiento es importante para que todos vivan mejor!

"UNETE A LA CAMPAÑA DE: RICKY EL RECICLADOR

Empecemos a escribir y a leer

Escribe tus respuestas en español.

12 ¿Está contaminada el agua de tu comunidad? ¿Y el aire?

13 ¿Trabaja alguien que conoces en un centro de reciclaje? ¿Quién? ¿Qué hace?

14 ¿Cuántos parques con muchos árboles y flores hay en tu comunidad? ¿Dónde están?

15 En tu opinión, ¿hay suficiente transporte público en tu comunidad? ¿De qué clase? ¿Usa la gente de tu comunidad el transporte público?

16 Lee este párrafo ¿En qué recipiente debemos poner las botellas? ¿Y los periódicos?

Debemos reciclar latas, botellas, plásticos, revistas, periódicos, cartón, vidrio. No olvide que debe poner las revistas, los periódicos y el cartón en el recipiente amarillo. El aluminio, el vidrio y el plástico deben ponerse en el rojo.

la culebra
la víbora

YO PROTEJO EL MEDIO AMBIENTE

EN MI CASA USAMOS ENERGIA LIMPIA DE GASCO'

Un madrileño reciclando botellas

www.pasoapaso.com

MORE PRACTICE

- Más práctica y tarea, p. 544
- Practice Workbook 13–3, 13–4

¿Qué debe hacer la señora para proteger el medio ambiente? Observa bien este dibujo. Trabaja con un(a) compañero(a).

Debe reciclar las latas.

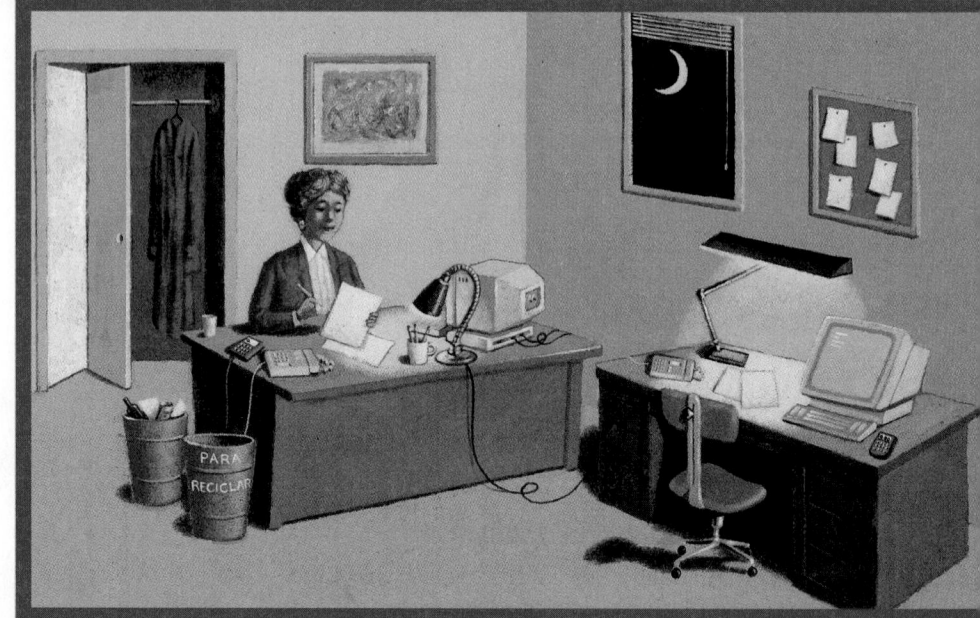

¿Están estos animales en peligro de extinción? Si lo están, di por qué. Tu compañero(a) debe decir qué podemos hacer para protegerlos.

A —*Las ballenas están en peligro de extinción porque los océanos están contaminados.*

B —*No debemos contaminar el agua de los océanos.*

Estudiante A   **Estudiante B**

a.   b.   c.

d.   e.

Dile *(tell)* a tu compañero(a) cómo piensas reciclar estas cosas viejas.

A —*¿Qué piensas hacer con ese vaso viejo?*

B —*Voy a usarlo para poner lápices.*

¿Qué sabes ahora?

Can you:

► describe the natural environment?
— ___, ___ y ___ forman parte del medio ambiente.

► describe our responsibilities to the environment?
—Hay que ___ el medio ambiente.
—Debemos ___ energía y ___ la basura.

► state ways to protect the environment?
—Hay que apagar ___, ___ transporte público y ___ las latas y las botellas.

Perspectiva cultural

Animales de Cuba que están en peligro de extinción

Almiquí cubano

Muchas especies de plantas y animales están en peligro de extinción. Otras ya han desaparecido.

Does anything seem unusual about the animals in these photographs? Explain. What clues do the captions give you about the part of the world they live in?

Can you imagine a three-foot-tall owl or a bird as small as a bee? The giant owl is long extinct, but the *zunzún,* the smallest bird in the world, still lives in Cuba, although it is endangered.

The *Greta cubana* is a very beautiful butterfly with transparent wings. Like the *zunzún,* it lives only in Cuba, and, like so many other species around the world, it is also endangered.

Another very unusual animal from Cuba is the *almiquí.* It has furry feet like a rabbit, the tail of a mouse, and a long snout like an opossum. It's an insect-eating animal about the size of a cat, and one of the few remaining native mammals of Cuba. Catching sight of an *almiquí* is really difficult, because there are so few of them left.

Why are these species disappearing? It's a long process that started with the first human settlements in Cuba about 7,000 years ago.

In recent years, more species have become endangered because of population growth and the redevelopment of the tourist industry, which has again become an important aspect of the Cuban economy.

Learning about these species has been a group effort. A team of Cuban scientists from the Museo Nacional de Historia Natural and U.S. scientists from the American Museum of Natural History in New York, among others, have been researching Cuban animal and plant life. This project is an example of how people around the world are pooling their efforts to study ecology and preserve its biological wonders. The Cuban–U.S. scientific team is also a good example of cooperation between the people of Latin America and the people of the United States.

Este animal, de casi 3 pies de alto, está extinto desde hace más de 7.000 años.

Cultural Activity www.pasoapaso.com

El zunzún, el pájaro más pequeño del mundo

La cultura desde tu perspectiva

1 What endangered species in the United States do you know about? How are the threats facing these animals similar to those facing endangered species in Cuba? How do the threats differ, if they do?

2 How might knowing each other's languages and cultures help experts in Latin America and the United States solve problems more effectively? What problems besides endangered species do you think could be solved by cooperation between the United States and Latin America?

Greta cubana

Gramática en contexto

You might see a poster like this at the entrance to a national park. What information would you expect to find there?

LUIS EL LOBO DICE . . .

Usa los senderos. No debemos destruir ni las flores ni las plantas.

Pide permiso a un guarda forestal si quieres encender fuego.

Apaga el fuego antes de salir del campamento.

Al salir del bosque, lleva contigo toda la basura.

Pon la basura en un basurero y tápalo.

Protege el bosque. Muchas personas van a visitarlo este año.

YO SÉ QUE PODEMOS PROTEGER Y CUIDAR EL BOSQUE CON TU AYUDA.

A Did the poster contain the type of information you expected?

B You have seen the word *dice* many times in this book. What does it mean? The infinitive is *decir*. Like *pedir* and *servir, decir* has an e → i stem change. What would be the *ellos / ellas* form of *decir*? And the *nosotros* form?

C In the poster you can see the following commands: *protege, usa, pide, apaga, lleva, pon.* Do these verb forms look more like present or preterite-tense forms? How does *pon* differ from the others?

El verbo *decir*

The verb *decir* means "to say" or "to tell." Here are all of its present-tense forms:

(yo)	**digo**	(nosotros) (nosotras)	**decimos**
(tú)	**dices**	(vosotros) (vosotras)	**decís**
Ud. (él) (ella)	**dice**	Uds. (ellos) (ellas)	**dicen**

- Notice the *e* of the stem changes to *i* in all forms except *nosotros* and *vosotros*.

1 Túrnate con un(a) compañero(a) para decir cuál es la opinión de estas personas.

La gente dice que las fábricas deben reducir el aire contaminado.

a. Los médicos | el aire contaminado
b. Mis amigos(as) | los abrigos de piel
c. Los profesores | el agua pura
d. Nosotros/los estudiantes | las botellas de ___
e. La gente | el mayor peligro
f. Muchas personas | las fábricas
g. Nadie | el transporte público

¡NO OLVIDES!

Remember that we must use *que* after *decir: Dice que...,* *dicen que...*

2 Ahora túrnate con un(a) compañero(a) para decir la opinión de estas personas sobre lo que es necesario o importante.

La gente dice que hay que reducir el aire contaminado.

a. El (la) profesor(a) de español | (no) tenemos que
b Mis padres | (no) vale la pena
c. Nosotros/los estudiantes | (no) hay que
d. Yo | (no) debemos
e. El Presidente de los Estados Unidos | (no) necesitamos
f.

El mandato afirmativo *(tú)*

When you tell someone to do something, you are giving an affirmative command. Here are some affirmative commands you might give to a person you address as *tú*.

> Pablo, **apaga** las luces por favor.
> Linda, **recoge** la basura.
> Cristóbal, **sirve** la cena ahora.

- Notice that command forms are usually the same forms that we use for *él / ella / Ud.* in the present tense.

- Certain verbs, like *poner, hacer,* and *decir,* have irregular command forms.

> Isabel, **pon** los libros en la mesa.
> Miguel, **haz** tu cama.
> Elena, **di** lo que piensas.

- Object pronouns are attached to the end of affirmative commands. When a pronoun is attached to a command that has two or more syllables, an accent mark is added to the stressed vowel.

> —¿Qué debo hacer con las botellas y latas?
> —**Sepáralas,** por favor.

3 Con un(a) compañero(a), decidan cuáles de estas formas son mandatos afirmativos.

a. sacude	e. vive	i. pide	m. di
b. pruebas	f. juega	j. ayuda	n. recicla
c. dice	g. pon	k. pones	o. quitas
d. haz	h. quedas	l. trabaja	p. trae

4 Tus amigos tienen un problema y te piden un consejo *(advice)*. Contéstales usando el mandato del verbo de la lista.

A — *Tengo mucho sueño.*

B — *Pues, duerme un poco.*

a. Tengo catarro.	Llamar a la clínica
b. Me lastimé la pierna ayer.	Comprar unas pastillas
c. Me duele mucho la garganta.	Descansar
d. Tengo gripe y quiero ver al médico.	Hacer ejercicio
e. Quiero ser mejor deportista.	Beber jugo de naranja

5 Copia estos mandatos en una hoja de papel. Después, ponle un pronombre de complemento directo a cada uno de ellos. ¿A cuáles de las formas hay que añadir *(add)* un acento?

a. pide   e. apaga   i. cierra   m. corta

b. compra   f. saca   j. reduce   n. separa

c. bebe   g. pon   k. sirve   o. lee

d. di   h. practica   l. haz   p. cocina

6 Túrnate con un(a) compañero(a) para leer estas ideas sobre el medio ambiente. Uno(a) de Uds. lee, agregando *(adding)* *Dicen que* . . . . El (la) otro(a) responde usando el mandato.

A —*Dicen que debemos sacar la basura.*   Debemos sacar
                                                  la basura

B —*Pues, sácala.*

a. Hay que apagar las luces.

b. Debemos conservar energía.

c. Vale la pena proteger el medio ambiente.

d. Tenemos que usar el transporte público.

e. Necesitamos conservar agua.

f. Hay que separar la basura.

La Empresa Municipal de Transportes en Madrid tiene autobuses que no contaminan el aire.

7 Pregúntale a tu compañero(a) qué puedes hacer tú para proteger el medio ambiente. Él(ella) deberá decirte tres cosas que puedes hacer.

A —*¿Qué debo hacer para proteger el medio ambiente?*

B —*Primero, recicla las botellas y las latas.*
Segundo, conserva agua.
Tercero, apaga las luces si no las necesitas.

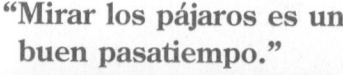

"Mirar los pájaros es un buen pasatiempo."

El verbo *saber*

We use the verb *saber* ("to know") to talk about knowing facts or information. Here are all of its present-tense forms.

(yo)	**sé**	(nosotros) (nosotras)	**sabemos**
(tú)	**sabes**	(vosotros) (vosotras)	**sabéis**
Ud. (él) (ella)	**sabe**	Uds. (ellos) (ellas)	**saben**

En las Islas Galápagos, Ecuador

• *Saber* follows the pattern of regular *-er* verbs except for the *yo* form: *sé*.

• When *saber* is immediately followed by the infinitive, it means "to know how to."

Mis amigos **saben esquiar** muy bien.

8 Pregúntale a un(a) compañero(a) si sabe cómo podemos proteger la Tierra. Pregunta y contesta con elementos de las tres columnas.

A —*¿Sabes cómo podemos reciclar las latas y las botellas?*

B —*Sí, lo sé. Debemos llevarlas a un centro de reciclaje.*

a. reciclar	el aire contaminado	apagar las luces cuando no las usamos
b. conservar	las latas y las botellas	reciclar revistas y periódicos
c. proteger	la basura	usar menos papel
d. reducir	energía	montar en bicicleta o usar transporte
	los árboles de la selva	público
		llevar(las) a un centro de reciclaje

9 Pregúntale a tu compañero(a) si él(ella), su familia o sus amigos saben hacer estas cosas.

A —¿*Sabes esquiar?*

B —*Sí, sé esquiar bien. Mi amigo Miguel también sabe.*
   o: *No, yo no sé esquiar, pero mis hermanas sí saben.*

a.   b.   c.   d.

e.   f.   g.

Ahora lo sabes

Can you:

► report what people say or tell?
   —Ellos ____ que debemos separar el vidrio y el aluminio. ¿Qué ____ tú?

► tell a friend, a family member, or a child what to do?
   —¿Debo apagar la luz?
   —Sí. No la necesitas ahora. ¡_____!

► say what people know?
   —Mis padres ____ que es importante reciclar.

Cuzco, Perú

MORE PRACTICE

Más práctica y tarea, pp. 544–545
Practice Workbook 13–5, 13–10

Todo Junto

Actividades

Una estación del metro en Buenos Aires

1 En un grupo pequeño, haz un anuncio de radio o de televisión sobre el transporte público de tu comunidad. Estas ideas te pueden ayudar:

La gente que sabe usa el metro.
Dicen los pasajeros: ¡El metro es muy rápido!
¡Qué cómodo es!
Úsalo todos los días.
Es la mejor manera de ir a trabajar y a la escuela.

Presenta tu anuncio al resto de la clase.

2 Prepara un cartel turístico con fotografías o dibujos de un lugar que te gustaría visitar. Usa mandatos para decirle al turista lo que debe hacer. Puedes incluir esta información:

- qué lugar visitar y cuándo
- cómo llegar
- qué hacer en ese lugar
- qué comprar
- de qué sacar fotos
- qué llevar

Prepara una presentación oral sobre tu cartel para la clase.

Conexiones

La geografía

Las matemáticas

Áreas protegidas

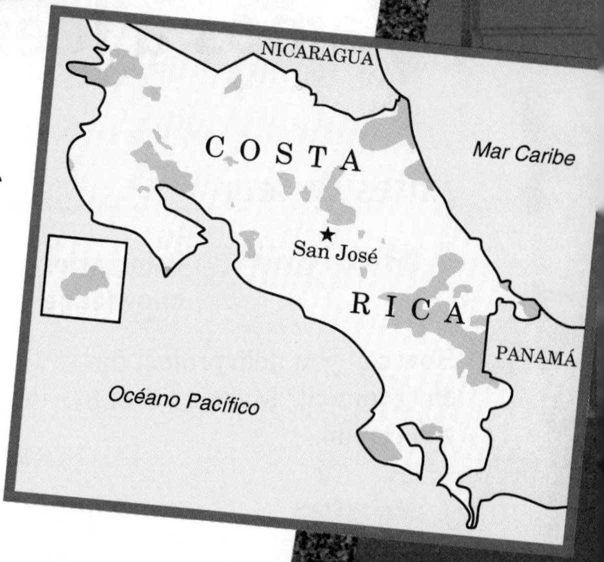

Mira el mapa de Costa Rica. Las áreas protegidas (parques nacionales, etc.) están indicadas en verde. **Estima** qué porcentaje del área total del país es el área protegida.

Mira la tabla que compara las áreas protegidas con el área total del país. Con un(a) compañero(a):

- **Calcula** qué porcentaje del área total es el área protegida.
- **Compara** la respuesta con las estimaciones que hicieron tú y tu compañero(a).

País o Estado	Áreas protegidas	Área total
Costa Rica	4.459 millas cuadradas	19.652 millas cuadradas

Copia la tabla y agrega estas cifras del estado de California: áreas protegidas, 3,268 m^2; área total, 158,706 m^2. Con un(a) compañero(a):

- **Calcula** qué porcentaje del área total es el área protegida.
- **Compara** ese porcentaje con el de Costa Rica.
- **Averigua** cuántas millas cuadradas tiene tu estado (o algún estado o país) y cuántas de esas millas están protegidas.
- **Calcula** qué porcentaje del área total del estado o país es el área protegida. Con tu compañero(a), presenta un informe a la clase. Por ejemplo:

    El área total de (nombre del estado / país) es de (número) millas cuadradas.

    (Número) millas cuadradas están protegidas.

    Las áreas protegidas representan (número) por ciento del estado / país.

    Costa Rica protege más / menos de su área total que (nombre del estado / país).

Monte Verde, Costa Rica

¡Vamos a leer!

Muchacha ayudando en su comunidad en Honduras

Antes de leer

STRATEGY ➤ **Using prior knowledge**

How can you help protect the environment? Make a list of five things you can do.

Mira la lectura

STRATEGY ➤ **Using titles and photos to predict**

Look over the reading to get an idea about how it is organized. What is the title? What does the picture tell you? What is the purpose of the introductory statement?

Cuide el mundo desde casa

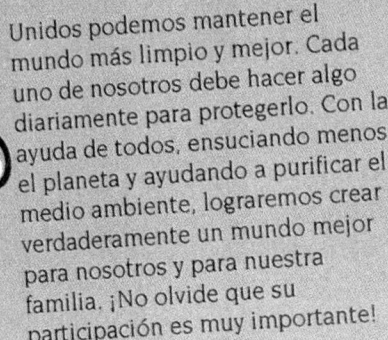

¡Ud. puede hacer mucho para proteger el mundo!

Unidos podemos mantener el mundo más limpio y mejor. Cada uno de nosotros debe hacer algo diariamente para protegerlo. Con la ayuda de todos, ensuciando menos el planeta y ayudando a purificar el medio ambiente, lograremos crear verdaderamente un mundo mejor para nosotros y para nuestra familia. ¡No olvide que su participación es muy importante!

¿Qué puede hacer desde su propia casa?

- Ahorre energía. No use innecesariamente electricidad ni gasolina.
- No desperdicie agua.
- Compre alimentos o productos envasados en materiales reciclables.
- No use atomizadores, o cualquier otro producto que pueda dañar la capa de ozono.

- Consuma productos naturales que no contengan demasiadas sustancias químicas alterantes.
- Revise la salida de gas de su vehículo periódicamente.
- Conserve limpios los lugares públicos y privados: calles, parques, plazas, playas, etc.
- No tale árboles innecesariamente.
- Infórmese sobre campañas ecológicas en su comunidad.
- Lea artículos o vea programas de televisión sobre el medio ambiente.

Como ve, hay muchas cosas que puede hacer para ayudar y cuidar el mundo en que vivimos. No se desanime si otras personas no contribuyen. ¡Contribuya Ud. con su ejemplo!

Infórmate

STRATEGY ➤ **Recognizing word families**

Word families are groups of related words that are used in different ways as nouns, verbs, adjectives, and so on. Often if you know one word in a family you can figure out the meaning of others. Here are some examples from the article:

el día   diariamente

la verdad   verdaderamente

la ayuda   ayudar   ayudando

1 Now read the article carefully. Were any of the suggestions the same as those on your list? Check off on your list the ones they did mention.

2 Find three or four words whose meaning you can figure out because you know the word family they belong to. For example: *sucio / ensuciando.*

3 Divide the suggestions into two groups: those that you do or could easily do and those that don't apply to you.

Aplicación

Make new words out of the following by adding the ending *–mente.* Then use one of the words in a sentence about how you protect the environment. For example: *Reciclo cartón regularmente.*

    frecuente   general   rara   regular

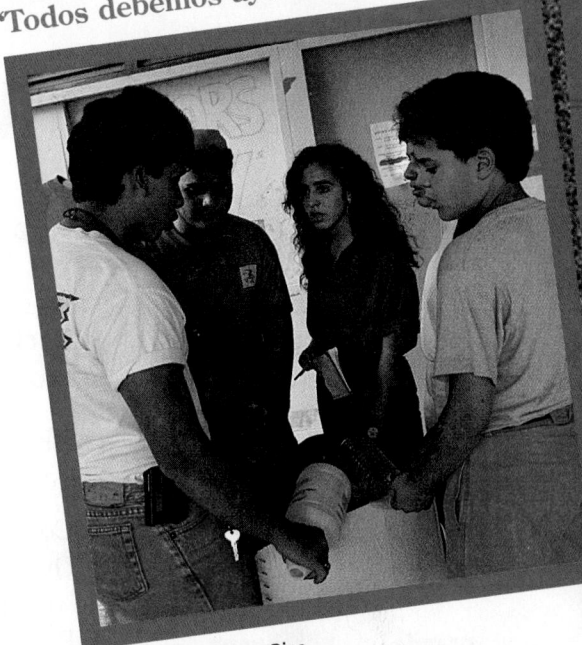

"Todos debemos ayudar a reciclar."

En San Juan, Puerto Rico

Esta niña ayuda a reducir la basura en Buenos Aires, Argentina.

¡Vamos a escribir!

How can we express our concern about the environment? One way is through our writing. Write a poem, on your own or in groups, about an animal or a place that you think needs to be protected. Remember, a poem does not need to rhyme. You can follow a pattern of a diamond poem. For example:

1 Think about an animal or a place that needs protecting, and answer the following questions:

- ¿Cómo te sientes cuando piensas en ese animal o ese lugar?
- ¿Qué vocabulario puedes usar en una descripción del animal o del lugar?
- ¿Por qué debemos cuidarlo?
- ¿Cómo podemos protegerlo?

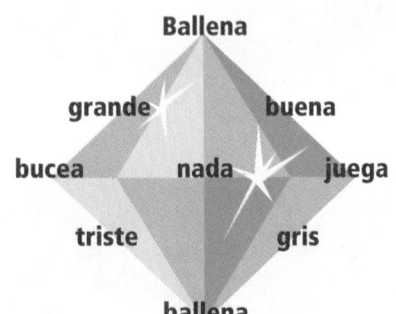

Ballena
grande — buena
bucea — nada — juega
triste — gris
ballena

(Noun)
(Adjective) (Adjective)
(Verb) (Verb) (Verb)
(Adjective) (Adjective)
(Noun)

Una ballena gris frente a Baja California, México

2 Use your answers to the questions to write your poem. Organize your ideas in the way you think will be most powerful and effective.

3 Show your poem to a partner. Does your partner understand how you feel about the animal or place? Does he or she think you should change, reorganize, or correct anything? Rewrite your poem.

4 Check for accuracy in spelling and the use of accent marks. Did you use the correct forms of the adjectives and verbs? Did you try to use a varied vocabulary? If necessary, rewrite your poem. You may want to add an illustration to make it more eye-catching.

5 Share your poem by:

- submitting it to the school literary magazine or newspaper
- including it in a collection of class poems called *Vamos a proteger nuestra Tierra*
- posting it on a bulletin board in the school library during Earth Day celebration
- adding it to your writing portfolio

Repaso ¿Lo sabes bien?

This section will help you organize your studying for the proficiency test, where you will be asked to do similar, though not identical, tasks. There will not be any models on the test.

► **Listening**

Can you understand when someone talks about the environment? Listen as your teacher reads a sample similar to what you will hear on the test. According to the person making the statement, what is the problem and what are some suggestions for solving it?

► **Reading**

Can you understand an environmental ad by using word families to guess the meaning of the words you might not know? According to this ad, how can we have a better world?

No corte árboles innecesariamente. No tire papeles en las calles. Recicle. Ayudándonos y trabajando juntos lograremos un mundo mejor.

► **Writing**

Can you write a letter to a friend in which you describe a place you visited while on vacation and what the people there do to protect the environment? Here is a sample letter:

Querida Luisa,

¡Qué puro está el aire aquí! La gente de esta ciudad sabe que tiene que trabajar mucho para proteger el medio ambiente. Muchas personas montan en bicicleta o usan el transporte público. Por toda la ciudad hay carteles que dicen: Separa la basura, las revistas, las botellas y las latas. La ciudad tiene un parque grande donde hay flores y animales en peligro de extinción.

Tu amiga,
Rebeca

► **Speaking**

Can you and a partner play the roles of a park ranger and a camper in a national park? Here is a sample dialogue:

A —¿Qué puedo hacer para proteger el medio ambiente del parque?

B —Separa la basura para poder reciclarla después y conserva el agua. También puedes proteger las flores y las plantas del parque.

A —¿Y si monto en bicicleta . . . ?

B —¡Claro que sí! Necesitamos aire puro. No queremos contaminarlo con los coches.

► **Culture**

Can you name two reasons for the gradual disappearance of some species of animals living in the Caribbean region and compare this with other parts of the planet?

www.pasoapaso.com
Self Test

Estas ranitas doradas de Costa Rica están casi extintas.

Resumen del vocabulario

Use the vocabulary from this chapter to help you:

► describe the natural environment

► list actions to protect the environment

► discuss environmental dangers

to talk about conservation
el centro de reciclaje
la luz, *pl.* las luces
apagar
conservar
proteger
reciclar
recoger
reducir
separar
usar

**to name items that
can be recycled**
el aluminio
la botella
el cartón
la energía
la guía telefónica
la lata
la madera
el periódico
el plástico
la revista
el vidrio

to talk about animals
los animales, *sing.* el animal
la ballena
el caballo

el elefante
el gorila
el jaguar
el lobo
el oso
el pájaro
la serpiente
el tigre
la vaca
la piel

**to talk about nature
and the environment**
el aire
el árbol
la flor
el medio ambiente
el océano
la planta
la Tierra

**to describe
environmental dangers**
la amenaza
contaminado, -a
la fábrica
el mayor peligro
en peligro de extinción
puro, -a

to talk about transportation
la bicicleta: montar en bicicleta
el transporte público

**to talk about
everyday activities**
decir
hacer: (Ud., él, ella) hizo
saber: (yo) sé
      (tú) sabes

to give an opinion
(No) hay que ___.
(No) vale la pena.

**other useful terms
and expressions**
a la vez
formar parte de
la gente
por supuesto

VISIT
www.pasoapaso.com

CAPÍTULO 14

¡Vamos a una fiesta!

Objectives

At the end of this chapter, you will be able to:

► make plans for giving or attending a party

► describe gift-giving

► make and acknowledge introductions

► compare parties that Spanish-speaking teenagers go to with those you usually attend

PASO CULTURAL

It's been more than 500 years since the city of Málaga in southern Spain first celebrated its *feria*. Every August, *la feria de Málaga* is celebrated with flamenco dancing, bullfights, theater, music, and food. *Malagueños* first celebrated it on August 15, 1491, when, after 700 years of being the principal port in the Moorish kingdom, their city was officially incorporated into the kingdom of Fernando and Isabel, monarchs of Spain. Why do you think the history behind this celebration is so important to people in Málaga?

Bailando en la calle durante
la feria de Málaga

447

¡Piensa en la CULTURA!

Parties and *fiestas* in California, Texas, and Spain

Look at the pictures and read the captions.

Teenagers in the Spanish-speaking world usually attend a wide variety of parties, from family occasions like weddings and baptisms to *quince años* celebrations and school dances. What kinds of parties do you usually attend? Are they family occasions, school dances, or get-togethers with friends?

"¡Con esta música, todos van a querer bailar!"

What do you suppose *bailar* means? Can you think of an English word that comes from the same root?

Austin, Texas

Una madre prepara a su hija para su fiesta de quince años.

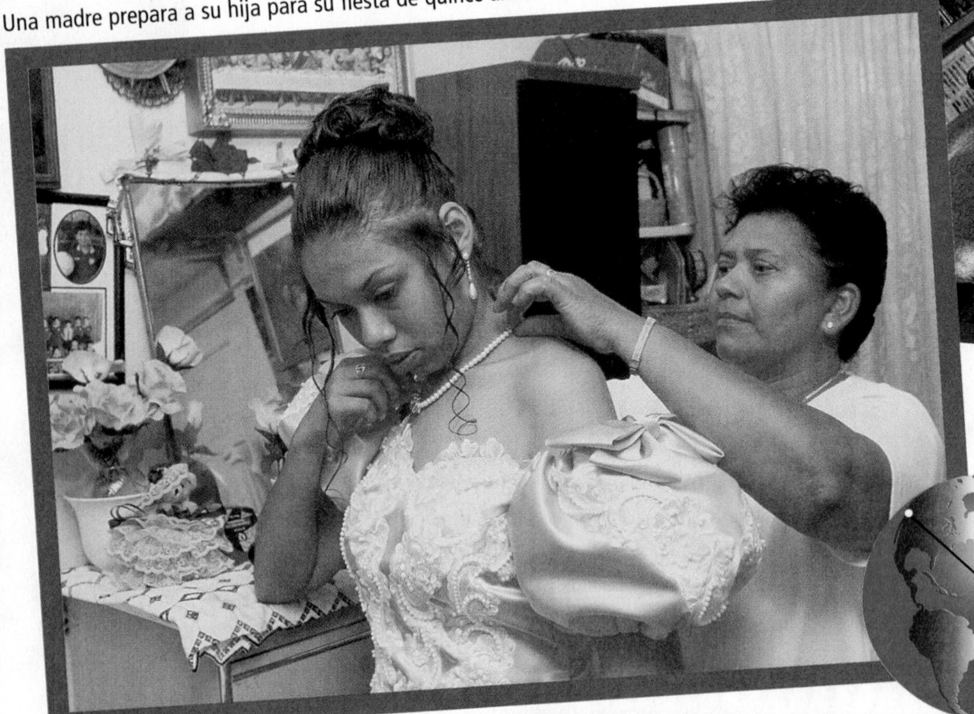

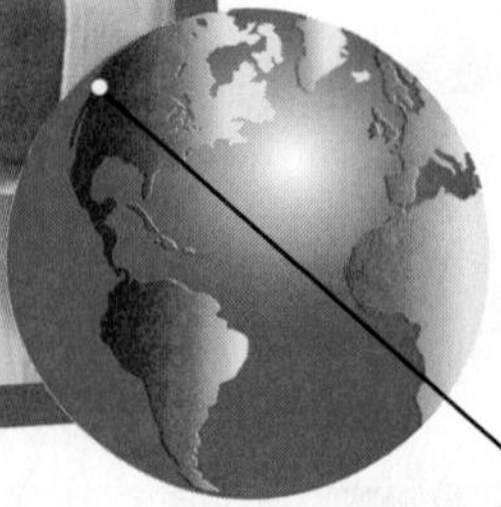

Escogiendo discos compactos en Austin, Texas

"Este collar va muy bien con tu vestido de fiesta."

Los Ángeles, California

"Pasamos toda la noche bailando."

Sevilla, España

![PASO CULTURAL]

Sevilla's *feria de abril* is a rollicking six-day celebration featuring bullfights, circuses, and flamenco shows. Flamenco music is generally attributed to the gypsies who settled in the region of Sevilla in the eighteenth century. During the *feria,* flamenco parties are held in hundreds of *casetas* (booths) decorated with flowers and paper lanterns. Today we think of flamenco as being very "Spanish." Are there types of "American" music that are really ethnic in origin? Which ones?

Vocabulario para conversar

¿A quién vas a invitar?

Chapter 14 Vocabulary

Aquí tienes palabras y expresiones necesarias para hablar sobre las fiestas. Léelas varias veces y practícalas con un(a) compañero(a) en las páginas siguientes.

la fiesta de la escuela

la novia, el novio

bailar

el baile

la fiesta de fin de año

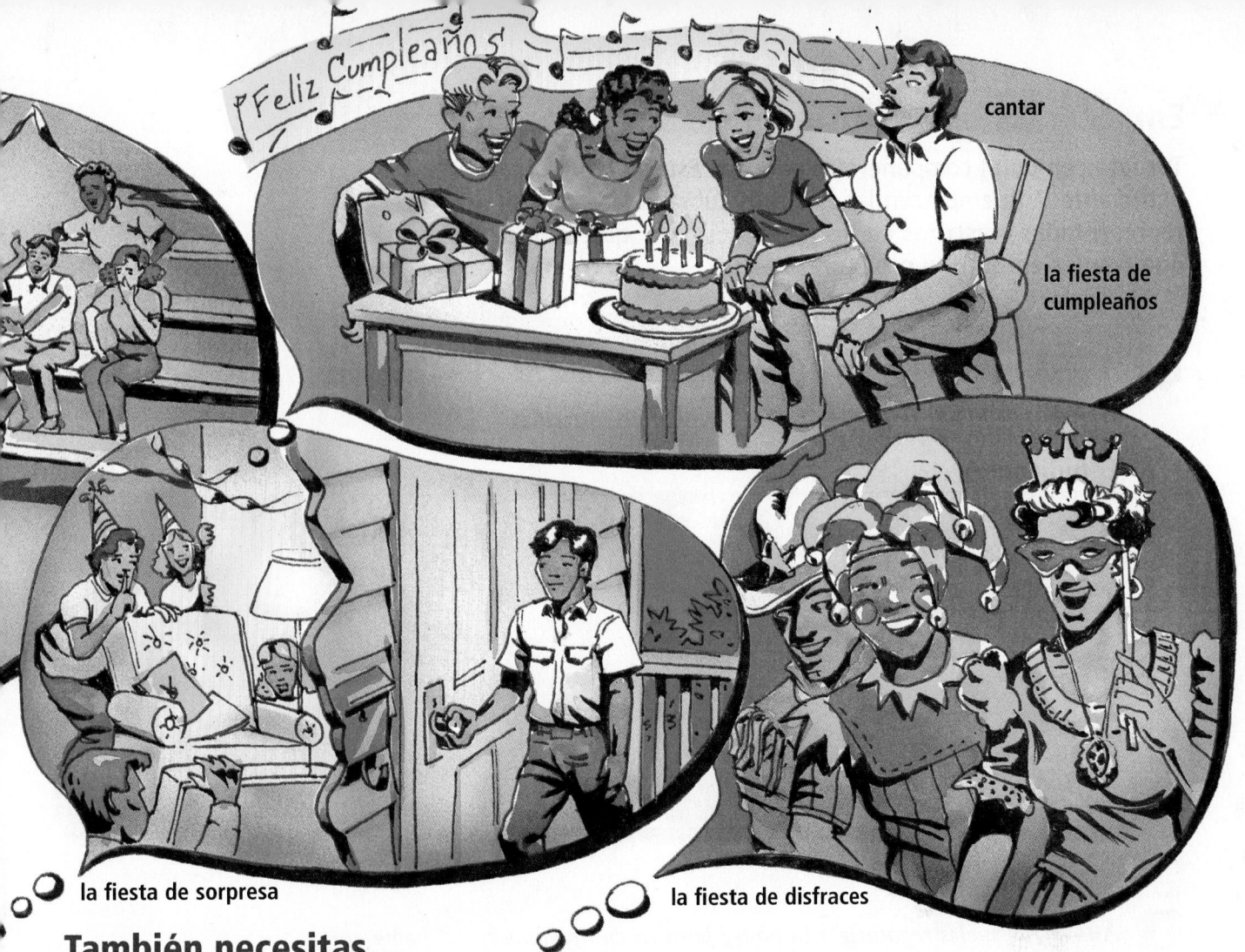

cantar

la fiesta de cumpleaños

la fiesta de sorpresa

la fiesta de disfraces

También necesitas...

la reunión	*get-together*	recibir	*to receive*
alguien	*someone, somebody*	hecho, -a a mano	*handmade*
algunos, algunas	*some*	Depende.	*It depends.*
conocer:	*to know, to be acquainted with:*	soler (o → ue) + *inf.*	*to be in the habit of*
(yo) conozco*	*I know*		
(tú) conoces	*you know*		

¿Y qué quiere decir . . . ?

elegante
¡Feliz cumpleaños!
invitar
personal
práctico, -a
regalar

Encantado, -a.	*Delighted.*
el pariente, la parienta	*relative*
Te presento a ___.	*I'd like you to meet ___.*
dar: (yo) doy	*to give: I give*
(tú) das	*you give*

* *Conocer* is a regular *-er* verb in the present tense except for the *yo* form: *conozco.*

Empecemos a conversar

Túrnate con un(a) compañero(a) para ser *Estudiante A* y
Estudiante B. Reemplacen las palabras subrayadas con palabras
representadas o escritas en los recuadros. 💡 quiere decir
que puedes escoger tu propia respuesta.

1 A —¿*A quiénes vas a invitar a <u>tu fiesta de cumpleaños</u>?*

B —*Voy a invitar a <u>quince amigos y a algunos parientes</u>.*

Estudiante A

a.

b.

c.

d.

e.

f.

Estudiante B

2 A —¿*Qué sueles regalarle a tu <u>padre</u> para su cumpleaños?*   padre

B —*Depende, pero suelo darle algo <u>práctico</u>.*
o: *Pues, a veces le doy <u>sólo una tarjeta de cumpleaños</u>.*

Estudiante A

a. madre   d. abuelo(a)

b. hermano(a) e. amigo(a)   g.

c. primo(a)   f. novio(a)

Estudiante B

elegante

serio(a) / cómico(a)

romántico(a)

barato(a) / caro(a)

personal

hecho(a) a mano

💡

3   A —*Te presento a __mi amiga Juanita__.*   a mi amiga
        B —*Encantado(a)*.

Estudiante A

a. a mi tía, ___

b. a mi madre, ___

c. a mi abuelo, ___

d. a mi profesor, el señor ___

e. a mi profesora,
    la señora (señorita) ___

Estudiante B

Encantado(a).

Mucho gusto.

4   A — *¿Conoces a __mi primo Alberto__?*   mi primo
        B — *No, no lo (la) conozco.*
            o: Sí, lo (la) conozco.

Estudiante A   **Estudiante B**

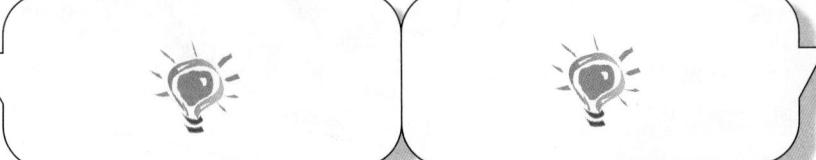

También se dice...

For *regalar*, we can also say
hacer un regalo.

Empecemos a escribir

Escribe tus respuestas en español.

5   ¿Qué regalos sueles regalar? ¿Qué regalo te gustaría recibir?

6   ¿Te gustaría dar una fiesta grande? ¿A quiénes te gustaría invitar?
        ¿A toda la familia? ¿A muchos jóvenes? ¿O prefieres las reuniones
        pequeñas?

7   Cuando vas a un baile, ¿qué ropa sueles llevar?

8   ¿Conoces a alguien famoso? ¿A alguien muy viejo?
        ¿A alguien fascinante? ¿Quiénes son? ¿Cómo se
        llaman? ¿Cómo son?

MORE PRACTICE

- Más práctica y tarea, p. 545
- Practice Workbook 14–1, 14–2

Vocabulario para conversar

En la fiesta

Aquí tienes el resto del vocabulario necesario para hablar sobre las fiestas y los regalos.

el traje

el vestido de fiesta

los zapatos de tacón alto

la corbata

las joyas

el collar

el reloj pulsera

los aretes *(m.)*

la pulsera

el lugar: Virrey Arredondo 2553
la hora: 7:00 de la tarde
la fecha: viernes, 2 de julio

la invitación

la invitada

el invitado

las decoraciones *(pl.)*

la entrada

decorar

También necesitas...

el ambiente	*atmosphere*	escoger: (yo) escojo* (tú) escoges	*to choose: I choose* *you choose*
bailar: bailando	*dancing*	De ninguna manera.	*Not at all.*
cantar: cantando	*singing*		

comer: comiendo	*eating*
hablar: hablando	*talking*
pasarlo bien / mal	*to have a good / bad time*
ver: viendo	*looking*

¿Y qué quiere decir . . . ?

la hora
el lugar
escribir
escuchar (la radio, el disco compacto)
preparar
tocar música

* *Escoger* is a regular -*er* verb with a spelling change in the *yo* form of the present tense: *escojo*.

Empecemos a conversar

9 A —*¡Qué fiesta tan aburrida! ¡Nadie está <u>bailando</u>!*   **bailando**

B —*Creo que no les gusta <u>la música</u>.*

Estudiante A

a. hablando

b. comiendo

c. cantando

d. pasándolo bien

Estudiante B

la comida

la música

el ambiente

10 A —*¿Necesitas comprar algo para llevar con tu <u>vestido de fiesta</u>?*

B —*Sí, <u>un collar</u>.*

Estudiante A   **Estudiante B**

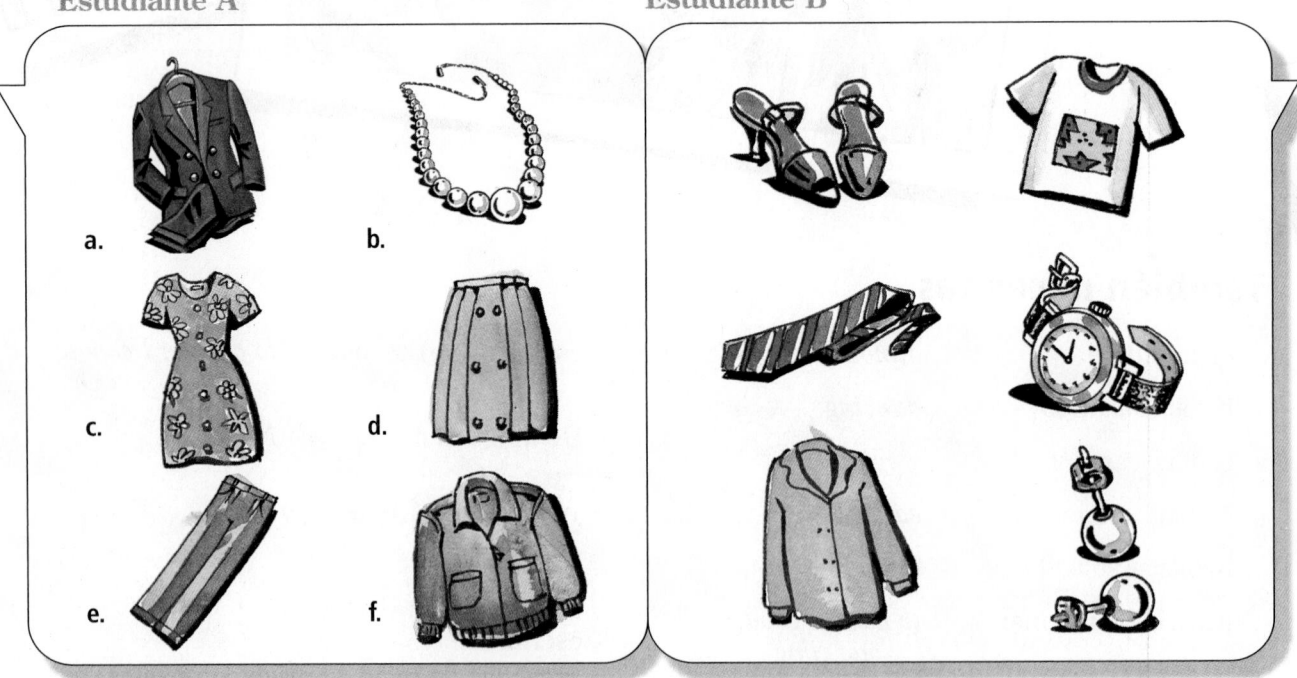

a.

b.

c.

d.

e.

f.

Imagina que vas a dar una fiesta el 2 de junio.

11 A —¿Cuándo vas a _decorar el lugar_ para la fiesta?

B —_El 1° de junio_.

| decorar |
| el lugar |

Estudiante A

a. **escoger la hora y la fecha**

b. **escribir las invitaciones**

c. **escoger la música**

d. **preparar la comida**

e. **escoger la ropa que vas a llevar**

Estudiante B

los aros
los pendientes
los zarcillos

el brazalete

Empecemos a escribir y a leer

Escribe tus respuestas en español.

12 ¿Llevas aretes? ¿Y reloj pulsera? ¿Cuándo los llevas?

13 ¿Para qué fiestas necesitas comprar entradas?

14 Para dar una fiesta, ¿qué necesitas hacer? ¿Qué música te gusta tocar?

15 ¿Qué clase de fiesta es? Lee las descripciones y contesta las preguntas.

a. Alejandro le compró un collar a Anita. Llegó a su casa temprano con los otros invitados. Cuando Anita entró en la casa, todos dijeron: "¡Feliz cumpleaños!"

b. María lleva un vestido elegante y zapatos de tacón alto. Su novio, un traje gris con una corbata azul. La música es muy bonita y les gusta mucho la fiesta. Pero a medianoche les duelen mucho los pies.

c. Adela no sabía qué llevar a la fiesta. ¿Jeans, botas y un sombrero vaquero? ¿Un traje de baño, una toalla, anteojos de sol y sandalias? Al final, decidió ir de detective.

¿A qué clase de fiesta fue Alejandro? ¿Y María? ¿Y Adela?

el vestido de gala
el vestido de etiqueta

www.pasoapaso.com

MORE PRACTICE

Más práctica y tarea, p. 546
Practice Workbook 14–3, 14–4

1

Escoge cinco de tus compañeros(as). ¿Qué ropa llevan hoy? Toma notas en español para no olvidarlo. Después, describe a un(a) estudiante. Tu compañero(a) debe adivinar *(guess)* a quién describes.

A —*Lleva aretes azules, un suéter y jeans. ¿Quién es?*

B —*¿Son blancos los jeans?*

A —*Sí.*

B —*Es Sara.*

2

¿Conoce tu compañero(a) a las personas de quienes hablas?

A —*¿Conoces a Mike Smith?*

B —*Sí, lo conozco. Es un estudiante de mi clase de matemáticas. Es muy simpático.*
   o:

B —*No, no lo conozco. ¿Quién es?*

A —*Es un estudiante de mi clase de arte.*

B —*¿Cómo es?*

A —*Es alto y rubio.*

¡Cuántos regalos! Tu compañero(a) va a comprar regalos para su familia y sus amigos. Ayúdalo(la) a decidir qué comprar.

A —*El cumpleaños de (mi hermano) es (el 10 de junio). ¿Qué le regalo?*

B —*¿Por qué no le compras (un reloj pulsera)?*

¿Qué sabes ahora?

Can you:

► discuss preparations for a party?
—Tengo que preparar ___, escoger ___ y escribir ___.

► tell what kinds of gifts you like to give and receive?
—Me gusta regalar ___. Me gusta recibir regalos ___.

► tell what you wear to a party?
—Cuando voy a una fiesta de cumpleaños, llevo ___ y ___.

► introduce people and acknowledge introductions?
—Te ___ a mi amigo Andrés.
—___.

Perspectiva cultural

Una celebración especial

Dos quinceañeras celebran su día especial en Austin, Texas.

¿Qué fiestas especiales hay en tu familia? ¿Y en tu comunidad?

Based on the photographs, what do you think the people are celebrating? What tells you that this is a very special party?

It's 4 o'clock on a Saturday afternoon in Camuy, a town on the northern coast of Puerto Rico. You can hear the approaching sounds of a ten-car caravan blowing their horns. When the caravan arrives in front of the church,

Tamaris, a young woman in a white dress, steps out of the first car with her mother and father. Inside the church, Tamaris will receive a blessing from the priest while her mother places a crown on her head.

What might look like a wedding party is actually Tamaris's *quince años,* her fifteenth birthday celebration. It marks the girl's entrance into adulthood.

A *quince años* party can be very lavish or very simple. But one thing they all have in common is that family and friends of all ages join together to make it a memorable success. In Tamaris's case, the caravan was driven by her father's closest friends. They all own similar cars and have formed a car club that meets regularly for fun and to serve as escorts for local parties and celebrations, such as a *quince años.*

The white dress Tamaris is wearing was made by her mother, and her grandparents contributed the crown and white high-heeled shoes. Other family members and friends prepared food and refreshments for the party at her home, where a friend from school will act as deejay. Traditionally, the *quinceañera* starts the first dance with her father and then moves on to her escort. Then other couples will join them. The party will continue late into the night.

Una quinceañera con su novio

Another tradition has the girls at the party gathering around the cake to pull ribbons from it. The one who pulls the ribbon with a ring on it will presumably be the first one to get married.

However, not all young girls are interested in having a *quince años* party. Some might ask for a trip or a special gift instead of a formal party and a white dress. Tamaris's friend Loida has asked for a plane ticket so she can spend her summer vacation with her cousins in New Jersey and visit New York City. Loida is looking forward to her first long trip alone. That will really make her feel like an adult.

www.pasoapaso.com

La cultura desde tu perspectiva

1 Is the party described here similar to any parties you have ever attended? How were they alike or different?

2 What events in the United States are similar to a *quince años?* In what ways are they similar?

Gramática en contexto

¡La peor fiesta de cumpleaños! ¡Pobre Eugenia!
¡Lo está pasando horrible! ¿Por qué?

Nadie está bailando.

Los invitados no están ni comiendo ni bebiendo.

Mi novio no está hablando con nadie.

Algunos invitados están viendo . . . ¡la tele!

Muchas personas ya están saliendo, pero nadie me regaló nada.

¡Nunca voy a tener otra fiesta de cumpleaños!

A The verbs in the first four captions are made up of two words. What ending is used on the -*ar* verbs when they follow *estar*? And on the -*er* verbs? What is the meaning of *están saliendo* in the fifth caption?

B Find all the negative words that Eugenia uses to express her feelings (such as *no* and *nadie*). Do these words come before or after the verbs?

C In which sentences do you find more than one negative word? What word is used before the verb in these sentences?

Construcciones negativas

To make a sentence negative, we put *no* in front of the verb. Some other negative words that you know are: *nada* ("nothing"), *nunca* ("never"), *nadie* ("nobody"), *tampoco* ("neither"), and *ni . . . ni* ("neither . . . nor"). Recall how we use them:

Nunca saco fotos.
Nadie va a ayudarme con las decoraciones.
No me gusta bailar **tampoco**.
No hay **ni** sandwiches **ni** refrescos.
No quiero comer **nada.**

- Sometimes we can put the negative word before the verb and leave out the *no*. However, if the negative word comes after the verb, we must use *no* or another negative word.

Antonio **nunca** estudia con **nadie**.
No conozco a **nadie** en esta fiesta.

Celebrando el Cinco de Mayo en Los Ángeles, California

1 Pregúntale a tu compañero(a) qué va a hacer. Usa una palabra *(word)* de cada columna.

A —*¿Vas a leer algo esta tarde?*   **leer**

B —*Sí, voy a leer una revista.*
    o: *No, no voy a leer nada.*

a. comer   hoy
b. jugar   esta tarde
c. ver   esta noche
d. beber   mañana
e. escuchar   este fin de semana
f. hacer
g. comprar

2 Quieres hacer una reunión pero nadie quiere llevar nada. Explícale a tu compañero(a) qué problemas van a tener.

A —*¿Alguien va a traer refrescos?*

B —*No, nadie va a traer refrescos. ¡No vamos a beber nada!*

a.   b.   c.   d.   e.

3 ¿Cuáles son algunas cosas que no haces nunca? Con un(a) compañero(a), di *(tell)* si siempre, a veces, o nunca haces estas cosas.

A —*Yo nunca llevo aretes. ¿Y tú?*   **llevar aretes**

B —*Yo tampoco.*
    o: *Yo los llevo siempre.*

a. llevar un vestido de fiesta / una corbata
b. escribir cartas / tarjetas postales
c. pasarlo mal en una fiesta
d. regalar algo hecho a mano

e. dar fiestas de sorpresa
f. reciclar botellas de plástico
g. montar en bicicleta
h. ver dibujos animados

El presente progresivo

We use the present tense to talk about an action that always or often takes place or that is happening now.

Ellos **comen** hamburguesas.

*They **eat** hamburgers. (always / usually)*
*They're **eating** hamburgers. (now)*

We use the present progressive tense when we want to emphasize that something is happening right now.

Ellos **están comiendo** hamburguesas.

*They're **eating** hamburgers. (right now)*

The present progressive uses a present-tense form of *estar* + the present participle of another verb. To form the present participle, we drop the ending of the infinitive and add *-ando* to the stem of *-ar* verbs and *-iendo* to the stem of *-er* and *-ir* verbs.

(yo)	**estoy**	bail**ando** com**iendo** escrib**iendo**	(nosotros) (nosotras)	**estamos**	bail**ando** com**iendo** escrib**iendo**
(tú)	**estás**	bail**ando** com**iendo** escrib**iendo**	(vosotros) (vosotras)	**estáis**	bail**ando** com**iendo** escrib**iendo**
Ud. (él) (ella)	**está**	bail**ando** com**iendo** escrib**iendo**	Uds. (ellos) (ellas)	**están**	bail**ando** com**iendo** escrib**iendo**

4 Tienes unas fotos de tus vacaciones en Yucatán. Túrnate con un(a) compañero(a) para explicar qué están haciendo las personas en cada foto.

Aquí nosotros estamos explorando la selva.

nosotros

a. mi papá

b. mi hermana

c. mis padres

d. mi familia y yo

e. unos amigos mexicanos

f. yo

5 Tu amigo(a) está enfermo(a) y no puede ir a la fiesta de fin de año. Por eso, te llama por teléfono para preguntar qué están haciendo todos los invitados.

A —¿Qué están haciendo Raquel y Fernando?

B —Están bailando.

Raquel y Fernando

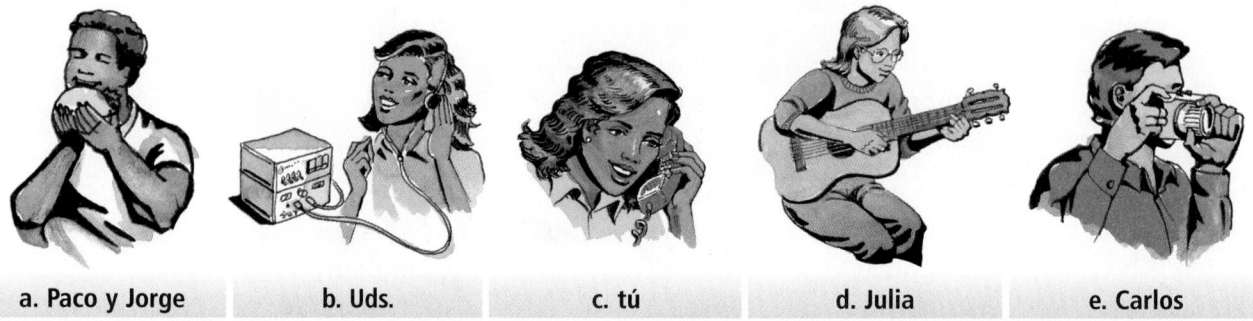

| a. Paco y Jorge | b. Uds. | c. tú | d. Julia | e. Carlos |

El verbo *dar*

The verb *dar* means "to give." Here are all of its present-tense forms.

(yo)	**doy**	(nosotros) (nosotras)	**damos**
(tú)	**das**	(vosotros) (vosotras)	**dais**
Ud. (él) (ella)	**da**	Uds. (ellos) (ellas)	**dan**

- Except for the *yo* form, *dar* takes the same present-tense endings as regular *-ar* verbs.

- Because we often say to whom we give something, *dar* is usually used with the indirect object pronouns *me, te, le, nos,* and *les.*

> Nuestro profesor **nos da** mucha tarea.
> Nunca **les doy** nada **a** mis primos.
> Mis abuelos van a **darme** un libro para mi cumpleaños.

Una muchacha celebra el fin del año escolar en Cuernavaca, México.

6 ¿Qué les regalas a las siguientes personas? Trabaja con un(a) compañero(a) para escoger el regalo apropiado.

A —¿Qué le das a un amigo que juega béisbol?

B —Le doy algunas entradas a un partido.

un amigo que juega béisbol

a. un amigo a quien le gusta dibujar
b. una amiga a quien le gusta esquiar
c. una amiga que estudia álgebra
d. un amigo que escribe mucho
e. una amiga que ve muchas películas
f. un amigo que va a menudo a la playa
g. una amiga a quien le gusta la ropa

7 Dile a tu compañero(a) quién te da estas cosas.

A —¿Quién te da dinero?

dinero

B —Mi padre me da dinero.
o: *Nadie me da dinero.*

a. ropa nueva
b. poca tarea
c. regalos hechos a mano
d. los exámenes más difíciles
e. regalos prácticos
f. tarjetas de cumpleaños

Ahora lo sabes

Can you:

► express a negative statement?
—No tengo hambre. ___ voy a comer ___ ahora.

► tell what is happening right now?
—Marta y Rosa ___ unas enchiladas porque tienen hambre.

► tell what someone gives to someone else?
—Yo siempre les ___ regalos a mis amigos.

MORE PRACTICE

Más práctica y tarea, pp. 546–547
Practice Workbook 14–5, 14–9

TODO JUNTO

Actividades

1 Quieres dar una fiesta. Con un(a) compañero(a), decidan:

- qué clase de fiesta va a ser
- cuándo la quieren dar
- dónde
- a quiénes van a invitar
- qué van a servir
- qué ropa llevar
- qué música tocar

Luego escriban una invitación para la fiesta y compártanla *(share it)* con los miembros de la clase.

2 Trabaja con un(a) compañero(a) para crear un anuncio para un regalo. Si quieren, pueden incluir esta información:

- descripción del regalo
- para qué tipo de persona es
- precio
- por qué es el regalo perfecto
- dónde comprarlo

Luego compartan el anuncio con sus compañeros de clase.

Conexiones

Las matemáticas

¿Qué llevaré?

1 Una mujer tiene una pulsera de oro, un collar de diamantes y aretes de oro y plata. Predice cuántas combinaciones diferentes puede llevar sin repetir *(without repeating)* una combinación.

2 Haz una lista de las combinaciones posibles.

3 Escribe una fórmula para ilustrar esas combinaciones.

4 Prueba la fórmula al añadir *(by adding)* un reloj pulsera.

3 de mayo.

DÍA DE LA MADRE

Un beso y un regalo. Te lo has ganado.

El Corte Inglés

ESPECIALISTAS EN TI.

¡Vamos a leer!

Antes de leer

STRATEGY ➤ **Using titles and pictures to predict**

Look at the title of the story and the pictures to predict who the characters are and what the setting might be.

www.pasoapaso.com

Mira la lectura

STRATEGY ➤ **Skimming**

Remember that you can get an overview of a story by skimming it. Skim the story now. Were your predictions correct?

Uno, dos, tres, ¡rumba!

Roberto es un muchacho cubano que acaba de llegar a Chicago. No sabe una palabra de inglés. Los primeros meses yo le ayudo con las clases y las tareas. También le ayudo con otras cosas. Cada viernes por la tarde, los muchachos tienen que llevar pantalones negros, camisa blanca y una corbata negra para ir a las clases de baile. Nos reunimos en el gimnasio de la escuela por una hora. El primer viernes, Roberto me dice: "Antonio, ¡no sé bailar! ¿Qué voy a hacer? ¡No voy a entender a la profesora y no puedo hablar con las muchachas!"

Le digo a Roberto que sólo tiene que observar lo que hacen los otros. Y eso es lo que hace. Cuando baila con las muchachas no puede decirles nada. Pero no importa, porque debe pensar en lo que hace.

Un día la profesora anuncia que va a regalar un disco compacto a la mejor pareja de la clase. Entonces una muchacha llamada Susan le dice: *"Come on, Roberto, we have to win!"*

"Pero ¿qué me dice?" me pregunta el pobre Roberto. Cuando le explico que la profesora va a dar

Infórmate

STRATEGY ▸ **Using cognates**

Remember that you can use what you know about cognates to figure out the meaning of new words. For example, if you think *observar* means "observe," two facts support that guess. First, if you don't know how to dance, observing

un regalo a los mejores bailarines y que Susan quiere bailar con él, Roberto está un poco nervioso. "No te preocupes," le digo. "Estás bailando muy bien."

La profesora toca una rumba—¡un baile cubano! —y Roberto empieza a bailar bien. Todos lo miran con sorpresa. ¡Roberto y Susan ganan el disco compacto! Después, Susan dice algo y yo interpreto: "Está preguntando si quieres escuchar el disco compacto con ella después de la clase." Y de esta manera Roberto y Susan se hicieron novios. Él aprendió un poco de inglés y ella un poco de español, y los dos aprendieron a bailar.

the other dancers is something you might do. Second, the phrase *lo que hacen los otros* makes sense after the word *observar.* So *observar* probably means "observe."

1 What do you think *interpreto* means? What information helps you figure it out?

2 Which word makes sense in this sentence?

> *Roberto no sabe ___ sus ideas en inglés.*

> a. imitar
> b. expresar
> c. solucionar

3 How did Roberto solve his problem in the dance class?

Aplicación

Write an ending for this story in one or two sentences. Compare your ending with that of a partner.

¡Vamos a escribir!

Una celebración en Montevideo, Uruguay ▶

You have just been to a party or a prom *(un baile de graduación).* What do you want to remember about it? Write a diary entry about the party. Follow these steps.

1 First, think about the dance and answer these questions.

- ¿A qué hora empezó la fiesta?
  ¿A qué hora terminó?
- ¿Con quién fuiste?
- ¿Qué ropa llevaron?
- ¿Viste a muchos amigos en la fiesta? ¿A quiénes viste?
- ¿Qué comieron?
- ¿Qué tipo de música tocaron? ¿Bailaron?
- ¿Qué te gustó más: la música, la comida, las decoraciones?
- ¿Cómo lo pasaste?

2 Use the answers to these questions to write in your diary. You can start your entry with the words *Querido diario.*

Estudiantes mexicanos en el
Instituto Tecnológico en Nuevo Laredo

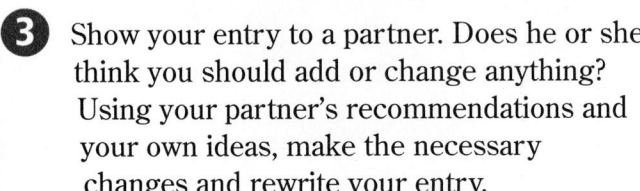

3 Show your entry to a partner. Does he or she think you should add or change anything? Using your partner's recommendations and your own ideas, make the necessary changes and rewrite your entry.

4 Check carefully for accuracy in spelling, the use of written accents, the form and placement of adjectives, and the form of verbs. Rewrite if necessary.

5 Share your entry by

- including it in a collection of writings called *Las fiestas de este año*
- posting it on the bulletin board in your classroom
- adding it to your writing portfolio

Repaso ¿Lo sabes bien?

This section will help you organize your studying for the proficiency test, where you will be asked to do similar, though not identical, tasks. There will not be any models on the test.

► Listening

Can you understand when someone talks about a party he or she is planning to give? Listen as your teacher reads a sample similar to what you will hear on the test. As a guest invited to this party, what two things should you do and why?

► Reading

Can you understand a written description of a party? Here's a written transcription from a radio announcer. What kind of party is described here? Which words or phrases tell you that?

Todos lo están pasando bien y nadie está aburrido. La actriz Manuela lleva zapatos de tacón alto para su traje de disfraz y Kati Rojas lleva joyas y un vestido de fiesta. Está bailando con Enrique Salas, que nunca lleva corbata ni traje. ¡Me encantan las fiestas de ambiente informal!

► Writing

Can you write a letter describing the arrangements you need to make for a special occasion? Here is a sample letter:

Querida Susana:

Me gustaría tener una fiesta para nuestra abuelita, una reunión con toda la familia. No me gusta preparar las fiestas grandes. Nunca lo hago. Pero mi mamá dice que tengo que hacerlo. Mi hermana puede ayudar con las decoraciones. (Ella está decorando su cuarto otra vez, pero suele hacerlo bien.) ¿Qué piensas? ¿Me puedes ayudar?

Tu prima, Lina

► Speaking

Can you and your partners play the roles of teenagers introducing one another at a party? Here is a sample dialogue:

A —*Laura, ¿conoces al novio de mi hermana?*

B —*No, no lo conozco.*

A —*Pues, Laura, te presento a Jaime Fernández.*

B —*Encantada, Jaime.*

C —*Mucho gusto, Laura.*

MORE PRACTICE

- Más práctica y tarea, pp. 548–551

www.pasoapaso.com
Self Test

► Culture

Can you describe how girls in Spanish-speaking countries celebrate their fifteenth birthday?

Una muchacha celebrando sus quince años en Novato, California

Resumen del vocabulario

Use the vocabulary from this chapter to help you:

► make plans for giving or attending a party

► describe gift-giving

► make and acknowledge introductions

to talk about parties
el ambiente
bailar
el baile
cantar
las decoraciones *(f.pl.)*
decorar
escribir
¡Feliz cumpleaños!
la fiesta
   de cumpleaños
   de disfraces
   de fin de año
   de la escuela
   de sorpresa
la hora
la invitación
el invitado, la invitada
invitar
el lugar
pasarlo bien / mal
preparar
la reunión

to introduce people
alguien
conocer: (yo) conozco
       (tú) conoces
Encantado, -a.
el novio, la novia
el pariente, la parienta
Te presento a ___.

**to talk about what to wear
to a party**
los aretes *(m.pl.)*
el collar
la corbata
las joyas *(f.pl.)*
la pulsera
el reloj pulsera
el traje
el vestido de fiesta
los zapatos de tacón alto

to talk about gift-giving
dar: (yo) doy
    (tú) das
escoger: (yo) escojo
       (tú) escoges
recibir
regalar
el regalo
   elegante
   hecho, -a a mano
   personal
   práctico, -a

**other useful terms and
expressions**
algunos, algunas
De ninguna manera.
Depende.
la entrada
soler (o → ue) + *inf.*

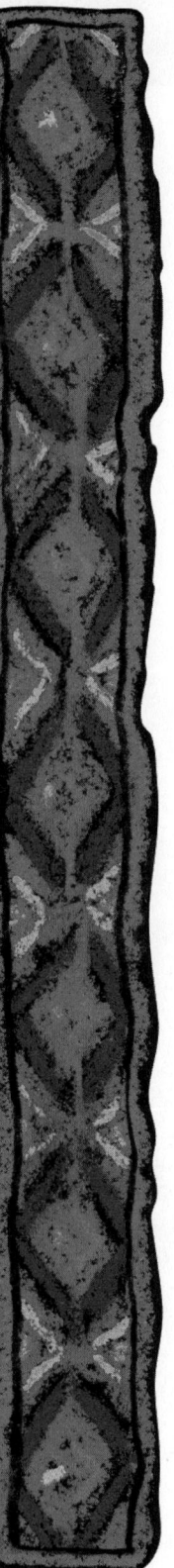

Verbos

INFINITIVE	PRESENT		PRETERITE	

Regular Verbs

estudiar	estudio	estudiamos	estudié	estudiamos
	estudias	estudiáis	estudiaste	estudiasteis
	estudia	estudian	estudió	estudiaron
comer	como	comemos	comí	comimos
	comes	coméis	comiste	comisteis
	come	comen	comió	comieron
vivir	vivo	vivimos	viví	vivimos
	vives	vivís	viviste	vivisteis
	vive	viven	vivió	vivieron

Stem-changing Verbs

(You will learn the verb forms that are in italic type next year.)

cerrar (e → ie)	cierro	cerramos	cerré	cerramos
	cierras	cerráis	cerraste	cerrasteis
	cierra	cierran	cerró	cerraron
costar (o → ue)	cuesta	cuestan	costó	costaron
doler (o → ue)	duele	duelen	dolió	dolieron
dormir (o → ue)	duermo	dormimos	dormí	dormimos
	duermes	dormís	dormiste	dormisteis
	duerme	duermen	*durmió*	*durmieron*
empezar (e → ie)	See *cerrar.*		*empecé*	empezamos
			empezaste	empezasteis
			empezó	empezaron
jugar (u → ue)	juego	jugamos	jugué	jugamos
	juegas	jugáis	jugaste	jugasteis
	juega	juegan	jugó	jugaron
llover (o → ue)	llueve		llovió	
nevar (e → ie)	nieva		nevó	
pedir (e → i)	pido	pedimos	*pedí*	*pedimos*
	pides	pedís	*pediste*	*pedisteis*
	pide	piden	*pidió*	*pidieron*
pensar (e → ie)	See *cerrar.*			

INFINITIVE	PRESENT		PRETERITE	
poder (o → ue)	See *Irregular Verbs.*			
preferir (e → ie)	prefiero	preferimos	*preferí*	*preferimos*
	prefieres	preferís	*preferiste*	*preferisteis*
	prefiere	prefieren	*prefirió*	*prefirieron*
probar (o → ue)	pruebo	probamos	probé	probamos
	pruebas	probáis	probaste	probasteis
	prueba	prueban	probó	probaron
querer (e → ie)	See *Irregular Verbs.*			
servir (e → i)	See *pedir.*			
soler (o → ue)	suelo	solemos		
	sueles	soléis		
	suele	suelen		

Verbs with Spelling Changes

(You will learn the verb forms that are in italic type next year.)

apagar	apago	apagamos	apagué	apagamos
	apagas	apagáis	apagaste	apagasteis
	apaga	apagan	apagó	apagaron
buscar	busco	buscamos	busqué	buscamos
	buscas	buscáis	buscaste	buscasteis
	busca	buscan	buscó	buscaron
conocer	conozco	conocemos	conocí	conocimos
	conoces	conocéis	conociste	conocisteis
	conoce	conocen	conoció	conocieron
creer	creo	creemos	creí	creímos
	crees	creéis	creíste	creísteis
	cree	creen	*creyó*	*creyeron*
empezar	See *Stem-changing Verbs.*			
escoger	escojo	escogemos	escogí	escogimos
	escoges	escogéis	escogiste	escogisteis
	escoge	escogen	escogió	escogieron
jugar	See *Stem-changing Verbs.*			

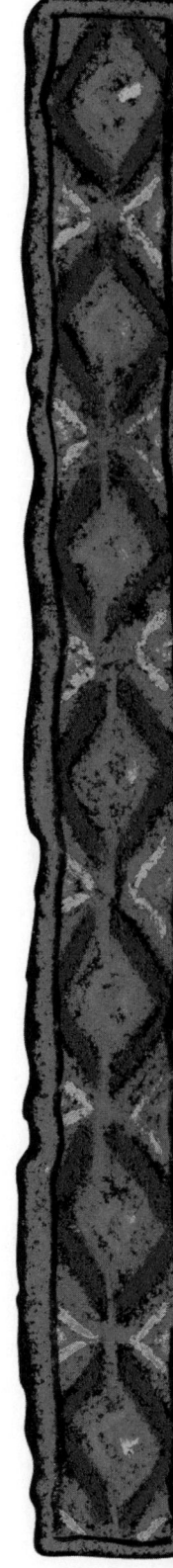

leer	See *creer.*			
llegar	See *apagar.*			
pagar	See *apagar.*			
practicar	See *buscar.*			
proteger	See *escoger.*			
reducir	See *conocer.*			
sacar	See *buscar.*			
tocar	See *buscar.*			

Irregular Verbs

(You will learn the verb forms that are in italic type next year.)

dar	doy	damos	*di*	*dimos*
	das	dais	*diste*	*disteis*
	da	dan	*dio*	*dieron*
decir	digo	decimos	*dije*	*dijimos*
	dices	decís	*dijiste*	*dijisteis*
	dice	dicen	*dijo*	*dijeron*
estar	estoy	estamos	*estuve*	*estuvimos*
	estás	estáis	*estuviste*	*estuvisteis*
	está	están	*estuvo*	*estuvieron*
hacer	hago	hacemos	hice	*hicimos*
	haces	hacéis	hiciste	*hicisteis*
	hace	hacen	hizo	*hicieron*
ir	voy	vamos	fui	fuimos
	vas	vais	fuiste	fuisteis
	va	van	fue	fueron
poder	puedo	podemos	*pude*	*pudimos*
	puedes	podéis	*pudiste*	*pudisteis*
	puede	pueden	*pudo*	*pudieron*
poner	pongo	ponemos	*puse*	*pusimos*
	pones	ponéis	*pusiste*	*pusisteis*
	pone	ponen	*puso*	*pusieron*

INFINITIVE	PRESENT		PRETERITE	
querer	quiero	queremos	*quise*	*quisimos*
	quieres	queréis	*quisiste*	*quisisteis*
	quiere	quieren	*quiso*	*quisieron*
saber	sé	sabemos	*supe*	*supimos*
	sabes	sabéis	*supiste*	*supisteis*
	sabe	saben	*supo*	*supieron*
salir	salgo	salimos	salí	salimos
	sales	salís	saliste	salisteis
	sale	salen	salió	salieron
ser	soy	somos	*fui*	*fuimos*
	eres	sois	*fuiste*	*fuisteis*
	es	son	*fue*	*fueron*
tener	tengo	tenemos	*tuve*	*tuvimos*
	tienes	tenéis	*tuviste*	*tuvisteis*
	tiene	tienen	*tuvo*	*tuvieron*
traer	traigo	traemos	traje	trajimos
	traes	traéis	trajiste	trajisteis
	trae	traen	trajo	trajeron
ver	veo	vemos	vi	vimos
	ves	veis	viste	visteis
	ve	ven	vio	vieron

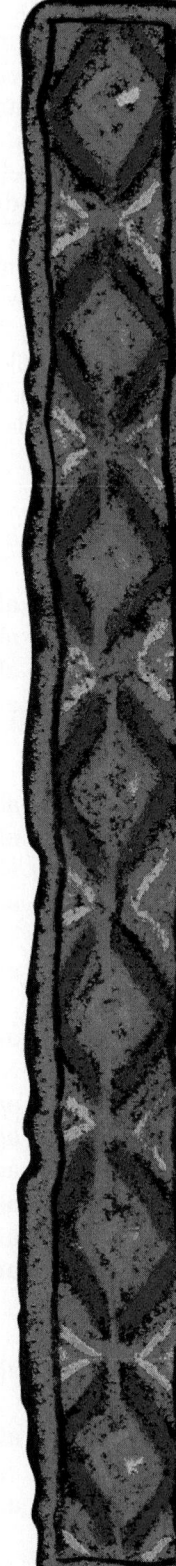

VOCABULARIO ESPAÑOL-INGLÉS

The *Vocabulario español-inglés* contains all active vocabulary from the text, including vocabulary presented in the grammar sections.

A dash (—) represents the main entry word. For example, **pasar la —** after **la aspiradora** means **pasar la aspiradora.**

The number following each entry indicates the chapter in which the word or expression is presented. The letter *P* following an entry refers to *El primer paso.*

The following abbreviations are used: *adj.* (adjective), *dir. obj.* (direct object), *f.* (feminine), *fam.* (familiar), *ind. obj.* (indirect object), *inf.* (infinitive), *m.* (masculine), *pl.* (plural), *prep.* (preposition), *pron.* (pronoun), *sing.* (singular).

a at (2); to (3)
  a la, al *(a + el)* to the (3)
el abrigo coat (7)
abril April (P)
abrir to open (10)
el abuelo, la abuela grandfather, grandmother (5)
los abuelos grandparents (5)
aburrido, -a boring (11)
aburrir to bore (11)
el actor, la actriz actor, actress (11)
acuerdo: estar de — to agree (8)
adiós good-by (P)
¿adónde? (to) where? (3)
agosto August (P)
el agua *f.* water (4)
el aguacate avocado (12)
ahora now (9)
el aire air (13)
algo something (4)
  — más something else (12)
alguien someone, somebody (14)
alguna vez ever (12)
algunos, -as some (14)
allí there (2)

  — está there it is (2)
el almacén, *pl.* **los almacenes** department store (6)
el almuerzo lunch (2)
  en el — for lunch (4)
alto, -a tall (5)
el aluminio aluminum (13)
amable kind, nice (1)
amarillo, -a yellow (6)
el ambiente atmosphere (14)
  el medio — environment (13)
la amenaza threat (13)
el amigo, la amiga friend (3)
anaranjado, -a orange *(color)* (6)
el animal, *pl.* **los animales** animal (13)
anoche last night (10)
los anteojos (de sol) (sun)glasses (7)
antiguo, -a old, traditional (8)
antipático, -a unfriendly, unpleasant (5)
el anuncio (de televisión) ad, commercial (11)
el año year (P)
  la fiesta de fin de —

  New Year's Eve party (14)
  tener . . . —s to be . . . years old (P, 5)
apagar to turn off (13)
el apartamento apartment (8)
aprender to learn (2)
aquí here (2)
  — está here it is (2)
  por — around here (6)
el árbol tree (13)
el arete earring (14)
arreglar to clean up (8)
el arroz rice (4)
el arte art (2)
artístico, -a artistic (1)
asco: ¡qué —! yuck! that's disgusting! (4)
así, así so-so, fair (P)
la aspiradora vacuum cleaner (8)
  pasar la — to vacuum (8)
atractivo, -a attractive (5)
atrevido, -a bold, daring (1)
el autobús *pl.* **los autobuses** bus (10)
  la parada del — bus stop (10)

la **avenida** avenue (10)
aventura: la película de —s adventure film (11)
¡ay! ouch! (9)
ayer yesterday (10)
ayudar to help (1)
el **azúcar** sugar (12)
azul, *pl.* **azules** blue (5, 6)

bailar to dance (14)
el **baile** dance (14)
bajo, -a short *(height)* (5)
la **ballena** whale (13)
el **banco** bank (10)
el **baño** bathroom (8)
el traje de — bathing suit (7)
barato, -a cheap, inexpensive (6)
básquetbol: jugar — to play basketball (3)
bastante rather (8)
la **basura** garbage (8)
beber to drink (4, 12)
la **bebida** beverage (4)
béisbol: jugar — to play baseball (3)
la **biblioteca** library (10)
la **bicicleta** bicycle (13)
montar en — to ride a bike (13)
bien well (P)
el **bistec** steak (4)
blanco, -a white (6)
la **blusa** blouse (6)
la **boca** mouth (9)
el **bolígrafo** pen (P)
bonito, -a pretty (5)
la **bota** boot (7)
el **bote** rowboat (7)
pasear en — to row (7)
la **botella** bottle (13)
el **brazo** arm (9)
el **bronceador** suntan lotion (7)
bucear to skin-dive (7)

bueno (buen), -a good (P)
bueno OK, fine, all right (10)
la **bufanda** winter scarf (7)
el **burrito** burrito (12)
buscar to look for (6)

el **caballo** horse (13)
la **cabeza** head (9)
tener dolor de — to have a headache (9)
el **café** coffee (4)
el **calcetín,** *pl.* **los calcetines** sock (6)
la **calculadora** calculator (2)
callado, -a quiet (1)
la **calle** street (10)
calor:
hace — it's hot (out) (7)
tener — to be hot *(person)* (9)
la **cama** bed (8)
la **cámara** camera (7)
el **camarero, la camarera** waiter, waitress (12)
la **camisa** shirt (6)
la **camiseta** T-shirt (6)
el **campo** countryside (3)
el **canal** (TV) channel (11)
canoso: pelo — gray hair (5)
cansado, -a tired (3)
cantar to sing (14)
cariñoso, -a affectionate, loving (5)
la **carne (de res)** beef (12)
caro, -a expensive (6)
la **carpeta** pocket folder (2)
la — de argollas three-ring binder (2)
la **carta** letter (10)
a la — a la carte (12)
el **cartel** poster (8)
el **cartón** cardboard (13)
la **casa** house (8)

el **quehacer (de la —)** household chore (8)
en — at home (1)
la **especialidad de la —** house specialty (12)
casi almost (11)
castaño: pelo — brown (chestnut) hair (5)
las **cataratas** waterfall (7)
la **catedral** cathedral (7)
catorce fourteen (P)
la **cebolla** onion (4)
la **cena** dinner (4)
el **centro** center (13)
el — comercial mall (3)
el — de reciclaje recycling center (13)
cerca (de) near (8)
el **cereal** cereal (4)
cero zero (P)
cerrar (e → ie) to close (10)
el **césped** lawn (8)
el **champú** shampoo (10)
la **chaqueta** jacket (6)
el **chile** chili pepper (12)
el — con carne beef with beans (12)
el — relleno stuffed pepper (12)
el **chocolate** hot chocolate (12)
el **churro** churro (12)
cien one hundred (5)
la **ciencia ficción** science fiction (11)
las **ciencias** science (2)
— de la salud health (science) (2)
— sociales social studies (2)
ciento uno, -a; ciento dos; etc. 101, 102, etc. (6)
cinco five (P)
cincuenta fifty (2)
el **cine** movie theater (1)

ir al — to go to the movies (1)

la **ciudad** city (7)

claro:

¡**— que sí!** of course! (3)

¡**— que no!** of course not! (3)

la **clase (de)** class (2); kind, type (11)

después de las —s after school (3)

la sala de —s classroom (P)

la **clínica** clinic (9)

el **coche** car (8)

la **cocina** kitchen (8)

cocinar to cook (1)

el **collar** necklace (14)

el **color** color (6)

¿**de qué —?** what color? (6)

en —es in color (11)

la **comedia** comedy, sitcom (11)

el **comedor** dining room (8)

comer to eat (4, 12)

los **comestibles** groceries (10)

cómico comical (11)

la **comida** meal (4), food (12)

¿**cómo?** how? (P)

¿**— eres?** what are you like? (1)

¿**— está (usted)?** how are you? *formal* (P)

¿**— estás?** how are you? *fam.* (P)

¡**— no!** certainly! (12)

¿**— se dice . . . ?** how do you say . . . ? (P)

¿**— se llama(n)?** what is his/her/their name? (5)

¿**— te llamas?** what's your name? (P)

la **cómoda** dresser (8)

cómodo, -a comfortable (8)

el **compañero, la compañera**

classmate (P)

comprar to buy (6)

¿**me compras . . . ?** can you buy me . . . ? (10)

compras: ir de — to go shopping (3)

la **comunidad** community (10)

con with (3)

el **concierto** concert (11)

conmigo with me (3)

conocer to know (14)

conservar to conserve, save *(energy)* (13)

contaminado, -a contaminated, polluted (13)

contigo with you (3)

la **corbata** tie (14)

el **correo** post office (10)

cortar to cut, to mow (8)

corto, -a short *(length)* (11)

la **cosa** thing (8)

costar (o → ue) to cost (6)

creer to think, to believe (4, 9)

creo que no I don't think so (4)

creo que sí I think so (4)

el **cuaderno** spiral notebook (2)

la **cuadra** block (10)

cuadrado, -a square (8)

el **cuadro** picture (8)

¿**cuál(es)?** what? which? which one(s)? (11)

¿**cuándo?** when (P)

cuando when (7)

¿**cuánto?** how much? (6)

¿**— (tiempo) hace que . . . ?** how long has it been since . . . ? (9)

¿**cuántos, -as?** how many? (5)

¿**— años tiene . . . ?** how old is . . . ? (5)

¿**— años tienes?** how old are you? (P)

cuarenta forty (2)

cuarto, -a quarter (2); fourth (2, 8)

y — *(time)* quarter after, quarter past (2)

el **cuarto** room (8)

cuatro four (P)

cuatrocientos four hundred (10)

la **cuchara** spoon (12)

el **cuchillo** knife (12)

el **cuello** neck (9)

la **cuenta** bill *(in restaurant)* (12)

el **cuero** leather (8)

de — (made) of leather (8)

el **cuerpo** body (9)

el **cumpleaños** birthday (P)

¡**feliz —!** happy birthday! (14)

la fiesta de — birthday party (14)

la tarjeta de — birthday card (10)

dar to give (14)

— + *movie* or *TV program* to show (11)

— miedo a to scare (11)

de from (P); of **—** 's, **—** s' (5)

de la, del *(de + el)* of the, from the (10)

— la mañana / la tarde / la noche in the morning / afternoon / evening (11)

— + *material* made of (8)

— nada you're welcome (3)

— postre for dessert (12)

¿**— veras?** really? (1)

debajo de under(neath) (12)

deber ought to, should (4)

decir to say (13)

　¿cómo se dice . . . ? how do you say . . . ? (P)

　¡no me digas! really?, you don't say! (3)

　¿qué quiere — . . . ? what does . . . mean? (P)

　se dice . . . it is said . . . (P)

la **decoración** *pl.* las **decoraciones** decoration (14)

decorar to decorate (14)

el **dedo** finger (9)

　— del pie toe (9)

delante de in front of (12)

demasiado too (11)

el/la **dentista** dentist (9)

depende it depends (14)

los **deportes** sports (1)

deportista athletic (1)

deportivo: el programa — sports program (11)

depositar to deposit (10)

derecha: a la — (de) to the right (of) (10)

derecho, -a right (9)

el **desayuno** breakfast (4)

descansar to rest (7)

el **descuento: la tienda de —s** discount store (6)

desear: ¿qué desea Ud? may I help you? (6)

desordenado, -a messy (1)

después de after (3)

detective: el programa de —s detective show (11)

detrás (de) behind (10)

devolver (o → ue) to return *(something)* (10)

el **día** day (P)

　buenos —s good morning (P)

el **plato del —** daily special (12)

¿qué — es hoy? what day is it? (P)

todos los —s every day (3)

dibujar to draw (1)

el **dibujo: los —s animados** cartoons (11)

el **diccionario** dictionary (2)

dice: ¿cómo se — . . . ? how do you say . . . ? (P)

diciembre December (P)

diecinueve nineteen (P)

dieciocho eighteen (P)

dieciséis sixteen (P)

diecisiete seventeen (P)

diez ten (P)

difícil difficult, hard (2)

digas: ¡no me —! really?, you don't say! (3)

el **dinero** money (10)

disfraces: la fiesta de — costume party (14)

la **diversión: el parque de diversiones** amusement park (3)

divertido, -a amusing, funny (11)

doce twelve (P)

el **documental** documentary (11)

el **dólar** dollar (6)

doler (o → ue) to hurt, to ache (9)

dolor: tener — de . . . to have a . . . ache (9) *see also* **cabeza, estómago, garganta, muelas, oído**

domingo Sunday (P)

　el — on Sunday (3)

¿dónde? where? (3)

　¿de — eres? where are you from? (P)

dormir (o → ue) to sleep (9)

el **dormitorio** bedroom (8)

dos two (P)

doscientos two hundred (10)

durar to last (11)

la **educación física** physical education (2)

educativo: el programa — educational show (11)

ejercicio: hacer — to exercise (9)

el the *m. sing.* (P, 2)

él he (2); him *after prep.* (3)

el **elefante** elephant (13)

elegante elegant (14)

ella she (2); her *after prep.* (3)

ellos, ellas they (2); them *after prep.* (3)

emocionante exciting, touching (11)

empezar (e → ie) to begin, to start (2)

en in, at, on (P)

　— + *vehicle* by (10)

encantado, -a delighted (14)

encantar to love (5)

　le encanta(n) he/she loves (5)

　me encanta(n) I love (4)

la **enchilada** enchilada (12)

encima (de) on, on top of (12)

la **energía** energy (13)

enero January (P)

la **enfermería** nurse's office (9)

enfermo, -a ill, sick (3)

enfrente (de) facing, opposite, in front of (10)

la **ensalada** salad (4)

enseñar to teach (2)

la **entrada** ticket (14)

entre between (10)

entrevista: el programa de —s talk show (11)
enviar to send, to mail (10)
el **equipo de sonido** stereo (8)
eres you *fam.* are (1)
es it is (P); he/she is (2)
escoger to choose (14)
escribir to write (14)
  ¿cómo se escribe . . . ? how do you spell . . . ? (P)
el **escritorio** desk (8)
escuchar to listen to (1)
la **escuela** school (1)
ese, -a; -os, -as that; those (6)
eso: por — that's why, therefore (11)
la **espalda** back (9)
el **español** Spanish *(language)* (2)
la **especialidad de la casa** house specialty (12)
el **espejo** mirror (8)
esquiar to ski (7)
la **esquina** corner (10)
la **estación,** *pl.* **las estaciones** season (3); station (10)
el **estadio** stadium (10)
estar to be (3)
  ¿cómo estás? how are you? (P)
  la sala de — family room (8)
este, -a; -os, -as this; these (6)
el **estómago** stomach (9)
  tener dolor de — to have a stomachache (9)
el/la **estudiante** student (P)
estudiar to study (1)
la **estufa** stove (8)
explorar to explore (7)
extinción: en peligro de — endangered (13)

la **fábrica** factory (13)
fácil easy (2)
la **falda** skirt (6)
faltar to be lacking, to be missing (12)
la **familia** family (3)
fantástico, -a fantastic (7)
la **farmacia** drugstore (10)
fascinante fascinating (11)
fascinar to fascinate (11)
favor: por — please (P)
febrero February (P)
la **fecha** date (P)
¡feliz cumpleaños! happy birthday! (14)
feo, -a ugly (5)
la **fiebre** fever (9)
  tener — to have a fever (9)
la **fiesta** party (3)
  el vestido de — party dress (14)
el **fin:**
  el — de semana the weekend (3)
  la fiesta de — de año New Year's Eve party (14)
física: la educación — physical education (2)
el **flan** flan (12)
la **flor** flower (13)
  formar: — parte de to be a part of (13)
la **foto** photo (7)
  sacar —s to take pictures (7)
fresco: hace — it's cool outside (7)
el **frijol** bean (12)
  los —es refritos refried beans (12)
frío:
  hace — it's cold outside (7)
  tener — to be cold *(person)* (9)

la **fruta** fruit (4)
fui, fuiste I went, you went (7)
el **fútbol** soccer (3)
  el — americano football (3)

la **ganga** bargain (6)
el **garaje** garage (8)
la **garganta** throat (9)
  las pastillas para la — throat lozenges (10)
  tener dolor de — to have a sore throat (9)
el **gato** cat (5)
el **gemelo, la gemela** twin (5)
generalmente usually, generally (3)
generoso, -a generous (1)
¡génial! great! wonderful! (3)
la **gente** people (13)
el **gimnasio** gymnasium (3)
el **gorila** gorilla (13)
el **gorro** ski cap (7)
la **grabadora** tape recorder (2)
gracias thank you (P)
gracioso, -a funny (1)
grande big (5)
la **gripe** flu (9)
  tener — to have the flu (9)
gris *pl.* **grises** gray (5, 6)
el **guacamole** avocado dip (12)
el **guante** glove (7)
guapo, -a handsome, good-looking (5)
el **guardarropa** closet (8)
la **guía telefónica** phone book (13)
el **guisante** pea (4)
la **guitarra** guitar (1)
gustar to like (1)
  le gusta(n) he/she

likes (5)

me, te gusta I like, you like (1)

me gusta más I prefer (1)

(A mí) me gustaría I'd like . . . (3)

¿(A ti) te gustaría? would you like . . . ? (3)

hablar to talk (1)

— **por teléfono** to talk on the phone (1)

hablando talking (14)

hacer to do, to make (8)

hace + *(time)* . . . ago (6)

hace + *(time)* **+ que** it's been *(time)* since (9)

— **ejercicio** to exercise (9)

se hace(n) con . . . it's (they're) made with . . . (12)

hice/hiciste/hizo did/made (10, 13) *see also* **calor, fresco, frío, sol, tiempo, viento**

hambre: tener — to be hungry (4)

la **hamburguesa** hamburger (4)

la **harina** flour (12)

la tortilla de — flour tortilla (12)

hasta until (11)

— **luego** see you later (P)

hay there is, there are (P)

¿cuántos(as) . . . —? how many . . . are there? (P)

— **que** it's necessary to (13)

hecho, -a made (14)

— **a mano** handmade (14)

el **hecho** fact (11)

helado: el té — iced tea (4)

el **helado** ice cream (12)

el **hermano, la hermana** brother, sister (5)

los **hermanos** brothers; brother(s) and sister(s) (5)

el **hijo, la hija** son, daughter (5)

los **hijos** sons; sons and daughters (5)

la **hoja de papel** sheet of paper (P)

¡hola! hi!, hello! (P)

el **hombre** man (5)

la **hora** period (2); time (2, 14)

¿a qué —? at what time? (2)

¿qué — **es?** what time is it? (2)

el **horario** schedule (2)

horrible horrible (4)

el **hospital** hospital (9)

el **hotel** hotel (10)

hoy today (P)

— **no** not today (3)

el **huevo** egg (4)

la **iglesia** church (10)

igualmente likewise (P)

impaciente impatient (1)

el **impermeable** raincoat (7)

incómodo, -a uncomfortable (8)

el **inglés** English *(language)* (2)

el **ingrediente** ingredient (12)

inteligente intelligent (5)

el **interés: el lugar de** — place of interest (7)

interesante interesting (11)

interesar to interest (11)

el **invierno** winter (3)

la **invitación** *pl.* **las**

invitaciones invitation (14)

el **invitado, la invitada** guest (14)

invitar to invite (14)

ir to go (3)

— **a +** *inf.* to be going to + *verb* (3)

— **a la escuela** to go to school (1)

— **a pasear** to take a walk (10)

— **de compras** to go shopping (3)

— **de pesca** to go fishing (3)

izquierda: a la — **(de)** to the left of (10)

izquierdo, -a left (9)

el **jabón** soap (10)

el **jaguar** jaguar (13)

el **jamón** ham (4)

los **jeans** jeans (6)

joven *adj.* young (5)

el **joven** young man, sir (6)

la **joven** young lady (6)

los **jóvenes** young people (6)

las **joyas** jewelry (14)

las **judías verdes** green beans (4)

jueves Thursday (P)

el — on Thursday (3)

jugar (u → ue) to play (3)

el **jugo** juice (4)

— **de naranja** orange juice (4)

julio July (P)

junio June (P)

la the *f. sing.* (P, 2); her, it, you *dir. obj. pron.* (6)

lado: al — **de** next to,

beside (10)

el lago lake (7)

la lámpara lamp (8)

el lápiz, *pl.* **los lápices** pencil (2)

largo, -a long (11)

las the *f. pl.* (2); them, you *dir. obj. pron.* (6)

lástima: ¡qué —! that's too bad! what a shame! (3)

lastimar to hurt (9)

la lata can (13)

el lavadero laundry room (8)

lavar to wash (8)

le (to) him, her, it, you *ind. obj. pron.* (9)

la leche milk (4)

la lechuga lettuce (4)

leer to read (1)

lejos (de) far (from) (8)

les (to) them *ind. obj.* (11)

la librería bookstore (10)

el libro book (P)

la limonada lemonade (4)

limpiar to clean (8)

limpio, -a clean (8)

llamar to call (9)

¿cómo se llama(n)? what is his / her / their name? (5)

¿cómo te llamas? what's your name? (P)

me llamo my name is (P)

se llama(n) his / her / their name is (5)

llegar to arrive (10)

llevar to wear (6); to take, to carry along (7)

llover: llueve it rains, it's raining (7)

la lluvia rain (7)

lo him, it, you *dir. obj. pron.* (6)

— siento I'm sorry (2)

el lobo wolf (13)

los the *m. pl.* (P, 4); them *dir. obj. pron.* (6)

— + *day of week* on + *day of week* (3)

luego then, afterward, later (10)

el lugar place (14)

— de interés place of interest (7)

lunes Monday (P)

el — on Monday (3)

la luz, *pl.* **las luces** light (13)

la madera wood (13)

de — (made of) wood (8)

la madre mother (5)

el maíz corn (12)

mal:

menos — que . . . it's a good thing that . . . (7)

me siento — I feel ill (9)

la maleta suitcase (7)

malo, -a bad (4)

manera: de ninguna — not at all (14)

la mano *f.* hand (9)

hecho, -a a — handmade (14)

el mantel tablecloth (12)

la mantequilla butter (12)

la manzana apple (4)

mañana tomorrow (P, 3)

la mañana morning (3)

por la — in the morning (3)

el mar sea (7)

el marcador marker (2)

marrón, *pl.* **marrones** brown (5, 6)

martes Tuesday (P)

el — on Tuesday (3)

marzo March (P)

más else (8, 12) more, *adj.* + -er (11)

el / la / los / las — + *adj.* the most + *adj.,* the + *adj.* + -est (11)

— o menos more or less (4)

— tarde later (11)

— temprano earlier (11)

las matemáticas mathematics (2)

mayo May (P)

mayor older (5)

el — peligro greatest danger (13)

me me *obj. pron.* (9)

media:

— hora *f.* half an hour (11)

una hora y — an hour and a half (11)

y — half-past (2)

la medianoche midnight (11)

el médico, la médica doctor (9)

el medio ambiente environment (13)

el mediodía noon (11)

mejor better (9)

el / la (los / las) —(es) the best (11)

menor *pl.,* **menores** younger (5)

menos less (4, 11)

el / la / los / las — + *adj.* the least + *adj.* (11)

más o — more or less (4)

— mal que . . . it's a good thing that . . . (7)

el menú menu (12)

menudo: a — often (12)

la merienda afternoon snack (12)

de — for a snack (12)

el mes month (P)

la mesa table (P)

metal: de — (made of) metal (8)

el metro subway (10)

mi, mis my (3)

mí me *after prep.* (12)

miércoles Wednesday (P)
  el — on Wednesday (3)
mil one thousand (10)
el **minuto** minute (11)
mismo: lo — the same thing (12)
la **mochila** backpack (2)
moderno, -a modern (8)
la **montaña** mountain (7)
montar en bicicleta to ride a bike (13)
el **monumento** monument (10)
morado, -a purple (6)
el **muchacho, la muchacha** boy, girl (5)
mucho, -a a lot of, much (2)
  muchas veces many times (12)
  — gusto pleased / nice to meet you (P)
los **muebles** furniture (8)
las **muelas: tener dolor de —** to have a toothache (9)
la **mujer** woman (5)
el **museo** museum (7)
la **música** music (2)
musical musical (11)
  el programa — music program (11)
muy very (1)

nada nothing (9)
  de — you're welcome (3)
  no me duele — nothing hurts (9)
  no me gusta — . . . I don't like . . . at all (1)
nadar to swim (1)
nadie nobody (5)
la **naranja** orange (4)
la **nariz** nose (9)
necesitar to need (2)

negro, -a black (5, 6)
  en blanco y — in black and white (11)
nevar: nieva it snows, it's snowing (7)
ni . . . ni neither . . . nor, not . . . or (1)
la **nieve** snow (7)
ninguna parte nowhere, not anywhere (7)
no no, not (P)
  creo que — I don't think so (4)
  ¿no? don't you?, aren't I . . . ? (9)
la **noche** evening (P)
  buenas —s good evening, good night (P)
  de la — at night (11)
  por la — in the evening (3)
el **nombre** name (5)
nos us *obj. pron.* (11)
nosotros, -as we (2); us *after prep.* (3)
las **noticias** news (11)
novecientos nine hundred (10)
noventa ninety (5)
noviembre November (P)
el **novio, la novia** boyfriend, girlfriend (14)
nuestro, -a our (8)
nueve nine (P)
nuevo, -a new (6)
el **número** number (P)
nunca never (4)

o or (P)
el **océano** ocean (13)
ochenta eighty (5)
ocho eight (P)
ochocientos eight hundred (10)

octavo, -a eighth (2)
octubre October (P)
ocupado, -a busy (3)
el **oeste: la película del —** western (11)
el **oído** ear (9)
  tener dolor de — to have an earache (9)
el **ojo** eye (9)
once eleven (P)
ordenado, -a neat, tidy (1)
el **oso** bear (13)
el **otoño** fall, autumn (3)
otro, -a another, other (6)

paciente patient *adj.* (1)
el **padre** father (5)
los **padres** parents (5)
pagar to pay (6)
el **país** country (7)
el **pájaro** bird (13)
el **pan** bread (4)
  el — tostado toast (4)
los **pantalones** pants (6)
las **pantimedias** pantyhose (6)
la **papa** potato (4)
  la — al horno baked potato (4)
  la — frita French fry (4)
el **papel** paper (P)
  la hoja de — sheet of paper (P)
para for (2)
  — + *inf.* to, in order to (7)
la **parada del autobús** bus stop (10)
el **paraguas** umbrella (7)
el **pariente, la parienta** relative (14)
el **parque** park (3)
  el — de diversiones amusement park (3)
el **partido** game, match (10)
pasado, -a last, past (7)

el pasaporte passport (7)
pasar to pass (12)
  — la aspiradora to vacuum (8)
  —lo bien (mal) to have a good (bad) time (14)
  ¿qué pasa? what's the matter? (9)
el pasatiempo pastime, hobby (3)
pasear:
  ir a — to take a walk (10)
  — en bote to row (7)
la pasta dentífrica toothpaste (10)
el pastel cake, pastry (12)
la pastilla tablet, lozenge (10)
patinar to skate (1)
pedir (e → i) to order, to ask for (12)
la película film, movie (11)
el peligro danger (13)
  en — de extinción endangered (13)
pelirrojo, -a red-haired (5)
el pelo hair (5)
pensar (e → ie) to think (11)
  — + inf. to plan (7)
peor worse (9)
  el / la (los / las) —(es) the worst (11)
pequeño, -a small, little (5)
perdón excuse me (6)
perezoso, -a lazy (1)
el periódico newspaper (13)
pero but (1)
el perro dog (5)
la persona person (5)
personal personal (14)
pesca: ir de — to go fishing (3)
el pescado fish (4)
picante spicy, peppery, hot *(flavor)* (12)
  no — mild *(flavor)* (12)
el pie foot (9)

a — walking, on foot (10)
  el dedo del — toe (9)
la piel fur (13)
la pierna leg (9)
la pimienta pepper (12)
la pirámide pyramid (7)
la piscina pool (3)
el piso story, floor (8)
la pizarra chalkboard (P)
la planta plant (13)
el plástico plastic (13)
  de — (made of) plastic (13)
el plátano banana (4)
el platillo saucer (12)
el plato dish, plate (12)
  el — del día daily special (12)
  los —s principales main dishes (12)
la playa beach (3)
la plaza town square (10)
poco: un — (de) a little (11)
poder (o → ue) can, to be able to (3, 7)
la policía police (10)
el pollo chicken (4)
poner to put, to place, to set (8)
  — la mesa to set the table (8)
por for (6)
  — aquí around here (6)
  — eso that's why, therefore (11)
  — favor please (P)
  — la mañana / la tarde / la noche in the morning / afternoon / evening (3)
  ¿— qué? why? (4)
  — supuesto of course (13)
porque because (4)
el postre dessert (12)
  de — for dessert (12)

practicar to practice (1)
práctico, -a practical (14)
preferir (e → ie) to prefer (4, 8)
preparar to prepare (14)
presentar to introduce (14)
  te presento a . . . I'd like you to meet . . . (14)
la primavera spring (3)
primero (primer), -a first (P, 2, 8)
el primo, la prima cousin (5)
probar (o → ue) to try, to taste (12)
el profesor, la profesora teacher (P)
el programa program, show (11)
el pronóstico del tiempo weather forecast (11)
proteger to protect (13)
prudente cautious (1)
puedo, puedes *see* **poder**
la puerta door (8)
pues well *(to indicate pause)* (1)
la pulsera bracelet (14)
  el reloj — wristwatch (14)
punto: en — sharp, on the dot (11)
puntualmente on time (11)
el pupitre student desk (P)
puro, -a pure, clean (13)

que that, who (5)
qué what (2)
  ¡— + adj.! how + *adj.!* (6)
  ¿— tal? how's it going? (P)
quedar to fit (6); to be located (10)
  me queda(n) bien it fits (they fit) me well (6)
  —se (en la cama) to stay (in bed) (9)

el quehacer (de la casa) household chore (8)

querer (e → ie) to want (3, 7)

¿qué quiere decir ...? what does ... mean? (P)

(yo) quisiera I'd like (7)

la quesadilla quesadilla (12)

el queso cheese (4)

¿quién(es)? who? whom? (2, 5)

quince fifteen (P)

quinientos five hundred (10)

quinto, -a fifth (2)

quisiera *see* **querer**

quitar la mesa to clear the table (8)

razón: (no) tener — to be right (wrong) (8)

real real (11)

realista realistic (11)

recibir to receive (14)

el reciclaje: el centro de — recycling center (13)

reciclar to recycle (13)

recoger to pick up (13)

el recuerdo souvenir (7)

redondo, -a round (8)

reducir to reduce (13)

el refresco soft drink (4)

el refrigerador refrigerator (8)

regalar to give (a gift) (14)

el regalo gift (10)

la tienda de —s gift shop (10)

la regla ruler (2)

regresar to come back, to return (7)

regular so-so, fair (P)

el reloj pulsera wristwatch (14)

el resfriado cold (9)

el restaurante restaurant (10)

la reunión, *pl.* **las reuniones** get-together (14)

la revista magazine (13)

rojo, -a red (6)

romántico, -a romantic (11)

la ropa clothes (6)

rosado, -a pink (6)

rubio, -a blonde (5)

las ruinas ruins (7)

sábado Saturday (P)

el — on Saturday (3)

saber to know (13)

(yo) no lo sabía I didn't know that (10)

sabroso, -a delicious, tasty (4)

sacar to take out (8)

— dinero to withdraw money (10)

— fotos to take pictures (7)

— un libro to check out a book (10)

sacudir to dust (8)

la sal salt (12)

la sala living room (8)

la — de clases classroom (P)

la — de estar family room (8)

salir to leave (7)

la salsa sauce (12)

la salud health (4)

el sandwich sandwich (4)

sed: tener — to be thirsty (4)

seguida: en — right away (12)

segundo, -a second (2, 8)

seis six (P)

seiscientos six hundred (10)

el sello stamp (10)

la selva forest (7)

la — tropical rain forest (7)

la semana week (P)

el fin de — on the weekend (3)

el semestre semester (2)

sentir:

¿cómo te sientes? how do you feel? (9)

lo siento I'm sorry (2)

me siento bien / mal I feel well / ill (9)

señor Mr. (P); sir (6)

señora Mrs. (P); ma'am (6)

señorita Miss (P); miss (6)

separar to separate, to sort (13)

septiembre September (P)

séptimo, -a seventh (2)

ser to be (5)

serio, -a serious (1)

la serpiente snake (13)

**el servicio: la estación de — gas station (10)

la servilleta napkin (12)

servir (e → i) to serve (12)

sesenta sixty (5)

setecientos seven hundred (10)

setenta seventy (5)

sexto, -a sixth (2)

si if, whether (10)

sí yes (P); do *(emphatic)* (1)

siempre always (4)

siento, sientes *see* **sentir**

siete seven (P)

la silla chair (8)

el sillón, *pl.* **los sillones** armchair (8)

simpático, -a nice, friendly (5)

sobre about (11); on (12)

sociable outgoing (1)

el sofá *m.* sofa (8)

el sol sun (7)

　los anteojos de — sunglasses (7)

　hace — it's sunny (7)

　tomar el — to sunbathe (7)

soler (o → ue) + *inf.* to be in the habit of (14)

solo, -a alone (3)

sólo only (5)

son (they) are (4)

　— las it is ... *(in telling time)* (2)

sonido: el equipo de — stereo (8)

la sopa soup (4)

la sorpresa: la fiesta de — surprise party (14)

el sótano basement (8)

soy I am (1)

su, sus his, her (5); your *formal,* their (8)

subir to climb (7)

sucio, -a dirty (8)

la sudadera sweatshirt (6)

sueño: tener — to be sleepy (9)

el suéter sweater (6)

el supermercado supermarket (10)

supuesto: por — of course (13)

tacaño, -a stingy (1)

el taco taco (12)

tal: ¿qué —? how's it going? (P)

también also, too (1)

　a mí — me too (1)

tampoco either, neither (1)

tarde late (10)

la tarde afternoon (P)

　buenas —s good afternoon, good evening (P)

por la — in the afternoon (3)

la tarea homework (2)

la tarjeta card (10)

　la — postal post card (10)

el taxi taxi (10)

la taza cup (12)

el tazón, *pl.* **los tazones** bowl (12)

te you *fam. obj. pron.* (9)

el té tea (4)

　el — helado iced tea (4)

el teatro theater (10)

el teléfono telephone (1)

　hablar por — to talk on the telephone (1)

　el número de — phone number (P)

la telenovela soap opera (11)

la tele(visión) television (1)

　ver la — to watch television (1)

el templo temple (10)

temprano early (10)

el tenedor fork (12)

tener to have (2, 5)

　¿qué tienes? what's wrong? (9)

　— que + *inf.* to have to (8)

　see also **año, calor, dolor, fiebre, frío, gripe, hambre, razón, sed, sueño**

el tenis tennis (3)

los tenis sneakers (6)

tercer, tercera third (8)

terminar to end (2)

terrible terrible (9)

terror: la película de — horror film (11)

ti you *fam. after prep.* (12)

el tiempo weather (7); time (11)

　hace buen, mal — the weather is nice, bad (7)

　el pronóstico del —

weather forecast (11)

　¿qué — hace? what's the weather like? (7)

la tienda store (6)

　la — de ropa clothing store (6)

la Tierra Earth (13)

el tigre tiger (13)

el tío, la tía uncle, aunt (5)

　los tíos uncles; aunts and uncles (5)

típico, -a typical (12)

tocar to play (1)

todavía still (9)

　— no not yet (11)

todos, -as all; everyone (5)

　— los días every day (3)

tomar to take (9)

　— el sol to sunbathe (7)

el tomate tomato (4)

tonto, -a silly, dumb (11)

la tortilla (de harina, de maíz) (flour, corn) tortilla (12)

tostado: el pan — toast (4)

trabajador, -a hard-working (1)

trabajar to work (10)

traer to bring (12)

el traje suit (14)

　el — de baño bathing suit (7)

el transporte público public transportation (13)

trece thirteen (P)

treinta thirty (P, 2)

el tren train (10)

　la estación del — train station (10)

tres three (P)

trescientos three hundred (10)

triste sad (11)

tu, tus your *fam.* (2, 3)

tú you *fam.* (2)

un, una a, an, one (P, 2)
  es la una it's one o'clock
    (2)
único, -a only (5)
uno one (P)
unos, -as a few, some (4)
usar to use (13)
usted (Ud.) you *formal
  sing.* (2)
ustedes (Uds.) you *formal
  pl.* (2)
la uva grape (4)

la vaca cow (13)
las vacaciones vacation (7)
  ir de — to go on vacation
    (7)
valer: (no) vale la pena it's
  (not) worthwhile (13)
el vaso glass (12)
¡vaya! my goodness! gee!
  wow! (7)
veinte twenty (P)
veintiuno (veintiún)
  twenty-one (P)
vender to sell (12)
la ventana window (8)
ver to see, to watch (1)
  a — let's see (2)

el verano summer (3)
veras: ¿de — ? really? (1)
¿verdad? isn't that so?,
  right? (4)
verde green (5, 6)
las verduras vegetables (4)
  sopa de — vegetable
  soup (4)
el vestido dress (6)
  el — de fiesta party
  dress (14)
vez, *pl.* veces:
  a la — at the same time
  (13)
  a veces at times,
  sometimes (1)
  alguna — ever (12)
  dos veces two times
  (twice) (12)
  muchas veces many
  times (12)
  una — one time (once)
  (12)
vi, viste *see* ver
la vida life
  el programa de hechos
  de la — real fact-based
  program (11)
la videocasetera VCR (8)

el videojuego video game (3)
el vidrio glass *(material)* (13)
  de — (made of) glass (13)
viejo, -a old (5)
el viento wind (7)
  hace — it's windy (7)
viernes Friday (P)
  el — on Friday (3)
visitar to visit (7)
vivir to live (8)
el vóleibol volleyball (3)
vosotros, -as you *pl.* (2)

y and (1)
ya already (10)
  — no no longer, not
  anymore (9)
yo I (2)

la zanahoria carrot (4)
la zapatería shoe store (6)
el zapato shoe (6)
  los —s de tacón alto
  high-heeled shoes (14)
el zoológico zoo (10)

ENGLISH-SPANISH VOCABULARY

The *English-Spanish Vocabulary* contains all active vocabulary from the text, including vocabulary presented in the grammar sections.

A dash (—) represents the main entry word. For example, — **party** following **birthday** means **birthday party.**

The number following each entry indicates the chapter in which the word or expression is presented. The letter *P* following an entry refers to *El primer paso.*

The following abbreviations are used: *adj.* (adjective), *dir. obj.* (direct object), *f.* (feminine), *fam.* (familiar), *ind. obj.* (indirect object), *inf.* (infinitive), *m.* (masculine), *pl.* (plural), *prep.* (preposition), *pron.* (pronoun), *sing.* (singular).

a, an un, una (2)
able: to be — poder (o → ue) (3, 7)
about sobre (11)
ache el dolor (9)
actor, actress el actor, la actriz (11)
ad el anuncio (de televisión) (11)
adventure film la película de aventuras (11)
affectionate cariñoso, -a (5)
after después (de) (3)
  — school después de las clases (3)
afternoon la tarde (P)
  — snack la merienda (12)
  good — buenas tardes (P)
  in the — por la tarde (3)
ago hace + *(time)* ... (6)
to **agree** estar de acuerdo (8)
air el aire (13)
all todo, -a (5)
  — right bueno (10)
almost casi (11)
alone solo, -a (3)
already ya (10)
also también (1)
aluminum el aluminio (13)
always siempre (4)

amusement park el parque de diversiones (3)
amusing divertido, -a (11)
and y (1)
animal el animal, *pl.* los animales (13)
another otro, -a (6)
anywhere: not — ninguna parte (7)
apartment el apartamento (8)
apple la manzana (4)
April abril (P)
arm el brazo (9)
armchair el sillón, *pl.* los sillones (8)
around here por aquí (6)
to **arrive** llegar (10)
art el arte (2)
artistic artístico, -a (1)
to **ask for** pedir (e → i) (12)
at en (P); a (2)
athletic deportista (1)
atmosphere el ambiente (14)
attractive atractivo, -a (5)
August agosto (P)
aunt la tía (5)
  —s and uncles los tíos (5)
autumn el otoño (3)
avenue la avenida (10)

avocado el aguacate (12)
  — dip el guacamole (12)

back la espalda (9)
backpack la mochila (2)
bad malo, -a (4)
  that's too —! ¡Qué lástima! (3)
banana el plátano (4)
bank el banco (10)
bargain la ganga (6)
baseball el béisbol (3)
basement el sótano (8)
basketball el básquetbol (3)
bathing suit el traje de baño (7)
bathroom el baño (8)
to **be** estar (3); ser (5)
  — from ser de (P)
  to — able to poder (o → ue) (7)
beach la playa (3)
beans los frijoles (12)
  green — las judías verdes (4)
  refried — los frijoles refritos (12)
bear el oso (13)
because porque (4)
bed la cama (8)
bedroom el dormitorio (8)

beef la carne (de res) (12)

to **begin** empezar (e → ie) (2)

behind detrás (de) (10)

to **believe** creer (4)

beside al lado (de) (10)

best el / la mejor (11)

better mejor (9)

between entre (10)

beverage la bebida (4)

bicycle la bicicleta (13)

    to ride a — montar en bicicleta (13)

big grande (5)

bill (*in restaurant*) la cuenta (12)

binder (3-ring) la carpeta de argollas (2)

bird el pájaro (13)

birthday el cumpleaños (P)

    — card la tarjeta de cumpleaños (10)

    — party la fiesta de cumpleaños (14)

    happy —! ¡feliz cumpleaños! (14)

black negro, -a (6)

    in — and white en blanco y negro (11)

block la cuadra (10)

    how many —s (from . . .)? ¿a cuántas cuadras (de . . .)? (10)

blond rubio, -a (5)

blouse la blusa (6)

blue azul, *pl.* azules (5, 6)

body el cuerpo (9)

bold atrevido, -a (1)

book el libro (P)

bookstore la librería (10)

boot la bota (7)

to **bore** aburrir (11)

boring aburrido, -a (11)

bottle la botella (13)

bowl el tazón, *pl.* los tazones (12)

boy el muchacho (5)

boyfriend el novio (14)

bracelet la pulsera (14)

bread el pan (4)

breakfast el desayuno (4)

    for — en el desayuno (4)

to **bring** traer (12)

brother el hermano (5)

    —(s) and sister(s) los hermanos (5)

brown marrón, *pl.* marrones (5, 6); *(hair)* castaño (5)

burrito el burrito (12)

bus el autobús, *pl.* los autobuses (10)

    — stop la parada del autobús (10)

busy ocupado, -a (3)

but pero (1)

butter la mantequilla (12)

to **buy** comprar (6)

by por (6)

    — + *vehicle* en + *vehicle* (10)

cake el pastel (12)

calculator la calculadora (2)

to **call** llamar (9)

camera la cámara (7)

can poder (o → ue) (3, 7); la lata (13)

cap el gorro (7)

car el coche (8)

card la tarjeta (10)

cardboard el cartón (13)

carrot la zanahoria (4)

carte: a la — a la carta (12)

cartoons los dibujos animados (11)

cat el gato (5)

cathedral la catedral (7)

cautious prudente (1)

center:

    recycling — el centro de reciclaje (13)

    shopping — el centro comercial (3)

cereal el cereal (4)

chair la silla (8)

chalkboard la pizarra (P)

channel el canal (11)

cheap barato, -a (6)

to **check out a book** sacar un libro (10)

cheese el queso (4)

chestnut(-colored) castaño, -a (5)

chicken el pollo (4)

    — soup la sopa de pollo (4)

chili pepper el chile (12)

chocolate: hot — el chocolate (12)

to **choose** escoger (14)

chore: household — el quehacer (de la casa) (8)

church la iglesia (10)

churro el churro (12)

city la ciudad (7)

class la clase (de) (2, 11)

classmate el compañero, la compañera (P)

classroom la sala de clases (P)

clean limpio, -a (8); puro, -a (13)

to **clean** limpiar (8)

    — up arreglar (8)

to **clear the table** quitar la mesa (8)

to **climb** subir (7)

clinic la clínica (9)

to **close** cerrar (e → ie) (10)

closet el guardarropa (8)

clothes la ropa (6)

coat el abrigo (7)

coffee el café (4)

cold frío, -a (7)

    it's — out hace frío (7)

    to be (very) — tener (mucho) frío (9)

    to have a — tener (un) resfriado (9)

color el color (6)
  in — en colores (11)
  what —? ¿de qué color? (6)
comedy la comedia (11)
comfortable cómodo (8)
comical cómico -a (11)
commercial el anuncio (de televisión) (11)
community la comunidad (10)
concert el concierto (11)
to **conserve** *(energy)* conservar (13)
contaminated contaminado, -a (13)
to **cook** cocinar (1)
cool: it's — out hace fresco (7)
corn el maíz (12)
  — tortilla la tortilla de maíz (12)
corner la esquina (10)
to **cost** costar (o → ue) (6)
costume party la fiesta de disfraces (14)
country el país (7)
countryside el campo (3)
course: of — ¡Claro que sí! (3); por supuesto (13)
  of — not ¡Claro que no!
cousin el primo, la prima (5)
cow la vaca (13)
cup la taza (12)
to **cut** cortar (8)

daily special el plato del día (12)
dance el baile (14)
to **dance** bailar (14)
danger el peligro (13)
daring atrevido, -a (1)
date la fecha (P, 14)
  what's today's —? ¿cuál es la fecha de hoy? (P)
daughter la hija (5)

day el día (P)
  every — todos los días (3)
December diciembre (P)
to **decorate** decorar (14)
decoration la decoración *pl.* las decoraciones (14)
delicious sabroso, -a (4)
delighted encantado, -a (14)
dentist el / la dentista (9)
department store el almacén, *pl.* los almacenes (6)
to **depend** depender (14)
to **deposit** depositar (10)
desk el escritorio (8); el pupitre *(student)* (P)
dessert el postre (12)
  for — de postre (12)
detective show el programa de detectives (11)
dictionary el diccionario (2)
difficult difícil (2)
dining room el comedor (8)
dinner la cena (4)
  for — en la cena (4)
dirty sucio, -a (8)
to **disagree** no estar de acuerdo (8)
disgusting: that's — ! ¡qué asco! (4)
dish el plato (12)
  main — el plato principal (12)
to **do** hacer (8)
doctor el médico, la médica (9)
documentary el documental (11)
dog el perro (5)
dollar el dólar (6)
door la puerta (8)
dot: on the — en punto (11)
to **draw** dibujar (1)
dress el vestido (6)
  party — el vestido de fiesta (14)
dresser la cómoda (8)
to **drink** beber (4, 12)

drugstore la farmacia (10)
dumb tonto, -a (11)
to **dust** sacudir (8)

ear el oído (9)
  —ache el dolor de oído (9)
early temprano (10)
earring el arete (14)
Earth la Tierra (13)
easy fácil (2)
to **eat** comer (4, 12)
educational show el programa educativo (11)
egg el huevo (4)
eight ocho (P)
eighteen dieciocho (P)
eight hundred ochocientos (10)
eighth octavo, -a (2, 8)
eighty ochenta (5)
either tampoco (1)
elegant elegante (14)
elephant el elefante (13)
eleven once (P)
else más (8)
  anything — algo más (12)
enchilada la enchilada (12)
to **end** terminar (2)
endangered en peligro de extinción (13)
energy la energía (13)
English *(language)* el inglés (2)
environment el medio ambiente (13)
evening la noche (P)
  good — buenas noches, buenas tardes (P)
  in the — por la noche, por la tarde (3)
ever alguna vez (12)
every day todos los días (3)
everyone todos, -as (5)
exciting emocionante (11)

excuse me perdón (6)

to **exercise** hacer ejercicio (9)

expensive caro, -a (6)

to **explore** explorar (7)

eye el ojo (9)

facing enfrente (de) (10)

fact el hecho (11)

— **-based program** el programa de hechos de la vida real (11)

factory la fábrica (13)

fair regular, así, así (P)

fall el otoño (3)

family la familia (3)

— **room** la sala de estar (8)

fantastic fantástico, -a (7)

far (from) lejos (de) (8)

to **fascinate** fascinar (11)

fascinating fascinante (11)

father el padre (5)

February febrero (P)

to **feel** sentir

how do you —? ¿cómo te sientes? (9)

I — well / ill me siento bien / mal (9)

fever la fiebre (9)

to have a — tener fiebre (9)

few: a — unos, unas (4)

fifteen quince (P)

fifth quinto, -a (2, 8)

fifty cincuenta (2)

film la película (11)

finger el dedo (9)

first primero (primer), -a (P, 2, 8)

fish el pescado (4)

to go —ing ir de pesca (3)

to **fit** quedar (6)

five cinco (P)

five hundred quinientos (10)

flan el flan (12)

floor el piso (8)

flour la harina (12)

— **tortilla** la tortilla de harina (12)

flower la flor (13)

flu la gripe (9)

to have the — tener gripe (9)

folder la carpeta (2)

food comida (12)

foot el pie (9)

on — a pie (10)

football el fútbol americano (3)

for para (2); por (6)

forest la selva (7)

rain — la selva tropical (7)

fork el tenedor (12)

forty cuarenta (2)

four cuatro (P)

four hundred cuatrocientos (10)

fourteen catorce (P)

fourth cuarto, -a (2)

French fries las papas fritas (4)

Friday viernes (P)

on — el viernes (3)

friend el amigo, la amiga (3)

friendly simpático, -a (5)

front: in — of enfrente de (10); delante de (12)

fruit la fruta (4)

funny gracioso, -a (1); divertido, -a (11)

fur la piel (13)

furniture los muebles (8)

game el partido (10)

garage el garaje (8)

garbage la basura (8)

gas station la estación de servicio (10)

gee! ¡vaya! (7)

generally generalmente (3)

generous generoso, -a (1)

get-together la reunión (14)

gift el regalo (10)

— **shop** la tienda de regalos (10)

girl la muchacha (5)

girlfriend la novia (14)

to **give** dar (14)

to — a gift regalar (14)

glass el vaso (12); *(material)* el vidrio (13)

(made of) — de vidrio (13)

glasses los anteojos (7)

glove el guante (7)

to **go** ir (3)

— **on!** ¡vaya! (7)

to be —ing to + *verb* ir a + *inf.* (3)

to — fishing ir de pesca (3)

to — on vacation ir de vacaciones (7)

to — shopping ir de compras (3)

to — to school ir a la escuela (1)

good bueno (buen), -a (P)

— **afternoon** buenas tardes (P)

— **evening** buenas noches (P)

— **morning** buenos días (P)

— **night** buenas noches (P)

it's a — thing that . . . menos mal que . . . (7)

good-by adiós (P)

good-looking guapo, -a (5)

goodness: my —! ¡vaya! (7)

gorilla el gorila (13)

grandfather el abuelo (5)

grandmother la abuela (5)

grandparents los abuelos (5)
grape la uva (4)
gray gris, *pl.* grises (5, 6)
  — **hair** pelo canoso (5)
great! ¡genial! (3)
green verde (5, 6)
  — **beans** las judías verdes (4)
groceries los comestibles (10)
guest el invitado, la invitada (14)
guitar la guitarra (1)
gymnasium el gimnasio (3)

habit: to be in the — of soler (o → ue) + *inf.* (14)
hair el pelo (5)
half:
  — **an hour** media hora (11)
  — **-past** y media (2)
ham el jamón (4)
hamburger la hamburguesa (4)
hand la mano (9)
  —**made** hecho, -a a mano (14)
handsome guapo, -a (5)
hard difícil (2)
hard-working trabajador, -a (1)
to **have** tener (2, 5)
  to — a good (bad) time pasarlo bien (mal) (14)
  to — to tener que + *inf.* (8)
he él (2)
head la cabeza (9)
  —**ache** dolor de cabeza (9)
health la salud (4); *(class)* las ciencias de la salud (2)
hello! ¡hola! (P)
to **help** ayudar (1)
  may I — you? ¿qué desea (Ud.)? (6)

her su, sus (5); *dir. obj. pron.* la (6); *ind. obj. pron.* le (9)
here aquí (2)
  around — por aquí (6)
  — **it is** aquí está (2)
hi! ¡hola! (P)
high-heeled shoes los zapatos de tacón alto (14)
him *dir. obj. pron.* lo (6); *ind. obj. pron.* le (9)
his su, sus (5)
hobby el pasatiempo (3)
home: at — en casa (1)
homework la tarea (2)
horrible horrible (4)
horror movie la película de terror (11)
horse el caballo (13)
hospital el hospital (9)
hot *(flavor)* picante (12)
  it's — **out** hace calor (7)
  to be — *(person)* tener calor (9)
hotel el hotel (10)
house la casa (8)
  — **specialty** la especialidad de la casa (12)
household chore el quehacer (de la casa) (8)
¡how! qué + *adj.* (6)
how? ¿cómo? (P)
  — **are you?** ¿cómo está (usted)? ¿cómo estás (tú)? (P)
  — **long has it been since** …¿cuánto (tiempo) hace que…? (9)
  — **many?** ¿cuántos, -as? (5)
  — **much?** ¿cuánto? (6)
  — **old are you?** ¿cuántos años tienes? (P)
  — **old is . . . ?** cuántos años tiene …? (5)
  —**'s it going?** ¿qué tal? (P)

hundred cien (5); ciento (6)
hungry: to be — tener hambre (4)
to **hurt** doler (o → ue) (9); lastimarse + *part of body* (9)

I yo (2)
ice cream el helado (12)
iced tea el té helado (4)
if si (10)
ill enfermo, -a (3)
  I feel — me siento mal (9)
impatient impaciente (1)
in en (P)
  — **order to** para + *inf.* (7)
inexpensive barato, -a (6)
ingredient el ingrediente (12)
intelligent inteligente (5)
interest: place of — el lugar de interés (7)
to **interest** interesar (11)
interesting interesante (11)
to **introduce** presentar (14)
invitation la invitación *pl.* las invitaciones (14)
to **invite** invitar (14)
it *dir. obj.* lo (6)

jacket la chaqueta (6)
jaguar el jaguar (13)
January enero (P)
jeans los jeans (6)
jewelry las joyas (14)
juice el jugo (4)
  orange — el jugo de naranja (4)
July julio (P)
June junio (P)

kind amable (1); la clase (11)
kitchen la cocina (8)
knife el cuchillo (12)
to **know** saber (13); conocer (14)

lacking: to be — faltar a (12)
lake el lago (7)
lamp la lámpara (8)
to **last** durar (11)
last pasado, -a (7)
— night anoche (10)
late tarde (10)
see you —r hasta luego (P)
laundry room el lavadero (8)
lawn el césped (8)
to mow the — cortar el césped (8)
lazy perezoso, -a (1)
to **learn** aprender (2)
least el / la / los / las menos + *adj.* (11)
leather el cuero (8)
(made of) — de cuero (8)
to **leave** salir (7)
left izquierdo, -a (9)
to the — (of) a la izquierda (de) (10)
leg la pierna (9)
lemonade la limonada (4)
less menos (4, 11)
more or — más o menos (4)
letter la carta (10)
lettuce la lechuga (4)
library la biblioteca (10)
life la vida (11)
light la luz, *pl.* las luces (13)
to **like** gustar (5)
he / she —s le gusta(n) (5)

I / you — (a mí) me / (a ti) te gusta(n) (1)
I'd — quisiera (7)
likewise igualmente (P)
to **listen** escuchar (1)
little pequeño, -a (5)
a — un poco (de) (11)
to **live** vivir (8)
living room la sala (8)
located: to be — quedar (10)
long largo, -a (11)
to **look for** buscar (6)
lot:
a — mucho (1)
a — of mucho, -a (2)
to **love** encantar (5)
he / she —s le encanta(n) (5)
I — me encanta(n) (4)
loving cariñoso, -a (5)
lunch el almuerzo (2)
for — en el almuerzo (4)

ma'am señora (6)
made hecho, -a (14)
— of de + *material* (8)
magazine la revista (13)
to **mail** enviar (10)
to **make** hacer (8)
mall el centro comercial (3)
man el hombre (5)
March marzo (P)
marker el marcador (2)
match el partido (10)
mathematics las matemáticas (2)
matter: what's the —? ¿qué pasa? (9)
May mayo (P)
me *obj. pron.* me (9); *after prep.* mí (1, 12)
meal la comida (4)
to **meet:**
I'd like you to — te presento a… (14)

pleased to — you mucho gusto (P); encantado, -a (14)
menu el menú (12)
messy desordenado, -a (1)
metal el metal (8)
(made of) — de metal (8)
midnight la medianoche (11)
mild *(flavor)* no picante (12)
milk la leche (4)
minute el minuto (11)
mirror el espejo (8)
miss la señorita (P, 6)
miss: to be —ing faltar a (12)
modern moderno, -a (8)
Monday lunes (P)
on — el lunes (3)
money el dinero (10)
month el mes (P)
monument el monumento (10)
more más (4, 11)
— or less más o menos (4)
morning la mañana (3)
good — buenos días (P)
in the — por la mañana (3)
most: the — el / la / los / las más + *adj.* (11)
mother la madre (5)
mountain la montaña (7)
mouth la boca (9)
movie la película (11)
— theater el cine (1)
to go to the —s ir al cine (1)
to show a — dar una película (11)
to **mow the lawn** cortar el césped (8)
Mr. (el) señor (P)
Mrs. (la) señora (P)
much mucho, -a (2)
how —? ¿cuánto? (6)

museum el museo (7)

music la música (2)

— **program** el programa musical (11)

musical film la película musical (11)

my mi, mis (3)

name el nombre (5)

his / her / their — is se llama(n) (5)

my — is me llamo (P)

what's your —? ¿cómo te llamas? (P)

napkin la servilleta (12)

near cerca (de) (8)

neat ordenado, -a (1)

necessary: it's — to hay que (13)

neck el cuello (9)

necklace el collar (14)

necktie la corbata (14)

to **need** necesitar (2)

neither tampoco (1)

— **... nor** ni ... ni (1)

never nunca (4)

new nuevo, -a (6)

New Year's Eve party la fiesta de fin de año (14)

news las noticias (11)

newspaper el periódico (13)

next to al lado (de) (10)

nice amable (1); simpático, -a (5)

night noche

at — de la noche (11)

good — buenas noches (P)

last — anoche (10)

nine nueve (P)

nine hundred novecientos (10)

nineteen diecinueve (P)

ninety noventa (5)

no no (P)

— **longer** ya no (9)

nobody nadie (5)

noon el mediodía (11)

nor: neither ... — ni ... ni (1)

nose la nariz (9)

not no (P)

— **anymore** ya no (9)

— **at all** nada (1); de ninguna manera (14)

— **yet** todavía no (11)

notebook el cuaderno (2)

nothing nada (9)

November noviembre (P)

now ahora (9)

nowhere ninguna parte (7)

number el número (P)

phone — el número de teléfono (P)

nurse's office la enfermería (9)

ocean el océano (13)

October octubre (P)

of de (5)

— **course** ¡Claro que sí! (3); por supuesto (13)

— **course not** ¡Claro que no! (3)

often a menudo (12)

ok bueno (10)

old viejo -a (5); antiguo, -a (8)

how — are you? ¿cuántos años tienes? (P)

how — is ... ? ¿cuántos años tiene ...? (5)

older mayor (5)

on en (P); sobre (12)

— **the dot** en punto (11)

— **time** puntualmente (11)

— **top (of)** encima (de) (12)

once una vez (12)

one uno (un), -a (P)

it's — o'clock es la una (2)

onion la cebolla (4)

only sólo (5)

— **child** el hijo único, la hija única (5)

to **open** abrir (10)

opposite enfrente (de) (10)

or o (P)

not ... — ni ... ni (1)

orange *(color)* anaranjado, -a (6)

orange la naranja (4)

— **juice** el jugo de naranja (4)

to **order** pedir (e → i) (12)

other otro, -a (6)

ouch! ¡ay! (9)

ought to deber (4)

our nuestro, -a (8)

outgoing sociable (1)

pants los pantalones (6)

pantyhose las pantimedias (6)

paper el papel (P)

sheet of — la hoja de papel (P)

parents los padres (5)

park el parque (3)

amusement — el parque de diversiones (3)

part: to be a — of formar parte de (13)

party la fiesta (14)

to **pass** pasar (12)

passport el pasaporte (7)

past pasado, -a (7)

half- — y media (2)

quarter — y cuarto (2)

pastime el pasatiempo (3)

pastry el pastel (12)

patient *adj.* paciente (1)

to **pay** pagar (6)

pea el guisante (4)

pen el bolígrafo (P)

pencil el lápiz, *pl.* los lápices (2)

people la gente (13)

pepper la pimienta (12)
   stuffed — el chile relleno (12)
peppery picante (12)
period la hora (2)
person la persona (5)
personal personal (14)
phone el teléfono (1)
   — book la guía telefónica (13)
   — number el número de teléfono (P)
photo la foto (7)
physical education la educación física (2)
physician el médico, la médica (9)
to **pick up** recoger (13)
picture el cuadro (8)
pink rosado, -a (6)
place el lugar (14)
   — of interest el lugar de interés (7)
to **place** poner (8)
to **plan** pensar + *inf.* (7)
plant la planta (13)
plastic el plástico (13)
   (made of) — de plástico (13)
plate el plato (12)
to **play** jugar (u → ue) (3); tocar (1)
please por favor (P)
pleased to meet you mucho gusto (P); encantado, -a (14)
pocket folder la carpeta (2)
police la policía (10)
   — station la estación de policía (10)
polluted contaminado, -a (13)
pool la piscina (3)
post card la tarjeta postal (10)
post office el correo (10)

poster el cartel (8)
potato la papa (4)
   baked — la papa al horno (4)
   French-fried — la papa frita (4)
practical práctico, -a (14)
to **practice** practicar (1)
to **prefer** preferir (e → ie) (4, 8)
   I — me gusta más (1); prefiero (4)
to **prepare** preparar (14)
pretty bonito, -a (5)
program el programa (11)
to **protect** proteger (13)
public transportation el transporte público (13)
pure puro, -a (13)
purple morado, -a (6)
to **put** poner (8)
pyramid la pirámide (7)

quarter cuarto, -a (2)
   — past y cuarto (2)
quesadilla la quesadilla (12)
quiet callado, -a (1)

rain la lluvia (7)
to **rain** llover (o → ue) (7)
   it's —ing llueve (7)
raincoat el impermeable (7)
rain forest la selva tropical (7)
rather bastante (8)
to **read** leer (1)
real real (11)
realistic realista (11)
really? ¿de veras? (1); ¡no me digas! (3)
to **receive** recibir (14)
to **recycle** reciclar (13)
recycling center el centro de reciclaje (13)
red rojo, -a (6)

— -haired pelirrojo, -a (5)
to **reduce** reducir (13)
refrigerator el refrigerador (8)
relative el pariente, la parienta (14)
to **rest** descansar (7)
restaurant el restaurante (10)
to **return** regresar (7); devolver (o → ue) (10)
rice el arroz (4)
right? ¿verdad? (4)
right derecho, -a (9)
   — away en seguida (12)
   to be — tener razón (8)
   to the — (of) a la derecha (de) (10)
romantic movie la película romántica (11)
room el cuarto (8)
round redondo, -a (8)
to **row** pasear en bote (7)
rowboat el bote (7)
ruins las ruinas (7)
ruler la regla (2)

sad triste (11)
salad la ensalada (4)
salt la sal (12)
same: the — thing lo mismo (12)
sandwich el sandwich (4)
Saturday sábado (P)
   on — el sábado (3)
sauce la salsa (12)
saucer el platillo (12)
to **save** *(energy)* conservar (13)
to **say** decir (13)
   how do you — . . . ? ¿cómo se dice . . . ? (P)
   it is said . . . se dice . . . (P)
   you don't — ! ¡no me digas! (3)

to **scare** dar miedo a (11)
scarf: winter — la bufanda (7)
schedule el horario (2)
school la escuela (1)
  after — después de las clases (3)
science las ciencias (2)
science fiction la ciencia ficción (11)
sea el mar (7)
season la estación, *pl.* las estaciones (3)
second segundo, -a (2, 8)
to **see** ver (1)
  let's — a ver (2)
to **sell** vender (12)
semester el semestre (2)
to **send** enviar (10)
to **separate** separar (13)
September septiembre (P)
serious serio, -a (1)
to **serve** servir (e → i) (12)
to **set** poner (8)
  — **the table** poner la mesa (8)
seven siete (P)
seven hundred setecientos (10)
seventeen diecisiete (P)
seventh séptimo, -a (2)
seventy setenta (5)
shame: That's a —! ¡Qué lástima! (3)
shampoo el champú (10)
sharp en punto (11)
she ella (2)
sheet of paper la hoja de papel (P)
shirt la camisa (6)
  T- — la camiseta (6)
shoe el zapato (6)
  high-heeled —s los zapatos de tacón alto (14)
  — **store** la zapatería (6)
shopping:
  — **center** el centro comercial (3)

to **go** — ir de compras (3)
short (*height*) bajo, -a (5)
  — (*length*) corto, -a (11)
shorts los pantalones cortos (6)
should deber + *inf.* (4)
show el programa (11)
to **show** *movie or TV program* dar (11)
sick enfermo, -a (3)
  I feel — me siento mal (9)
silly tonto, -a (11)
since: it's been (*time*) — hace + (*time*) + que (9)
to **sing** cantar (14)
sir señor (6)
sister la hermana (5)
sitcom la comedia (11)
six seis (P)
six hundred seiscientos (10)
sixteen dieciséis (P)
sixth sexto, -a (2, 8)
sixty sesenta (5)
to **skate** patinar (1)
to **ski** esquiar (7)
ski cap el gorro (7)
to **skin-dive** bucear (7)
skirt la falda (6)
to **sleep** dormir (o → ue) (9)
sleepy: to be — tener sueño (9)
small pequeño, -a (5)
snack (*afternoon*) la merienda (12)
  for a — de merienda (12)
snake la serpiente (13)
sneakers los tenis (6)
snow la nieve (7)
to **snow** nevar (e → ie) (7)
  it's —**ing** nieva (7)
soap el jabón (10)
  — **opera** la telenovela (11)
soccer el fútbol (3)
social studies las ciencias sociales (2)

sock el calcetín, *pl.* los calcetines (6)
sofa el sofá (8)
soft drink el refresco (4)
some unos, unas (4); algunos, -as (14)
someone, somebody alguien (14)
something algo (4)
  — **else** algo más (12)
sometimes a veces (1)
son el hijo (5)
  —**s; —s and daughters** los hijos (5)
sorry: I'm — lo siento (2)
to **sort** separar (13)
so-so así, así, regular (P)
soup la sopa (4)
souvenir el recuerdo (7)
Spanish (*language*) el español (2)
special: daily — el plato del día (12)
specialty: house — la especialidad de la casa (12)
spell: how do you — . . . ? ¿Cómo se escribe . . . ? (P)
spicy picante (12)
spoon la cuchara (12)
sports los deportes (1)
  — **program** el programa deportivo (11)
spring la primavera (3)
square cuadrado, -a (8)
stadium el estadio (10)
stamp el sello (10)
to **start** empezar (e → ie) (2)
station la estación, *pl.* las estaciones (10)
to **stay (in bed)** quedarse (en la cama) (9)
steak el bistec (4)
stereo el equipo de sonido (8)
still todavía (9)
stingy tacaño, -a (1)

stomach el estómago (9)
  —ache el dolor de estómago (9)
store la tienda (6)
  clothing — la tienda de ropa (6)
  department — el almacén, *pl.* los almacenes (6)
  discount — la tienda de descuentos (6)
story *(of a building)* el piso (8)
stove la estufa (8)
street la calle (10)
student el / la estudiante (P)
to **study** estudiar (1)
subway el metro (10)
  — station la estación del metro (10)
sugar el azúcar (12)
suit el traje (14)
  bathing — el traje de baño (7)
suitcase la maleta (7)
summer el verano (3)
sun el sol (7)
to **sunbathe** tomar el sol (7)
Sunday domingo (P)
  on — el domingo (3)
sunglasses los anteojos de sol (7)
sunny: it's — hace sol (7)
suntan lotion el bronceador (7)
supermarket el supermercado (10)
surprise party la fiesta de sorpresa (14)
sweater el suéter (6)
sweatshirt la sudadera (6)
to **swim** nadar (1)
swimming pool la piscina (3)

table la mesa (P)
  to clear the — quitar la mesa (8)
  to set the — poner la mesa (8)
tablecloth el mantel (12)
tablet la pastilla (10)
taco el taco (12)
to **take** llevar (7); tomar (9)
  to — out sacar (8)
  to — pictures sacar fotos (7)
  to — a walk ir a pasear (10)
to **talk** hablar (1)
  to — on the phone hablar por teléfono (1)
  — show el programa de entrevistas (11)
tall alto, -a (5)
tape recorder la grabadora (2)
to **taste** probar (o → ue) (12)
tasty sabroso, -a (4)
taxi el taxi (10)
tea el té (4)
  iced — el té helado (4)
to **teach** enseñar (2)
teacher el profesor, la profesora (P)
teeth las muelas (9)
telephone el teléfono (1); *see also* **phone**
television la tele(visión) (1)
  to watch — ver la tele(visión) (1)
temple el templo (10)
ten diez (P)
tennis el tenis (3)
  — shoes los tenis (6)
terrible terrible (9)
thank you gracias (P)
that ese, esa; (6); que (5)
  isn't — so? ¿verdad?(4)
  —'s too bad! ¡qué lástima! (3)
  —'s why por eso (11)

the el, la, los, las (P, 2)
theater *(movie)* el cine (1); el teatro (10)
their su, sus (8)
them *after prep.* ellos, ellas (3); los, las *dir. obj. pron.* (6); les *ind. obj. pron.* (11)
then luego (10)
there allí (2)
  — is / are hay (P)
  — it is allí está (2)
therefore por eso (11)
these estos, estas (6)
they ellos, ellas (2)
thing la cosa (8)
to **think** creer (4); pensar (e → ie) (11)
  I don't — so creo que no (4)
  I — so creo que sí (4)
  to — about pensar en (11)
third tercer, -a (2, 8)
thirsty: to be — tener sed (4)
thirteen trece (P)
thirty treinta (P)
this este, esta (6)
those esos, esas (6)
thousand mil (10)
threat la amenaza (13)
three tres (P)
three hundred trescientos (10)
three-ring binder la carpeta de argollas (2)
throat la garganta (9)
  sore — el dolor de garganta (9)
  — lozenges las pastillas para la garganta (10)
Thursday jueves (P)
  on — el jueves (3)
ticket la entrada (14)
tidy ordenado, -a (1)
tie la corbata (14)
tiger el tigre (13)

time la hora (2, 14); el tiempo (11); la vez (12)

   at the same — a la vez (13)

   at —s a veces (1)

   at what — ¿a qué hora? (2)

   many —s muchas veces (12)

   on — puntualmente (11)

   to have a good (bad) — pasarlo bien (mal) (14)

   what — is it? ¿qué hora es? (2)

tired cansado, -a (3)

to a (3)

   in order — para + *inf.* (7)

toast el pan tostado (4)

today hoy (P)

   not — hoy no (3)

toe el dedo del pie (9)

tomato el tomate (4)

   — soup la sopa de tomate (4)

tomorrow mañana (P, 3)

too también (1); demasiado (11)

   me — a mí también (1)

toothache el dolor de muelas (9)

toothpaste la pasta dentífrica (10)

tortilla la tortilla (12)

touching emocionante (11)

town square la plaza (10)

train el tren (10)

   — station la estación del tren (10)

tree el árbol (13)

to try probar (o → ue) (12)

Tuesday martes (P)

   on — el martes (3)

to turn off apagar (13)

twelve doce (P)

twenty veinte (P)

twice dos veces (12)

twin el gemelo, la gemela (5)

two dos (P)

two hundred doscientos (10)

type la clase (11)

typical típico, -a (12)

ugly feo, -a (5)

umbrella el paraguas (7)

uncle el tío (5)

uncomfortable incómodo, -a (8)

under(neath) debajo de (12)

unfriendly antipático, -a (5)

unpleasant antipático, -a (5)

until hasta (11)

us *after prep.* nosotros, -as (3); *obj. pron.* nos (11)

to use usar (13)

usually generalmente (3)

vacation las vacaciones (7)

   to go on — ir de vacaciones (7)

to vacuum pasar la aspiradora (8)

vacuum cleaner la aspiradora (8)

VCR la videocasetera (8)

vegetable la verdura (4)

   — soup la sopa de verduras (4)

very muy (P, 1)

video game el videojuego (3)

to visit visitar (7)

volleyball el vóleibol (3)

waiter, waitress el camarero, la camarera (12)

walk: to take a — ir a pasear (10)

walking a pie (10)

to want querer (e → ie) (3, 7)

to wash lavar (8)

to watch ver (1)

water el agua (4)

waterfall las cataratas (7)

we nosotros, -as (2)

to wear llevar (6)

weather el tiempo (7)

   the — is nice (bad) hace buen (mal) tiempo (7)

   — forecast el pronóstico del tiempo (11)

   what's the — like? ¿qué tiempo hace? (7)

Wednesday miércoles (P)

   on — el miércoles (3)

week la semana (P)

weekend el fin de semana (3)

welcome: you're — de nada (3)

well bien (P); *(to indicate pause)* pues (1)

went fui, fuiste (7, 10)

western la película del oeste (11)

whale la ballena (13)

what qué (2); cuál(es)? (11)

when ¿cuándo? (P); cuando (7)

where? ¿dónde? (3); donde (7)

   from —? ¿de dónde? (P)

   (to) —? ¿adónde? (3)

whether si (10)

which? ¿cuál? (11)

   — ones ¿cuáles? (11)

white blanco, -a (6)

   in black and — en blanco y negro (11)

who que (5)

who? whom? ¿quién(es)? (2, 5)

why ¿por qué? (4)

   that's — por eso (11)

wind el viento (7)

windy: It's —. Hace viento. (7)

window la ventana (8)

winter el invierno (3)

   — scarf la bufanda (7)

with con (3)
 — **me** conmigo (3)
 — **you** contigo (3)
to withdraw *(money)* sacar (10)
wolf el lobo (13)
woman la mujer (5)
wonderful fantástico (7);
 ¡genial! (3)
wood la madera (13)
 (made of) — de madera
 (8)
to work trabajar (10)
worse peor (9)
worst el / la (los / las)
 peor(es) (11)
worthwhile: it's (not) —
 (no) vale la pena (13)
wow! ¡vaya! (7)
wristwatch el reloj pulsera
 (14)

to write escribir (14)
wrong:
 to be — no tener razón (8)
 what's —? ¿qué tienes? (9)

year el año (P)
 New —**'s Eve party** la
 fiesta de fin de año (14)
 to be ... —**s old** tener ...
 años (P, 5)
yellow amarillo, -a (6)
yes sí (P)
yesterday ayer (10)
yet: not — todavía no (11)
you *fam.* tú ; *formal* usted
 (Ud.), *pl.* ustedes (Uds.)
 (2); lo, la, los, las *dir. obj.*
 pron. (6); te *fam. dir. obj.*
 pron. (8); le, les *ind. obj.*
 pron. (9, 11); ti *fam. after*
 prep. (1, 12)
young *adj.* joven (5)
 —**er** menor *pl.* menores (5)
 — **lady** la joven (6)
 — **man, sir** el joven (6)
 — **people** los jóvenes (6)
your tu (2); tus (3); su, sus
 (8)
yuck! ¡qué asco! (4)

zero cero (P)
zoo el zoológico (10)

Más práctica y tarea

Vocabulario y gramática

Here's an additional opportunity for you to practice new vocabulary and grammar. Write all of your answers on a separate sheet of paper.

El Primer Paso

Sección 1 (páginas 4–6)

1 **Los cognados** Write the cognate for each of the Spanish words.

alfabeto   *alphabet*

1. béisbol
2. clase
3. conversación
4. estudiante
5. laboratorio
6. teléfono
7. tigre
8. vocabulario

Sección 2 (páginas 7–9)

1 **Mucho gusto** Rewrite the following two conversations in Spanish using correct punctuation.

Buenos días   *¡Buenos días!*

A	**B**
1. —Hola Cómo estás	4. —Cómo te llamas
2. —Bien gracias Y tú	5. —Me llamo David
3. —Así así	6. —Mucho gusto

2 **La conversación** Rewrite the scrambled conversation in the order that makes the most sense. There should be four lines of conversation.

Muy bien, gracias. ¿Y tú?
¡Buenos días! Hola, ¿cómo estás, María?
Así, así.

(Do Practice Workbook P-1.)

Sección 3 (páginas 10–12)

1 **¿De dónde eres?** Match each question or statement from Column A with the most appropriate response from Column B.

A
1. ¿De dónde eres?
2. ¿Cómo te llamas?
3. ¡Hola!
4. Me llamo Carolina.
5. ¿Cómo está Ud.?
6. ¡Adiós!

B
a. Muy bien, gracias.
b. Raúl.
c. Soy de Paraguay.
d. ¡Hasta luego!
e. ¡Buenas tardes!
f. Mucho gusto.

2 **Profesor y estudiante** Write the word that best completes each line of these dialogues. Use the words in the box.

Buenas	Estoy	Soy
de	luego	tú
eres	Señora	usted

—_1_ tardes, Profesor Santos.
—Hola, señor López, ¿cómo está _2_ ?
—_3_ bien, gracias, ¿y _4_ ?

—Hola, Ricardo. ¿De dónde _5_ tú?
—Soy _6_ Puerto Rico.

—_7_ Aranda, ¿de dónde es usted?
—_8_ de Madrid.
—¡Hasta _9_ !

(Do Practice Workbook P-2.)

Sección 4 (páginas 13–15)

1 **¿Cómo se dice?** Tell how you would say the following words in Spanish.

¿Cómo se dice *"teacher"* en español?   *profesor(a)*

1. ¿Cómo se dice *"student"* en español?
2. ¿Cómo se dice *"book"* en español?
3. ¿Cómo se dice *"pen"* en español?
4. ¿Cómo se dice *"chalkboard"* en español?
5. ¿Cómo se dice *"student desk"* en español?
6. ¿Cómo se dice *"sheet of paper"* en español?

(Do Practice Workbook P-3.)

Sección 5 (páginas 16–19)

1 **Uno, dos, tres** Complete each sequence by writing the correct number or month in Spanish.

uno, dos, ___ *tres*
junio, ___, agosto *julio*

1. dos, tres, ___
2. nueve, diez, ___
3. diecisiete, dieciocho, ___
4. veinticuatro, ___, veintiséis
5. veintinueve, treinta, ___

6. febrero, ___, abril
7. abril, ___, junio
8. septiembre, ___, noviembre
9. junio, julio, ___
10. ___, enero, febrero

2 **¿Cómo o cuánto?** Complete each sentence by writing the correct interrogative: *¿cómo?, ¿cuánto?, ¿cuántos(as)?, ¿cuál?, ¿cuándo?, ¿qué?, ¿de dónde?*

1. ¿___ años tienes?
2. ¿___ es la fecha?
3. ¿___ día es hoy?
4. ¿___ eres?

5. ¿___ está Ud.?
6. ¿___ es tu cumpleaños?
7. ¿___ muchachas hay?
8. ¿___ se escribe "pupitre"?

(Do Practice Workbook P-4, P-5, and P-6.)

Capítulo 1

Vocabulario para conversar (páginas 30–33)

1 **¿Dónde lo practicas?** Organize the activities below by indoor *(En casa)* or outdoor *(Afuera)* activities. Make the lists on a separate sheet of paper.

ayudar en casa	estudiar	patinar
cocinar	hablar por teléfono	practicar deportes
dibujar	leer	tocar la guitarra
escuchar música	nadar	ver la televisión

En casa	Afuera
escuchar música	*nadar*

2 **¿Qué te gusta hacer?** Write whether you like or dislike the following activities.

(Sí)/dibujar   *Me gusta mucho dibujar.*
(No)/estudiar   *No me gusta nada estudiar.*

1. (Sí)/leer
2. (No)/cocinar
3. (Sí)/estar con amigos
4. (Sí)/practicar deportes

5. (No)/hablar por teléfono
6. (Sí)/ir al cine
7. (Sí)/ir a la escuela
8. (No)/ayudar en casa

3 **Los sábados** Adán and Irene are discussing what they like to do on Saturdays. Complete their conversation by choosing from the words in the box.

gusta	mí	tampoco
me	ni	ti

Irene: Adán, en general, ¿qué te __1__ hacer los sábados?
Adán: Los sábados __2__ gusta patinar y estar con mis amigos.
       No me gusta estudiar __3__ ver la tele. Y a __4__, ¿qué te gusta hacer?
Irene: No me gusta ver la tele __5__. ¡A __6__ me gusta mucho patinar también!

(Do Practice Workbook 1-1, 1-2, and 1-3.)

Vocabulario para conversar (páginas 34–37)

1 **Los opuestos** Write the opposite of each word. Choose from the antonyms in the box.

sociable   *tímido*

atrevido	paciente	tacaño
ordenado	serio	trabajador

1. desordenado
2. generoso
3. gracioso
4. impaciente
5. perezoso
6. prudente

2 **La conversación** Mateo and Eva are describing themselves. Complete their conversation.

Eva: ¿ _1_ tú serio?
Mateo: Sí, y _2_ callado también. ¿Cómo eres _3_?
Eva: _4_ soy deportista. ¡Me _5_ practicar deportes!

Now tell something about yourself: Soy _6_. Me gusta _7_.

3 **¿Sí o no?** Write whether you agree *(Sí)* or disagree *(No)* with the descriptions of these fictional characters.

Charlie Brown es serio.   *Sí*

1. Batman es prudente.
2. El león de *El Mago de Oz* es atrevido.
3. Robin Hood es generoso.
4. Donald Duck es serio.
5. Scrooge es simpático.
6. Arthur es sociable.

4 **Yo soy...** Help Carolina describe herself.

Me gusta dibujar. Soy ___.   *artística*

callada	deportista	perezosa	sociable

1. No me gusta ni ayudar en casa ni cocinar. Soy ___.
2. Me gusta nadar, patinar y jugar béisbol. Soy ___.
3. Me gusta mucho estar con amigos y hablar por teléfono. Soy ___.
4. No me gusta hablar en clase. A veces soy ___.

(Do Practice Workbook 1-4.)

Gramática en contexto (páginas 42–45)

Los adjetivos (página 43)

1 **La clase** Write the correct form of the adjective that describes each person in Jorge's Spanish class.

1. Pablo es ___.   (serio/seria)
2. María es ___.   (callado/callada)
3. Ana es ___.   (trabajador/trabajadora)
4. La profesora Martínez es ___.   (ordenado/ordenada)
5. Pedro García es ___.   (gracioso/graciosa)
6. ¡Jorge es ___!   (perfecto/perfecta)

(Do Practice Workbook 1-5, 1-6, and 1-7.)

Ni...ni (páginas 44–45)

2 **¡No me gusta nada!** Imagine that you don't like to do much of anything.

dibujar/tocar la guitarra   *No me gusta ni dibujar ni tocar la guitarra.*

1. nadar/patinar
2. estudiar/ir a la escuela
3. leer/dibujar

4. escuchar música/ver la tele
5. estar con amigos/hablar por teléfono
6. ayudar en casa/cocinar

(Do Practice Workbook 1-8.)

Sí / Tampoco (página 45)

3 **¿Sí o no?** You and Josefina are discussing activities that you like and don't like. Agree or disagree with Josefina, as indicated.

A mí no me gusta ver la tele. ¿Y a ti?/(Sí)
A mí sí me gusta.

A mí no me gusta hablar por teléfono. ¿Y a ti?/(No)
A mí no me gusta tampoco.

1. A mí no me gusta patinar. ¿Y a ti?/(Sí)
2. A mí no me gusta practicar deportes. ¿Y a ti?/(No)
3. A mí no me gusta estudiar. ¿Y a ti?/(No)
4. A mí no me gusta cocinar. ¿Y a ti?/(Sí)

(Do Practice Workbook 1-9.)

Capítulo 2

Vocabulario para conversar (páginas 58–61)

1 **En las clases hay...** Say where you are most likely to find the items mentioned below.

Hay un libro en (la clase de inglés/la clase de educación física).
la clase de inglés

1. Hay un piano en (la clase de arte/la clase de música).
2. Hay un diccionario en (la clase de español/la clase de ciencias de la salud).
3. Hay un mapa en (la clase de ciencias/la clase de ciencias sociales).
4. Hay lápices de muchos colores en (la clase de ciencias/la clase de arte).
5. Hay unas calculadoras en (la clase de matemáticas/la clase de español).
6. Hay una computadora en (la clase de inglés/la clase de educación física).

(Do Practice Workbook 2-1 and 2-2.)

Vocabulario para conversar (páginas 62–65)

1 **¿Qué hora es?** Write what time it is.

3:00   *Son las tres.*

1.	1:00	**4.**	8:15	**7.**	6:20
2.	2:30	**5.**	9:05	**8.**	3:10
3.	12:00	**6.**	5:45	**9.**	4:53

2 **El horario** Tell when each of Catalina's classes begins.

8:00   matemáticas   *La clase de matemáticas empieza a las ocho.*

Catalina García Pasillo	
Hora	**Clase**
8:00	matemáticas
1. 8:50	ciencias
2. 9:45	educación física
3. 11:10	almuerzo
4. 11:40	ciencias sociales
5. 12:30	inglés
6. 1:15	español
7. 2:00	arte

(Do Practice Workbook 2-3 and 2-4.)

Gramática en contexto (páginas 71–77)

Los pronombres personales (páginas 71–73)

1 **¿A quién hablas?** Which subject pronouns would you use to talk about these people? Write the correct pronoun for each of these people.

Marta y Cecilia   *Ellas*

1. Clara y David
2. you
3. Catalina
4. Miguel y yo
5. la señora Vidal

6. Juan
7. Tomás y tú
8. me
9. Isabel
10. el señor Orozco, Carolina y Raúl

(Do Practice Workbook 2-5 and 2-6.)

Verbos que terminan en *-ar* (páginas 73–76)

2 **¿Quién estudia?** Use the correct form of the verb *estudiar* to tell who is studying.

Tú   *Estudias.*

1. yo
2. Sara
3. Alejandro

4. Roberto y yo
5. Uds.
6. Rocío y Patricio

3 **¡El fin de semana!** Write the correct form of the verbs to tell what each person is doing this weekend.

Luz (ayudar) en casa.   *ayuda*

1. José (terminar) la tarea.
2. Tú (cocinar).
3. Nosotros (estar) con amigos.
4. Yo (dibujar).
5. Uds. (escuchar) música.
6. Teresa y Claudia (hablar) por teléfono.
7. Yo (nadar).
8. Ella (patinar).
9. Vicente y yo (practicar) deportes.
10. El profesor Castillo (tocar) la guitarra.

(Do Practice Workbook 2-7 and 2-8.)

Los sustantivos (páginas 76–77)

4 **¿Qué necesitas?** The school principal is preparing a list of suggested school supplies. Help him/her write the list by writing the indefinite articles *un* or *una*.

carpeta   *una carpeta*

1. ___ regla
2. ___ bolígrafo
3. ___ libro
4. ___ cuaderno
5. ___ calculadora

6. ___ marcador
7. ___ diccionario
8. ___ grabadora
9. ___ mochila
10. ___ lápiz

5 **Mi clase de español** Imagine that you're writing a post card about your Spanish class. Complete the post card below by writing the definite articles *el* or *la*.

¡Tengo muchas clases! __1__ clase de español es mi clase favorita. __2__ libro es muy interesante. Y __3__ profesor es muy gracioso. Él toca muy bien __4__ guitarra. Hablo bien __5__ español. __6__ tarea no es muy difícil. ¡Hasta luego!

(Do Practice Workbook 2-9.)

CAPÍTULO 3

Vocabulario para conversar (páginas 90–93)

1 **¿Cuándo vas?** Imagine that the schedule below belongs to you. Answer Señora Díaz's questions about your schedule.

¿Cuándo vas a la clase de computadoras?   *los lunes*

lunes	martes	miércoles	jueves	viernes	sábado	domingo
clase de computadoras	parque	piscina	centro comercial	cine	clase de música	
gimnasio clase de arte		gimnasio		gimnasio	campo	campo

1. ¿Cuándo vas al cine?
2. ¿Cuándo vas a la piscina?
3. ¿Cuándo vas al campo?
4. ¿Cuándo vas a la clase de arte?
5. ¿Cuándo vas al gimnasio?
6. ¿Cuándo vas a la clase de música?
7. ¿Cuándo vas al centro comercial?
8. ¿Cuándo vas al parque?

2 **Mañana, el sábado** Tomorrow's Saturday and you have a very busy schedule. Summarize your schedule using *Por la mañana, Por la tarde,* and *Por la noche.* Write six sentences using the cues.

(2:00 P.M.)/ir al parque de diversiones
Por la tarde voy al parque de diversiones.

1. (8:00 A.M.)/ir a la playa
2. (1:00 P.M.)/ir al gimnasio
3. (10:30 A.M.)/ir a la clase de música
4. (3:15 P.M.)/ir al parque con María
5. (7:00 P.M.)/ir al centro comercial
6. (8:50 P.M.)/ir al cine

3 **Las estaciones** Tell what season the months mentioned in the sentences below belong to.

invierno	otoño	primavera	verano

1. Marzo, abril y mayo son los meses del/de la ___.
2. Junio, julio y agosto son los meses del/de la ___.
3. Septiembre, octubre y noviembre son los meses del/de la ___.
4. Diciembre, enero y febrero son los meses del/de la ___.

(Do Practice Workbook 3-1 and 3-2.)

Vocabulario para conversar (páginas 94–99)

1 **¿Adónde vas?** Tell where you'd most likely go to do the following activities.

Cuando quiero comer... *Voy al restaurante.*

1. Cuando quiero ir de pesca...   voy al campo
2. Cuando quiero nadar...   voy al parque
3. Cuando quiero ir de compras...   voy a casa
4. Cuando quiero jugar básquetbol... voy a la piscina
5. Cuando quiero jugar fútbol...   voy al gimnasio
6. Cuando quiero jugar videojuegos... voy al centro comercial

2 **¿Puedes ir conmigo?** Imagine that you're one of Teresa's friends. Tell why you can't accept her invitation to go somewhere.

Graciela/muy cansado, -a   *No puedo. Estoy muy cansada.*

1. Raúl/enfermo, -a   4. Rebeca/enfermo, -a
2. Alicia/no bien   5. Guillermo/no bien
3. Santiago/ocupado, -a   6. Roberto/cansado, -a

3 **¿Quieres ir?** Form questions using the following words.

poder/jugar tenis/a las tres   *¿Puedes jugar tenis a las tres?*

1. poder/ir al cine/conmigo   4. querer/jugar videojuegos/conmigo
2. poder/ir a una fiesta/mañana   5. querer/jugar béisbol/el lunes
3. poder/jugar fútbol/a las cinco   6. querer/ir de pesca/por la mañana

(Do Practice Workbook 3-3 and 3-4.)

Gramática en contexto (páginas 104–109)

El verbo *ir* (página 105)

1 **¡Es sábado!** It's Saturday! Where are all of these people going? Use the correct form of the verb *ir* to complete the sentences.

Carmen y Emilio ___ al campo.   *van*

1. Yo ___ al parque.   5. Tú ___ a la clase de música.
2. Benjamín ___ al gimnasio.   6. Nosotros ___ a la playa.
3. Uds. ___ a la piscina.   7. Luis y Sebastián ___ al campo.
4. La profesora Castro ___ al   8. María Elena y yo ___ a una fiesta.
   centro comercial.

(Do Practice Workbook 3-5.)

Ir + a + infinitivo (página 106)

2 **Las actividades** Indicate which of these activities happen regularly *(regularmente)* and which ones are going to happen tomorrow *(mañana)*.

Regularmente	Mañana
Estudian.	*Van a jugar fútbol americano.*

1. Patinan.

2. Ayudo en casa.

3. Hablamos.

4. Va a nadar.

5. Vas a jugar béisbol.

6. Voy a ver la tele.

7. Van a tocar la guitarra.

8. Escucho música.

(Do Practice Workbook 3-6.)

La preposición *con* (página 107)

3 **¿Con quién?** Your friends are involved in many after-school activities. Using the appropriate pronoun and *con,* answer Roberto's questions.

¿Quién va al campo contigo? (Carlos y Diana)
Carlos y Diana van al campo conmigo.

1. ¿Quién va al gimnasio contigo? (Esteban)
2. ¿Quién patina con Gerardo? (Emilia y José Luis)
3. ¿Quién va al parque con Yolanda y Luisa? (Víctor y yo)
4. ¿Quién quiere jugar tenis conmigo? (yo)
5. ¿Quién puede ir de compras contigo? (Ana)
6. ¿Quién puede nadar con Isabel? (tú y Dolores)

(Do Practice Workbook 3-7.)

El verbo *estar* (páginas 108–109)

4 **¿Cómo estás?** Answer each question using the appropriate phrase from the box.

Estoy enfermo, -a.	Está enfermo, -a.
Estamos enfermos, -as.	Están enfermos, -as.

1. ¿Cómo está Ud.?
2. ¿Cómo está Daniel?
3. ¿Cómo estás?

4. ¿Cómo están Uds.?
5. ¿Cómo están Ana y Laura?

(Do Practice Workbook 3-8 and 3-9.)

CAPÍTULO 4

Vocabulario para conversar (páginas 122–125)

1 **La comida** What do North Americans typically eat? On a separate sheet of paper, list the following foods under the most appropriate headings: *El desayuno, El almuerzo, La cena.*

el arroz	la hamburguesa	las papas	la pizza
el bistec	los huevos	las papas fritas	el pollo
el cereal	el pan tostado	el pescado	el sandwich

El desayuno	**El almuerzo**	**La cena**
el cereal	*la pizza*	*el pollo*

2 **¿Qué comes?** Tomás, a four-year-old from Ecuador, asks what North American children typically eat at different meals. Answer his questions with *Sí* or *No.*

En el desayuno, ¿comes huevos?   *Sí*
En el almuerzo, ¿comes pan tostado?   *No*

1. En el desayuno, ¿comes arroz?
2. En el almuerzo, ¿comes cereal?
3. En la cena, ¿comes bistec?
4. En la cena, ¿comes un sandwich?
5. En el almuerzo, ¿comes papas fritas?
6. En el desayuno, ¿comes sopa de verduras?

(Do Practice Workbook 4-1 and 4-2.)

Vocabulario para conversar (páginas 126–129)

1 **Los ingredientes** Read the list of ingredients and write the name of the foods that are being described.

pan y carne   *la hamburguesa*

1. pan, jamón, queso, lechuga y tomate
2. lechuga, cebollas y tomate
3. plátanos, naranjas, manzanas y uvas
4. pan, pollo, lechuga y tomate
5. cebollas, guisantes y judías verdes

2 **La comida** Ana María describes what she likes to eat and drink. Help her complete her description.

Me gusta comer (papas/café). *papas*

Me gusta mucho comer _1_ (fruta/té helado). Es muy _2_ (mala/buena) para la salud. La fruta que más me gusta es _3_ (la uva/la judía verde). A veces como _4_ (refrescos/zanahorias). No me gusta _5_ (beber/comer) cebollas. ¡Son _6_ (horribles/sabrosas)! Cuando tengo sed, prefiero beber _7_ (agua/un plátano). Nunca bebo _8_ (té/pan) ni _9_ (pescado/café). Y a ti, ¿qué te gusta comer cuando tienes _10_ (sed/hambre)?

(Do Practice Workbook 4-3 and 4-4.)

Gramática en contexto (páginas 134–141)

El plural de los sustantívos (páginas 135–137)

1 **En español** Help the grocery store owner with his sign in Spanish. Write the plural form of each food item and beverage.

la papa   *las papas*
un refresco   *unos refrescos*

1. el huevo
2. la naranja
3. un guisante
4. una zanahoria
5. la fruta

6. un sandwich
7. el tomate
8. el plátano
9. una cebolla
10. la verdura

(Do Practice Workbook 4-5.)

El plural de los adjetivos (páginas 137–138)

2 **Las descripciones** Describe the students in Manuel's Spanish class.

Nicolás y Raquel son ___. (desordenado)   *desordenados*

1. Federico y Carlos son ___. (gracioso)
2. Carlota y Samuel son ___. (serio)
3. Julia y Bárbara son ___. (ordenado)
4. Patricio y Elena son ___. (paciente)
5. Lola y Enrique son ___. (trabajador)
6. Manuel y Sara son ___. (generoso)

(Do Practice Workbook 4-6.)

Verbos que terminan en -er (páginas 138–139)

3 **¿Hablar o leer?** Write the infinitive of each of these verbs.

debe   *deber*

1. lees
2. deben
3. practica

4. estudian
5. bebemos
6. hablas

7. nadamos
8. comes

4 **El desayuno** Read the chart and write what each person has selected for breakfast. Use the verbs *beber* or *comer*, depending on the type of food.

Ceci ___. (beber)   *Ceci bebe té.*
Armando ___. (comer)   *Armando come cereal.*

	café	té	jugo de naranja	cereal	huevos	pan y mantequilla
Ceci		✓				
Armando				✓		
1. yo		✓				
2. Ángela y yo					✓	
3. tú				✓		✓
4. Uds.			✓			
5. Pepe y Tere	✓					

(Do Practice Workbook 4-7 and 4-8.)

Sujetos compuestos (página 140)

5 **Son las cinco.** It's 5:00 and what is everybody doing? Replace the underlined subjects with pronouns.

Gregorio y Carolina comen papas fritas.   *Ellos*

1. Clara y yo escuchamos música.
2. Laura y ella estudian español.
3. Tú y Paco practican deportes.
4. Jesús y él comen fruta.
5. Pedro y Paco beben limonada.
6. Tú y yo vemos la tele.

(Do Practice Workbook 4-9.)

Capítulo 5

Vocabulario para conversar (páginas 154–157)

1 **La familia de José Miguel** Read the items in the chart below and write answers to the questions about José Miguel's family.

¿Cuántos años tiene el padre?
El padre tiene cuarenta y siete años.

La familia de José Miguel		
Nombre	**Edad**	**Le gusta**
La madre Isabel	46	leer y jugar tenis
El padre Pablo	47	tocar la guitarra y leer
La abuela Marta	77	cocinar y jugar vóleibol
El tío Beni	45	estar con su familia
La prima Juana	18	tocar el piano
El hermano Luis	14	nadar y dibujar
La hermana Carla	12	hablar y estudiar ciencias de la salud

1. ¿Cómo se llama la madre?
   Se llama ___.
2. ¿Cuántos años tiene la prima?
   La ___ tiene ___ años.
3. ¿Qué le gusta hacer al hermano?
   ___ gusta ___ y ___.
4. ¿Qué le gusta hacer a la hermana?
   Le ___ hablar y ___.
5. ¿Quién tiene setenta y siete años?
   La ___.
6. ¿Es hijo único José Miguel?
   No, tiene dos ___.

2 **¿Cuántos años tienen?** Write sentences telling how old the members of Mariana's family are. Refer to the family tree on page 154.

su hermana   *Su hermana tiene veintitrés años.*

1. Mariana
2. su hermano
3. su madre
4. su abuelo
5. su primo
6. su tío
7. su tía
8. su prima

(Do Practice Workbook 5-1 and 5-2.)

Vocabulario para conversar (páginas 158–161)

1 **Los opuestos** Write the opposite of each word. Choose from the antonyms in the box.

mujer   *hombre*

| antipático | bajo | bonito | grande | menor | viejo |

1. feo
2. alto
3. pequeño

4. joven
5. mayor
6. simpático

2 **¡Hola!** Help Mateo write a letter to his cousin in Bogotá, Colombia. Choose from the words in the box. Each word can be used only once.

| bajo | hermanas | ojos | rubio | tío |
| familia | llama | quince | se llaman | viejo |

¡Hola!

Soy Mateo, hijo de tu _1_ José María. Vivo en El Paso, Texas. Tengo _2_ años. Tengo el pelo _3_ y los _4_ verdes. Soy _5_. Aquí hay una foto de mi _6_. Puedes ver que tengo dos _7_ menores. Ellas _8_ Inés y Laura. También tengo un gato _9_. Se _10_ Kiki.

Saludos,
Mateo

(Do Practice Workbook 5-3 and 5-4.)

Gramática en contexto (páginas 166–171)

El verbo *tener* (páginas 167–168)

1 **Mi familia** Help Rocío describe her family. Complete each sentence with the correct form of the verb *tener*.

 1. Yo ___ una familia grande.
 2. Mis tres hermanos ___ el pelo castaño.
 3. Mi hermana menor ___ el pelo negro.
 4. Mis hermanas mayores ___ veinte y veintidós años.
 5. Lucinda ___ sólo cuatro años.
 6. Mi papá y mi mamá ___ cuarenta y ocho años.
 7. Cata, Cristóbal y yo ___ los ojos marrones.
 8. Mi familia ___ dos gatos.
 9. Nosotros también ___ tres perros.
10. ¿___ tú una familia grande?

(Do Practice Workbook 5-5.)

El verbo *ser* (páginas 169–170)

2 **¿Cómo son?** Which of the sentences in Column B could be used to describe the people in Column A? Make a list.

David   *Es paciente.*

A	B
1. Samuel	Es sociable.
2. Clara y yo	Eres simpático.
3. yo	Son inteligentes.
4. tú	Soy prudente.
5. David y Clara	Somos amables.

3 **El fin de año** Imagine that it's the end of the school year and time to vote on the personalities of the class. Announce the winners by giving the correct form of the verb *ser.*

Carolina ___ paciente.   *es*

1. Alicia, María y Carlos ___ deportistas.
2. Jaime ___ artístico.
3. Tú ___ inteligente.
4. Rita y Felipe ___ sociables.
5. Gloria y yo ___ graciosos.
6. Juana y Tomi ___ guapos.
7. El profesor Vidal ___ simpático.
8. Yo ___ cariñosa.

(Do Practice Workbook 5-6 and 5-7.)

Los adjetivos posesivos (páginas 170–171)

4 **La familia de Beatriz** Explain the relationship between the members of Beatriz's family by writing down the appropriate response.

El hijo de su tía es ...   *su primo*

1. la hija de su tío es ...	su abuelo
2. el padre de su padre es ...	sus padres
3. la hija de su madre es ...	su prima
4. la madre de su padre es ...	su abuela
5. los hijos de sus abuelos son ...	su tío
6. el hermano de su madre es ...	su hermana

5 **Los amigos** Match each question with the most appropriate response and write it down.

1. ¿Cómo es tu amigo?	**a.** Tu amigo es muy inteligente.
2. ¿Cómo es el amigo de Verónica?	**b.** Su amigo es antipático.
3. ¿Cómo son los amigos de Beto?	**c.** Mi amigo es muy simpático.
4. ¿Cómo es mi amigo?	**d.** Sus amigos son sociables.

(Do Practice Workbook 5-8, 5-9, and 5-10.)

CAPÍTULO 6

Vocabulario para conversar (páginas 184–189)

1 **¿Qué debo hacer?** Soledad is new to Sara's community. Complete their conversation about clothing customs by writing the appropriate word or expression.

¿Qué ropa prefieres (comprar/costar)?   *comprar*

1. ¿Qué ropa (buscas/llevas) al gimnasio?
2. (Una falda/Unos pantalones cortos) y los tenis.
3. ¿Qué (llevan/llevas) los estudiantes a la escuela?
4. (Los jeans/Las blusas) y las camisetas.
5. En general, ¿cuánto (cuesta/cuestan) una chaqueta?
6. Más o menos (cien/ciento) dólares.

2 **El color de la comida** Write the color of these foods in Spanish. Each color can be used only once.

la manzana   *La manzana es roja.*

amarillo, -a	blanco, -a	morado, -a
anaranjado, -a	marrón	verde

1. el café   **3.** la leche   **5.** la naranja
2. el guisante   **4.** la limonada   **6.** la uva

(Do Practice Workbook 6-1 and 6-2.)

Vocabulario para conversar (páginas 190–195)

1 **¿Dónde lo compraste?** Tell where you bought the following items by writing the most appropriate answer to each question.

¿Dónde compraste el suéter?   *En la tienda de ropa.*

1. ¿Dónde compraste los zapatos?
2. ¿Dónde compraste esa falda cara?
3. ¿Dónde compraste la camiseta barata?
4. ¿Dónde compraste la mesa?
5. ¿Dónde compraste esa mesa elegante?
6. ¿Dónde compraste los tenis?

2 **En el almacén** You overhear different conversations in the department store. Complete each conversation by choosing the most appropriate response.

1. — ¡Esta blusa cuesta cien dólares!
   a. ¡Qué barata!   **b.** ¡Qué cara!   **c.** ¡Qué vieja!

2. — Me encanta tu sudadera.
   a. Pagué sólo 15 dólares.   **b.** Compré unos tenis.   **c.** Perdón.

3. — No pagué mucho por la camiseta.
   a. ¡Qué horrible!   **b.** Es cara.   **c.** Es una ganga.

4. —¿Cuándo compraste los tenis?
   a. Por aquí.   **b.** Hace una semana.   **c.** En la Galería.

5. —¿Dónde compraste esos pantalones?
   a. En el almacén.   **b.** El sábado.   **c.** Sólo veinte dólares.

(Do Practice Workbook 6-3 and 6-4.)

Gramática en contexto (páginas 200–207)

La posición de los adjetivos (páginas 201–202)

1 **Al contrario** You and your friend disagree about clothing. Write your preferences according to the cues.

Me gusta la blusa azul. (anaranjado)
Yo prefiero la blusa anaranjada.

1. Me gusta la camiseta amarilla. (rojo)
2. Me gusta el suéter azul. (rosado)
3. Me gustan los pantalones cortos morados. (gris)
4. Me gustan los tenis blancos. (negro)
5. Me gusta la chaqueta barata. (caro)

(Do Practice Workbook 6-5.)

Los adjetivos demostrativos (páginas 202–204)

2 **¿Qué necesitas?** Help your friend pack for a trip. Choose the correct demonstrative adjective and write it down.

1. ¿Te gustan ___ calcetines? (estos/estas)
2. ¿Te gustaría llevar ___ sudadera? (este/esta)
3. ¿Prefieres ___ blusas? (estos/estas)
4. ¿Necesitas ___ suéter? (ese/esa)
5. ¿Vas a llevar ___ camiseta? (esa/ese)

3 **¿Qué prefieres?** You're helping María Teresa shop. Ask her what she prefers.

camiseta azul/camisa blanca
¿Prefieres esta camiseta azul o esa camisa blanca?

1. chaqueta marrón/suéter verde
2. blusa amarilla/camiseta roja
3. calcetines blancos/calcetines negros
4. falda negra/vestido negro
5. pantalones grises/jeans azules
6. vestido morado/blusa anaranjada

(Do Practice Workbook 6-6.)

El complemento directo: Los pronombres (páginas 204–207)

4 **La ropa** Rephrase the following sentences by replacing the underlined words with a direct object pronoun.

¿Cuándo compraste <u>el vestido</u>?   *¿Cuándo lo compraste?*

1. Compras <u>los pantalones</u>.
2. Quiero comprar <u>este vestido</u>.
3. ¿Cuándo compraste <u>esa falda</u>?
4. ¿Compraste <u>la camisa y los zapatos</u>?
5. ¿Vas a comprar <u>los calcetines</u>?
6. Lola tiene <u>el suéter rosado</u>.
7. Quiero <u>esa chaqueta</u>.
8. Busco <u>las pantimedias</u>.

5 **Todo para la escuela** Read the list of school supplies. According to the chart, write whether or not you've bought each one.

¿Compraste el diccionario?   *Sí, lo compré.*
¿Compraste los bolígrafos?   *No, no los compré.*

Necesito...	Sí	No
3 bolígrafos		✓
1 diccionario	✓	
1 calculadora		✓
5 carpetas	✓	
1 cuaderno		✓
10 lápices	✓	
3 marcadores		✓
1 regla	✓	

1. ¿Compraste las carpetas?
2. ¿Compraste la regla?
3. ¿Compraste los marcadores?
4. ¿Compraste el cuaderno?
5. ¿Compraste los lápices?
6. ¿Compraste la calculadora?

(Do Practice Workbook 6-7 and 6-8.)

CAPÍTULO 7

Vocabulario para conversar (páginas 220–223)

1 **¿Adónde deben ir?** Imagine that you're a travel agent. Based on the interests of your clients, write the best travel suggestions using the words in the box.

A la señora Guzmán le gusta ir de compras.
Debe ir a la ciudad de Guadalajara.

explorar las selvas de Costa Rica	ir al lago Titicaca
ir a las montañas de Chile	ir al mar Caribe
ir a las playas de Costa Brava	visitar el Museo de las Américas

1. A Lupe le gusta el arte.
2. A Santi y a Jesús les gusta ser atrevidos.
3. A la familia Guardo le gusta pasear en bote.
4. Al señor Márquez le gusta esquiar.
5. A Tomás le gusta tomar el sol.

2 **Las vacaciones** Timoteo and Lourdes are discussing winter vacation experiences. Complete their conversation by choosing from the words in the box.

fui	museo	quisiera
fuiste	para	las ruinas

Timoteo: ¿Adónde _1_ tú en las vacaciones?
Lourdes: No _2_ a ninguna parte. ¿Y tú?
Timoteo: Fui con mi familia a _3_ mayas en Guatemala.
Lourdes: ¡Qué interesante! Un día _4_ ir a Madrid.
Timoteo: ¿_5_ ver los lugares de interés?
Lourdes: Sí, especialmente ¡el gran _6_ de arte, El Prado!

(Do Practice Workbook 7-1 and 7-2.)

Vocabulario para conversar (páginas 224–227)

1 **¿Qué tiempo hace?** Weather can vary, so it's a good thing you're always prepared! List the items you have using the cues.

Hace sol. (los anteojos de sol/el paraguas)
Menos mal que tengo los anteojos de sol.

1. Hace calor. (un traje de baño/un abrigo)
2. Hace frío. (un impermeable/una bufanda)
3. Llueve. (una cámara/un paraguas)
4. Nieva. (el bronceador/un gorro)

2 **En los Pirineos** Imagine that you're in the Pyrenees, the mountains that border France and Spain. The weather there is similar to that in the northeastern portion of the U.S. Describe the weather and the clothes you wear during different seasons, using phrases from the two columns below only once.

En el invierno
En el invierno nieva. Llevamos abrigo y botas.

A	B
nieva	pantalones cortos y traje de baño
hace fresco y hace viento	impermeable y botas
hace calor	guantes, gorro y botas
llueve	abrigo o suéter

1. En la primavera...   3. En el otoño...
2. En el verano...   4. En el invierno...

(Do Practice Workbook 7-3 and 7-4.)

Gramática en contexto (páginas 232–239)

El verbo *poder* (páginas 233–234)

1 **Este sábado** Using the verb *poder*, tell what Irene's friends can and cannot do this Saturday.

1. Marité ___ tomar el sol.
2. Ricardo y Manolo no ___ ir al cine.
3. Julia no ___ salir de casa.
4. Yo ___ bucear en el mar.
5. Mariana y yo ___ regresar a las diez.
6. Y tú, ¿qué ___ hacer?

(Do Practice Workbook 7-5.)

Para + infinitivo (página 235)

2 **¿Para qué?** Tell why these people are going to certain places by forming sentences with *para*.

Debemos ir al restaurante. (comer el almuerzo)
Debemos ir al restaurante para comer el almuerzo.

1. Me gustaría ir a las montañas. (esquiar)
2. Quisiera ir al campo. (ir de pesca)
3. Rafael piensa ir a la tienda. (comprar recuerdos)
4. Elena y Pati prefieren regresar a las cuatro. (ver la tele)
5. Quiero comprar una cámara. (sacar fotos)
6. Sergio piensa visitar la ciudad. (ver los lugares de interés)

(Do Practice Workbook 7-6.)

Los verbos *querer* y *pensar* (páginas 236–237)

3 **¡Fiesta!** The Spanish Club is planning a big party. Tell how everyone wants to help using the correct forms of the verb *querer.*

Alfonso ___ comprar una piñata.   *quiere*

1. Yo ___ tocar la guitarra.
2. La profesora Noguera ___ hacer los tacos.
3. Tú ___ sacar muchas fotos.
4. Juana y yo ___ comprar los refrescos.
5. Anita ___ ayudar con la comida.
6. Ramón y Gabriel ___ escuchar música mexicana.

4 **El sábado y el domingo** Enrique discusses his and his friends' plans for the weekend. Complete his dialogue using the correct forms of the verb *pensar.*

¿Qué _1_ hacer nosotros este fin de semana? Bueno, yo _2_ ir al cine. Mi amiga Teresa _3_ ir al cine también. Si hace sol, Benito y Andrés _4_ ir al parque de diversiones. Si llueve, ellos _5_ ir conmigo al cine. El domingo por la tarde, Gregorio, Reina y yo _6_ jugar béisbol con unos amigos de la escuela. El domingo por la noche (yo) _7_ hacer la tarea con mi hermana Cristina. Y tú, ¿qué _8_ hacer?

(Do Practice Workbook 7-7 and 7-8.)

La *a* personal (páginas 237–239)

5 **¿A quién...?** Tell whom you usually interact with in the following situations. Use *a, al, a la, a los,* or *a las* as you write the answer to each question.

¿A quién ves en la ciudad? (muchas personas)
Veo a muchas personas en la ciudad.

1. ¿A quién escuchas en la sala de clases? (el profesor de español)
2. ¿A quién ayudas en casa? (mi madre)
3. ¿A quién ves en el gimnasio? (la profesora de educación física)
4. ¿A quién ves en tu clase de español? (los estudiantes)

6 **¿Dónde está?** Write sentences telling whom or what señora Reyes is looking for.

sus hijos   *Busca a sus hijos.*
su libro   *Busca su libro.*

1. sus anteojos de sol   **3.** su perro   **5.** la cámara
2. su maleta   **4.** el señor Reyes   **6.** David

(Do Practice Workbook 7-9 and 7-10.)

CAPÍTULO 8

Vocabulario para conversar (páginas 252–255)

1 **Los quehaceres** Es sábado y la familia Sosa limpia su casa. Escoge el verbo que mejor describa cada quehacer.

Miguel Ángel (limpiar/quitar) el baño.   *limpia*

1. Yo ___ la ropa. (lavar/sacudir)
2. Claudia ___ la basura. (sacar/comer)
3. Los gemelos ___ el coche. (vivir/limpiar)
4. Rafa y Rosa van a ___ los muebles. (sacudir/pasar)
5. Todos nosotros ___ los cuartos. (poner/arreglar)
6. Papá ___ el césped. (quitar/cortar)
7. Mamá ___ los platos. (lavar/hacer)
8. Tú ___ la aspiradora. (lavar/pasar)

2 **¿En qué cuarto?** Escribe los cuartos en que la gente generalmente hace estas actividades. Escoge uno de los cuartos del recuadro *(box)*.

Lavan la ropa en ___.   *el sótano*

la cocina	el dormitorio	la sala
el comedor	el garaje	la sala de estar

1. Los muchachos hacen las camas en ___.
2. La familia come la cena en ___.
3. Los padres hacen la comida en ___.
4. Los muchachos ven la televisión en ___.

5. Las personas ponen el coche en ___.

6. Los padres hablan con sus amigos en ___.

(Do Practice Workbook 8-1 and 8-2.)

Vocabulario para conversar (páginas 256–261)

1 **¿Dónde deben estar?** Escribe el lugar de la casa donde normalmente están estas cosas. Organiza tus respuestas en tres columnas: *La cocina, El dormitorio, La sala de estar.*

la cama	la estufa	la ropa
el cartel	el guardarropa	el sillón
el equipo de sonido	los platos	el sofá
el escritorio	el refrigerador	la videocasetera
el espejo		

2 **El catálogo de muebles** Carmen y Mario miran un catálogo de muebles. Escoge las palabras que mejor completen su conversación.

Me gustaría tener una videocasetera ___. (nueva/vieja)   *nueva*

Mario: Quisiera comprar un sofá _1_. (cómodo/incómodo)
Carmen: Yo prefiero los muebles _2_. (de basura/de cuero)
Mario: ¿Qué prefieres, las mesas cuadradas o _3_?(de metal/redondas)
Carmen: ¡Mira! Hay muchas sillas _4_. (de metal/cansados)
Mario: Son muy _5_. (cuadro/modernas)
Carmen: Esta _6_ es elegante. (carpeta de argollas/lámpara)
Mario: Hay muchas _7_ bonitas en este catálogo. (cosas/pisos)
Carmen: _8_ (Tienes que ir./Tienes razón.)

(Do Practice Workbook 8-3 and 8-4.)

Gramática en contexto (páginas 266–273)

Los verbos *poner* y *hacer* (páginas 267–268)

1 **¡Vamos a limpiar la casa!** Un grupo de amigos prepara la casa para una fiesta. Escribe cómo cada persona va a ayudar. Usa la forma correcta del verbo *poner.*

Guillermina ___ las mochilas y los libros en el dormitorio.   *pone*

1. Felipe ___ la fruta en la mesa.

2. Roberto y Tomás ___ la basura en el garaje.

3. Susana y Victoria ___ la mesa.

4. Tú ___ los platos en la mesa.

5. Yo ___ los refrescos cerca de los sandwiches.

6. Toño y yo ___ los abrigos en el guardarropa.

7. Tú ___ la limonada en el refrigerador.

8. Nosotros ___ el perro en el sótano.

9. Eduardo y Pepe ___ seis sillas en el comedor.

10. Ud. ___ el paraguas cerca de la puerta.

2 **¿Dónde la hacen?** El profesor de español quiere saber *(to know)* dónde hacen la tarea sus estudiantes. Escribe la forma correcta del verbo *hacer.*

Ana Luisa/la cocina   *Ana Luisa la hace en la cocina.*

1. Pablo/la casa de su amigo

2. Margarita/la cama

3. Armando y yo/la cafetería

4. yo/la sala de estar

5. Antonio y Ramón/su dormitorio

6. tú/la clase de matemáticas

(Do Practice Workbook 8-5.)

Los verbos que terminan en *-ir* (páginas 268–269)

3 **¡Hola!** Becky es una estudiante de intercambio en Ecuador. Completa su descripción para el periódico escolar *(school newspaper)*. Usa las formas correctas del verbo *vivir.*

¡Hola! Me llamo Becky Clayton. _1_ con la familia Gutiérrez. Los Gutiérrez son muy amables. Nosotros _2_ en un apartamento. Mi familia ecuatoriana y yo _3_ muy cerca de la escuela y no muy lejos del centro comercial. En este país, muchas familias _4_ en apartamentos. En mi país, muchas personas _5_ en casas. Don Jorge, el padre del señor Gutiérrez, _6_ en una casa pequeña en el campo. Él me dice, "Mi casa es su casa."

(Do Practice Workbook 8-6.)

El verbo *preferir* (páginas 270–271)

4 **¿Qué prefieren hacer?** Escribe qué actividad del recuadro prefiere hacer cada una de estas personas.

A Papá le encantan los libros.
Prefiere leer.

dibujar	ir a la piscina	ir al almacén	leer
hablar con amigos	ir a la playa	ir al gimnasio	limpiar la casa

1. A ti te gusta el arte.
2. A Mamá le gusta nadar.
3. A Papá le gusta el sol.
4. Jaime y yo somos deportistas.

5. Víctor y Elena son muy ordenados.
6. A Susi le gusta comprar cosas.
7. Me encantan las palabras.
8. Mi amiga y yo somos sociables.

(Do Practice Workbook 8-7.)

Los adjetivos posesivos: *Su* y *nuestro* (páginas 271–272)

5 **¿Qué tienen?** Escribe estas frases para indicar de quiénes son estas cosas y cómo están relacionadas estas personas. (Usa *su, sus, nuestro, nuestra, nuestros* o *nuestras.*)

las sillas (nosotros) *nuestras sillas*

1. el gato (Tina)
2. la casa (nosotros)
3. los amigos de Gerardo (ellos)

4. las hermanas de Ana (ellas)
5. los coches (nosotros)
6. el perro (nosotros)

(Do Practice Workbook 8-8 and 8-9.)

CAPÍTULO 9

Vocabulario para conversar (páginas 286–289)

1 **¡Ay! Me duele...** Escribe las partes del cuerpo que te duelen. Usa *me duele* o *me duelen* en las frases.

el estómago *Me duele el estómago.*
los brazos *Me duelen los brazos.*

1. la espalda
2. la nariz
3. las manos

4. las piernas
5. la cabeza
6. los dedos

7. los pies
8. el cuello

2 **Buenos días, Doctora** María José visita a la médica. Completa su conversación con la mejor palabra o expresión.

María José: Buenos días, Doctora. Me siento __1__. (bien/mal)
La médica: ¿Qué te __2__, hija? (duele/llama)
María José: Me __3__ los pies. (duele/duelen)
La médica: ¿Te duele el pie __4__? (antiguo/izquierdo)
María José: Sí, y el __5__. (derecho/dolor)
La médica: ¿Cuánto tiempo __6__ que te duelen los pies? (hace/hacen)
María José: __7__ una semana. (Está/Hace)
La médica: Es muy interesante... ¿Haces mucho __8__? (ejercicio/sol)

María José: Sí, me _9_ hacer ejercicio por una hora todos los días.
              (gusta/siento)
La médica: ¡Ah! ¡ _10_ haces demasiado ejercicio! (Tienes que/Creo que)

(Do Practice Workbook 9-1 and 9-2.)

Vocabulario para conversar (páginas 290–293)

1 **Es que no puedo porque...** Di *(Tell)* por qué estas personas no pueden hacer estas actividades. Escoge la respuesta que mejor complete cada frase.

1. —¿Quieres jugar tenis conmigo?
   —Lo siento. No puedo porque me lastimé (el oído/el brazo).
2. —¿Quieres jugar fútbol con nosotros?
   —Lo siento. No puedo porque me lastimé (la mano/el pie).
3. —¿Quieres jugar básquetbol con nosotras?
   —Lo siento. No puedo porque me lastimé (la pierna/la nariz).
4. —¿Quieres cantar conmigo?
   —Lo siento. No puedo porque me duele (la garganta/el dedo).

2 **En la enfermería** Muchas personas están en la enfermería. Escoge la frase que mejor responda a lo que dice cada persona.

1. ¿Qué tienes?
   a. Tengo sueño. **b.** Una muela. **c.** Me lastimé la pierna.

2. ¿Cómo te sientes?
   a. Mejor, gracias. **b.** En una silla. **c.** Voy a la enfermería.

3. Tengo dolor de muelas.
   a. ¡Qué bueno! **b.** Debes ir al dentista. **c.** ¿Vas a hacer ejercicio?

4. ¡Tienes fiebre!
   a. Sí, y sueño también. **b.** Creo que tengo gripe. **c.** Sí, me gusta el pan.

5. Me duele la cabeza.
   a. Ya no tengo calor. **b.** Me lastimé la mano. **c.** Debes tomar algo.

(Do Practice Workbook 9-3 and 9-4.)

Gramática en contexto (páginas 298–303)

El verbo *dormir* (página 299)

1 **¿Cuántas horas duermes?** El médico quiere saber cuántas horas duermen estas personas cada noche. Usa la forma correcta del verbo *dormir.*

ella/8   *Ella duerme ocho horas.*

1. Rafael/8
2. Virginia y Verónica/7
3. nosotros/9
4. tú/5
5. Ud./9
6. yo/7
7. el Sr. Rivera/6
8. Elisa y yo/8

(Do Practice Workbook 9-5.)

El complemento indirecto: Los pronombres *me, te, le* (páginas 300–301)

2 **Estamos enfermas.** Estas personas están enfermas. Completa las frases con *me, te, o le.*

A mí ___ duele la garganta.   *me*

1. A Francisca ___ duele la cabeza.
2. A Roberto ___ duele el estómago.
3. A mí ___ duelen los ojos.
4. A la Sra. Quino ___ duele la espalda.
5. A ti ___ duelen los oídos.
6. A mí ___ duele la boca.

3 **¿Qué te gusta?** Imagina que estás en un almacén con un amigo. Contesta las preguntas.

¿A Clara le gustan los pantalones cortos?/Sí
Sí, a Clara le gustan los pantalones cortos.

1. ¿Te gusta este suéter?/Sí
2. ¿A Fernando le gustan los tenis marrones?/Sí
3. ¿A Eva le encanta este vestido?/No
4. ¿A Ana le gusta la sudadera rosada?/No
5. ¿Te gustan los calcetines morados?/Sí
6. ¿A Mónica le gustan los jeans blancos?/No
7. ¿A Jaime le encanta la camiseta negra?/Sí

(Do Practice Workbook 9-6 and 9-7.)

La expresión *hace…que* (páginas 301–302)

4 **¿Cuánto tiempo hace que…?** Di *(Tell)* cuánto tiempo hace que estas personas están enfermas.

tres días / Selena / tener gripe
Hace tres días que Selena tiene gripe.

1. dos semanas / Nico y Manolo / tener un resfriado
2. mucho tiempo / Abuelita / estar en el hospital
3. seis horas / Paco y yo / tener fiebre
4. treinta minutos / tú / estar en la enfermería
5. cuatro horas / Luz / tener un terrible dolor de cabeza
6. casi dos días / tú / doler el estómago
7. tres semanas / yo / sentirse mal
8. casi una hora / mi hermanito / doler el oído

(Do Practice Workbook 9-8.)

La sustantivación de adjetivos (página 303)

5 **Las preferencias** A tu amigo le gusta el opuesto *(opposite)* de lo que te gusta a ti. Completa el diálogo con la palabra entre paréntesis.

¿Compras la camisa verde? (rosado)   *No, compro la rosada.*

1. ¿Buscas el tenis rojo? (blanco)
2. ¿Te gustan las chaquetas negras? (marrón)
3. ¿Prefieres los zapatos caros? (barato)
4. ¿Prefieres las uvas verdes? (morado)
5. ¿Comes las manzanas rojas? (amarillo)
6. ¿Compras los bolígrafos negros? (azul)
7. ¿Quieres el coche nuevo? (viejo)
8. ¿Escribes con la mano derecha? (izquierdo)

(Do Practice Workbook 9-9.)

CAPÍTULO 10

Vocabulario para conversar (páginas 316–321)

1 **¿Dónde lo haces?** En general, ¿adónde vas para hacer estas actividades? Escribe el lugar *(place)*.

para comprar pasta dentífrica   *Voy a la farmacia para comprar pasta dentífrica.*

el banco	el correo	la librería	el supermercado
la biblioteca	la farmacia	el parque	la tienda de regalos

1. para comprar comestibles
2. para comprar regalos
3. para sacar un libro
4. para ver un partido de béisbol
5. para enviar una carta
6. para comprar champú
7. para depositar dinero
8. para comprar un libro
9. para ir a pasear
10. para comprar jabón

2 **¿Cuánto te costó?** Imagina que estás en un almacén en España. Escribe, en letras, cuántas pesetas pagaste por estas cosas.

las pantimedias/340 ptas.   *Pagué trescientas cuarenta pesetas.*

1. la tarjeta postal/25 ptas.
2. el sello/35 ptas.
3. el libro/950 ptas.
4. la tarjeta de cumpleaños/220 ptas.
5. el champú/800 ptas.
6. los anteojos de sol/1000 ptas.
7. el jabón/350 ptas.
8. la pasta dentífrica/700 ptas.

(Do Practice Workbook 10-1 and 10-2.)

Vocabulario para conversar (páginas 322–325)

1 **¿Dónde queda?** Mira el mapa en las páginas 322–323 y escribe dónde quedan estos edificios.

El museo está al lado de(l) ___. (el restaurante/la estación de policía)
El museo está al lado del restaurante.

1. El hotel está enfrente de(l) ___. (la estación del metro/la estación del tren)
2. El correo está al lado de(l) ___. (el supermercado/la iglesia)
3. El banco está entre el restaurante y ___. (la estación del tren/la estación de servicio)
4. El zoológico está a la derecha de(l) ___. (el teatro/el hotel)
5. La farmacia está detrás de(l) ___. (el estadio/el hotel)
6. El estadio está en la ___. (avenida de la Reforma/calle Rivera)

2 **¿Cómo vas?** En general, ¿en qué vehículo vas en estas situaciones? Escribe el vehículo más apropiado.

Cuando quiero ir al campo con mi familia, voy ___. (en taxi/en coche)
en coche

1. Cuando quiero ir a la escuela, que está lejos de mi casa, voy ___. (en autobús/a pie)
2. Cuando quiero ir a otra ciudad, voy ___. (en metro/en tren)
3. Cuando mis padres y yo queremos ir al supermercado, vamos ___. (en coche/en tren)
4. Cuando quiero ir a pasear, voy ___. (en taxi/a pie)
5. Cuando estoy en otra ciudad y no quiero caminar, voy ___. (a pie/en taxi)
6. Cuando quiero ir muy rápido por la ciudad, voy ___. (a pie/en metro)

(Do Practice Workbook 10-3, 10-4, and 10-5.)

Gramática en contexto (páginas 330–337)

La preposición *de* + *el* (páginas 331–332)

1 **¿Dónde queda tu casa?** Eduardo quiere saber dónde vive Federico. Completa su conversación con *de, de la* o *del*.

Eduardo: Federico, ¿dónde queda tu casa? ¿Cerca _1_ tienda María Elena?
Federico: ¡No! Mi casa queda a diez cuadras _2_ esa tienda. Vivo al lado _3_ parque.
Eduardo: ¿El parque que está detrás _4_ iglesia Santa Rita?
Federico: Sí, en la calle Quinta.
Eduardo: ¿Está tu casa a la derecha _5_ plaza?
Federico: Sí, está enfrente _6_ monumento Simón Bolívar; es la casa número ocho.

(Do Practice Workbook 10-6.)

El pretérito de los verbos que terminan en *-ar* (páginas 333–335)

2 **Los quehaceres** El sábado pasado tú y tus amigos hicieron *(did)* muchos quehaceres. Escribe la forma correcta del pretérito de cada verbo que está entre paréntesis.

Josefina (lavar) el coche.   *lavó*

1. Benjamín (comprar) comestibles.
2. Yolanda (enviar) las cartas.
3. Yo (pasar) la aspiradora en la sala.
4. Nosotros (arreglar) nuestro dormitorio.
5. Raquel y Esteban (cocinar).
6. Papá (depositar) dinero en el banco.
7. Mamá y yo (lavar) la ropa.
8. Tú (cortar) el césped.
9. Yo (estudiar) español.
10. Uds. (limpiar) el sótano.

3 **Ayer** Tú y tus amigos hicieron *(did)* diferentes cosas ayer. Escribe la forma correcta del pretérito de cada verbo entre paréntesis.

Yo (tocar) el piano y él (escuchar) el piano.   *toqué/escuchó*

1. Yo (sacar) libros y Marta (comprar) libros.
2. Yo (practicar) el tenis y ella (practicar) el fútbol.
3. Yo (llegar) a las ocho y ellos (llegar) a las diez.
4. Yo (sacar) fotos y tú (comprar) tarjetas postales.
5. Yo (pagar) quince dólares y Ramón e Isabel (pagar) veinte.
6. Yo (mirar) los cuadros en el museo y Ud. (comprar) regalos en la tienda de regalos.
7. Yo (tocar) la guitarra y él (tocar) el violín.
8. Yo (buscar) los zapatos y tú (buscar) los mocasines.

(Do Practice Workbook 10-7 and 10-8.)

El pretérito del verbo *ir* (páginas 336–337)

4 **De vacaciones** Di *(Tell)* adónde fueron estas personas de vacaciones. Escribe los verbos subrayados *(underlined)* en el pretérito.

La familia Soler <u>va</u> al campo.
La familia Soler fue al campo.

1. Emilia <u>va</u> a las ruinas aztecas.
2. Jorge y su hermana <u>van</u> al mar Mediterráneo.
3. Yo <u>voy</u> al parque de diversiones.
4. El profesor Espina <u>va</u> a Perú.
5. Daniel y yo <u>vamos</u> a la selva de Guatemala.
6. Tú <u>vas</u> a Argentina para esquiar.
7. Nicolás y Cristóbal <u>van</u> a la playa.
8. La familia Durán <u>va</u> a la Ciudad de México.

5 **En la comunidad** Lee la tabla *(chart)* y escribe adónde fueron tú y otras personas la semana pasada y qué hicieron *(did)* Uds. en su comunidad.

Ella fue a la biblioteca y sacó libros.

Personas	¿Adónde fueron?	¿Qué hicieron?
ella	la biblioteca	sacar libros
1. el doctor Ortiz	el hospital	ayudar a los pacientes
2. Felipe	el correo	enviar una tarjeta postal
3. yo	la farmacia	comprar champú
4. tú	la estación de policía	hablar con ellos
5. Eva y Ángela	el parque	jugar vóleibol
6. la Sra. Monterrey y yo	el museo	mirar los cuadros

(Do Practice Workbook 10-9.)

CAPÍTULO 11

Vocabulario para conversar (páginas 350–353)

1 **Tu programa favorito** Vas a leer una lista de palabras o frases y una lista de definiciones. Empareja *(Match)* cada palabra o frase con su definición.

1. el documental   **a.** información sobre tu ciudad
2. la telenovela   **b.** para saber si va a hacer calor o frío
3. las noticias locales   **c.** programa romántico
4. el programa musical   **d.** concierto
5. el pronóstico del tiempo **e.** programa educativo

2 **La respuesta correcta** Completa estas frases con palabras del vocabulario.

1. Me gustan el básquetbol y el vóleibol. Prefiero ver ___.
2. Quiero ver programas sobre las ciencias. Prefiero ver ___.
3. Veo éstos para saber qué comprar. Prefiero ver ___.
4. Es necesario ver programas de Argentina. Prefiero ver ___.

3 **Antónimos** Escribe las palabras o frases que quieren decir lo contrario *(opposite)* de éstas.

1. aburrido   **4.** peor
2. fascinar   **5.** en colores
3. el programa de hechos de la vida real

(Do Practice Workbook 11-1 and 11-2.)

Vocabulario para conversar (páginas 354–357)

1 **¿Quieres ir al cine?** Completa el diálogo entre Tina y Alejandro usando palabras o expresiones del recuadro.

corta	larga
dura	más tarde
en punto	

Tina: ¿Quieres ir al cine?
Alejandro: Sí, mi amor. ¿Cuándo? ¿Ahora?
Tina: No, __1__.
Alejandro: ¿A qué hora dan la película?
Tina: La película *El detective y yo* empieza a las 7:00 __2__.
Alejandro: ¿Y por cuántas horas __3__? ¿Es una película __4__?
Tina: No, es una película __5__. ¿Está bien?
Alejandro: Sí. Vamos.

2 **Sopa de letras** Pon *(Put)* estos grupos de letras en orden para formar palabras del vocabulario.

1. A H T A S
2. D Í D O I M E A
3. E A C I U M S L S
4. T E R U S A V A N

3 **La opción correcta** Usando las palabras del Ejercicio 2, completa estas frases.

1. Bueno, la película no empieza ___ las 8:00.
2. Vamos a ver los documentales al ___.
3. Hay mucha acción en las películas de ___.
4. Cantan en las películas ___.

(Do Practice Workbook 11-3 and 11-4.)

Gramática en contexto (páginas 362–371)

Los comparativos (páginas 363–365)

1 **Comparaciones** La gente siempre se está comparando. Usa cada uno de estos grupos de palabras para escribir frases comparativas. No olvides de usar la forma comparativa de los adjetivos. El signo > significa "más que" y el signo < "menos que."

El programa de detectives / > realista / la telenovela.
El programa de detectives es más realista que la telenovela.

1. nosotros / > prudente / ellos

2. él / < malo / ella

3. el actor / > joven / la actriz

4. los adultos / > viejo / los jóvenes

5. la película del oeste / < interesante / la película musical

(Do Practice Workbook 11-5.)

Los superlativos (página 366)

2 **La mejor, la peor** Usa estos grupos de palabras para escribir frases con el adjetivo en la forma superlativa.

La máscara del Zorro / < mala / película / todas
La máscara del Zorro es la peor película de todas.

1. Daisy Fuentes / > bueno / actriz / la película

2. Gloria Estefan / cantante / > inteligente

3. la película de terror / < mala / todas

4. las películas de ciencia ficción / > diferente / todas

(Do Practice Workbook 11-6.)

El complemento directo: Los pronombres y el infinitivo (páginas 367–368)

3 **¿Qué vas a ver?** Escribe cada una de estas frases usando *lo, la, los,* o *las* en lugar *(place)* del sustantivo *(noun).*

1. Voy a ver las películas románticas.

2. Quiero ver el anuncio.

3. Necesito ver el programa de hechos de la vida real.

4. ¿Cuándo vas a ver las nuevas películas?

(Do Practice Workbook 11-7.)

El pretérito del verbo *ver* (páginas 368–369)

4 **¿Qué ves ahora?** Cambia los verbos subrayados *(underlined)* al pretérito.

1. ¿Por qué <u>ves</u> esa película?

2. ¿Qué películas <u>ven</u>?

3. Yo <u>veo</u> un documental a las 5:00.

4. ¿Dónde <u>ve</u> Dolores ese programa?

(Do Practice Workbook 11-8.)

El complemento indirecto: Los pronombres *nos* y *les* (página 370)

5 **¡A mí sí me gusta!** Completa estas frases usando *nos* o *les.*

1. A nosotros ___ gustan los programas educativos.

2. A Carlitos y a Donaldo ___ gusta ver programas deportivos.

3. A Patricia y a Ud. ___ fascinan los dibujos animados.

4. A nosotras ___ encantan las películas musicales.

(Do Practice Workbook 11-9.)

CAPÍTULO 12

Vocabulario para conversar (páginas 384–387)

1 **El intruso** Para cada uno de estos grupos de palabras, escoge una palabra que no pertenezca *(belong)* a la misma categoría que las otras.

1. (churros / flan / aguacate)
2. (tacos / enchiladas / chile)
3. (salsa / quesadillas / guacamole)
4. (chile / harina / maíz)
5. (flan / aguacate / guacamole)

2 **La opción correcta** Completa estas frases usando el vocabulario del Ejercicio 1.

1. Un ingrediente principal del guacamole es el ___.
2. De postre quiero un ___.
3. El ___ da un sabor *(taste)* picante.
4. Esta noche quiero comer ___ con carne.

(Do Practice Workbook 12-1 and 12-2.)

Vocabulario para conversar (páginas 388–391)

1 **Definiciones** Decide cuál de las expresiones de la segunda columna define mejor cada una de las palabras de la primera columna. Escribe tus respuestas.

1. el camarero   **a.** la usas para tu café
2. el menú   **b.** donde lees tu selección
3. la sal   **c.** un condimento negro
4. la pimienta   **d.** la persona que sirve comida en un restaurante
5. la cuchara   **e.** un condimento blanco

2 **La palabra que falta** Completa cada una de estas frases con la palabra apropiada del vocabulario.

1. El lunes, los tacos, los martes, los tacos, los miércoles, los tacos. Siempre ___.
2. Quiero saber qué pedir. ¿___ el menú?
3. Para pagar, necesito ver ___.
4. Para mi café uso ___.

(Do Practice Workbook 12-3 and 12-4.)

Gramática en contexto (páginas 396–405)

Verbos con el cambio *e → i* (páginas 397–398)

1 **Vamos al restaurante.** Estas personas están en un restaurante. Escribe estas frases con la forma correcta de los verbos entre paréntesis.

1. Voy a (pedir) flan.
2. Nosotros lo (servir) a las 10:00.
3. Tú siempre (pedir) lo mismo.
4. Mis abuelos (pedir) las enchiladas.
5. El camarero (servir) el té.

(Do Practice Workbook 12-5.)

El verbo *traer* (páginas 398–399)

2 **Traer** Completa estas frases con la forma correcta del verbo *traer.*

1. Yo ___ las cucharas.
2. ¿Quiénes ___ los cuchillos?
3. Jaime ___ los tacos y los burritos.
4. Andrea y Patricio ___ muchas cosas diferentes.

(Do Practice Workbook 12-6 and 12-7.)

El complemento indirecto: Los pronombres (páginas 400–403)

3 **Sí, me gusta.** Estas personas están hablando sobre la comida. Completa las frases con el complemento indirecto apropiado.

1. Camarero, ¿___ trae la cuenta?
2. Isabel, ¿___ gusta el helado?
3. ___ compro burritos y quesadillas a mis padres.
4. A Laura y a mí ___ encanta comer en este restaurante.
5. A Juana no ___ gustan los tomates.

(Do Practice Workbook 12-8.)

El pretérito de los verbos que terminan en *-er* e *-ir* (páginas 403–404)

4 **Ayer** Estas personas están hablando sobre las actividades que hicieron *(did)* ayer. Escoge el verbo del recuadro que complete mejor cada frase. Escribe la frase usando el pretérito de ese verbo.

comer	doler	salir	vender

1. Nosotros ___ en ese restaurante ayer.
2. Ellos ___ de la escuela a las cinco de la tarde.
3. Le ___ la cabeza después de comer mucho helado.
4. Él nos ___ cinco tacos magníficos por sólo cincuenta pesos.
5. ¿Tú ___ con don Juan y ___ con él?

(Do Practice Workbook 12-9 and 12-10.)

CAPÍTULO 13

Vocabulario para conversar (páginas 418–421)

1 **Sopa de letras** Pon *(Put)* estos grupos de letras en orden para formar palabras del vocabulario.

1. R E G E T O R P
2. A R A P A G
3. O C E R R E G
4. T E N G E
5. G R N E Í A E

2 **La opción correcta** Usa las palabras del Ejercicio 1 para completar estas frases.

1. Es necesario ___ las luces antes de salir de un cuarto.
2. La ___ tiene que ___ la Tierra.
3. Nosotros tenemos que ___ las latas para la escuela.
4. Las computadoras usan mucha ___.

(Do Practice Workbook 13-1 and 13-2.)

Vocabulario para conversar (páginas 422–427)

1 **La opción correcta** Escoge la palabra que complete mejor cada una de estas frases.

1. (El caballo / El tigre) es un animal domesticado.
2. (Las fábricas / Los árboles) forman parte del medio ambiente.
3. (Las serpientes / Los jaguares) están en peligro de extinción.
4. (El oso / La ballena) vive en el océano.
5. (El pájaro / El elefante) prefiere estar en los árboles.

2 **Nuestro medio ambiente** Completa estas frases con una palabra apropiada del vocabulario.

1. No hay muchos ___ en las Américas porque son de África e India.
2. Las ___ contaminan el aire.
3. Nuestro planeta se llama la ___.
4. La ___ nos da leche y carne.
5. Para conservar energía, todos debemos usar ___.

(Do Practice Workbook 13-3 and 13-4.)

Gramática en contexto (páginas 432–437)

El verbo *decir* (página 433)

1 **¿Qué puede decir?** Completa estas frases con la forma apropiada del presente del verbo *decir.*

1. Yo ___ que debemos proteger los animales.
2. ¿Tú no ___ que es importante reciclar?
3. Mis padres ___ que las flores son muy bonitas.
4. Ellos ___ que el lobo es una amenaza para la vaca.
5. Él ___ que el aire está contaminado.

(Do Practice Workbook 13-5 and 13-6.)

El mandato afirmativo *tú* (páginas 434–436)

2 **Mis padres son mandones (bossy).** A veces los adolescentes piensan que sus padres les dan demasiadas *(too many)* órdenes. Usa los mandatos afirmativos con *tú* para darles órdenes a estas personas.

1. Pablo, ___ (poner) los libros aquí.
2. Mariana, ___ (recoger) las latas y los periódicos.
3. Estefanía, ___ (darme) la madera, por favor.
4. Nico, ___ (apagar) las luces antes de salir.
5. Emilia, ___ (reciclar) el plástico y el aluminio.

(Do Practice Workbook 13-7 and 13-8.)

El verbo *saber* (páginas 436–437)

3 **El sabelotodo** *(The know-it-all)* Completa estas frases con la forma apropiada del verbo *saber.*

1. Miguel, yo ___ que tú ___ reciclar.
2. ¿___ los profesores dónde están las ballenas?
3. Ella ___ recoger las flores.
4. El lobo ___ mucho.

(Do Practice Workbook 13-9 and 13-10.)

CAPÍTULO 14

Vocabulario para conversar (páginas 450–453)

1 **La reunión** Completa las frases con la palabra más apropiada del recuadro.

conozco	depende	reunión
dar	recibir	

1. Mis padres siempre dicen: "Es mejor ___ que ___."
2. Yo ___ a muchas personas en la fiesta.
3. No sé si voy a la ___.
4. —¿Te gustan las fiestas?
   —Bueno, ___.

2 **Definiciones** Decide cuál de las definiciones de la segunda columna corresponde a cada una de las palabras o frases de la primera. Escribe tus respuestas.

1. la fiesta de disfraces   **a.** producir música usando la voz *(voice)*
2. cantar   **b.** algo que no se hace *(isn't made)* en una fábrica
3. hecho a mano   **c.** reunión o fiesta donde todos bailan
4. soler   **d.** cuando tú llevas ropa diferente de lo normal
5. el baile   **e.** tener el hábito de hacer algo

(Do Practice Workbook 14-1 and 14-2.)

Vocabulario para conversar (páginas 454–457)

1 **En la fiesta** Escoge la palabra del recuadro que mejor complete cada una de estas frases, y escribe la frase completa.

el collar   pasarlo bien decoraciones   un reloj pulsera la fecha

1. Mi novia quiere ___ de rubíes y diamantes.
2. Necesito ___ para saber qué hora es.
3. En la fiesta, queremos ___.
4. Si queremos un ambiente menos aburrido, debemos poner más ___.
5. ___ de la fiesta es el 4 de noviembre.

2 **La opción correcta** Escoge la palabra que complete mejor cada una de estas frases, y escribe la frase completa.

1. No le gustan (los zapatos de tacón alto / las decoraciones) con ese vestido.
2. ¿En qué (arete / lugar) vas a dar la fiesta?
3. ¿Quiénes son (los invitados / las entradas)?
4. Los hombres necesitan llevar (relojes / corbatas) para comer en ese restaurante.
5. ¡Qué fiesta tan aburrida! A los invitados no les gusta la música y por eso nadie está (comiendo / bailando).

(Do Practice Workbook 14-3 and 14-4.)

Gramática en contexto (páginas 462–467)

Construcciones negativas (páginas 463–464)

1 **Eres bastante negativo.** Tienes un amigo que siempre dice lo contrario de lo que tú dices. Imagina que tu amigo dijo *(said)* estas frases y cámbialas a la forma negativa.

1. Alguien baila en la sala.
2. Tú haces mucho.
3. Mis padres comen también.
4. Mis padres y mis profesores me escuchan.
5. Siempre canto en la fiesta.

(Do Practice Workbook 14-5.)

El presente progresivo (páginas 464–466)

2 **¿Qué están haciendo?** Cambia las frases afirmativas del Ejercicio 1 al presente progresivo.

3 **El reportero** Imagina que eres el (la) reportero(a) del periódico de tu escuela y tienes que escribir un artículo sobre la fiesta de la escuela. Usa el presente progresivo de los verbos entre paréntesis para describir las fotos que vas a usar en tu artículo.

1. Mi padre (bailar) con mi madre.
2. Mis profesores (conversar) con los estudiantes.
3. Los muchachos (comer) tacos y burritos.
4. Las muchachas (hablar) sobre las decoraciones.
5. Los otros (pasarlo bien).

(Do Practice Workbook 14-6 and 14-7.)

El verbo *dar* (páginas 466–467)

4 **¿Qué le damos en su fiesta de cumpleaños?** Forma frases usando la forma apropiada del verbo *dar.*

Marta / unos aretes / Carmencita
Marta le da unos aretes.

1. (yo) / tarjetas de básquetbol / Antonio
2. mis padres / una pulsera / mi hermana
3. Teresa y yo / entradas para un concierto / nuestros mejores amigos
4. mis abuelos / un reloj pulsera / mí
5. tu novio / un collar de perlas / ti
6. tú / una camiseta rosada / mí

(Do Practice Workbook 14-8 and 14-9.)

Examen cumulativo

Here's an opportunity for you to see how well you have learned the vocabulary and grammar from *PASO A PASO 1*. Write all of your answers on a separate sheet of paper.

I. Write the letter of the response that best completes each statement.

1. Una persona que habla mucho es ___.
   - a. callada
   - b. atrevida
   - c. sociable
   - d. tacaña

2. Para poner mis cosas en orden, necesito una ___.
   - a. mochila
   - b. calculadora
   - c. grabadora
   - d. regla

3. La estación en que no vamos a la escuela es ___.
   - a. la primavera
   - b. el verano
   - c. el otoño
   - d. el invierno

4. Un ingrediente principal en la salsa es ___.
   - a. la cebolla
   - b. la lechuga
   - c. el guisante
   - d. el tomate

5. Los hijos de mis tíos son mis ___.
   - a. gemelos
   - b. hijos
   - c. primos
   - d. hermanos

6. Cuando hace frío llevo ___.
   - a. una camisa
   - b. una sudadera
   - c. un vestido
   - d. zapatos

7. A veces no puedes sacar fotos en ___.
   - a. el museo
   - b. el país
   - c. las montañas
   - d. las pirámides

8. En mi casa tengo que hacer muchos ___.
   - a. sótanos
   - b. lavaderos
   - c. quehaceres
   - d. garajes

9. Celina no puede ir porque tiene ___ de cabeza.
   - a. cuello
   - b. dolor
   - c. nariz
   - d. ojo

10. Para comprar libros necesito ___.
    - a. ir a la biblioteca
    - b. ir a la librería
    - c. comprar sellos
    - d. ir a la iglesia

11. Nunca veo ___ porque me dan miedo.
    a. las comedias
    b. las películas de terror
    c. los dibujos animados
    d. los programas de entrevistas

12. Son las 4:00. ¿Qué vamos a comer para la ___?
    a. merienda
    b. carne
    c. mantequilla
    d. pimienta

13. Vamos a reciclar las botellas de ___.
    a. serpiente
    b. piel
    c. vidrio
    d. madera

14. Necesito comprar un reloj ___.
    a. fiesta
    b. pulsera
    c. fecha
    d. lugar

II. Choose the response that best completes each thought or that best answers each question.

1. Me gusta mucho estar con amigos. Y a ti, Patricio, ¿te gusta estar con amigos?
    a. A mí sí me gusta.
    b. A mí tampoco.
    c. ¿Y a ti?
    d. No me gusta tampoco.

2. ¡Hoy tengo dos clases diferentes de matemáticas en la séptima y la octava hora!
    a. ¿De veras?
    b. ¿A qué hora estudiamos?
    c. ¿Necesitas más tarea?
    d. ¿Qué hora es?

3. ¿Puedes ir al cine conmigo?
    a. ¿Dónde puedes jugar básquetbol?
    b. Lo siento. Estoy ocupado.
    c. ¿A ti te gustaría jugar videojuegos ahora?
    d. No, no voy al parque después de las clases.

4. ¿Qué te gustaría comer para el desayuno?
    a. Un sandwich de jamón y queso.
    b. Cereal y huevos.
    c. Pollo y papas al horno.
    d. Judías verdes y un refresco.

5. José y Julia son gemelos.
    a. ¿Cuántos años tienen?
    b. ¿Julia es hija única?
    c. ¿Cómo se llaman?
    d. ¿Cuántos gemelos hay?

6. ¡Estas camisetas sólo cuestan 10 dólares!
    a. ¡Qué ganga!
    b. ¿Qué desea Ud.?
    c. ¿Dé qué color son?
    d. Me quedan bien, ¿no?

7. Quisiera pasear en bote.
    a. ¡Fantástico! ¿Cuándo piensas regresar?
    b. ¿Vamos a subir la pirámide?
    c. ¿Vas a las montañas?
    d. ¿No vas a ninguna parte?

8. Tenemos que comprar muebles.
    a. Necesitamos cortar el césped.
    b. Quisiera comprar algo de madera.
    c. ¿Dónde está el guardarropa?
    d. Las ventanas están sucias.

9. Necesito ir a la clínica.
    a. Debo quedarme en la cama.
    b. ¿Qué pasa? ¿Te duele la espalda?
    c. Hace mucho tiempo que no veo al dentista.
    d. No me duele nada.

10. ¿Cuánto cuesta enviar una carta a Uruguay?
    a. Yo devolví la carta ayer.
    b. Quinientos pesos.
    c. ¿Me compras un sello?
    d. Vamos a la tienda de regalos.

11. Es divertido ver la televisión en blanco y negro.
    a. Prefiero los programas en colores.
    b. Las películas románticas no son buenas.
    c. Me da mucho miedo.
    d. ¿Cuándo dan el pronóstico del tiempo?

12. ¿Con qué se hace el flan?
    a. Con aguacates y burritos.
    b. Es la especialidad de la casa.
    c. Con leche, huevos y azúcar.
    d. Muchas veces está picante.

13. Voy a tomar el transporte público.
    a. ¿Vas a apagar las luces?
    b. No vale la pena.
    c. ¿No está en peligro de extinción?
    d. Es bueno conservar energía.

14. Necesito una corbata.
    a. ¡Feliz cumpleaños!
    b. ¿Y también necesitas zapatos de tacón alto?
    c. ¿Vas a una fiesta elegante?
    d. ¿Dónde están tus parientes?

III. Dorotea writes in her diary about her friend Lourdes. Write the letter of the response that best completes each diary entry.

Tengo una amiga muy buena que se llama Lourdes. Ella es muy __1__. También es muy artística y __2__ gusta mucho dibujar. Tiene una colección de dibujos muy interesante. Lourdes también es mi compañera de clase y __3__ matématicas en la segunda hora, español en la cuarta hora y arte en la sexta hora. Para Lourdes la clase de arte es muy __4__ porque ya sabe hacer muchas cosas artísticas. A su hermana __5__ también le gusta mucho la clase de arte porque para ella es muy interesante. Pero para __6__ la clase de arte es __7__. No sé dibujar bien y a mí no me gusta __8__.

1. a. serio
   b. seria
   c. serios
   d. serias

2. a. le
   b. la
   c. lo
   d. les

3. a. decimos
   b. sabemos
   c. podemos
   d. tenemos

4. a. difícil
   b. ordenada
   c. atrevida
   d. fácil

5. a. mayor
   b. gemelo
   c. canoso
   d. grande

6. a. mi
   b. mí
   c. yo
   d. me

7. a. ganga
   b. aburrida
   c. cara
   d. nueva

8. a. algo
   b. nadie
   c. nada
   d. ninguno

IV. Laura writes about what her family and friends like to do on the weekend. Complete the paragraph by using the appropriate form of each word in parentheses.

Mi familia y __1__ (mi) amigos son muy importantes para mí. Nos gusta pasarlo bien. __2__ (el) sábados vamos al Museo de Historia Natural. Luego, __3__ (comer) en un restaurante donde ellos __4__ (servir) helados y frutas de postre. Yo siempre __5__ (pedir) helado de chocolate. El sábado pasado llegamos al museo a las diez de la mañana y __6__ (ver) a muchas personas en la exhibición de animales que están en peligro de extinción. Mañana es domingo y no __7__ (saber) adónde vamos a ir. Es mi cumpleaños y a mí me __8__ (gustar) ir al zoológico para celebrarlo.

V. Claudia writes about her upcoming birthday party and reminisces about last year's party. Complete the paragraph by using the appropriate form of each word in parentheses.

Anoche yo __1__ (pensar) en mi fiesta de cumpleaños. No voy a invitar a __2__ (mucho) personas porque siempre me __3__ (gustar) más celebrar mi día especial con un pequeño grupo de amigos. __4__ (le) voy a decir un poco sobre mi cumpleaños el año pasado. Mi madre y yo __5__ (escoger) las decoraciones para mi fiesta de cumpleaños. Nosotras __6__ (ir) a muchas tiendas. Mi madre me __7__ (comprar) entradas para el concierto de mi grupo favorito *Los perros angélicos*. Después, nosotros __8__ (regresar) a casa y lo pasamos muy bien en la fiesta.

Índice

In almost all cases, structures are first presented in the *Vocabulario para conversar,* where they are practiced lexically in conversational contexts. They are explained later, usually in the *Gramática en contexto* section of that chapter. Light-face numbers refer to pages where structures are initially presented or, after explanation, where student reminders occur. **Bold-face numbers** refer to pages where structures are explained or otherwise highlighted.

a 63, 91
+ definite article 91, 92, 196, **331**
with *ir* + infinitive **104, 106**
personal **237**
in time telling 63
see also prepositional phrases
accents 5, **108, 135,** 221, **403, 434**
absence of in conjunctions 221
adjectives:
agreement and formation 34, **42-43,** 109, **134, 137,** 160, 169, 201, 259
comparative 159, 291, 351, 355, **362-363**
demonstrative 185, 191, **200, 202**
nominalization of **302**
position of **201**
possessive 17, 59, 91, 155, **170,** 253, **266, 271**
superlative 351, **366**
age 17, 155, **166-167**
alphabet 14
-ar verbs:
present **70, 73-74**
preterite 191, 317, **330-331, 333**
spelling-changing 317, **333**
stem-changing **232, 236**
articles:
definite **76,** 127, **135**
with days of the week 91
with parts of the body 287
with titles of respect 65
indefinite **76,** 127, **135**

cognates 5
commands *(tú)* **432, 434**
used with object pronouns **434**
comparison 159, 291, 351, 355, **362-363**

compound subject **140**
conocer 451

dar 351, 451, **466**
dates:
days of the week 16, 91
months 17
de 10, 155
+ definite article **331**
possessive **166, 170**
in superlative constructions **366**
with time expressions 355
decir 423, **432-433**
tú command form **434**
direct object **237;** *see also* pronouns
doler 287, **298-300, 400**

emphasis *see* pronouns
en 17
with vehicles 323
encantar 123, **135,** 155, **300, 362, 400**
-er verbs:
present **138**
preterite 317, 389, **396, 403**
stem-changing **232-233, 236**
estar 31, 95, **104, 108**
use of in present progressive **462, 464-465**

faltar 389, **400**
fascinar 351
future with **ir 104, 106**

gender 58, **76, 134-135, 137, 169, 201, 202, 259, 271**
mixed **135, 204**

gustar 31, **134-135**, 155, **298, 300, 362, 400**

hace ... que 191, 287, **298, 301**
hacer 31, 253, **267**
   preterite *(sing.)* 317, 423
   tú command form **434**
   use of in weather expressions 224-225
hay 17
hay que 419

indirect object **298-300, 396, 400;** *see*
also pronouns
infinitive **73**
   after **ir a 104, 106**
   after **para** 221, **232, 235**
   after **pensar** 225, **236**
   after **poder 233**
   after **saber 436**
   after **soler** 451
   after **tener que** 253
   with object pronouns **204, 367,** 387,
   400, 421
interesar 351, **400**
interrogative *see* question formation
inversion **74**
ir 30, 91, **104-105**
   with future meaning **104, 106**
   preterite 221, **330-331, 336**
-ir verbs:
   present 253, **268**
   preterite 389, **396, 403**
   stem-changing **270, 299, 397**

jugar 94, **233**

negative 31, **74, 462-463**
   nada used for emphasis 31
   nadie 159
   ni...ni 42, 44
   ninguna parte 221
   nunca 123
   tampoco 31, **45**
nouns:
   adjectives used as **302**
   of color 185
   omission of **302**

plural **134-135**
   see also gender
numbers 16, 62-63, 155, 184, 317
   agreement of with nouns 317
   in dates 16-17
   ordinal 58, 253
   in telling age 17, 155, 166-167
   in telling time 62-63

pensar 225, **232, 236**
personal **a 237**
plural **134-135**
poder 95, **232-233**
poner 257, **267**
   tú command form **434**
possession:
   adjectives 17, 59, 91, 155, **170,** 253,
   266, 271
   with **de 166, 170**
preferir 123, **270**
prepositional phrases **302**
prepositions 253, 323
   used with prepositional pronouns 31, 95,
   106, 185, **300,** 370, **400**
present *see* individual verb listings
present progressive 455, **462, 464-465**
preterite:
   of **-ar** verbs 191, 317, **330-331, 333**
   of **-car** verbs 317, **333**
   of **-er** verbs 317, 389, **396, 403**
   of **-gar** verbs **333**
   of **hacer** *(sing)* 317, 423
   of **ir** 221, **330-331, 336**
   of **ver** 317, **368**
pronouns:
   direct object 185, **200, 204,** 318, **367,**
   387, 391, 421
   indirect object **298-300,** 351, **362,**
   370, 396, 400, 466
   with *tú* commands **434**
   prepositional 95, **106,** 185
      used for clarity **300, 370, 400**
      used for emphasis 31, **300, 400**
   subject 35, **71-72**
      compound **140**
      used for emphasis or clarity **72**
      omission of **72**

que 159, 436
querer 95, **232, 236**
question formation **74**
  accents 221
  with **¿no?** 291
  with **¿verdad?** 123

saber 419, **436**
salir 225, **268**
ser 10, 35, 127, **166, 169**
sí for clarity or emphasis 31, **45**
spelling-changing verbs *see* verbs
stem-changing verbs *see* verbs
subject pronouns *see* pronouns
superlative 351, **366**

tener 59, 159, **166-167,** 237
  expressions with 126-127, **167,** 257, 290
  with **que** + infinitive 253
  in telling age 17, 155, **166-167**
time telling **62-63**, 355

traer 389, **398**
tú vs. **usted 71-72, 140**

ver 31, **138**
  preterite 317, **368**, 403
verbs:
  -ar 70, 73-74
  -er 138
  -ir 253, **268**
  irregular *see individual listings*
  spelling-changing 191, 455
  stem-changing:
    e → i 397, 432-433
    e → ie 232, 236, 270
    o → ue 232-233, 299
  see also infinitive, preterite

weather expressions 224-225

ACKNOWLEDGMENTS

Illustrations   Andrea Baruffi: p. **104**;   Mark Bender: pp. **470-471**;   Mark Charlier: pp. **XVIII-1, 4, 11**;   Rick Clubb: pp. **211, 255, 258-259, 261, 263, 267-277, 281**;   Lane DuPont: pp. **71, 75, 252-253, 256-259**;   Tim Foley: pp. **340-341**;   Joe Fournier: p. **304**;   Tom Gianni: pp. **30-44, 158-160, 169**;   Elissé Jo Goldstein: pp. **320, 330-334**;   David Gothard: pp. **274-275**;   Seitu Hayden: pp. **7, 10, 13, 15-16, 18, 21-23, 90-91, 94-95, 98, 90-101, 105-108, 209, 234, 266, 318, 324, 326, 335-336, 396**;   Iskra Lettering Design: Hand lettering on cover and pp. **I-XIII, 1, 3, 27, 55, 87, 119, 151, 181, 217, 249, 283, 313, 347, 381, 415, 447**;   Mike Kasun: pp. **376-377**;   V. Kennedy: pp. **142-144**;   Hiro Kimura: pp. **350-357, 362, 368**; Mapping Specialists Limited: pp. **XIV-XVII**;   James Mellett: pp. **58-59, 62, 64, 211, 220-221, 224-228, 234-237**;   Deborah Melmon: pp. **122-123, 126-130, 136-139, 184-195, 201-206**;   Susan Melrath: pp. **408-409**;   Jane Mjolsness: p. **443**; Marion Nixon: p. **79**;   Rob Porazinski: pp. **307-308**;   Karen Pritchett: pp. **154-155, 162-163, 167**;   Mike Reed: pp. **418-428, 432, 437**;   Sandra Shap: pp. **286-295, 299-303**   M. Sobey: pp. **384-386, 388-390, 392-393, 399, 401-402**   Scott Snow: pp. **450-459, 462-466**;   Stephen Sweeny: p. **468**;   Greg Valley: pp. **78, 196, 206-207, 316-318, 322-323**;   Susan Williams: pp. **174-175**

Photographs   **Front and back covers, II:** Suzanne L. Murphy/FPG International;   **IV:** Otis Imboden © National Geographic Society;   **VI:** Peter Menzel;   **18:** David Ryan/DDB Stock Photo;   **28, 54-55, 63, 71, 219** (t), **250** (b): Peter Menzel;   **57, 89** (b), **297:** Jeff Greenberg/The Image Works;   **89** (t): James Hackett/Leo de Wys;   **9, 41, 49** (b), **51, 110** (c, b), **116, 131, 148** (br), **238** (br), **244** (c), **245** (b): David R. Frazier Photolibrary;   **14, 56** (t), **83, 88** (l), **102, 113, 125, 136** (br), **137, 145, 147** (r), **175, 176** (t), **177** (br), **199** (b), **216-217, 231** (tl), **238** (cr), **242** (t), **279, 320, 321** (t), **380-381, 383** (b), **399, 446-447:** Robert Frerck/Odyssey/Chicago;   **194, 265, 328-329, 346-347, 382** (c), **397, 406, 416, 438** (l), **441** (t), **473:** Beryl Goldberg;   **230-231:** Glenn Randall;   **50** (bl), **172** (b), **273** (b), **326:** Owen Franken/Stock Boston;   **273** (t): Gay Bumgarner/Tony Stone Images;   **321** (b): Charles Kennard/Stock Boston;   **XVIII** (t): F. Rangel/The Image Works;   **XVIII** (b), **103** (t): James P. Rowan;   **1** (tl, br), **6** (br), **26-27, 46** (t), **49** (c), **50** (br), **52, 80, 110** (t), **120** (l), **172** (t), **188, 232** (t, b), **238** (t, cl, bl), **240** (b), **309, 333, 395** (b): Chip & Rosa Maria de la Cueva Peterson;   **1** (tr): Richard Lord;   **1** (bl): Stan Sholik/FPG International;   **6** (tl): Tom McCarthy/PhotoEdit;   **6** (tr): Tony Freeman/PhotoEdit;   **6** (bl): Richard Hutchings/PhotoEdit;   **11, 29** (b), **115, 315** (t): H. Huntly Hersch/DDB Stock Photo;   **19:** David Lavender;   **24, 29** (tl), **35, 66-67, 69** (t), **70, 73, 74** (t), **74** (b), **77, 88-89, 101, 107, 108, 111** (l), **111** (r), **132** (t), **133** (c), **136** (t), **136** (bl), **162** (l), **162** (r), **164** (b), **165** (tl), **188-189, 189** (r), **195, 197, 200, 212** (b), **231** (tr), **234** (l), **237, 240** (t), **244** (t), **245** (cl), **250** (t), **251** (b), **262, 284-285, 296** (b), **301, 314** (t), **342, 358-359, 365** (b), **370, 374, 398** (b), **402-403, 429** (l, b), **438** (r), **468, 472** (t): PhotoDisc;   **29** (tr), **348** (b): Owen Franken;   **39:** Don Smetzer/Tony Stone Images;   **40, 264:** Stuart Cohen/The Image Works;   **45, 307:** Bob Daemmrich/Tony Stone Images;   **46** (b): David Young-Wolff/Tony Stone Images;   **47** (t): Private Collection, © Images Modernes, photo: E. Baudoin;   **47** (b): Museo del Prado, Madrid, Spain/Giraudon, Paris/Superstock;   **50** (t): Jack Parsons;   **56** (c), **360** (t): Ulrike Welsch/Stock Boston;   **56** (b): Artville;   **60, 448** (r): Bob Daemmrich/The Image Works;   **65:** Karl Weatherly/Tony Stone Images;   **68:** Cameramann/The Image Works;   **69** (b), **120** (r): Nancy D'Antonio;   **74** (c), **103** (b), **133** (b), **152** (t), **165** (tr), **275** (b): Ulrike Welsch;   **83** (inset), **261** (t), **278** (t), **361, 405:** Joe Viesti/Viesti Collection;   **86-87:** Oliver Benn/Tony Stone Images;   **88** (r): Diane Joy Schmidt;   **102-103, 312-313, 411:** D. Donne Bryant/DDB Stock Photo;   **104:** Peter Seaward/Tony Stone Images;   **106, 218** (l): Wolfgang Kaehler;   **109, 314** (b): M. Algaze/The Image Works;   **112** (r): Courtesy Paramount Pictures/United International Pictures, Madrid;   **118-119, 278** (b): Robert Frerck/Tony Stone Images;   **121** (b): Martha Cooper/Viesti Collection;   **132** (b): Steve Vidler/Leo de Wys;   **133** (t): Rob Lewine/The Stock Market;   **146** (t), **315** (b), **386, 396** (tl, r, bl), **403, 437, 474:** Robert Fried;   **146** (b), **250** (c): Timothy Ross/The Image Works;   **147** (l), **150-151, 156:** Suzanne Murphy-Larronde/DDB Stock Photo;   **152** (bl), **176** (br), **274, 284** (b), **343** (inset), **460, 461, 466:** Bob Daemmrich/Stock Boston;   **152** (br): Dale Boyer/Tony Stone Images;   **153:** N. Frank/Viesti Collection;   **157** (t): Courtesy Roberto Mamani Mamani;   (b): John Beatty/Tony Stone Images;   **164** (t): David Baird/Tony Stone Images;   **171:** ©Fernando Botero, **On the Park**, 1996, courtesy, Marlborough Gallery, NY;   **174** (l): David Young-Wolff/PhotoEdit;   **174** (r): Mary Kate Denny/PhotoEdit;   **176** (bl): Ilene Perlman/Stock Boston;   **177** (t): R. S. Wagner;   **177** (bl): Spencer Grant/Stock Boston;   **180-181:** Barbara Alper/Stock Boston;   **182** (t), **296** (t): Alyx Kellington/DDB Stock Photo;   **183** (t), **208** (t), **251** (t), **427, 435, 469:** Stuart Cohen;   **183** (b), **260** (b): David Simson/Stock Boston;   **189** (t, b), **395** (inset): Robert Fried/DDB Stock Photo;   **197** (t): Crandall/The Image Works;   (b): John V. Cotter/DDB Stock Photo;   **198, 236** (b), **240-241:** Macduff Everton/The Image Works;   **198-199:** Viesti Collection;   **199** (t): Chad Ehlers/Tony Stone Images;   **212** (t): Tony Arruza;   **214:** Peter Menzel/Stock Boston;   **218** (r), **305** (t): Eric Lessing/Art Resource, NY;   **219** (b): Max & Bea Hunn/DDB Stock Photo;   **232** (c): David Wells/The Image Works;   **233:** Maria Loxas;   **234** (r): Sonda Dawes/The Image Works;   **243** (t): Corbis-Bettmann;   **243** (b): Randy G. Taylor/Leo de Wys;   **244** (b): Ray Pfortner/Peter Arnold Inc.;   **245** (t, cr): Comstock;   **248-249:** Chris R. Sharp/DDB Stock Photo;   **261** (b): Vince DeWitt/DDB Stock Photo;   **272:** Robin Smith/Tony Stone Images;   **275** (t): Charles Gupton/Stock Boston;   **282-283:** Schalkwijk/Art Resource, NY;   **284** (t): Jeff Greenberg/PhotoEdit;   **285:** Victor

Englebert;   **305** (b): Museu Picasso, Barcelona/Index/Bridgeman Art Library, London/Superstock;   **327**: Collection of the Art Museum of the Americas/Organization of American States, Washington DC;   **334** (t): Richard During/Tony Stone Images;   (b): Rob Crandall/Stock Boston;   **338** (t): Ruth Dixon/Stock Boston;   **338** (b): Richard Pasley/Stock Boston;   **343** (inset), **440** (t), **472** (b): Bob Daemmrich Photography;   **344**: K. Preuss/The Image Works;   **348** (t): Courtesy Galavisión;   **349**: Anthony Neste/Gamma Liaison;   **375**: Everett Collection;   **376-377**: Courtesy Coral Pictures Corporation, Miami/Radio Caracas Televisión, Venezuela;   **382** (t): Mark Kelley/Stock Boston;   **383** (inset): Robert Fried/Stock Boston;   **412, 463**: Gary A. Conner/PhotoEdit; **414-415**: Wayne Lynch/DRK Photo;   **417**: Gerard Lacz/Animals Animals;   **425**: Courtesy Alfredo Arreguín, Collection Dave Anderson;   **430** (t): James A. Hancock/Photo Researchers;   **430** (b): drawing by Eduardo Aparicio/Courtesy American Museum of Natural History;   **431**: Robert A. Tyrrell/Animals Animals;   **431** (inset): Richard La Val/Animals Animals;   **436**: Gerry Ellis/ENP Images;   **439**: Art Wolfe/Tony Stone Images;   **441** (b): Courtesy Waste Management, Inc.;   **442**: Betsy Blass/Photo Researchers; **444**: Michael Fogden/DRK Photo;   **448** (l): Robert Yager/Tony Stone Images;   **449**: Daniel Aubry/Odyssey/Chicago

Realia Page 112: From "Calendario" from EL DIARIO DE JUÁREZ, July 16, 1993, p. 7. Reprinted by permission;   **Page 140:** "Plátano, rico para comer" from MUY INTERESANTE, September 1998, #208, p. 26. Copyright 1998 by G y J España Ediciones S.L.S. en C. Reprinted by permission of G y J España Ediciones S.L.S. en C.;   **Page 223:** "A dónde va la gente con la maleta a cuestas" from MUY INTERESANTE, June 1998, #205, p. 42. Copyright 1998 by G y J España Ediciones, S.L.S. en C. Reprinted by permission of G y J España Ediciones S.L.S. en C.;   **Page 367:** "Héroes de plastilina" from METRÓPOLI, November 1996, #338, p. 120. Reprinted by permission of Metrópoli Unidad Editorial, S.A.;   **Page 372:** "Perdidos en el espacio" by Alma Delia Puga Aguilar from CINEMANÍA, Year 3, #26, November 1998, p. 27. Reprinted by permission of Compañía Editorial Cinemanía, S.A. de C.V.